Alain Chaignon

La France de nos terroirs

Si vous souhaitez recevoir notre catalogue et être tenu au courant de nos publications,
envoyez-nous vos nom et adresse en citant ce livre et en précisant les domaines qui vous intéressent.
SOLAR
12, avenue d'Italie, 75013 Paris
Site internet : www.solar.tm.fr

Coordination éditoriale : Francis Delabarre
Recherche iconographique : J. da Cunha
Conception graphique, réalisation et photogravure : Graph'M

ISBN : 2-263-02919-2
Code éditeur : S02919
Dépôt légal : avril 2006

Étourdissante mais fragile mosaïque de pays

« Vous êtes d'où ? Nous on est du 76, et vous ? » « On vient du 93, en banlieue parisienne. »

Échangés dans une émission télévisée, ces propos rappellent la difficulté des Français à identifier leurs lieux de vie dans un contexte d'urbanisation et d'uniformisation des modes de vie. Si l'on ajoute que le maillage qui divise notre territoire en vingt-deux régions accuse de fortes disparités géographiques sans toujours respecter les frontières des anciennes provinces, on comprendra pourquoi la notion de « pays » renaît avec force. Mais que recouvrent les appellations communément admises de « terroirs », « pays » ou « petits pays » ?

A l'origine, un « pays » ou « petit pays », est fondé sur une ou plusieurs structures géologiques qui, au cours du temps, ont façonné le sol, le paysage, concouru aux formations des climats locaux et formé des « terroirs » sur lesquels les hommes se sont implantés et adaptés. Se sédentarisant, ils ont déterminé ainsi des évolutions naturelles et cuturelles spécifiques, délimitant des frontières « humaines » à ces petits pays, c'est-à-dire à des territoires qu'un homme peut parcourir à pied ou à cheval en une journée.

Estimés entre quatre-cents et quatre-cent cinquante, ces territoires sont nés autant de cette longue genèse géologique que du travail millénaire de l'homme qui les a façonnés en terre nourricière, y modelant labours, prairies, bocages, vignoble... et y édifiant des villages aux couleurs des matériaux locaux. À ce labeur se sont superposés vingt siècles de conquêtes (romaine, germanique, anglaise...) – qui rappellent combien la situation privilégiée de la France, carrefour de l'Europe entre Atlantique et Méditerranée, attisa les convoitises – et autant de temps de centralisme étatique pour fondre en une même nation des territoires très différents. D'anciennes circonscriptions gallo-romaines, les pays ont souvent évolué en diocèses, évêchés, comtés, duchés, baillages... avant d'être rattachés au royaume, au gré d'échanges de terres ou de conflits meurtriers. Leurs appellations sont multiples et plongent leurs racines dans l'histoire locale et le milieu naturel. Ainsi, l'Audomarois honore-t-il la mémoire du moine Saint-Omer, tandis que Calaisis, Dijonnais, Poitevin... ont adopté le nom de leur capitale historique. D'autres doivent leur patronyme à la terre qui les porte, Champagne (champs sans enclos), Gâtine (terre pauvre), Graves (sols caillouteux)..., à un massif montagneux (Haut-Jura), à des fleuves reliés à l'océan (Entre-Deux-Mers), à une forêt (pays d'Yveline)...

Depuis 1995, les lois Pasqua et Voynet encouragent la renaissance de ces entités supplantées par les actuels quatre-vingt-quinze départements – voire leur création lorsqu'ils n'ont pas d'existence historique. Assimilés à des « bassins de vie et d'emplois caractérisés par une cohésion géographique, économique ou culturelle », ils peuvent signer des contrats de développement avec l'État pour initier ou relancer des activités et mettre en commun des équipements publics. Attractive, la notion de pays a aussi pour but de favoriser la fréquentation touristique. Car si la France peut se féliciter d'être la première destination de voyage au monde (soixante-quinze millions de visiteurs étrangers y ont séjourné en 2000), force est de constater que ce sont surtout l'Ile-de-France et la région Provence-Alpes-Côte-d'Azur qui en profitent.

Ni immuables ni figés dans un beau décor champêtre, ces territoires subissent depuis cinquante ans de profondes mutations pour répondre aux contraintes de l'agriculture moderne. Pour faire face à la concurrence mondiale, les derniers paysans lourdement endettés doivent produire toujours plus et moins cher, pliant terre et bêtes à une logique dont les crises sanitaires et de surproduction ont montré les dangers. Conséquences, l'arrachage des haies (pour remembrer les sols), la généralisation des cultures céréalières, l'élevage industriel... ont bouleversé un équilibre millénaire, favorisant les inondations, la pollution des nappes phréatiques, la raréfaction de la flore et de la faune... Quant aux zones les moins productives (Auvergne, Limousin, Pyrénées...), elles sont à présent désertées et leur patrimoine est laissé à l'abandon.

Vous vous étonnerez peut-être de voir mis en avant l'échelon régional pour aborder les pays de France. Mais il nous fallait faciliter leur localisation en les rattachant à leur famille administrative. À l'érudition descriptive, nous avons préféré une approche de « géographie touristique », pour vous faire découvrir les types de paysages, les activités développées par l'homme et les savoir-faire qui en sont nés. Mais l'éventail était si vaste que nous avons dû faire un choix et écarter certains pays. Une telle sélection paraîtra critiquable (voire arbitraire !), mais révéler exhaustivement une si riche mosaïque de pays nous aurait imposé une formulation télégraphique non illustrée.

Nous espérons, à travers ces coups de cœur, vous donner l'envie de redécouvrir vos racines !

Alain Chaignon

SOMMAIRE

SOMMAIRE

BRETAGNE NORMANDIE

Les pays de Bretagne, dressés en vigie face à l'océan, s'inscrivent entre deux civilisations, l'une de l'Armor, pays de la mer, l'autre de l'Argoat, pays de la terre. Les pays de Normandie, peuplés de vaches placides aux mamelles généreuses et de chaumières cernées de pommiers en fleur, sentent bon le terroir mais n'en restent pas moins tournés vers la mer.

Côte entaillée d'estuaires où s'unissent mer et terre, golfe formant une mer intérieure peuplée d'îles et d'îlots, vastes étendues de légumes favorisées par les courants chauds du Gulf Stream, nulle part ailleurs ne se retrouve une telle dualité...

Proue de l'Europe, fierté de la culture celte

Avec sa forme de péninsule avancée dans l'océan et sa côte morcelée, échancrée de criques et hérissée de caps et de promontoires, la Bretagne décline une étonnante variété de sites !

• Curieusement, sur la côte comme dans les îles, on vivait d'abord de l'agriculture et de l'élevage. Sur l'île d'Ouessant, plus de cent vingt exploitations étaient recensées au XIXe siècle ! La pêche était peu pratiquée, en raison des fureurs de l'océan et du relief déchiqueté du littoral.

• Grâce à un travail acharné et malgré les crises successives (quotas laitiers, Marché européen, pollution des sols et de l'eau, ESB...), la Bretagne s'est hissée au premier rang pour la production de légumes (choux-fleurs, artichauts...) comme pour celle du lait, et elle assure un quart de l'élevage (poulets, dindes, porcs...).

• Au XVIe siècle, la province abrite soixante-dix ports parmi lesquels Brest, Lorient, Paimpol, Saint-Malo, qui commercent avec l'Europe, les Indes et le Nouveau Monde. Armateurs, corsaires, pêcheurs sillonnent les mers, se lançant à la conquête de terres lointaines, s'emparant de la flotte marchande anglaise, organisant les campagnes de pêche à la morue à Terre-Neuve. Là aussi, l'économie de la pêche et de l'ostréiculture demeure, malgré les crises, en tête de la production française. À présent, on ne court plus pour la fortune ni pour la gloire, mais pour la passion et le désir de se surpasser ! Jacques Cartier, découvreur du Canada en 1534, et Surcouf, le légendaire écumeur des mers, ont cédé la place aux figures mythiques de la Route du Rhum : Éric Tabarly, Olivier de Kersauson, Florence Arthaud...

• Héritiers des cultes celtiques et victimes du déchaînement des éléments, paysans et marins ont développé des pratiques religieuses où croyances surnaturelles et foi ardente font bon ménage ! Si pardons, processions, Tro Breiz ont un peu perdu de leur force, musique et danse connaissent un étonnant renouveau, montrant que les pays de Bretagne, unis par un même drapeau, restent plus que jamais attachés à leur culture celtique.

Pays d'agriculture

• LE PORHOËT • LE PAYS DE RENNES

À côté des cultures céréalières et fourragères, ils se consacrent à l'élevage de vaches laitières, poulets, dindes, porcs... Leurs paysages émaillés de forêts millénaires et de cités médiévales se visitent au hasard des chemins creux bordés de landes, ou de la Vilaine navigable grâce à un réseau d'écluses.

Le Porhoët

Et sa forêt légendaire !

Ici bat le cœur de l'Argoat ! Paisibles campagnes où champs et prairies se répondent, forêt de Brocéliande où plane le souvenir de Merlin l'enchanteur, landes de bruyères coupées de vallées... ainsi se présente le pays des bois que l'on oppose à l'Armor, pays des côtes. Cultures céréalières et fourragères, élevages bovin et porcin, industries agro-alimentaires se partagent son plateau situé entre basse et haute Bretagne.

Dominant la vallée de l'Oust, Josselin offre aux regards ses maisons à pans de bois des XVIe et XVIIe siècles. Agencées en bouquets serrés, elles épousent le tracé des anciens remparts et délimitent des rues étroites aux noms évocateurs : rue de la Tannerie, des Lavandières, des Saulniers...

Campé sur une esplanade rocheuse surplombant l'Oust, le château des Rohan montre deux visages : l'un militaire et sévère tourné vers la rivière, l'autre exubérant d'ornementations, étageant fenêtres en ogives et lucarnes à deux étages qui se joignent par des balustrades ciselées. La devise gravée sur son fronton (« Roi ne puis, prince ne daigne, Rohan suis ») rappelle l'influence de ses propriétaires. Canalisée au XIXe siècle pour relier Nantes à Brest, l'Oust qui coule à ses pieds a connu un

Ci-dessus : joyau médiéval, Josselin est une pittoresque cité avec une basilique flamboyante pour cœur battant et un majestueux château pour sentinelle.

Ci-dessous : croyances païennes, fables et légendes plongent leurs racines à Brocéliande.

intense trafic dû à l'importation de vins et de matériaux de construction, et à l'exportation des draps fabriqués dans la cité. Ouverte à la navigation de plaisance, elle forme un circuit qui, de Mayenne à Brest en passant par Lorient et Nantes, invite à découvrir la Bretagne intérieure.

Au sud-ouest, s'ouvre la mythique forêt de Brocéliande où, au temps de la Gaule celtique, les druides pratiquaient leur culte divinatoire. Dans ce décor de chênes et de hêtres aux formes étranges, parsemé de sources, de bruyères, de genêts, de mégalithes et de châteaux, sont nés les récits merveilleux du roi Arthur, des chevaliers de la Table ronde et l'idylle de Merlin l'enchanteur avec la fée Viviane. La forêt de Brocéliande s'étendait jadis sur toute la Bretagne intérieure et abritait d'importantes forges. Appelé aussi forêt de Paimpont, ce havre ressourcera randonneurs et passionnés de traditions celtiques !

Autour de la jolie cité de Mûr-de-Bretagne, se trouve le lac de Guerlédan, où l'on pratique canoë, voile, baignade et pêche. Non loin, les gorges du Daoulas et du Poulancre forment de hauts escarpements couverts de bruyères et de pins.

Dans le verdoyant écrin de la forêt de Quénécan, la cité métallurgique de Forges-des-Salles déploie une harmonieuse architecture de maisons d'ouvriers, halle à charbon, maréchalerie, demeure de maître. L'eau d'un étang voisin servait à refroidir les forges, tandis que la forêt fournissait le combustible.

En haut à gauche : la mise en eau du lac de Guerlédan, en 1950, a noyé les carrières de schiste dont on extrayait les ardoises de toiture.

Dans la vallée du Blavet (en haut à droite), à Pontivy, se dresse le château de Rohan (en bas à droite), dont les tours sont reliées par d'épaisses courtines de 5 mètres.

Au confluent du canal de Nantes à Brest, Pontivy est une cité au tracé géométrique conçue par Napoléon Ier en 1805. Cette ville s'ordonne autour de la caserne des fédérés qui, gagnés à la cause de la Révolution, combattaient les Chouans. Jusqu'en 1870, elle s'est appelée Napoléonville ! Ancien fief de la maison de Rohan, elle conserve aussi des maisons à pans de bois, une basilique de style flamboyant et un imposant château.

Le pays de Rennes

Souverain et frontalier

Établi dans un vaste bassin argileux, le pays de Rennes forme une contrée agricole vouée aux céréales et à l'élevage de vaches laitières et de porcs. Du nord au sud, la Vilaine musarde entre prés et escarpements de grès rose et de schiste rouge. Au sud, entre Pont-Réan et Saint-Malo-de-Phily, le fleuve resserre son cours pour franchir des passages encaissés et des petites gorges pourprées que surplombent bosquets et landes fleuries. Navigable grâce à un réseau d'écluses, la Vilaine ménage des sites variés et pittoresques, tel le moulin de Boël qui dresse sa façade en éperon dans le lit de la rivière pour affronter le courant.

Au confluent de l'Ille et de la Vilaine, Rennes est à la fois capitale régionale et capitale de pays. Siège de l'assemblée de Bretagne, ville universitaire et tertiaire, elle conserve sa suprématie politique, économique et culturelle acquise au Moyen Âge.

À ses prérogatives religieuses de siège d'un évêché, elle ajouta, au XIIe siècle, une fonction militaire de ville frontière face au duché de Normandie anglais. Trois enceintes mettaient en sûreté ses habitants et artisans. Après le rattachement de la Bretagne à la couronne, Henri II la dota en 1561 d'un parlement dont la construction attira une pléiade d'artistes (sculpteurs, peintres...), ainsi que l'élite de la noblesse chargée de l'administration de la province. Hélas, en 1720, un incendie la ravagea sept jours

Ci-dessus : symbole de l'identité bretonne, le Parlement de Bretagne, à Rennes, abrite le palais de justice.

Faïence, *broderie* et **charpentiers** *de* marine

Née en 1690, la faïence de Quimper doit son existence à trois artisans (provençal, bourguignon et... normand !) Styles de Marseille et de Moustiers, « coups de pinceau » de Nevers et poncifs de Rouen se sont associés pour faire naître une importante production de vaisselle.

Introduite sous la Révolution, la broderie tisse un riche patrimoine vestimentaire ! Orgueil de la Bretagne et emblèmes de ses pays, coiffes, chapeaux, vestes, gilets, jupes... s'ornent de cercles, chaînes de vie, plumes de paon, cornes de bélier, brodés au fil de soie blanc, d'or, d'argent, parfois rehaussés de perles de verre taillées. Au XIXe siècle, les ateliers de Quimper et de Pont-l'Abbé comptaient cinquante brodeurs. Le travail était l'apanage des hommes réunis en corporation (avec ses règles, ses fêtes...), car il fallait de solides doigts pour percer les épaisseurs de drap et de toile avec une aiguille ! Les femmes se consacraient à la broderie sur tulle pour confectionner les coiffes, napperons et couvre-lits.

Goélettes, sinagots, morutiers... la Bretagne compte nombre d'embarcations. Jadis, chaque port armait un modèle de bateau conçu pour pratiquer un type de pêche (à la sardine, à la langouste...). Depuis quelques années, amoureux de la mer et charpentiers de marine joignent leurs efforts pour ressusciter ces belles chaloupes et proposer des croisières touristiques.

En encadré :
En haut : broderies au musée de Quimper.
Au milieu : à travers les décors qu'ils créent, les peintres céramistes font revivre la Bretagne traditionnelle et ses paysans en sabots coiffés de chapeaux ronds, ses brodeuses au coin du feu, ses marins sur le départ...
En bas : musée de Concarneau.

durant. Neuf cent cinquante maisons à pans de bois disparurent, bientôt remplacées par des immeubles à arcades de granit – tout recours au bois étant banni ! Les normes strictes et la réorganisation de la voirie amenèrent la création de quartiers d'aspect uniforme qui lui valurent une réputation d'austérité. Heureusement, le quartier animé de la cathédrale, la place des Lices, où se déroulaient jadis les tournois des chevaliers, a conservé son architecture d'antan.

Symbole de l'identité bretonne, le Parlement de Bretagne mérite une visite approfondie. Détruit par un incendie en 1994, il a retrouvé sa superbe, grâce à une mobilisation générale et au talent des artisans d'art qui ont œuvré à la restauration de ses boiseries, plafonds sculptés et tapisseries.

Ci-contre : le château de Fougères compte trois enceintes crénelées, hérissées de treize tours et séparées par des fossés.

Ci-dessous : dans le quartier animé de la cathédrale de Rennes, subsistent de beaux alignements de colombages.

Dans les environs, la rareté de la pierre à bâtir est à l'origine d'une architecture en « bauge » d'un bel ocre jaune. Ce mélange d'argile et de paille est compacté entre deux planches de bois pour former les murs de maisons de maître, fermes et dépendances. Un soubassement de schiste leur évite le contact avec l'eau du sol. L'élévation se fait progressivement, car il faut attendre que la première couche sèche pour la retailler et la recouvrir d'une toiture à quatre pans.

À l'est, la campagne est émaillée de forteresses et de manoirs qui formaient le verrou de la Bretagne féodale. Au nord, à Fougères, dans le pays voisin, le château forme un ensemble de 2 hectares. À l'ouest, dans le pays de Vitré, le château aux murailles impressionnantes de Vitré épouse le contour triangulaire de l'éperon qui le porte. La ville est enclose dans des remparts qui abritent de belles maisons médiévales et des hôtels particuliers gothique et Renaissance.

Pays de mer

• Le pays de Dinan • Le Vannetais • Le Trégor
• Le Léon • La Cornouaille

3 000 kilomètres de côtes pour une distance d'un peu plus de 500 kilomètres à vol d'oiseau ! Comment imaginer tracé plus échancré ? Caps, falaises, criques, anses de sable fin, estuaires où s'unissent terre et mer sont légion. Dans les terres, l'agriculture reste prédominante, formant une « Ceinture Dorée » de légumes. Des trésors d'architecture vous y attendent.

Le pays de Dinan

Terre de corsaires et de gentilhommières

Ses villages de pêcheurs ont laissé place, au XIXe siècle, à un chapelet de stations balnéaires prisées des Anglais : Saint-Briac, Saint-Jacut, Saint-Lunaire... À l'est, près de la pointe du Grouin qui offre un beau panorama sur le cap Fréhel, ses falaises aux teintes cuivrées, le Mont-Saint-Michel et la côte normande, l'île des Landes abrite cormorans, goélands, tadornes... Les rochers de Rothéneuf forment, face à la mer, un bas-relief de 500 m² sculpté de figures de saints, de corsaires, de monstres de l'Apocalypse.

Derrière son épaisse ceinture de remparts cernée par la mer et peuplée d'altières demeures, Saint-Malo a exercé son pouvoir sur le monde ! Indépendants et entreprenants, ses habitants ont, dès le XIIe siècle, délaissé leurs filets pour conduire les Croisés en Orient.

En haut : à Dinard, l'estuaire de la Rance entaille profondément le pays, créant à l'intérieur des terres une atmosphère marine mais à l'abri des embruns.

Au milieu : les rochers de Rothéneuf, poème de granit et chef-d'œuvre de l'art naïf.

En bas : Saint-Malo force l'admiration !

Dotée de franchises, Saint-Malo affirma sa vocation maritime, faisant le commerce d'épices, d'huile et de toiles, se lançant à la conquête de terres lointaines – Jacques Cartier découvrit le Canada en 1534 –, organisant les campagnes de pêche à la morue vers Terre-Neuve... En 1590, la cité refusa de se soumettre au roi protestant Henri IV et la bourgeoisie d'affaires érigea la ville en république ! Devenue premier port de France, elle traita d'égal à égal avec les banquiers de Louis XIV. Au XVIIIe siècle, elle devint ville de corsaires et pratiqua la « guerre de course », s'emparant de la flotte marchande anglaise. À la différence des pirates, ces écumeurs de mer – dont Surcouf est la figure mythique – agissaient uniquement sur ordre du roi, auquel ils reversaient une part du butin. Détruite en 1944 à l'exception de ses remparts et de ses bastions, Saint-Malo fut patiemment et fidèlement restituée.

Les chemins de la *prière*

Depuis le XIVe siècle, il n'est point de rémission des péchés sans pardon ! Codifié par l'Église, ce pèlerinage accordait aux chrétiens (sous la menace du châtiment divin) l'absolution de leurs fautes – d'où le nom de « pardon ». Si beaucoup de ces chemins ont disparu, certains restent très vivaces. Ils s'ouvrent par une procession lors de laquelle les paroissiens, vêtus de chatoyants costumes, portent bannières, statues de saints et reliques. Des cantiques chantés en breton, un office célébré en plein air près d'une chapelle ou d'une fontaine sacrée et la présentation des reliques du saint protecteur en sont le rituel. Tous les six ans, la grande Troménie de Locronan ressuscite l'itinéraire (12 kilomètres !) qu'empruntait, au Xe siècle, le moine irlandais saint Ronan auquel on attribue de nombreux miracles.

Dans la tradition celte, le lait (et ses dérivés) permet de guérir les maladies et de favoriser la fécondité. Au pardon de Notre-Dame-du-Krann (à Spézet), les femmes font offrande à la Vierge d'une motte de beurre sculptée de vaches et de mamelons.

Des pardons ont aussi évolué en assemblée patronale pour célébrer un saint local et... obtenir remède à ses maux. Pour lutter contre le mal de dos ou les rhumatismes, on se rendait au pardon de Saint-Laurent-du-Pouldour (à Plounérin), et on faisait le tour du cimetière à genoux avant de se mouiller le corps dans une fontaine guérisseuse. Pour recouvrer vue et santé, on allait à Saint-Jean-du-Doigt, toucher la relique de saint Jean-Baptiste. L'Anglais Thomas Trollope, en visite en 1839, décrivit cette cour des Miracles où se retrouvaient « les mendiants loqueteux venus en force, les pouilleux difformes et gémissants, les estropiés moribonds grouillant de vermine [...] ».

Défenseur des pauvres, des veuves et des orphelins, saint Yves est célébré en mai par des avocats et des magistrats en toge, qui se rallient à son message de justice et de générosité. Parfois, des communes orphelines de pardon s'en inventent un !

Depuis 1979, la Madone aux motards de Porcaro rassemble un millier de conducteurs bardés de cuir, venus faire bénir leurs vrombissants engins.

Ci-dessus : le vert insondable des vagues a valu au pays de Dinan le nom de Côte d'Émeraude.

En encadré : pèlerinage du Pardon à Josselin.

Sur la rive gauche de la Rance, Dinard est une souriante station balnéaire née de l'engouement de l'aristocratie anglaise pour son site et la douceur de son climat. Ici, les rives colorées de la Rance sont émaillées de bras de mer, rias où se mêlent eaux douces et salées, bourgs nichés au creux de criques, fermes solitaires... Les marées à forte amplitude impriment leur rythme, couvrant et découvrant les grèves, modifiant la perspective, isolant les bateaux qui hivernent.

À l'est, le pays d'Aleth (ou Clos Poulet) forme une presqu'île avec la baie de Cancale. Au XVIe siècle, elle devient la campagne favorite des armateurs enrichis de Saint-Malo. Délaissant une ville à l'étroit derrière ses remparts, ils s'y font bâtir des villégiatures appelées « malouinières ». Si certaines sont modestes, d'autres sont princières. Conçues à partir de plans d'ingénieurs militaires, elles ont en commun une architecture classique, la symétrie de leurs ouvertures disposées en travées régulières et superposées, des encadrements en granit et une toiture pentue ajourée de lucarnes à frontons.

Bâtie dans le fond de la baie de la Rance, Dinan est l'une des villes d'art et d'histoire les plus attachantes. Place forte du duché, elle fut convoitée pour son port qui, distant de 20 kilomètres de la Manche, formait un centre d'échange majeur entre l'arrière-pays et Saint-Malo. Jusqu'en 1850, la Rance était sillonnée de gabares chargées de bois, de draps, de blé. Aubergistes, tisserands, négociants en vin tenaient boutique sous des maisons à porches, formant de longs passages couverts abrités de la pluie et du vent. À l'intérieur de son enceinte, Dinan conserve une centaine de ces demeures.

Plus à l'est, Combourg perpétue le souvenir de François-René Chateaubriand. Né à Saint-Malo en 1768, il séjournera dans son château jusqu'à dix-huit ans, entouré d'un père d'humeur sombre et d'une mère dévote, entre tristesse, isolement et exaltation.

Le Vannetais

Des îles et des mégalithes

Nulle part ailleurs terre et mer ne se mêlent aussi intimement ! Un caprice géologique a créé, il y a quatre cent millions d'années, le golfe du *mor bihan* (« petite mer » en breton). Cette mer intérieure de 12 000 hectares (20 kilomètres de long sur 15 kilomètres de large) communique avec l'Atlantique par un étroit goulet où s'engouffrent de violentes masses d'eau. On dit ici qu'elle enserre autant d'îles et d'îlots que de jours de l'année – en fait environ trois cents. Chalutiers, voiliers et sinagots y orchestrent un ballet coloré au rythme des marées. À chaque îlot, on découvre un site mégalithique, une chapelle, une crique… À l'arrière-plan, marais, vasières et landes sont le royaume des oiseaux migrateurs. D'octobre à avril, hérons, cormorans, harles huppés, chevaliers gambettes… y élisent domicile. Empreintes de douceur de vivre, l'île d'Arz et l'île aux Moines comptent respectivement deux cent cinquante et six cents habitants. Sur 6 kilomètres de long, l'île aux Moines est la plus importante (et la plus touristique !). Ses maisons basses de pêcheurs, ses villas entourées de pins, de palmiers et de camélias, ses murets de pierres sèches et ses collines de bruyères invitent à la détente et à la flânerie.

Au sud, le golfe est fermé par les presqu'îles de Locmariaquer et de Rhuys, bordées de plages et de rochers tapissés de coquillages que traquent à marée basse les pêcheurs à pied.

À l'est, on trouve le château de Suscinio, ancienne résidence des ducs de Bretagne. Jadis, des salines occupaient les côtes, et les moulins à marée – emprisonnant l'eau derrière une digue pour faire tourner leurs meules – produisaient farine, huile et papier.

Ci-dessus : à côté des célèbres menhirs (pierres debout), on découvre maints dolmens (tables de pierre), cromlec'h (cercles de menhirs) et tumulus (tertres funéraires en pierre couvrant un dolmen).

Ci-dessous : la presqu'île de Quiberon est rattachée au continent par un tombolo (isthme de sable).

À côté du tourisme, l'économie repose sur l'ostréiculture (huîtres plates et creuses) et la pêche au casier (crabes, crevettes, seiches…).

Lovée au fond du golfe, Vannes, ville d'art et d'histoire, distille un parfum médiéval hérité d'un florissant passé maritime. Ses navires, chargés de vins de Bordeaux, mouillaient sous ses remparts avant de partir pour l'Espagne, les cales pleines de blé, d'huile et de sel. Siège des États généraux, elle vit signer, en 1532, le rattachement de la Bretagne à la France. À découvrir : les tours et portes fortifiées, les maisons à colombages, la cathédrale et le lavoir adossé aux remparts qui serpentent le long de la rivière.

Au nord, dans les terres, la campagne parcourue de rivières et de bocages se consacre à l'élevage intensif et à la culture des haricots verts, épinards, petits pois, carottes…

Auray, ses belles maisons du XVe siècle et son pont d'allure médiévale offrent un beau prélude à la visite de Sainte-Anne-d'Auray.

L'apparition de sainte Anne, en 1625, à Yves Nicolazic (paysan estimé et fervent chrétien), puis l'incendie inexpliqué de sa grange (le grain et la paille furent épargnés mais les murs de pierre n'étaient plus que braises) sont à l'origine du pardon qui réunit, tous les ans, des centaines de milliers de pèlerins.

Au sud-est s'ouvre le pays des mégalithes, qui s'alignent par milliers à Erdeven et Carnac. Ils furent dressés entre 5000 et 2000 avant Jésus-Christ, selon semble-t-il les levers et couchers du soleil, et les dates des travaux agricoles. Non loin, la presqu'île de Quiberon est bordée d'une côte sauvage de rocs, d'écueils et de landes battus par les embruns, où baignade et pêche sont interdites.

Ci-dessus : « Qui voit Belle-Ile voit son île », dit le dicton !

Ci-dessous : chaque année, huit cent mille pèlerins viennent rendre hommage à sainte Anne, la patronne des Bretons.

Au sud, s'ouvre la grande mer de l'Atlantique ! Assise sur un plateau de schiste situé à 15 kilomètres de la côte, Belle-Ile doit son nom à la beauté de ses paysages : falaises abruptes, criques sauvages, plages de sable fin, vallons fleuris… Son microclimat doux et sec la met à l'abri des gelées et favorise le développement des chênes verts, lauriers roses, palmiers, camélias… Avec 18 kilomètres de long et 9 kilomètres de large, elle est la plus vaste des îles bretonnes. Âprement convoitée par les Anglais et les Espagnols du fait de sa position stratégique, elle ne comptait pas moins de dix mille habitants en 1720 et se consacrait à la culture du blé, des pommes de terre, des navets et à l'élevage des moutons de prés-salés. Claude Monet y séjourna en 1886, peignant la mer et les rochers illuminés par les orangés du soleil couchant, le vert vif de l'océan, les nuages sombres annonçant l'orage.

Venant de Quiberon, on découvre le port de Le Palais, dominé par sa citadelle Vauban, avec ses bassins pour pêcheurs et plaisanciers. À Sauzon, les quais où s'empilent les casiers à crevettes et s'alignent les maisons blanches aux menuiseries colorées composent un beau décor. La côte égrène ses plages des Sables-Blancs, grotte de l'Apothicairerie, pointe des Poulains semée d'îlots déchiquetés, grottes marines, aiguilles de schiste de Port-Coton…

Le Trégor

Paradis côtier

Stations balnéaires de la Belle Époque, anses de sable fin, blocs de granit cyclopéens sculptés par l'érosion, landes parsemées de chapelles... estivants et amoureux de nature sauvage seront à la fête ! La côte de Granit rose, aux teintes incandescentes, déploie une grande varété de sites : plages de sable abritées de pins, criques dissimulées derrière les rochers, réserve ornithologique...

Ciselée à l'extrême, elle se hérisse de pointes, de caps, de promontoires, s'échancre de baies et rias – estuaires par lesquels la mer remonte dans les terres. S'affaissant dans la mer, les chaos de granit s'empilent dans un équilibre certes précaire mais qu'aucune tempête n'a fait basculer ! Burinés et fracturés par les colères de la mer, ils montrent un bestiaire aux formes de tortue, dauphin, requin... et même de sorcière ! Au gré des saisons, la lande se pare d'œillets roses et blancs, de bruyères violettes, d'ajoncs jaunes... Au large, le regard se perd sur une multitude d'îlots. Des phoques y ont pris leurs quartiers !

Grâce à l'ouverture du chemin de fer vers 1885, naquit la station balnéaire de Perros-Guirec, attirant des Parisiens aisés, séduits par son site enchanteur et sa douceur iodée. L'été venu, la grève – le mot plage était inconnu alors – se couvrait de cabines à roulettes que les chevaux menaient au rivage. En sortaient des dames chapeautées, vêtues d'un corsage, d'un pantalon bouffant et d'une ample jupe pour cacher leurs formes. Les hommes, eux, portaient un costume de bain masquant tout le corps (à l'exception des mollets !) et les protégeant du soleil, jugé nocif pour la santé. Et gare aux contrevenants !

Ci-dessus : Lannion accueille joliment les visiteurs, avec ses demeures de granit et ses maisons à pans de bois habillées d'ardoises.

Ci-dessous : anciens hameaux de pêcheurs, Ploumanach et Trégastel sont devenus de hauts lieux touristiques, appréciés pour leurs chaos de granit rose longés par un ancien sentier douanier.

Près de Trébeurden, îles et marais abritent une flore protégée où nichent bécassines, sarcelles, castagneux.

Tournée vers les métiers de l'électronique et les télécommunications, Lannion, ancien port de pêche et cité commerçante, conserve une douce atmosphère provinciale.

Capitale historique du Trégor, Tréguier inscrit dans les charmes de son patrimoine sa grandeur passée d'ancien évêché et de port de commerce. Le long des rues et ruelles, se succèdent nobles demeures de

Jardins des *saveurs*

Dans l'Argoat, pays des terres et de l'intérieur, galettes et crêpes sont les ambassadeurs ! Issues des bouillies de blé noir d'antan, les premières se savourent en haute Bretagne tandis que les secondes, à base de froment, sont préférées en basse Bretagne. Sucrés ou salés, préparés avec la farine de froment ou de sarrasin, agrémentés de pruneaux ou de pommes, les *farz* (« fars » en français) se déclinent de mille façons !
Grâce à ses printemps précoces et doux, le Nord-Finistère est la première région légumière de France. À côté des choux-fleurs croquants, artichauts (importés d'Italie au XVe siècle), carottes, asperges, petits pois tendres et laitues composent un grand panier de fraîcheur. Sans oublier l'oignon de Roscoff, le coco de Paimpol, la cerise de Fouesnant, la fraise de Plougastel (importée du Chili au XVIIIe siècle) et la mâche nantaise.
Jadis occasion de festins et de « boudineries », la mort du cochon permettait la fabrication de boudin, de pâté, d'andouille. Aujourd'hui, un quart de la charcuterie provient de Bretagne ! Dégustés dans le monde entier, galettes et palais de Pont-Aven ou de Pleyben au beurre frais demi-sel sont de pures gourmandises ! Inventé par accident à Douarnenez, le Kouign amann est un gâteau à base de pâte à pain, de sucre et de beurre qui se déguste tiède avec une bolée de cidre.
Grâce à ses sols granitiques, la Cornouaille produit des pommes douces, douces-amères et aigres, source de cidres fermiers parfumés (classés en AOC). L'hydromel (ou chouchen) est une boisson fermentée à base d'eau, de miel et de levures, qui « réchauffe le corps et éclaire l'esprit ».

Pêche *miraculeuse*

Diva des océans, la coquille Saint-Jacques est pêchée à la drague d'octobre à avril, dans la baie de Saint-Brieuc et le golfe du Morbihan. Grâce au brassage de ses eaux sans cesse oxygénées, la grève bretonne est un vaste parc à huîtres : creuses du golfe du Morbihan, plates de Cancale, de Paimpol, de l'Aber-Wrac'h et l'aber Benoît, de Belon... Les moules à la chair jaune sont cultivées sur des bouchots. À base de poissons (merlans, dorades, maquereaux) et de légumes (carottes, poireaux, oignons...), la « cotriade » est à la Bretagne ce que la bouillabaisse est à la Provence ! Plat très populaire en Morbihan, elle était jadis préparée avec « la part de pêche », la « godaille » du marin qui s'en revenait.

Ci-dessus : en 1908, le maire de Perros-Guirec prononça ce rappel à la décence : « Tout baigneur doit porter un costume lui recouvrant tout le corps. Messieurs les gendarmes et le garde champêtre sont chargés de l'exécution du présent arrêté. »

Ci-dessous : dans l'archipel des Sept-Iles, abondent fous de Bassan, cormorans huppés, guillemots et macareux.

En encadré : pays de mer et de côtes, l'Armor prodigue homards, langoustes, crevettes, tourteaux, araignées, bigorneaux...

granit et façades à pans de bois rehaussées de couleurs aux tons pastel. Paisible l'hiver, elle s'anime l'été avec l'arrivée des bateaux de plaisance et des touristes émerveillés par sa cathédrale Saint-Tugdual, chef-d'œuvre flamboyant d'architecture religieuse et lieu de culte de saint Yves, patron des avocats et protecteur des pauvres et des malades.

En retrait de la côte, le Trégor profite des effluves iodés du Gulf Stream et porte des cultures de légumes (choux-fleurs, pommes de terre, artichauts, tomates, haricots verts). Plus à l'intérieur des terres, céréaliculture et élevage (vaches, poulets, porcs) complètent cette production. Au sud, le long de la vallée encaissée du Léguer, calvaires, chapelles, manoirs et hameaux émaillent le paysage de leurs architectures gothique et Renaissance. Ancienne cité métallurgique et textile, Guingamp attire les foules en juillet, avec son pardon Notre-Dame-de-Bon-Secours. Sur l'ancienne place de la halle, hôtels particuliers et façades à pans de bois aux fenêtres en arcs brisés composent un cadre très apprécié.

Le Léon

Pétri de légendes, paré de charmes sauvages

Son plateau de granit coiffé d'un climat doux et humide est sillonné de labours formant une « Ceinture Dorée » de cultures légumières. S'y ajoutent des champs de céréales et de maïs, et un élevage bovin, porcin et volailler.

Sur le littoral, le vent se déchaîne, créant de violentes tempêtes. Redoutée par les marins, la côte des Légendes où se brisèrent tant de navires est à présent balisée de trente phares ! Elle doit son nom aux croyances paganistes de ses habitants.

Par trois fois, ses paysages de rocs, de dunes et de plages sont entaillés par un aber, estuaire par lequel la mer remonte dans les terres entre prairies et forêts. L'Aber-Wrac'h est le plus profond, avec 32 kilomètres de berges bercées par le flux des marées et émaillées de hameaux solitaires. Protégée par un chapelet d'îlots, son entrée forme un golfe.

Plus au sud, l'Aber-Ildut abrite Lanildut. Là, se concentre un champ sous-marin d'algues qui fournit 80 % de la production française destinée aux cosmétiques, produits gélifiants et amaigrissants. Surnommé le « pain de la mer », le goémon était récolté par les habitants des villages environnants.

Ci-dessus : au sud du Léon, Lanildut est le premier port de goémon d'Europe.

Ci-dessous : Saint-Pol-de-Léon, capitale religieuse du Léon.

Depuis la pointe Saint-Mathieu, l'archipel d'Ouessant s'étend sur 30 kilomètres. Seules Ouessant et Molène sont habitées (environ six cents et trois cents résidants). « Qui voit Molène, voit sa peine, qui voit Ouessant, voit son sang. » Ce dicton rappelle l'hostilité de l'océan et les côtes déchiquetées de ce poste le plus avancé du continent, contre lesquelles se fracassèrent tant de navires. La mauvaise saison passée, Ouessant s'apaise et cultive un air d'Irlande, avec ses landes à moutons noirs, ses murets de pierres sèches et ses façades de granit blanchies au lait de chaux.

Roscoff, installée à l'extrémité d'une presqu'île rabotée par l'érosion, fut longtemps une porte ouverte sur la Manche, l'Atlantique et la Baltique. Ses marins gagnaient Lisbonne, Séville et Anvers pour le compte de riches négociants et rapportaient dans leurs caravelles huile d'olive, vin, céréales, toiles... Depuis, les cultures de légumes et d'oignons roses (prisés des Anglais) ont pris le relais grâce à un microclimat dû aux courants chauds du Gulf Stream. Dominée par un majestueux clocher Renaissance, la cité renferme de superbes demeures construites au XVIIe siècle par des armateurs.

Morlaix, logée au fond d'un estuaire, entre bocages et cultures de légumes, fut un grand port d'exportation de toiles de lin et de peaux.

Dentelles de *granit* !

Près de la mer, la maison est massive et encadrée par deux solides pignons pour se protéger des embruns : haute et à pans de bois en ville pour compenser le manque d'espace, en argile et en paille là où la pierre fait défaut... Dans chaque pays, elle porte les couleurs de son sol et charme par sa minéralité. En Cornouaille, les blocs de granit gris des maçonneries s'imbriquent parfaitement les uns dans les autres, donnant aux manoirs des allures d'éternité. Ici et là, elles sont sculptées de figures humaines, de croix ou de cercles gravés pour protéger les propriétaires des forces malignes ! Omniprésent, puits et fontaines sont des chefs-d'œuvre d'art populaire, ornés de frontons et de frises. Dans le pays de Rennes, les murs sont faits d'un mélange ocre jaune d'argile, de paille et d'eau. Accolé à un pignon ou à un petit bâtiment à part, le four est l'indispensable complément pour cuire le pain !

À Dinan, Rennes, Josselin, Vannes... les maisons dressent leurs colombages de chêne rehaussés de tons pastel ou couverts d'essences d'ardoises. Près de Trégunc – entre Concarneau et Pont-Aven –, les maisons ressemblent à des menhirs blottis sous un toit de chaume ! Elles sont élevées avec des « pierres debout », dalles de granit hautes de 2,5 mètres placées l'une contre l'autre. Jusqu'au XIXe siècle, roseaux des marais ou paille de seigle des champs garnissaient les toitures dont le faîtage était couvert d'une couche d'argile plantée de fleurs pour réguler l'humidité. Désormais, l'ardoise bleu-noir remplace le chaume. Sur le littoral, on utilise la peinture des chalutiers pour mettre en couleur portes et volets. Bleu marine de l'île d'Ouessant, rouge sombre de Locronan, vert profond de l'île aux Moines créent autant de liens entre terre et mer.

En haut : port militaire, pétrolier, de commerce et de plaisance, ateliers navals (où est né le porte-avions nucléaire Charles-de-Gaulle), Ifremer (Institut français de recherche pour l'exploitation de la mer) illustrent la force économique de Brest, mais aussi ses liens avec la Marine nationale.

En encadré :
En haut : maisons de Dinan.
En bas : regroupant familles, animaux et récoltes, l'habitat montre une constante adaptation au milieu et au climat.

La cité, dominée par un viaduc, conserve une riche architecture : demeures à pans de bois sculptés, manufacture des Tabacs, théâtre à l'italienne. Uniques en leur genre, les maisons dites « à lanterne » sont des chefs-d'œuvre des charpentiers de la Renaissance.

Enrichis par la culture du lin et le commerce de toiles, les bourgs du Léon se sont dotés d'un patrimoine religieux d'une incomparable splendeur : les enclos paroissiaux. Dans un espace clos et chargé de symboles, ils réunissent ossuaire, calvaire, cimetière et église. Passage du profane au religieux, la porte prend des allures d'arc de triomphe flanquée de colonnes, pilastres et balustrades richement sculptés dans le granit.

Au sud, logée à l'entrée d'une immense rade, Brest forme la porte de l'Atlantique. Ce port naturel de 180 km², environné de 350 kilomètres de côtes et protégé par un accès étroit, n'a pas manqué d'intéresser les militaires. Hélas, de la ville et des arsenaux créés par Richelieu en 1631 il ne reste rien ! Réduite en cendre en 1944, elle s'est depuis relevée, devenant un grand bassin d'emplois.

Enfin, niché au fond de la vallée de l'Elorn, Landerneau, avec son pont habité de maisons médiévales, sa place du Marché et ses quais, marque la frontière avec la Cornouaille.

La Cornouaille

Cœur battant de la Bretagne !

Elle s'élance dans l'océan comme la proue d'un navire ! Ici, terre et mer s'affrontent et s'interpénètrent sur 1 000 kilomètres, livrant criques bordées de plages de sable blanc, pointes dégageant de vivifiants panoramas, falaises qui s'émiettent en écueils... S'y ajoutent de pittoresques ports de pêche vers lesquels convergent les chalutiers revenant du large, escortés par le vol des mouettes affamées. On comprend pourquoi les peintres du XIXe siècle apprécièrent ce pays ! Conquis par l'âme bretonne, Paul Gauguin s'installa à Pont-Aven en 1886 pour y peindre ses premiers paysages impressionnistes. Au creux d'un val profond et verdoyant, la cité égrenait ses maisons et moulins à eau le long d'une boucle capricieuse de l'Aven, qu'enjambe un pont de pierre. Le spectacle animé des marins qui déchargeaient sel et vin, les foires où se pressait la campagne environnante, portant sabots et coiffes... offraient mille thèmes de peinture ! Avec Émile Bernard, il rassembla une communauté d'artistes (Paul Sérusier, Henri Moret, Charles Filiger...), faisant de la cité un nouveau Barbizon qui rayonna dans toute l'Europe ! Simplification des formes, tons purs, teintes plates, absence de perspective, cadrages décentrés caractérisaient leur nouveau style : le synthétisme.

Créé en 1969 pour préserver la faune et la flore, et aménager au mieux l'espace rural, le parc naturel régional d'Armorique s'étend à l'est des confins du Léon et du Poher, jusqu'à l'archipel de Molène et d'Ouessant à l'ouest. Vieille échine rocheuse usée par l'érosion, les monts d'Arrée occupent la partie nord-est du pays, formant une colonne vertébrale émaillée de crêtes acérées de schistes plissés (appelées « roc'h »), qui culminent à 384 mètres, et de

Ci-dessus : « Qui voit Sein voit sa fin », met en garde le dicton.

Ci-dessous : « Si jamais tu passes le Raz, si tu ne meurs tu trembleras », écrivit Victor Hugo.

Sonneurs de Quimper.

Sonneurs de *biniou*

Comme en Irlande, musique, danses et chants sont intimement liés à la culture bretonne. Fruit d'un riche métissage, la musique emprunte ses instruments au monde entier ! Le biniou est le cousin de la cornemuse écossaise, la bombarde est l'ancêtre du hautbois, la vielle et la veuze ont été rapportées d'Orient lors des croisades, la harpe celtique est issue de l'Égypte ancienne, le treujenn-gaol s'inspire de la clarinette...

Jadis, veillées, noces, moissons, *festoù-noz* (bals populaires du soir) étaient émaillés de chants et de couples de sonneurs chargés de « mettre l'ambiance ». Selon la circonstance, on chantait une complainte *a cappella* (la *gwerz*) ou un chant alterné (*kan ha diskan*) – un chanteur entonne un couplet auquel un second lui ajoute une phrase en respectant la rime. Un couple de sonneurs jouant du biniou et de la bombarde s'y associait souvent. Selon le lieu, la tradition variait. En basse Bretagne, où l'on chantait en breton, on jouait de la bombarde, du biniou et de la clarinette. En haute Bretagne, on chantait en gallo (patois dérivé du latin) et on jouait de la vielle, du violon et de l'accordéon.

Conçus sur le modèle du *pipe band* écossais, les *bagadoù* sont des troupes composées de trois sections de bombardes, cornemuses et percussions. Le plus célèbre est le bagad de Lann-Bihoué. Créé en 1952, il compte trente-sept appelés du contingent et se produit dans le monde entier ! Malmenée par l'évolution des mœurs et l'irruption de la musique anglo-saxonne, cette communion celtique doit sa survivance à une nouvelle génération de chanteurs qui, sur fond de contestation paysanne et écologiste, ont assuré son renouveau. Grâce à Glenmor, Alan Stivell, Gilles Servat, Tri Yann, Dan ar Braz, Yann-Franch Kemener..., la musique bretonne ne s'est jamais aussi bien portée !

Fierté d'Armorique !

Vestes violettes et gilets brodés (Plougastel), plastrons de velours parés de fil rouge et jaune d'or (pays Bigouden), jupes brodées de soie (Ploaré)... la Bretagne possède une chatoyante garde-robe ! Ses coiffes comptent pour beaucoup, avec deux cent cinquante modèles recensés ! La coutume d'habiller les cheveux des femmes remonte à l'Antiquité : considérés comme l'expression de la sensualité, ils ne devaient pas être montrés ! Par la suite, la coiffe est devenue un signe distinctif de chaque pays et la fierté de chaque paroisse. En moyenne, une Bretonne en compte dix, mêlant simples bonnets ronds (pour la vie quotidienne) et altières parures de dentelles brodées de fleurs (pour les jours de fête). Celles du pays Bigouden sont spectaculaires, qui dépassent 30 centimètres de haut ! À noter que le *bigouden* (l'attache qui permet de les fixer) a donné son nom au pays. Jugées incommodes, difficiles à repasser et nécessitant une (trop) longue préparation de la chevelure, les coiffes ont disparu au fond des armoires. Mais des irréductibles arborent encore ces fragiles architectures blanches à Pont-l'Abbé. « Noblesse de l'homme », le chapeau rond est garni de velours et ceint de rubans colorés. « Il ne l'enlève qu'à l'église ou devant les morts, et c'est pour le tenir plaqué à deux mains contre sa poitrine », explique Pierre Jakez Hélias dans *Le Cheval d'orgueil*.

Costumes bigoudens.

sommets arrondis de grès plissés (nommés « menez »). Sauvages et peu fertiles, leurs landes déroulent un tapis d'ajoncs et de bruyères environné d'un bocage serré où sont tapis les villages. Tourbières, lumières tamisées par les brumes, sites mégalithiques bruissant de légendes... font de ce lieu un espace voué à l'imaginaire et réservent de merveilleuses randonnées ! L'Aulne, fleuve côtier qui s'écoule en méandres tortueux, y prend sa source avant de rejoindre la mer au fond d'un estuaire aux allures de fjord qui débouche sur la rade de Brest. Son parcours canalisé est bordé de roselières où nichent hérons et grands cormorans, et permet la pratique du canoë et de la pénichette.

À l'ouest, la presqu'île de Crozon forme un éperon en croix qui sépare la rade de Brest de la baie de Douarnenez. Sur la pointe de Penhir, les hautes falaises de grès affouillées par les vagues offrent le refuge de leurs à-pics à des colonies d'oiseaux menacés. De mars à juin, le spectacle des couples qui se forment, des poussins qui apprennent à voler, des mères qui arpentent la grève, capturant moules et crabes verts, vous enchantera !

Protégée par le Conservatoire du littoral, la côte abrite de nombreux sites, caps, plages, cordons de galets et de bois, grottes marines, écueils où s'ébattent loutres et phoques gris. En face, fermant la partie sud de la baie de Douarnenez, la pointe du Raz forme un éperon rocheux prolongé par un chapelet d'écueils qui, de tout temps, a effrayé les marins. Haute de 80 mètres, elle est la plus avancée du continent. De son site réaménagé, on contemple l'Atlantique en rêvant de lointains !

Au large, posée sur un plateau granitique qui dépasse à peine le niveau de l'océan, Sein est la plus rude des îles ! Bien des marins l'ont appris à leurs dépens : ses abords sont parcourus de violents courants et de flots bouillonnants constellés de récifs assassins. Sur l'île, pourtant, les hivers sont cléments et les étés agréables.

De retour sur la côte, on découvre un chapelet de ports spécialisés dans la pêche des merlans (Lesconil), des langoustines, des merlus, des raies (Le Guilvinec), des sardines (Saint-Guénolé), des lottes, des cabillauds, des congres (Douarnenez), des thons (Audierne, Concarneau)… Avec mille bateaux de pêche, cinq mille marins, trente conserveries, des huileries, des fabriques de filets…, Douarnenez était, au XIXe siècle, le plus grand port sardinier français. Créé en 1985, son musée du Bateau – consacré à la navigation traditionnelle – et son port Rhu – où mouillent thoniers, sardiniers, remorqueurs à vapeur, bateaux-phares… – sont des lieux uniques !

Port de pêche très actif établi au fond d'une baie, Concarneau est ceinte de remparts avec échauguettes et mâchicoulis couronnés de chemins de ronde où il fait bon flâner. Sa « ville close » étire ses ruelles bordées de maisons de granit qui rappellent sa prospérité passée née de la pêche à la sardine et de l'apparition des conserveries. Sa criée est réputée autant pour sa qualité que pour le spectacle de ses enchères. Le crieur entonne une mélopée incompréhensible, énonçant les noms des poissons et leurs cours. De leurs côtés, les aides consignent des fiches qu'ils déposent sur des caisses – seul indice signalant qu'elles ont été vendues à des acheteurs qui, imperceptiblement pour le profane, ont levé un doigt ou cligné une paupière.

Joyau d'architecture granitique, Locronan n'a rien perdu de sa splendeur d'antan ! Autour du puits de sa grand-place pavée, ses demeures cossues appareillées en enfilades et coiffées de lucarnes à frontons et son église flamboyante enchantent par leur unité de style. Portes en anse de panier, fenêtres moulurées animent façades et pignons, tandis que le gris bleuté du granit et de l'ardoise s'accorde au ciel et à la terre. La ville doit sa prospérité à la vente de toiles de chanvre pour les voilures de navires. Jusqu'en 1870, elle comptait des centaines de métiers à tisser.

Ci-dessus : autrefois, Douarnenez vivait de la capture du poisson au ventre argenté (la sardine), qui pullulait près des côtes.

Ci-dessous : c'est en pays Bigouden que les femmes portent, à l'occasion de fêtes et de pardons, des coiffes hautes de plus de 30 centimètres.

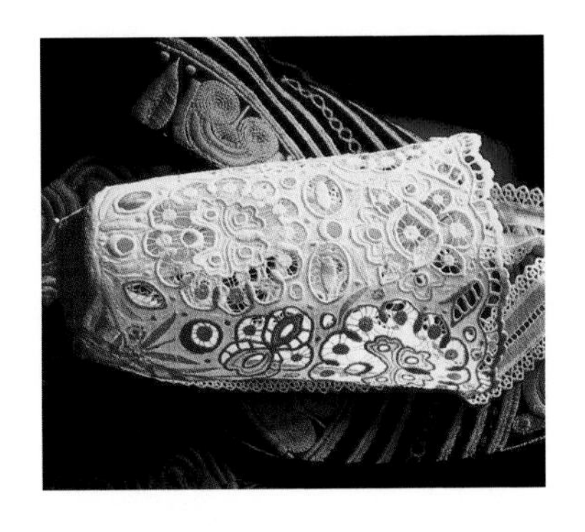

Dotée d'une économie très active, Quimper est reconnue comme la capitale culturelle du pays. Chaque été, son festival de Cornouaille porte haut les couleurs de la Bretagne, réunissant des milliers de musiciens, chanteurs, bagadou… qui, sept jours durant, enflamment la cité. Autour de sa cathédrale, se découvre un charmant quartier médiéval bordé de venelles pavées, de magnifiques maisons à colombages et d'hôtels particuliers.

Au sud-ouest, s'ouvre le pays Bigouden, où les habitants proclament fièrement leurs identités et leurs traditions. Alentour, la campagne livre maints calvaires, chapelles, hameaux et fermes isolées, tandis que les terres se couvrent à chaque printemps de tulipes et d'iris pour alimenter le marché français des fleuristes.

Élevage laitier dans le bocage, plaines de grandes cultures céréalières et oléagineuses, pâtures à moutons de prés-salés, cultures fruitières de la vallée de la Seine..., tel est le riant visage de la Normandie.

Plantureuse terre de paysans et de marins !

Jusqu'à la Révolution, ses pays composèrent l'un des territoires les plus prospères de France, et Rouen, leur capitale reliée à Paris par la Seine, figura au second rang des villes du royaume ! Concédée en 911 par Charles III le Simple aux Vikings, elle fut l'enjeu de luttes féroces entre rois de France et ducs de Normandie devenus, à partir du XIIe siècle, rois d'Angleterre.

• L'agriculture est grande productrice de lait, de viandes, de céréales, de lin... Défrichés, asséchés puis patiemment domestiqués, les paysages forment une mosaïque de milieux aux spécialités affirmées. Véritable or blanc, le lait offre sa savoureuse trilogie, beurre-crème fraîche-fromages, à laquelle s'ajoutent jarret de veau, poulet « vallée d'Auge », tripes de bœuf, andouille de porc... Riche de deux cents variétés, la pomme est la reine des desserts et des boissons (cidre, pommeau et calvados).

• Terrienne, la Normandie n'en est pas moins maritime ! Avec 550 kilomètres de littoral, la Manche n'est jamais très loin ! Ce bras de mer offre une variété de sites où se succèdent falaises de craie tapissées de prés et de bosquets, plages de sable fin de la Côte fleurie, péninsule sauvage et tourmentée du Cotentin, baie mêlant terre et mer du Mont-Saint-Michel... Sa longue et riche tradition marine s'écrit au rythme des expéditions de ses navigateurs. Ses ports (Fécamp, Dieppe, Cherbourg, Le Havre, Honfleur...) furent premier port français de pêche à la morue, premier port ivoirier, grands ports d'attache et d'escale des paquebots. De nouvelles spécialités ont pris le relais depuis, hissant la Normandie au cinquième rang des régions de pêche.

• Entre 1845 et 1865, la fièvre balnéaire a fait naître une nouvelle activité économique : le tourisme, symbolisé par les stations de Cabourg, Houlgate, Deauville, Trouville et leur lot de célébrités. Cette terre a inspiré les plus talentueux peintres et écrivains qui, d'Eugène Boudin, Claude Monet, Alexandre Dumas à Guy de Maupassant, lui ont rendu hommage.

Pays de mer

• Le pays d'Auge • Le pays de Caux
• Le Bessin • Le Cotentin • L'Avranchin

Bien que leurs 550 kilomètres de côtes offrent une extrême diversité, ils restent ruraux, se consacrant à l'élevage laitier, aux cultures de céréales et de lin. Un abondant patrimoine de manoirs, d'abbayes et de villages émaille leurs paysages.

Le pays d'Auge

Le bonheur est dans le bocage !

Il est, à lui tout seul, le symbole de la plantureuse Normandie, avec ses chemins creux piqués de haies vives, ses vaches placides broutant de vertes prairies ombragées de pommiers en fleur, ses manoirs zébrés de colombages, ses stations balnéaires chics ! Peu touché par le remembrement, il conserve un parcellaire de petites exploitations propices à l'élevage laitier. Désormais, le tourisme et les loisirs confortent cette économie locale, favorisant la vente des produits fermiers et l'essor des chambres d'hôtes.

En haut : grâce à l'alternance des pluies et du soleil, les vaches profitent d'une herbe grasse et nourrissante, source d'un lait réputé, riche en vitamines.

Les artistes et célébrités parisiennes ont fait la renommée des stations balnéaires comme Deauville (au milieu) et Houlgate (en bas).

Entre 1845 et 1865, les marais, dunes et falaises du littoral voient surgir d'élégantes stations balnéaires : Cabourg, Houlgate, Deauville, Trouville... Des digues-promenades et avenues sont tracées, des arbres plantés. Hôtels et casinos ouvrent leurs portes tandis que fleurissent villas et chalets de bois d'inspiration néogothique, mauresque ou régionaliste (faux colombages, briques vernissées, faïences...) pour accueillir la clientèle mondaine qui rejoint la Côte fleurie par le chemin de fer.

Ville « aux mille ardoises » où naquit Eugène Boudin en 1824, Honfleur est, elle, une authentique cité maritime ! Son vieux bassin créé par Colbert – où mouillent chalutiers

et navires de plaisance – fut maintes fois célébré par Baudelaire, Flaubert, Monet, entre autres. Il est encadré d'alignements de hautes et étroites maisons à pans de bois, protégées des vents marins par des écailles d'ardoise. Les encorbellements prononcés, les teintes argentées des essentages (tuiles en bois) et les greniers à sel qui l'environnent donnent à cette architecture modeste une somptueuse harmonie ! Bâtie tout en bois par des charpentiers de marine, l'église Sainte-Catherine ressemble à un bateau renversé.

Ancienne résidence des évêques de Lisieux, le manoir de Canapville décline une féerie de styles où chaque époque laisse son empreinte et ses volumes. Autour d'une tour-escalier en pierre de taille, ultime vestige d'un château du XIIIe siècle, se déploie un logis seigneurial à colombages perché en avancée sur des poteaux sculptés de personnages, une écurie, un colombier...

En haut : particularité de Honfleur, le clocher de Sainte-Catherine est indépendant de l'église bâtie tout en bois.

En bas : dans les terres, l'habitat offre une vivante (et colorée !) palette d'architectures où triomphent le chêne et l'argile.

Environné de douves en eau, le manoir de Coupesarte est l'un des plus typiques, avec ses colombages sertis de fines briques rouges entrecroisées. Ses imperfections ajoutent encore à son charme ! Rendue célèbre par son fromage, Pont-l'Évêque conserve de beaux îlots de maisons des XVIe et XVIIe siècles.

Plus à l'ouest, dans un écrin de prairies, Beuvron-en-Auge offre la vision merveilleuse d'une bourgade rurale du XIXe siècle. Sur la Grand-Place où s'anime un petit monde d'artisans et de commerçants, on est séduit par le gracieux décor que composent les façades à colombages fleuries et l'imposante halle charpentée de chêne. Il y a peu, pourtant, cette Belle au bois d'antan se mourait ! Maisons à l'abandon, exode rural... Pour inverser la courbe du temps, l'équipe municipale se mobilisa en 1972. Artisans et Beuvronnais joignirent leurs efforts pour piquer les enduits de ciment qui asphyxiaient les colombages, poutres et tuileaux, débroussailler les chemins communaux. On récupéra même une grange vouée à la démolition, car située sur l'emprise de la future A13, pour bâtir la halle du village (détruite au profit d'un parking !). Brocante, fête du livre, foire au cidre et aux produits fermiers la font revivre aujourd'hui.

Non loin, le château de Crèvecœur-en-Auge a aussi été restauré et abrite un lieu culturel actif. Derrière son élégante poterne, se déploient un donjon sur une motte de terre entourée d'eau, la basse-cour et ses communs, une chapelle et un magnifique colombier doté de mille cinq cents niches à pigeons.

Ancien baillage, le plus vaste de Normandie, Orbec conserve une noble atmosphère avec ses rues bordées d'hôtels particuliers et ses demeures à pans de bois, anciennes auberges ou échoppes d'artisans.

Le pays de Caux

Continuité entre terre et mer

Cultures de céréales, bocages à vaches, ports de pêche, arches de craie plongeant dans la mer, abbayes lovées dans les méandres de la Seine... cette terre joue la diversité et cumule les charmes ! Vaste plateau de craie entrecoupé de vallées humides ou sèches, elle doit sa fertilité à une épaisse couche d'argile que coiffe un climat doux et humide en toute saison. Orge, blé, maïs, colza, pommes de terre se partagent de vastes espaces avec le lin, qui représente deux tiers de la production française. Très exigeant, il se cultive tous les sept ans en alternance avec les petits pois, carottes, betteraves... Ses vagues ondulantes vert tendre dévoilent, entre mai et juin, de chatoyants reflets bleutés.

L'habitat s'aligne en rues ou se disperse en clos-masures. Au milieu d'une prairie enclose de rideaux d'arbres et environnée de boqueteaux qui les protègent du vent, les fermes égrènent puits, mare, charretterie, poulailler, pressoir... Autorisant une certaine autarcie, le clos-masure favorise la solitude, le silence et forge le caractère paysan !

Au sud-est, le pays de Caux est traversé par la vallée de la Seine, bordée de falaises de craie qui, depuis Rouen jusqu'au Havre, s'étire en méandres paresseux. Vus d'en haut, ils semblent vouloir ralentir leur rencontre avec la mer. Les presqu'îles qu'ils isolent dans leur course sont le domaine des abbayes depuis le VIIe siècle : Jumièges, Saint-Georges-de-Boscherville – chef-d'œuvre de l'art roman aux proportions harmonieuses –, Saint-Wandrille – qui maintient une activité monastique et offre une halte inspirée.

En haut : Jumièges dresse en majesté sa façade romane ruinée, flanquée de deux tours.

Au milieu, en vignette : de première fraîcheur, les maquereaux, turbots et soles de Dieppe ont ravitaillé Paris jusqu'en 1854.

En bas : Le Havre et son bassin du commerce prennent une grande part dans l'économie française.

Créé en 1974, le parc naturel régional de Brotonne regroupe de part et d'autre de la Seine, entre les pôles industriels de Rouen et du Havre, forêt de hêtres giboyeuse, pâturages et vergers (cerises, poires, pommes...), en un îlot de fraîcheur. Dans une cuvette de 4 500 hectares – le Marais Vernier –, alternent roselières, tourbières et prairies humides environnées d'étangs naturels. À l'est, la vallée de la Bresle, qui sépare la Normandie de la Picardie, s'est fait une spécialité depuis le XVe siècle : le flaconnage à parfums ; tous les grands parfumeurs viennent ici faire réaliser leurs modèles.

De l'estuaire de la Somme à celui de la Seine, s'étire, sur 140 kilomètres, la Côte d'Albâtre. Au pied de ses hautes falaises crayeuses où nichent goélands, mouettes et guillemots, se succèdent plages de galets et valleuses, ravins étroits qui plongent vers la Manche. Son ciel nuageux poussé par le large, qu'irise le soleil levant et couchant, a séduit une pléiade d'artistes ! Mais ce beau décor naturel recule en permanence ! Siècle après siècle, la mer dévore ses friables parois par ses coups de boutoir répétés, doublés des

Trésors d'*harmonie*

Cœurs de chêne du pays d'Auge, granit du Cotentin, silex du pays de Caux, pierre de Caen, l'architecture revêt une grande variété de matériaux et de formes. Symbole identitaire entre tous, la construction à colombages pare de ses zébrures délicates chaumières, manoirs et pigeonniers. Préservé des destructions de la dernière guerre et de l'enlaidissement du béton, le pays d'Auge regorge de plusieurs centaines de manoirs, plus envoûtants les uns que les autres, nichés dans de verdoyants écrins vallonnés, semés de pommiers tordus et de ruisseaux vagabonds. Ici, forêts et haies vives ont offert leurs chênes débités en poutres et leurs branches d'ornes taillées en lattes ; la terre a prodigué son argile qui, hachée et mélangée avec la paille, compose un torchis pour combler les vides. À mi-chemin entre ferme et château, ces édifices formaient jusqu'au XVIIIe siècle le chef-lieu d'une seigneurie, à la fois demeure du maître, siège d'une exploitation agricole et fief doté de droits de justice. La couleur du bois, sombre ou miel, les quadrillages qu'il dessine (croix de saint André, épis en V...), les sculptures qui ornent angles et encorbellements (statuts, colonnettes, pinacles, fleurons...), l'allure parfois féodale (tourelle, douves en eau...), le blanc du lait de chaux qui couvre le torchis, le rouge ocré des tuiles plates en font d'authentiques chefs-d'œuvre des herbages !
En pays de Caen, domine une pierre calcaire, tantôt très dure tantôt tendre, avec un grain fin ou grossier. Blanche ou jaune pâle, elle habille en rangées très fines et régulières les murs des fermes et des châteaux, leur procurant un joli cachet. Dans le Cotentin, les faîtages des toits présentent une ornementation élégante appelée « taffette ». En lieu et place des tuiles arrondies qui assurent l'étanchéité entre les deux versants du toit, se dressent une dentelle de terre cuite vernissée, dessinant entrelacs et fleurs stylisés. Aux extrémités, des poteries en forme d'oiseaux ou de cruches complètent ce décor.

Ci-dessous, en haut : l'aître Saint-Maclou de Rouen offre aux regards son gothique flamboyant des XVe et XVIe siècle.

Ci-dessous, en bas : le pigeonnier du manoir d'Ango est paré d'un décor polychrome où briques, silex et grès se mêlent en une éblouissante marqueterie minérale.

En encadré :
En haut : un manoir en pays d'Auge.
En bas : une maison à colombages du pays d'Auge.

infiltrations d'eau de pluie. Après une tempête, il n'est pas rare de voir une maison, un blockhaus ou des ares de prairies qui ont basculé dans le vide !

Doyenne des stations balnéaires, Dieppe fut le plus important port ivoirier français jusqu'au XVIIe siècle. Avec virtuosité, ses artisans sculptaient l'ivoire d'éléphant et les dents de narval et de cachalot, faisant naître statuettes, râpes à tabac, objets de piété, médailles... Tirées par six chevaux boulonnais, les carrioles du chasse-marée s'élançaient à travers la nuit pour livrer au petit matin les halles de Paris. La fin tragique du célèbre cuisinier Vatel – qui s'enfonça une épée dans le corps à la suite d'un retard d'arrivage – rappelle l'importance de cette route du poisson !

Non loin, la champêtre villégiature de Varangeville-sur-Mer s'enorgueillit d'avoir accueilli Renoir, Degas, Monet, Breton, Aragon, Braque... Construit vers 1535 par le richissime Jehan Ango, armateur et conseiller maritime de François Ier, le manoir d'Ango est un bel édifice Renaissance, doté d'un monumental colombier.

Port de pêche, de commerce et de plaisance, Fécamp fut, trois siècles durant, le premier port de pêche à la morue.

Ville spectacle aux mille colombages, livre d'architecture à ciel ouvert, Rouen est appréciée de tous pour l'excellence de son patrimoine ! Avec plus d'un millier de maisons à pans de bois, l'ancienne capitale du duché de Normandie et deuxième ville du royaume (après Paris) livre un éblouissant répertoire où se lisent modes de construction et décors gothiques, mêlant statues de saints, colonnettes, pinacles, sculptures en « flacon »... Malgré l'incendie et les bombardements qui l'ont ravagée, elle conserve une plaisante physionomie médiévale : ruelles tortueuses, cathédrale gothique, palais de justice où l'ornementation s'enrichit à chaque étage pour s'achever en une somptueuse dentelle de pierres, aître Saint-Maclou, rare cimetière à galeries de bois... Construit en 1527, le Gros-Horloge enjambe la rue qui porte son nom, par une arche surbaissée qui présente un cadran monumental en plomb doré, richement orné de figures mythologiques. Non loin, à Martainville, le musée des Traditions et Arts normands abrite de superbes collections de mobilier qui illustrent la vie quotidienne des campagnes du Moyen Âge au Second Empire.

En encadré :
En haut, à gauche : le musée de l'ivoire de Dieppe.
En haut, à droite : le musée de la dentelle d'Alençon.
Au milieu : Fécamp est réputée pour son palais Bénédictine et sa distillerie.

Ci-dessous : Dieppe mêle les charmes de la villégiature aux rumeurs de son industrie et de son activité portuaire.

ART ET ARTISANAT

Dinandiers, *chaumiers* et ***dentellières***

À Villedieu-les-Poêles, on martèle le cuivre depuis le XIIIe siècle ! Sous une pluie incessante (deux mille cinq cents coups de marteau par heure !), le métal chauffé s'assouplit, se déplace, se transforme en une peau douce et fine, faisant naître chaudrons, batteries de cuisine, baignoires, pichets. Perpétuant la tradition née à Dinant (Belgique), les dinandiers se tournent aujourd'hui vers la production d'objets décoratifs, ouvrant leurs ateliers au public pour des démonstrations. La cité est aussi réputée pour sa fonderie de cloches d'où sont sortis, notamment, le gros bourdon de la cathédrale d'Évreux et les cloches de la cathédrale de Québec. Dans l'atelier, on admire le travail des compagnons fondeurs qui forment d'énormes moules à partir d'argile, de poil et... de crottin de cheval. Un alliage d'étain et de cuivre en fusion (le bronze) est coulé *via* un canal, provoquant un rideau de feu. Refroidie, la cloche est démoulée, brossée, puis polie à la main. Jusqu'au XIXe siècle, la paille ou le roseau coiffait les toits normands. Source de pain quotidien, la culture du blé ou du seigle offrait ses rebuts qui, liés en bottes, formaient d'imperméables couvre-chefs. Dans les marais du pays de Caux, on récoltait les joncs et roseaux pour les couper en longues et fines tiges. Des artisans perpétuent cette tradition qui allie esthétique chaleureuse et qualités insoupçonnées : longévité supérieure à cinquante ans, excellente isolation, résistance aux vents...
À Rouen, la faïence a droit de cité depuis 1542 et s'est exportée dans toute l'Europe jusqu'à la fin du XVIIIe siècle. Autrefois cheval de bataille de la mode et de l'industrie française, la dentelle d'Alençon, d'Argentan et de Bayeux a rayonné dans toute l'Europe. Réputée pour son élégance et sa finesse, celle d'Alençon (surnommée la reine des dentelles) est réalisée entièrement à l'aiguille, avec des fils de lin très fins : 1 centimètre carré de dentelle nécessite quatre heures de travail ! Atelier, école et conservatoire permettent de découvrir sa fabrication et, pourquoi pas, de s'y initier !

Le Bessin

Carrefour de l'Histoire

Porte ouverte sur la mer et la campagne, le Bessin repose sur un sol argileux et humide couvert de gras pâturages, où domine l'élevage de vaches laitières.

Situé au confluent de la Vire et de l'Aure, Isigny-sur-Mer donne son appellation d'origine contrôlée à l'essentiel des productions laitières du Bessin (beurre et crème notamment), réputées pour leur richesse en sels minéraux. Alentour, les paysages inspirent l'aisance avec leurs imposantes fermes qui émaillent les larges parcelles du bocage. Retranchées derrière un porche monumental, elles s'ouvrent sur une cour délimitée par l'habitation et les bâtiments d'exploitation. Au nord, le plateau s'achève en falaises creusées de valleuses, étroits ravins qui plongent vers la mer et abritent des ports de pêche. Omaha Beach, Utah Beach, Gold Beach... sont quelques-unes des plages que choisirent les Alliés en 1944, pour débarquer et libérer notre pays de l'occupant allemand. Dénué de ports d'importance, ce secteur fut préféré aux côtes méditerranéennes, jugées trop éloignées, et au Pas-de-Calais, lieu d'accostage trop attendu et trop militarisé. Pour ravitailler les troupes, la plage d'Arromanches fut aménagée en un immense port artificiel formé de centaines de caissons de béton. Dans la nuit du 5 au 6 juin 1944, débuta Overlord, la plus gigantesque opération maritime et militaire de tous les temps ! Deux millions d'hommes, cinq cent mille véhicules et quatre millions de tonnes de matériel y furent débarqués.

De l'automne à l'hiver, les chalutiers de Port-en-Bessin partent draguer le roi des coquillages : la coquille Saint-Jacques. Un sentier longeant la falaise qui le surplombe offre une agréable promenade où l'on découvre le Chaos de Longues-sur-Mer.

En haut : première ville libérée, Bayeux est une des très rares cités normandes restées intactes en 1944.

En bas et en vignette : sur les côtes du Bessin, mémoriaux et musées qui retracent les étapes du Débarquement font de ces lieux une terre de mémoire.

Première ville libérée, Bayeux, sa capitale présente beaucoup d'attraits et de charme : hôtels particuliers, maisons à colombages, ponts de pierre, cathédrale dotée d'une façade à cinq portails sculptés... Mais c'est à sa célèbre « tapisserie » qu'elle doit sa renommée. Longue de 70 mètres sur 50 centimètres de large, cette broderie commandée en 1066 par l'évêque de Bayeux pour décorer la cathédrale nécessita onze ans de travail ! D'un saisissant réalisme, elle relate les péripéties de la conquête de l'Angleterre par Guillaume de Normandie. Ses cinquante-huit scènes sont une source inestimable d'informations sur les mœurs, les costumes, les navires d'alors. Alentour, abondent des églises romanes alliant pureté des lignes et hardiesse des proportions, qu'un circuit pédagogique permet de découvrir en s'initiant à l'architecture et à l'histoire religieuse. À l'ouest, s'étend la forêt domaniale de Cerisy. Environnée de vallons verdoyants creusés de cours d'eau poissonneux, elle couvre 2 100 hectares de hêtres, de chênes et de châtaigniers. Perle romane d'architecture, l'abbaye bénédictine de Cerisy déploie une grande nef flanquée d'une succession pyramidale d'absides qui expriment tout à la fois force, équilibre et harmonie.

Non loin, les maisons de Balleroy s'alignent en une haie d'honneur, ouvrant une superbe perspective sur le château édifié par Jean Mansart dans le plus pur style Louis XIII.

Le Cotentin

Un autre Finistère !

Proue dressée face aux vents du large, péninsule assaillie par la mer, vigie ponctuée de caps et de baies, ainsi s'offre le plus maritime pays de Normandie ! La campagne, avec ses paysages de bocages piqués de chemins creux, n'est pourtant jamais loin.

Au nord-est, les collines du val de Saire laissent une impression de quiétude et de douceur. Elles portent des cultures légumières qui profitent des précipitations étalées et des courants chauds du Gulf Stream, avant de s'interrompre en falaises. Tel un bout du monde qui éperonne la Manche, la presqu'île de la Hague forme, au nord-ouest, une échine élevée, entourée d'écueils et rabotée par les vents à l'origine de nombreux naufrages. Lovés dans des échancrures, les villages se retranchent derrière leur épais granit.

Rude, la mer sait aussi se montrer généreuse ! Un quart des huîtres consommées en France sont produites sur la côte ouest (Blainville, Coutainville, Gouville), les baies de Saint-Vaast-la-Hougue et des Veys (Isigny-sur-Mer, Grandcamp-Maisy). On y élève aussi un quart de la production des moules de bouchot.

Au centre, les paysages hérissés de haies du bocage gagné sur les marécages dessinent de grandes parcelles semées de prairies et de cultures fourragères. Créé en 1991, le parc naturel des Marais du Cotentin et du Bessin abrite une mosaïque de territoires aquatiques sillonnés de canaux, de ponts et de digues.

Ci-dessus : sur le territoire sauvage et peu peuplé de la Hague, fut implantée en 1985 la centrale nucléaire de Flamanville.

En encadré : En haut : Giverny. En bas : Deauville.

Génies *du* ***pinceau*** et de la **plume**

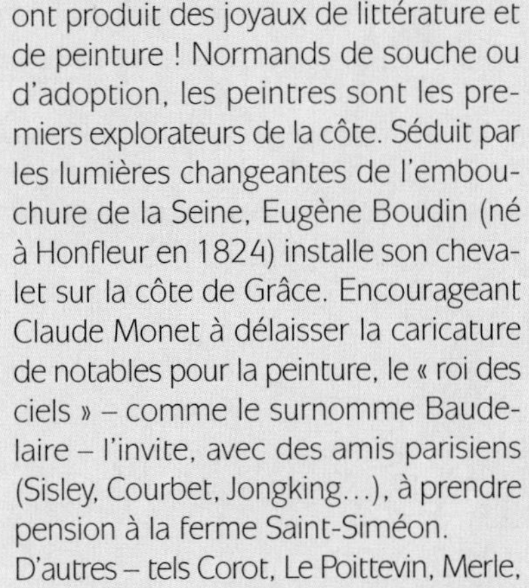

Quatre siècles durant, écrivains et artistes ont produit des joyaux de littérature et de peinture ! Normands de souche ou d'adoption, les peintres sont les premiers explorateurs de la côte. Séduit par les lumières changeantes de l'embouchure de la Seine, Eugène Boudin (né à Honfleur en 1824) installe son chevalet sur la côte de Grâce. Encourageant Claude Monet à délaisser la caricature de notables pour la peinture, le « roi des ciels » – comme le surnomme Baudelaire – l'invite, avec des amis parisiens (Sisley, Courbet, Jongking...), à prendre pension à la ferme Saint-Siméon.
D'autres – tels Corot, Le Poittevin, Merle, Landelle... –, conquis par les falaises arc-boutées d'Étretat, s'installent à demeure. Matisse y peint trente et une toiles en 1920 et Monet soixante-quinze entre 1883 et 1886 !
La Normandie est aussi le jardin des écrivains. Né à Rouen en 1606, Pierre Corneille connaît la gloire avec *Le Cid*. Fondateur du régionalisme normand, Jules Barbey d'Aurevilly rêve de « faire du Shakespeare dans un fossé du Cotentin ». « Un portail gothique pouvant laisser passer un navire toutes voiles dehors » : ainsi Maupassant évoque-t-il les falaises d'Étretat où il passa une enfance heureuse. Héroïne romanesque qui ne rêvait que de Paris et d'amour, madame Bovary est née en 1856 sous la plume de Gustave Flaubert. Les amateurs de souvenirs littéraires flâneront avec émotion dans le joli bourg de Ry (à l'est de Rouen), où le romancier a situé l'action de son livre.

Au **pays** *du* ***cheval*** **roi**

Pur-sang, trotteurs français, percherons... Depuis plus de trois cents ans, la Normandie pratique l'élevage de « la plus noble conquête de l'homme », avec un constant souci de perfection ! Des cinq mille haras (privés pour la plupart), sortent près de la moitié des chevaux de course, galopeurs et trotteurs français. Cette économie équestre génère plus de sept mille emplois parmi lesquels jockeys, entraîneurs, vétérinaires, maréchaux-ferrants.
Fondé par Colbert en 1665 pour éviter l'achat de chevaux allemands et la fuite de capitaux, le Haras du Pin est le doyen de ces palais dédiés à la reproduction. « Versailles du cheval » édifié d'après les plans de Mansart et de Le Nôtre, il abrite les écuries d'une soixantaine d'étalons de dix races différentes.
Entre mars et juillet, le haras connaît la fièvre de la monte : des milliers de juments sont honorées. Elles donneront naissance à des poulains dont les éleveurs espèrent faire des « cracks ». Dépendant du ministère de l'Agriculture, ce haras est aussi un centre de compétition et de course.

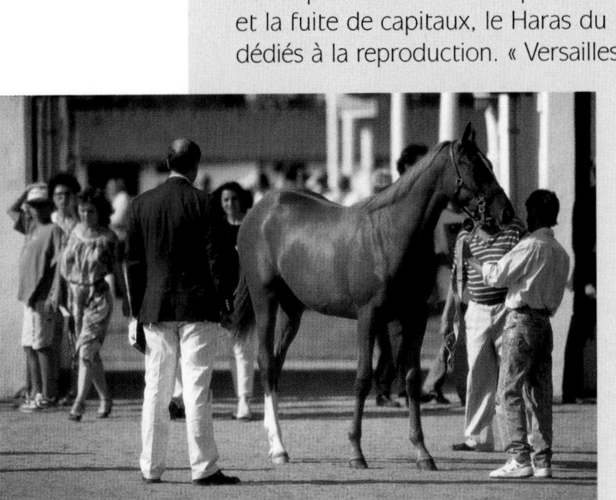

Au sud, les collines traversées de rivières sont amendées avec des engrais marins (varech et tangue), pour porter des céréales, plantes textiles ou fourragères. À l'est, Barfleur présente une harmonieuse architecture de schiste et de granit aux tendres patines que reflètent les eaux de son port. Maisons serrées, fenêtres doubles et église au profil bas n'offrent que peu de prise aux vents ! Dans le chemin creux d'un vallon, Omonville-la-Petite protège ses maisons des colères de la mer. Ici, en 1971, Jacques Prévert choisit de finir sa vie. Non loin, Omonville-la-Rogue, nichée dans une vallée verdoyante, offre une remarquable architecture villageoise. C'est dans ce décor que Roman Polanski tourna, en 1978, les extérieurs de son film *Tess*.

Logée dans un golf, Cherbourg vit au rythme de son port depuis mille ans ! En 1779, Louis XVI fit édifier des jetées pour créer une rade, l'une des plus vastes au monde. Entre les deux guerres, on y construisit une gare maritime de style Art déco pour accueillir les grands transatlantiques : le Titanic (qui y fit sa première et dernière escale), le Queen-Mary… Du haut de la montagne du Roule qui le surplombe, on découvre la rade, les ports, avant-ports, bassins, et l'intense trafic des chalutiers, navires de plaisance et ferry-boats tournés vers l'Angleterre.

Coutances, capitale du Cotentin sous le règne des ducs de Normandie, offre une superbe cathédrale, chef-d'œuvre d'harmonie.

À l'ouest, landes de bruyères, tourbières et cultures maraîchères s'ouvrent sur Lessay, lieu d'échange entre les eaux douces et la mer.

À l'est, la baie des Veys, partiellement asséchée, voit converger quatre cours d'eau. Au printemps, les vasières se muent en prairies et annoncent la transhumance ! Fin mai, bovins et chevaux sont marqués au fer rouge et lâchés dans les prairies humides gérées collectivement par les habitants.

Ci-dessus : c'est à Barfleur que Guillaume le Conquérant embarqua pour la conquête de l'Angleterre en 1066.

Ci-contre : la cathédrale de Coutances allie l'équilibre des volumes du roman à la verticalité du gothique.

Cidre, *calvados* et **pommeau**

Forte de plusieurs centaines de variétés, la pomme peut se déguster à toutes les étapes du repas : pommeau à l'apéritif, cidre pendant le repas, calvados en digestif. La route du cidre qui relie les villages du canton de Cambremer en pays d'Auge, à travers un lacis de routes bordées de haies vives, permet de découvrir des fermes où l'on élabore encore artisanalement le «champagne normand ». Cueillies mûres et juteuses, les pommes qui mêlent saveurs douces, amères et acides sont écrasées dans une auge circulaire où roule une lourde meule de granit actionnée par un cheval. Appelée marc, la bouillie obtenue est disposée, dans un pressoir à levier, en couches entre lesquelles est intercalé un « glui » (matelas de paille de seigle). En resserrant la vis de bois, on obtient un jus fruité et mousseux qu'il faut laisser fermenter en tonneaux de chêne.

Laissé une ou deux années sur lie, le vieux cidre donne, après distillation, le ferment du calvados. Digestif apprécié, cet alcool brun clair, au goût marqué du fruit, parfume nombre de spécialités culinaires. Il est aussi à l'origine du fameux « trou normand » ! Sa distillation s'effectue dans un alambic avant de vieillir en tonneaux où, au contact du bois, il s'imprègne de ses tanins et gagne sa robe ambrée. Selon le degré de vieillissement, il porte différentes appellations : « 3 étoiles » pour deux ans de tonneau, « vieille réserve » pour quatre ans « Napoléon » ou « Hors d'âge » pour plus de cinq ans. Le pommeau se compose, lui, de deux tiers de jus de pomme et d'un tiers de calvados.

En haut, à gauche : la maison de la pomme, à Barenton.

En haut, à droite : calvados à Magloire. et dégusté par J.-P. Groult.

Au milieu : le roi-camembert au musée de Vimoutiers.

En bas à gauche : la poissonnerie Jeannette à Trouville.

Qui a fait *normand* a fait ***gourmand !***

« Il y avait dessus quatre aloyaux, six fricassées de poulet, du veau à la casserole, trois gigots et, au milieu, un joli cochon de lait rôti, flanqué de quatre andouilles à l'oseille. Le cidre doux en bouteilles poussait sa mousse épaisse autour de bouchons et tous les verres, d'avance, avaient été remplis de vin jusqu'au bord. » Ainsi, Gustave Flaubert dépeint-il les merveilles de gueule de la table de noce de madame Bovary dans son célèbre roman. Avec 5 000 litres de lait par an, la vache du pays d'Auge est championne ! Son or blanc est source de crème fraîche onctueuse au petit goût de noisette et de trois fromages. À côté du roi-camembert, on trouve le pont-l'évêque à la fine pâte et à la croûte jaune doré, et le livarot à la saveur relevée mais sans amertume – surnommé au XIXe siècle « la viande de l'ouvrier » tant il était populaire ! La chair tendre des veaux et volailles est à la base de nombreuses spécialités : escalopes à la crème et aux champignons, lapin au cidre... Dans l'Avranchin, les moutons se nourrissent d'une herbe salée par la Manche qui recouvre périodiquement la baie du Mont-Saint-Michel. Le Calvados est renommé pour ses tripes de bœuf à la mode de Caen et son andouille de porc de Vire à la chair rosée et goûteuse, fumée au bois de hêtre. Avec 500 kilomètres de côtes jalonnées de ports de pêche, la Normandie est riche de crustacés et coquillages (crevettes grises, coques, tourteaux, bulots, bigorneaux...) qui composent des plateaux de fruits de mer accompagnés de pain de seigle et de beurre demi-sel crémeux. 30 000 tonnes d'huîtres à la chair croquante et charnue sont produites par an, principalement dans le Cotentin. Les moules de Villerville se préparent à la marinière, crémées et persillées, ou en soupe aux crevettes. Coquilles Saint-Jacques, homards et langoustines mijotent dans la crème avant d'être flambés au calvados. La matelote de poissons (turbots, grondins, congres...) est cuite dans le beurre et le cidre.
Utilisées comme « liant » pour épaissir les sauces, les pommes remplacent les légumes ; coupées en quartiers et dorées au beurre ou épluchées entières, épépinées et pochées dans le cidre, elles apportent une subtile douceur acidulée aux viandes et aux volailles. En pâtisserie, elles se prêtent à la confection de succulentes compotes, de tartes, de bourdelots de Rouen (pommes cuites dans de la pâte à pain).
En pays d'Auge, la teurgoule est un solide entremets inventé par des femmes au XVIIIe siècle et jadis cuit dans le four du boulanger. Servi dans une grande jatte en terre, il est fait de riz cuit dans du lait chaud aromatisé à la cannelle.

L'Avranchin

Tourné vers sa Merveille

Prolongement sud du Cotentin, l'Avranchin s'ouvre largement sur la mer par la baie du Mont-Saint-Michel. Appelés herbus, les prés-salés qui le tapissent sont le domaine des moutons à tête et pattes noires. En hiver, vient le temps de l'agnelage : les brebis donnent naissance à des agneaux qui, quatre-vingt-dix jours durant, parcourent librement ces prairies riches de soixante-dix espèces végétales (salicorne, obione pédonculé, fétuque rouge...). Quatre à cinq fois par an, la marée les recouvre, les enrichissant de ses sels minéraux.

Au sud, le bocage gagne du terrain, quadrillé de haies et de chemins creux, s'offrant à l'élevage de vaches laitières et de chevaux pour les courses et manifestations hippiques.

« Petite Saint-Malo normande », Granville s'étire sur un promontoire dressé face à la mer. Créée en 1439 par les Anglais pour surveiller le Mont-Saint-Michel voisin resté français, elle fut premier port morutier de France jusqu'en 1930. Vers 1850, une ligne de chemin de fer fut construite pour conduire vacanciers et écrivains (Victor Hugo, Michelet, Stendhal...) sur ses plages ourlées de dunes et ponctuées de havres, petits estuaires par lesquels les rivières se jettent dans la Manche.

Entre mer et campagne, Avranches, sa capitale, est une cité animée non dénuée de charme. De son jardin botanique, on jouit d'un remarquable panorama sur la baie du Mont-Saint-Michel que Guy de Maupassant évoque dans *Le Horla*.

Ci-dessus : corsetée de remparts, la ville haute de Granville égrène ruelles et venelles bordées d'hôtels particuliers édifiés par des armateurs fortunés.

Ci-dessous : la baie du Mont-Saint-Michel entaille l'Avranchin sur 18 kilomètres de profondeur et le soumet à de très fortes marées.

Un peu plus à l'est, à Saint-Léonard, on peut observer la spectaculaire montée des eaux et la formation du mascaret, vague déferlante provoquée par la force du courant de la marée.

« Merveille de l'Occident » dressée sur un îlot granitique fortifié, le Mont-Saint-Michel est devenu, en un siècle et demi, une icône touristique ! Sa fréquentation est passée de dix mille visiteurs annuels en 1860 à deux millions et demi aujourd'hui ! Né au VIIIe siècle de l'apparition de l'archange saint Michel ordonnant à Aubert, évêque d'Avranches, de construire un oratoire en ce lieu, le Mont-Saint-Michel n'a cessé de s'enrichir de nouvelles constructions à la splendeur croissante. À la foi qui poussait jadis nobles, bourgeois et mendiants à se prosterner aux pieds de saint Michel s'est substituée la soif de découverte des touristes du monde entier ! La chaussée déborde de devantures offrant, en lieu et place des objets de piété et saintes insignes d'autrefois, cartes postales, assiettes décorées et autres souvenirs.

Mieux vaut partir à l'assaut du rocher hors saison pour éviter les grandes affluences !

Pays d'agriculture

• LE PAYS DE BRAY • LE VEXIN NORMAND

Verts pâturages que broutent des vaches aux mamelles généreuses, vastes horizons céréaliers, futaies rafraîchissantes, fermes opulentes repliées sur leurs cours... dépourvus de façades maritimes ils se consacrent à la terre et à la forêt, qui furent aussi source d'artisanats actifs : verrerie, poterie et métallurgie. Forteresses, maisons d'artistes, villages et station thermale offrent mille prétextes à la découverte !

Le pays de Bray

Verdoyante villégiature !

Courbes riantes, bocages paisibles, vergers dispersés... tel est le pays de Bray ! Entre Normandie, Picardie et Ile-de-France, il creuse une verdoyante vallée au sein d'un vaste et monotone plateau céréalier. Appelée joliment « boutonnière », elle forme une fracture (longue de 70 kilomètres et large de 15 kilomètres) tapissée de prairies et bordée de côtes crayeuses. Jadis terre de forêts et de marais, le pays de Bray n'offrait que de maigres cultures qu'il fallait compléter par des activités artisanales (draperie, métallurgie, verrerie, poterie...). Née à l'époque gallo-romaine, la poterie connut son âge d'or au XVIe siècle grâce à l'abondance de l'argile et du bois, source de combustible pour la cuisson de la terre. La toponymie s'en souvient (Saint-Germain-la-Poterie, La Chapelle-aux-Pots...) et nombre de fermes conservent leurs fours !

À partir du XVIIe siècle, l'herbe à vache des fonds de vallons transforme le paysage et l'économie. Grâce à la voie ferrée Paris-Dieppe, le pays devient la « laiterie de la capitale ».

Au nord, Neufchâtel-en-Bray (ci-dessus) produit, depuis le XIe siècle, le doyen des fromages normands. Protégé par une AOC, il est fabriqué avec du lait entier et moulé en forme de briquette ou de cœur (ci-dessous).

Au sud, Gournay-en-Bray est renommée pour ses produits laitiers (beurre, crème, fromage frais et petits-suisses). En 1850, une fermière secondée par un vacher suisse eut l'idée de mélanger de la crème fraîche au lait caillé ; le « petit-suisse » était né !

L'omniprésence des ruisseaux et rivières facilite, après amendement des sols, la culture des céréales et oléagineux sur les coteaux argilo-calcaires. Au nord et au sud, les massifs forestiers d'Eawy et de Lyons forment de merveilleuses hêtraies où il fait bon s'aventurer et découvrir des sites remarquables, tel le château de Mesnières-en-Bray, fleuron de la Renaissance normande.

Perchée sur un dôme d'où sourdent ruisseaux et rivières (Epte et Andelle), Forges-les-Eaux est une ancienne cité métallurgique – d'où son nom de Forges ! Au XVIIe siècle, la découverte de sources ferrugineuses aux vertus revigorantes favorisa sa reconversion en station thermale, attirant madame de Sévigné, Voltaire, Louis-Philippe... À l'est, Le Thil-Riberpré, rassemblé autour de sa mairie et de son église, est un point de départ idéal de randonnées à travers prairies et collines.

Le Vexin normand

À la frontière des batailles

Plateau crayeux et onduleux, le Vexin normand est borné par l'Andelle au nord, l'Epte au sud et la Seine et sa large vallée à l'ouest. Son épaisse couche de limon favorise les cultures intensives de blé, de betterave et d'orge, en association avec l'élevage bovin. Le bocage est donc rare, laissant place à de vastes horizons céréaliers émaillés de grosses fermes repliées sur leurs cours.

Au nord, la forêt de Lyons compose une superbe hêtraie, jadis exploitée par les bûcherons, charbonniers, potiers et verriers. Couvrant plus de 10 000 hectares, elle convie à de bucoliques promenades environnées de châteaux, manoirs et abbayes. Sa capitale, Lyons-la-Forêt, dispose concentriquement ses belles façades à colombages ou en briques roses aux toits ornés de poteries, autour de son ancien château élevé par Henri Ier Beauclerc, roi d'Angleterre. Cœur de la cité, la halle charpentée de chêne vit tourner des scènes de *Madame Bovary* en 1933 et 1991 par Jean Renoir et Claude Chabrol.

À l'ouest, l'Epte marque la frontière historique avec le Vexin français, démembré en 911 par l'accord de Saint-Clair-sur-Epte. Son cours fut choisi par Charles le Simple pour délimiter la terre des Normands (aux mains de Rollon) et le royaume des Carolingiens. Deux siècles durant, s'érigèrent deux lignes de places fortes se faisant face : Gisors, Dangu, Château-sur-Epte...

À Giverny, la maison rose aux volets verts de Claude Monet convie à revivre l'épopée impressionniste. De 1883 à 1926, le peintre de la lumière et des couleurs y composa ses plus belles toiles avec, pour thèmes, les peupliers, les meules de foin, les nymphéas... Source de mille inspirations, les jardins qu'il aménagea – creusant un étang, détournant une rivière, construisant un pont japonais – dessinent un éblouissant tableau où se mêlent arceaux de roses, parterres de coquelicots, saules pleureurs...

En remontant la Seine bordée de ses falaises blanches, on atteint Château-Gaillard, édifiée en un temps record (1196-1197) par Richard Cœur de Lion, roi d'Angleterre, pour prévenir son duché des attaques du roi de France, Philippe Auguste. Dressée sur un promontoire naturel qui surplombe la vallée, cette forteresse réunissait toutes les techniques défensives des ingénieurs militaires du XIIe siècle : enceintes dotées de saillies rondes, donjon couronné de mâchicoulis maçonnés sur des éperons, fossé très profond. S'y ajoutaient des avant-postes, une zone marécageuse et une machinerie de chaînes empêchant le passage des navires sur la Seine ! Mais moins de huit ans après son édification, Château-Gaillard fut investie, annonçant le rattachement du duché à la couronne de France.

Ci-dessus : établie sur la rive droite de la Seine, Vernon, fondée au Xe siècle par Rollon, offre de belles curiosités.

Ci-dessous : démantelé au XVIIe siècle puis livré au pillage, le château de Gisors conserve des ruines évocatrices.

NORD-PAS-DE-CALAIS
PICARDIE
ILE-DE-FRANCE

En dépit de l'image industrieuse et grise qu'on leur prête, les pays du Nord-Pas-de-Calais demeurent baignés de ruralité et d'ambiances marines. Quant à ceux de Picardie, mêlés de labours, de forêts, d'étangs et de baies, ils n'engendrent pas la monotonie. À la croisée des routes et des civilisations, les pays de l'Ile-de-France conservent, malgré cinquante ans d'urbanisation ininterrompue, charme et histoire féconde.

NORD-PAS-DE-CALAIS

Aux amateurs de randonnées, le Nord-Pas-de-Calais offre une étonnante succession de paysages et de patrimoines.

Terre de nature, de labeur et de fêtes

Ciel gris et bas, climat brumeux et humide, paysages sans relief, pavés déchaussés luisants de pluie, zone industrieuse avec ses mines et ses filatures fantômes... Au palmarès des régions mal aimées, celle-là détient la palme... d'or ! Et pourtant...

• Certes, rares sont les territoires qui portent en eux autant le labeur des hommes ! Tour à tour, ils ont exploité les carrières de marbre, asséché les marécages pour gagner des terres nourricières, creusé la terre pour en extraire le charbon et hissé l'artisanat lainier au rang d'industrie textile !

• Mais le poids du passé fait oublier que 80 % de l'espace est rural et maritime, dévolu à l'agriculture et à la pêche, comme en témoignent les bocages vallonnés du Boulonnais, les prairies à vaches parcourues d'eaux vives de l'Avesnois, le Marais audomarois sur lequel glissent les « bacôves » des maraîchers, les falaises de craie du cap Blanc-Nez où nichent une multitude d'oiseaux...

• Région frontière âprement convoitée pour ses richesses et sa facilité d'accès, le Nord-Pas-de-Calais a, trois siècles durant, été disputé à l'Espagne et à l'Angleterre, avant de devenir française sous Louis XIV. Ce particularisme de la géographie et de l'histoire a fait naître nombre de villes fortifiées à la savante architecture militaire qui, malgré les destructions des deux dernières guerres, invitent à une riche découverte.

• Autour de la valeur du travail s'est construite une solide culture de la fête. Ici, tout est prétexte à s'amuser ! Les baptêmes, les communions, les mariages sont l'occasion de chanter et de danser en famille. Les kermesses et les ducasses, animées par l'une des sept cent soixante fanfares que compte la région, ponctuent elles aussi l'année nordiste. Et quand sonne l'heure du carnaval, interdits et classes sociales se mettent en congé ! On se déguise et l'on rivalise de gaieté et d'audace pour fourbir farces et canulars !

Pays d'agriculture

• L'AVESNOIS • LE CAMBRÉSIS • L'ARTOIS • L'AUDOMAROIS

Verdoyants, ondulants, semés de bocages et d'eau, ils font mentir l'image d'une terre plate et industrieuse ! Occupés par l'agriculture, l'élevage et les forêts, ils ont souvent été conquis sur les marais par les moines du Moyen Âge. Aux amateurs de randonnées, ils offrent une étonnante succession de paysages et de patrimoines.

L'Avesnois

Verdoyant et forestier

C'est le « sourire du Nord » ! Une province verte aux bocages piqués de pommiers, de fleurs et de prairies où paissent les Bleues du Nord, race locale à l'origine du fameux (et puissant !) fromage de Maroilles.

Ce pays d'élevage laitier a pour capitale Avesnes-sur-Helpe, ancien carrefour commercial entre Pays-Bas, Bourgogne et France réputé pour ses foires. Dotée d'une ville haute et d'une ville basse, elle mérite une visite pour découvrir ses rues typiques, sa Grand'Place et sa collégiale dotée d'un beau carillon.

Au nord, Bavay, ancienne capitale de la Gaule belge, offre un forum complet avec sa basilique, sa place et ses portiques.

En haut : terre d'élevage piquée de forêts, l'Avesnois est un havre verdoyant où il fait bon se ressourcer.

Au milieu : aux portes de la Belgique et des monts de Flandre, Bailleul fut reconstruite en 1920 dans le style néo-flamand, sans rien perdre de ses charmes ni de ses traditions marquées par la dentelle et un carnaval.

En bas : un bel ordonnancement végétal a effacé les meurtrissures des batailles que rappellent mémoriaux et cimetières militaires.

À l'est, la terre se fait boisée (charmes, merisiers, chênes…) et semée d'étangs à mesure que l'on approche les Ardennes. L'architecture revêt une grande unité : murs de brique rose, linteaux et arcs de pierre bleue, toitures d'ardoise.

D'innombrables oratoires parsèment la campagne et de pittoresques kiosques à danser en fer forgé se dressent sur leurs mâts plantés sur les places des villages. Les uns permettaient autrefois de se concilier les grâces du ciel et de son curé, les autres accueillaient trois ou quatre musiciens sur leur plate-forme surélevée pour mener le bal. Tandis qu'une première mélodie s'échappait, les dames aux élégantes toilettes s'élançaient au bras de leurs cavaliers.

Le Cambrésis

Ses bêtises et son patrimoine

C'est le sud du Nord ! Aux confins de la Picardie, il déploie son plateau de craie recouvert d'une fertile couche de limon. Dans un paysage de grandes étendues, se cultivent betterave sucrière, luzerne, maïs, pommes de terre, endives. Il est traversé du nord au sud par la vallée de l'Escaut et le canal de Saint-Quentin.

Ville d'Art, Cambrai, sa capitale, se découvre comme un livre d'histoire dont on tourne les pages en flânant : un riche patrimoine hérité de son statut de métropole religieuse et de ville frontière.

Principauté du Saint Empire germanique, convoitée par les Anglais, rattachée aux Pays-Bas espagnols en 1556 puis à la France en 1678, elle conserve, malgré les pillages et destructions de 1918 et 1945, de belles maisons à pans de bois, des pignons flamands, une cathédrale, un beffroi couronné d'un campanile où deux célèbres jacquemarts, Martin et Martine, sonnent les heures.

L'Artois

Prospère et vallonné

Occupant une large partie du Pas-de-Calais, cette terre autrefois couverte de moulins et de brasseries étend un fertile plateau limoneux. Au sud-est s'étend l'Arrageois, tapissé de grands champs où règnent blé, betteraves et pommes de terre.

Ancienne ville drapière restée à l'écart de l'industrialisation, Arras, sa capitale, est mondialement réputée pour ses deux superbes places : la Grand-Place et la place des Héros.

Au nord-est, le Béthunois forme l'extrémité occidentale du bassin houiller. Au sud-est, se déroule la verte vallée de la Scarpe, ponctuée de villages massés autour de leur église fortifiée. Fleuve côtier au cours lent et sinueux, la Canche trace plus à l'ouest une vallée qui s'étire jusqu'à la Manche. À sa source, Hesdin, capitale de l'Hesdinois, offre les charmes de son architecture des XVIe et XVIIe siècles. Environnée de forêts, elle forme le départ du pays des Sept vallées où coteaux et vallons se succèdent, parsemés de hameaux alanguis et de pâtures à vaches.

Ci-dessus : inventées il y a plus d'un siècle à la suite d'une erreur de cuisson, les bêtises de Cambrai, délicieux bonbons parfumés à la menthe, font la renommée de la ville !

Ci-dessous : sur la Grand-Place d'Arras, les demeures des XVIIe et XVIIIe siècles déploient leurs pignons flamands à volutes, juchés sur des colonnes de grès.

L'Audomarois

Et ses chemins d'eau

Hortillonnages, étangs et forêts, moulins à eau et églises gothiques… Situé aux confins de l'Artois, ce pays nature est traversé par l'Aa, fleuve qui va à la rencontre de la Flandre intérieure. Terre de bocage et d'élevage à l'origine, sa vallée s'est couverte de moulins à eau pour moudre la farine, fouler les étoffes, tanner les cuirs, produire la pâte à papier… Par la suite, de puissantes industries agroalimentaire, papetière et verrière – dont la célèbre cristallerie d'Arques – y sont nées.

Le **Pré-Carré** de ***Vauban***

L'histoire de cette terre prospère se confond avec celle des guerres ! Zone frontière entre Pays-Bas espagnols, possessions anglaises (Calaisis et Marquenterre) et royaume de France, elle doit, dès le XIe siècle, protéger ses villes libres et commercialement très actives. Sur la route des villes fortifiées (Calais, Boulogne, Montreuil, Arras, Cambrai, Avesnes, Maubeuge, Lille, Saint-Omer, Bergues, Gravelines...), on découvre treize places fortes édifiées par Vauban. Appelé Pré-Carré, ce réseau était conçu pour verrouiller les nouvelles frontières du royaume. Il est à l'origine de la création de superbes plans en relief que l'on peut découvrir au musée des Beaux-Arts de Lille. Outre les fossés, bastions et glacis, il s'appuyait sur des citadelles, verrous militaires contrôlant les abords des plus grandes villes, et un réseau de canaux et de digues capables d'inonder d'immenses territoires.

De part et d'autre, se déploient les « wateringues », terres situées au-dessous du niveau de la mer conquises sur les marais.

Jusqu'au XVe siècle, l'élevage y domine et fait de Saint-Omer, sa capitale, une des grandes cités drapières de Flandre. De ce passé prestigieux, cette paisible ville conserve un riche patrimoine qui fait sa fierté : cathédrale Notre-Dame, palais de justice et belles demeures bourgeoises ornées de moulures, guirlandes de fleurs et chapiteaux.

Dans les « watergangs », ces chemins d'eau sillonnés par les barques à fond plat des maraîchers, poussent les fruits d'une terre sablonneuse fertilisée par les alluvions et les tourbes : endives, choux-fleurs, artichauts, poireaux, carottes... Ce milieu aquatique est aussi le royaume des pêcheurs de brochets, de brèmes, de sandres, de perches et d'anguilles, ainsi que des chasseurs.

En haut : l'abondance des rivières et la vigueur des vents ont facilité l'installation des moulins et l'essor de la métallurgie.

En encadré
En haut : des fortifications érigées par Charles Quint, Cambrai conserve une citadelle et plusieurs portes.
Au milieu : ferme à Course.
À droite : le quartier du château à Villeneuve-d'Ascq.

La **couleur** *comme* ***antidote***

Manoirs, maisons basses nichées au creux des haies, bâtisses à pans de bois, porches de fermes surmontés d'un pigeonnier... Groupé ou dispersé, l'habitat revêt une grande diversité toujours en harmonie avec le terroir environnant. S'y déploie une polychromie soigneusement appareillée de pierre et d'argile : torchis, briques de sable blanc, souscuites légèrement rouges, surcuites presque noires, pavés de silex, moellons de craie, pierre bleues de l'Avesnois. Dictée par des considérations techniques ou une tradition locale, la couleur (peinture, lait de chaux...) associe sa palette de rouge-brun, orangé, jaune pale, vert, blanc... notamment dans le bassin minier, l'Audomarois et le Boulonnais. Avec la peinture on personnalise sa maison et l'on donne libre cours à sa fantaisie ! La trilogie porte-fenêtre-volet y participe aussi : verts, rouges ou à rayures verticales vertes et blanches pour les portes, jaunes, verts et bleus vifs pour les fenêtres et les volets.

Pays d'industrie

• Le Valenciennois • Le Douaisis
• Le Béthunois

Ils ont forgé l'image laborieuse du Nord ! Vers eux ont convergé les hommes de toutes nationalités, vite unis par la solidarité de la mine et les luttes sociales. L'arrêt douloureux de l'exploitation du bassin houiller marque le début d'une reconversion culturelle de son patrimoine.

Le Valenciennois

Redécouverte de son patrimoine

Ses paysages alternent mines et terrils (ou « crassiers »), des montagnes de débris de charbon qui culminent jusqu'à 180 mètres et tracent une chaîne longue de 120 kilomètres ! Ce pays n'en reste pas moins vert ! Traversé par la plaine de la Scarpe et de l'Escaut parsemée de petits étangs et de forêts (chênes et bouleaux), il est inscrit dans un parc naturel régional. Durant l'Antiquité, seuls les marécages disputaient le sol aux sombres forêts !

Ancienne ville drapière réputée pour ses dentelles aux fuseaux, Valenciennes est sa capitale. En 1720, la découverte de charbon ouvre la voie de la prospérité et de l'essor artistique. Surnommée l'Athènes du Nord, la ville voit naître nombre d'artistes dont la famille Watteau. Détruite en partie en 1945, elle s'emploie à réhabiliter son patrimoine épargné et à être plus accueillante. À découvrir : le musée des Beaux-Arts aux riches collections de peintures flamandes, l'enclos du béguinage où vivaient des femmes désireuses de mener une vie religieuse, la basilique Notre-Dame…

Tout autour, les affaissements miniers disparaissent sous des plans d'eau aménagés, les noires pyramides entrées en combustion sont colonisées par une végétation exotique d'orchidées, figuiers, chénopodes d'Australie… et les carreaux se reconvertissent en lieux de tourisme sous l'impulsion des mineurs.

On prend également les eaux à Saint-Amand, administrées en bains, en boues ou en saines boissons !

En haut : avec le temps, les marques de l'activité houillère s'estompent dans le Valenciennois, et la nature reprend ses droits.

En bas : dans toutes les villes du nord, les carnavals et fêtes de rues sont une institution.

Le Douaisis

Des moines aux mineurs

Ancienne plaine marécageuse traversée par les rivières aujourd'hui canalisées de la Scarpe, de l'Escault et de la Sensée, il est devenu terre agricole grâce aux travaux des moines.

Orchies est la capitale de la chicorée Leroux®, qui emploie mille quatre cents planteurs localisés dans les environs ainsi qu'en Flandre et à Saint-Omer.

Ancienne ville drapière, Douai doit sa renommée à son beffroi gothique et ses soixante-deux cloches. Haut de 30 mètres, ce carillon rythme de ses mélodies la vie des habitants et les sorties de son géant local. Vers 1850, la découverte de houille fait d'elle la capitale du pays charbonnier.

À l'ouest, le centre historique minier de Lewarde en est le conservatoire. Dans le cadre d'un site d'extraction qui compta mille ouvriers de 1930 à 1971, on y effectue en

L'esprit *de* fête

Forgé sur les valeurs de travail et de solidarité ouvrière, il s'exprime par un sens très poussé de la convivialité. Chaque année, de février à juillet, carnavals et fêtes endiablés déferlent sur les villes nordistes...
Tirant ses origines des festivités organisées pour le départ des pêcheurs partis capturer la morue en Islande, le carnaval de Dunkerque est une véritable institution, avec son rite, son calendrier, ses adeptes.
À l'époque de mardi gras, la ville vibre au son des flûtes et des tambours suivis par les flots de personnages costumés et masqués qui chantent à tue-tête au milieu d'un indescriptible chahut, sous la protection bienveillante du géant local Reuze, de ses gardes et de sa famille.
S'y ajoute la pratique de plus de cent cinquante jeux exercés en petits comités ou au sein d'amicales qui ont pour siège... l'estaminet ! Quilles, billons (longues massues en bois de frêne ou de charme qu'on lance au plus près d'un but), jeu de paume, maniement de l'arbalète, tir à la perche (l'archer vise des oiseaux de bois placés sur un mât haut de 30 mètres), javelot sur cible, courses de pigeons voyageurs...
Typique du Valenciennois, le jeu de chole consiste à frapper à l'aide d'une crosse une boule de bois de 8 à 10 centimètres de diamètre. Particularités : on joue dans les rues des villages, le long des trottoirs, et les joueurs se déguisent en clown, en fakir ou en sorcière...

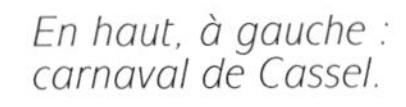

En haut, à gauche : carnaval de Cassel.

En haut, au milieu : jeu de crosse au but à Bavay.

En haut, à droite : estaminet flamand à Godewaersvelde.

Au milieu : fête des Rats sur la Grand-Place à Arras.

En bas : Stéphane Deleurence, sculpteur de Géants.

Des Géants *bien* vivants

Ils s'appellent Reuze, Gayant ou Binbin, affichent une longévité de plusieurs siècles et dépassent les toits des maisons : ce sont les géants du Nord ! Faits de carton et d'osier, ils sont les protecteurs des cités et les figures emblématiques des fêtes. Apparus au XVIe siècle, ils représentent d'abord les héros fabuleux de la Bible portés à dos d'homme lors des processions religieuses. Avec le temps, ils accompagnent les fêtes municipales et les représentations théâtrales.
Fierté des habitants, leur popularité va croissant. Ni les foudres du clergé (pour pratiques profanes) ni les condamnations sous la Révolution (pour archaïsme) n'entament leur succès !
Aujourd'hui, le Nord compte à lui seul plus de cent trente mannequins. Le géant de Douai, Gayant, est l'un des plus populaires. Casqué et habillé en costume féodal, il évoque le souvenir de Jean Gélon qui délivra la ville assiégée par les Normands, en 881. Avec ses 8,5 mètres de haut et ses 370 kilos, il faut douze personnes pour le porter ! Chaque année, début juillet, pendant trois jours, la région entière vient le fêter. Au milieu d'une foule dense et joyeuse, les porteurs le font alors marcher, danser, chanter, tourner, virevolter, et même reculer. Un vrai marathon sportif !

Dentelle, *faïence* et **marbre**

La présence de terres grasses propices à l'élevage de moutons a favorisé l'essor de grandes villes drapières comme Arras ou Saint-Omer. Au milieu du XVIe siècle, la technique de la dentelle aux fuseaux se développe dans les Flandres pour fournir à la cour royale cols, manchettes, jabots. L'invention du Jacquard, vers 1880, stoppe net cet artisanat mais marque l'essor prodigieux du textile faisant de Lille, Roubaix et Tourcoing des empires de la laine. À découvrir : le musée du Textile et de la Vie sociale à Fourmies (Avesnois), qui présente toute sa chaîne de fabrication.
L'abondance de l'argile et des forêts pour la cuisson au bois a encouragé, en maints endroits (Arras, Englefontaine...), la production de poterie puis de céramique. Depuis le XVIIIe siècle, Desvres (Boulonnais) vit au rythme de ses faïenceries. Ses cafés, brasseries et enseignes sont tous décorés de céramique. À visiter : sa maison de la Faïence.
De la route qui relie Boulogne à Calais, on aperçoit les grandes carrières de marbre de Marquise, mises en exploitation par les Romains pour édifier leurs temples. À visiter : le musée du Marbre et de la Géologie de Rinxent.

Ci-contre : de son passé industriel, le Béthunois conserve une population dense et cosmopolite et des paysages marqués par les terrils, les chevalements et l'habitat ouvrier.

compagnie d'anciens mineurs une plongée au cœur des galeries et du front de taille.

Au sud, la plaine de l'Ostrevent est semée de villages, corons, usines qui se suivent en se touchant, formant avec les champs cultivés un insolite patchwork.

À l'est, le val de Sensée, ancienne tourbière, conserve son aspect marécageux. Il est occupé par des étangs bordés de peupleraies où nichent grèbes, foulques et poules d'eau.

Le village d'Arleux s'est fait une spécialité de la culture de l'ail, qui est fumé à la tourbe du marais.

Le Béthunois

Corons et cités-jardins

À l'est de l'Artois, s'étend le Béthunois, extrémité septentrionale du bassin minier. Un circuit entre Béthune, sa capitale, Lens, Hénin-Beaumont, Courrières et Oignies permet de découvrir les corons, terme popularisé par Victor Hugo dans *Germinal* pour désigner les barres de maisons basses accolées, construites dans les années 1830 et dont la longueur peut dépasser 100 mètres.

Plus confortables et conçues par des architectes, les cités et les cités-jardins forment de beaux ensemble de six à huit maisons, édifiés autour d'un potager dans un esprit régionaliste, avec toiture à quatre pans, frises de brique, colombages de ciment... Propriétés des compagnies minières, ces logements avec eau courante et chauffage, associés à l'accès à une coopérative d'achat, constituaient un privilège en nature en même temps qu'un mode de contrôle social et de fixation de la main-d'œuvre.

Désormais, la bataille du charbon lancée en 1945 (en pleine reconstruction) a vécu. Plus de deux cent cinquante mille emplois ont été supprimés, laissant toute une population en proie au chômage et au désarroi. Heureusement, l'essor des loisirs et le besoin de retrouver ses racines incitent les gueules noires et les communes à réhabiliter ce vaste patrimoine. VTT, parapente, piste artificielle de ski dotée de remonte-pentes... le flanc des terrils se prête à toutes les utilisations !

Pays de mer

• La Flandre • Le Calaisis
• Le Boulonnais

Ils s'étirent sur 140 kilomètres de long, entre mer du Nord et Manche. Bien que ponctué par les ensembles portuaires de Boulogne, Calais et Dunkerque, leur littoral demeure l'un des mieux préservés. Falaises, dunes, estuaires, flore et faune uniques, lumières opalescentes du ciel en font la dernière grande réserve naturelle de France !

La Flandre

Maritime, rurale et urbaine

Moteur économique et démographique du Nord et de la Belgique, la Flandre s'inscrit pourtant dans un milieu hostile où lagunes et marécages se partagent un sol ingrat !

Au IXe siècle, un programme d'assèchement et de colonisation agricole en fit une terre prospère tournée vers l'Europe du Nord.

Conquise sur l'eau, la Flandre maritime (Blootland ou « pays nu ») est sillonnée de canaux et se peuple d'imposantes fermes à cours carrées qui exploitent blé, orge, lin, chicorée, betterave, et élèvent vaches, moutons et chevaux.

Sur la côte, face à la mer du Nord, se détachent les infrastructures sidérurgique et pétrochimique de Dunkerque.

À l'est, épargné des atteintes industrielles et urbaines, le littoral offre un bel ensemble de dunes parcourues de sentiers balisés et de belvédères. Classé réserve naturelle, il abrite grives, fauvettes, alouettes, merles, rossignols... et des fleurs rares (orchidées, gentianes...). En retrait, au sud-est, se déploient les Moëres, anciennes lagunes asséchées et drainées par un réseau de rigoles poissonneuses qui divisent la plaine en rectangles réguliers et se déversent dans un canal collecteur.

En haut : ce plat pays chanté par Jacques Brel s'allonge en une vaste plaine qui s'ouvre tour à tour sur la mer, la campagne et la ville.

En bas : Dunkerque, troisième port de commerce français.

En Flandre intérieure (Houtland ou « pays au bois »), s'ouvre la route des Monts propice à toutes les randonnées (point culminant du mont Cassel 176 mètres). Sur les pas de Marguerite Yourcenar, on parcourt un chapelet de buttes où dominent prairies, moulins à vent, fermes aux murs blanchis à la chaux et aux toits de pannes rouges et petits estaminets à l'ambiance chaleureuse où se perpétuent traditions culinaires et jeux populaires. Arbres et vergers s'estompent cependant au profit des cultures de céréales et de houblon.

Nichée dans une excroissance en bordure de la frontière belge, la métropole lilloise, carrefour économique européen, regroupe plus d'un million d'habitants.

Tour à tour flamande, française, bourguignonne, autrichienne et espagnole, Lille, ville jeune, vivante et conviviale recèle un patrimoine unique qui invite à marcher la tête en l'air ! La Vieille Bourse, la Grand'Place, la rue de la Monnaie et la rue Royale, la Place du Théâtre, la maison Hector-Guimard, le musée des Beaux-Arts, la citadelle Vauban sont quelques-uns de ses joyaux.

Larguez *les* ***amarres !***

Bien avant son célèbre *Voyage avec un âne à travers les Cévennes*, Robert Louis Stevenson, écrivain globe-trotter, s'aventurait sur les canaux pour un périple d'Anvers à Compiègne, dans le sillage des péniches chargées de charbon ou de blé. Aujourd'hui, les mariniers et leurs gros convois ont déserté ces modestes chemins d'eau pour le plus grand bonheur des marins d'eau douce et de leurs pénichettes ! Canaux du Nord, de Saint-Quentin, de la Sensée, la Scarpe et l'Escaut offrent 680 kilomètres de voies navigables ponctuées d'écluses, de ponts, de pâturages, de châteaux... Une façon originale et champêtre de découvrir les pays, loin des itinéraires balisés...

Le Calaisis

Conquis par l'homme

Cette terre plate, située en majorité en dessous du niveau de la mer, s'ouvre sur la Manche au nord et la Flandre maritime à l'est. Dès l'an mil, l'homme l'a protégée des assauts de la mer en consolidant le cordon de dunes qui la sépare du littoral et en asséchant les marais. Ces derniers, transformés en chemins d'eau (watergangs), délimitent des parcelles aux sols très fertiles (wateringues), où sont cultivés céréales, betteraves, chicorée, lin et légumes.

Calais, sa capitale, est une ancienne bourgade de pêcheurs devenue possession anglaise entre 1347 et 1558 en raison de sa situation stratégique. Au XVIIe siècle, la proximité des Pays-Bas espagnols en fait une place forte dotée d'une citadelle. En 1816, grâce à l'introduction illégale de métiers à tisser mécaniques, elle devient l'un des centres mondiaux de production de dentelle. Aujourd'hui, la ville la plus peuplée du département est le premier port français de voyageurs et le point de départ du tunnel sous la Manche. Elle a donné son nom au détroit qui la sépare de l'Angleterre, au département et à la région auxquels elle est rattachée.

Au sud, des collines de l'Artois jusqu'à la plaine côtière, s'étend l'Ardrésis, riche région agricole et d'élevage semée de belles fermes aux murs chaulés et aux soubassements goudronnés. Bâtie en briques jaunes sableuses, Ardres est sa capitale, offre la belle image d'une petite rurale.

Le Boulonnais

Entre terre et mer

Depuis le milieu du XIXe siècle, le littoral prend le nom de Côte d'Opale, lieu de détente favori des Nordistes et des Anglais, comme des peintres séduits par ses lumières irisées de vert, de bleu et de blanc.

Bocagers et vallonnés, les paysages du Boulonnais alternent prairies, vergers, forêts et falaises sillonnées de chemins creux.

Situé près des riches zones de pêche d'Europe du Nord, Boulogne-sur-Mer conserve intacte, dans sa ville haute, une forteresse du XIIIe siècle et un beffroi.

Au sud, les caps Blanc-Nez (130 mètres de haut) et Gris-Nez (45 mètres) surplombent la Manche et encadrent la baie de Wissant, où mouettes rieuses et goélands argentés se régalent de crustacés.

Proche de l'Angleterre, ce pays a très tôt attiré les conquérants, dont Jules César et Napoléon. Des ports importants y ont été installés pour la flotte de guerre puis la pêche et le trafic des voyageurs.

L'arrière-pays, quadrillé de bocages et de haies de frênes, d'aubépines et de hêtres, est dominé par l'élevage et les bois. Les fermes à cours fermées s'y dispersent, vivant des cultures (blé, avoine, luzerne, betterave, trèfle...) et de l'élevage de bœufs, de moutons et de boulonnais : petits et trapus, ces chevaux de trait rustiques sont appréciés pour les travaux forestiers et l'étaient, jadis, pour le halage des péniches le long des canaux.

Au sud-est, le Montreuillois est traversé par la vallée de la Course, pittoresque affluent de la Canche jalonnée de moulins, manoirs, pigeonniers, églises et châteaux.

Perle des villes fortifiée, Montreuil, sa capitale, a conservé intacte ses remparts et sa citadelle. L'été, ses ruelles pavées où se serrent d'anciennes maisons de pêcheurs s'animent du flot des visiteurs venus revivre l'histoire des *Misérables* de Victor Hugo.

Moins *indigente qu'on* **le dit...**

La célèbre braderie lilloise, où l'on peut déguster une « moules frites » à toute heure, cache d'autres gourmandises !
Dans le nord où souffle l'influence des Flandres, lapin aux pruneaux, coq à la bière, *potjevlesch* (terrine de lapin, poulet, veau et porc parfumée au genièvre), ou *hochepot* (pot-au-feu) accompagnent les fêtes.
Au carrefour des influences picarde et normande, le sud fait la part belle à la crème et au beurre qui agrémentent volailles, flamiches, soupes aux poireaux, gâteaux battus...
L'ouest est sous l'emprise de la mer : sole, raie, morue, maquereau... On y goûte la soupe de moules, le feuilleté au crabe, la caudière d'Étaple ou de Berck (choucroute de la mer)...
À l'est, aux portes de la Belgique et des Ardennes, le Hainaut et l'Avesnois offrent la soupe à l'ail, la langue de bœuf, les matelotes de poissons blancs de la Sambre et les fameux fromages monastiques (boulettes, baguette, maroilles, migon...).
Cette grande région brassicole sait aussi ravir les amateurs de bières de caractère !

Page de gauche, en haut : Boulogne-sur-Mer, premier port de pêche français.

Page de gauche, en bas : les fermes du Boulonnais ont été conçues longues et basses, pour résister aux assauts du vent.

Page de gauche, en encadré : fête du Flobart, à Wissant.

En encadré ci-contre :
En haut, à gauche : bière du Nord.
Au milieu, à gauche : étal de poissons à Boulogne-sur-mer.
Au milieu, à droite : endives du Nord.
En bas : plateau de fromages du Nord.

PICARDIE

À Ault, les falaises crayeuses entaillées de vallées sèches du littoral composent un superbe décor, que l'érosion marine fait reculer de 50 centimètres chaque année.

Pays de labours, d'eaux et de douceurs

De vastes et monotones étendues de blé et de betterave portées par des plateaux crayeux, avec pour seul horizon de grosses fermes et des bourgs repliés sur eux-mêmes : telle est la vision première (et réductrice !) que l'on a de la Picardie depuis les axes routiers.

• De part et d'autre, un visage tout à fait différent, riant, vallonné et aquatique se fait jour. La paisible vallée de la Somme se disperse en marais, étangs et jardins flottants, sous les frais ombrages de saules et de peupliers, paradis des maraîchers, des pêcheurs et des amoureux de nature. Au printemps, Vimeu et Thiérache partagent avec la Normandie leurs verts pâturages et leurs vergers de pommiers à cidre. Sur le littoral, où mer et ciel baignés de lumières douces et laiteuses se confondent, s'ouvrent d'infinis lointains de sable, de dunes et de prés-salés où paissent les moutons du Marquenterre, et s'égrènent quelques stations balnéaires de la Belle Époque au charme délicieusement nostalgique.

• Sur cette terre plurielle, souffle aussi l'influence de Clovis, Pépin le Bref, Hugues Capet… Le Valois, qui jadis fournit ses rois à la France, dresse avec majesté ses châteaux et haras ceints de superbes pièces d'eaux et de forêts.

• Bien que les deux dernières guerres y aient fait des ravages, tous conservent un patrimoine aussi abondant que diversifié. Berceaux des cathédrales gothiques aux majestueuses façades ornées de roses et de sculptures, terres d'élection des châteaux seigneuriaux, princiers, royaux et impériaux, domaines d'architecture vernaculaire tantôt rustique où s'associent bois et torchis, tantôt raffinée où brique, silex et calcaire dessinent de savantes marqueteries, ils ne manquent pas d'attraits !

• Parfois, une église fortifiée, un cimetière militaire ou un mémorial rappellent les vicissitudes de l'histoire et les combats acharnés dont ils furent le théâtre.

Pays d'agriculture

• L'Amiénois • Le Beauvaisis
• Le Valois • Le Soissonnais
• Le Laonnois • La Thiérache

Ils déploient leurs plateaux peu élevés et recouverts d'un limon fertile où prospèrent de vastes cultures. Le prestigieux Valois offre sa parure de forêts héritées du temps des rois. D'est en ouest, les paysages aquatiques et verdoyants respirent la douceur de vivre. La Somme et sa vallée évasée vagabondent au milieu des étangs, marais et jardins flottants, encadrés de haies de peupliers.

L'Amiénois

Mosaïque d'eaux

Les habitants de ce pays ont trouvé dans l'activité textile et la culture de la guède – plante crucifère dont les feuilles donnent un pastel bleu très recherché pour la teinture et les étoffes – les moyens de son essor économique. Aujourd'hui fertilisé, son ingrat plateau crayeux porte quelques exploitations moyennes qui se consacrent à la polyculture (blé, orge, betterave) et à l'élevage porcin et ovin. Au centre, d'est en ouest, serpente la vallée de la Somme entre tourbières, prairies bordées de peupliers et villages fleuris.

Ci-dessus : la Somme offre un royaume de nature très apprécié des pêcheurs d'anguilles et des chasseurs à la hutte.

Ci-dessous : le pittoresque quartier Saint-Leu, à Amiens, aligne ses maisons de torchis habillées de planches aux pimpantes couleurs.

Jadis, les moulins y étaient légion, écrasant le blé, foulant les draps, broyant la guède.

À Amiens, sa capitale, le cours de la Somme se perd dans un lacis de 300 hectares de marais et de petites îles. Appelée « hortillonnages », cette mosaïque de parcelles cultivables entrecoupées de canaux produit trois récoltes par an de légumes et de fleurs, que les maraîchers transportent jusqu'au quai du centre ville sur leurs barques à fond plat. Face à la plus vaste cathédrale de France, dans le quartier Saint-Leu, cette « Petite Venise du Nord », résonnèrent, huit siècles durant, des bruits d'une intense

activité textile à l'origine d'un âge d'or. Tous les métiers liés à l'eau s'y pressaient : tisserands, foulons, teinturiers... Bombardé, abandonné, menacé de démolition, cet « insalubre taudis » a retrouvé ses charmes et s'est enrichi de commerces, attirant les amateurs de détente et d'histoire.

Au nord, la paisible campagne s'ouvre sur le souterrain-refuge de Naours. Long de 2 kilomètres avec place publique, chapelle, puits, étables et fours à pain, il pouvait accueillir jusqu'à trois mille personnes avec leurs animaux et leurs récoltes.

Plus haut, Doullens, dominée par sa citadelle en étoile, conserve ses attraits de cité du XVIIe siècle.

Le Beauvaisis

Terre des confins

Entre Ile-de-France, Picardie et Normandie, ce pays frontière joue la diversité !

Au nord, le blé, la betterave et le maïs suivent son relief en creux et en bosses.

À l'ouest, bocages, herbages et pommiers rappellent que le pays de Bray et la Normandie ne sont pas loin. Çà et là, on peut voir jaillir des sources vives ou dénicher des petites gorges couronnées de bois.

Au sud et au sud-est, les vallées du Thérain et de la Brèche traversent les marécages et se couvrent de prairies et de bosquets, tandis que d'anciennes gravières sont aménagées en plans d'eau de loisirs.

De son riche passé textile, Beauvais, sa capitale reconstruite en 1947, conserve une cathédrale dotée d'horloges parmi les plus anciennes du monde et la maladrerie Saint-Lazare, remarquable ensemble d'architecture hospitalière.

Au nord-ouest, Gerberoy fut le théâtre d'incessantes batailles entre Français et Anglais. Cette place forte, que l'on rebaptisa Gerbe-la-Montagne sous la Révolution (la dernière syllabe offensant la République !), conserve les vestiges d'un château. Aménagé en jardin à l'italienne par Le Sidaner, il s'étage en promenades fleuries bordées de balustres et de sculptures noyés dans la végétation. L'été, les coquettes maisons à pans de bois peints de couleurs tendres voient leurs briques ou torchis colonisés par les rosiers grimpants.

En haut : Gerberoy, paisible village d'une centaine d'habitants, doit sa sauvegarde à Henri Le Sidaner.

Au milieu : la cathédrale de Beauvais, « Parthénon de l'architecture française », selon Viollet-le-Duc.

En bas : au nord, s'étendent à perte de vue du blé, de la betterave et du maïs.

Le Valois
Domaine des rois et des forêts

Vu du ciel, le Valois ressemble à une grande prairie cernée de majestueuses forêts. Ces anciennes chasses à courre royales de Compiègne, d'Halatte, d'Ermenonville, de Chantilly et de Retz semblent protéger les villes et palais de cette contrée, qui jadis fournit ses souverains à la France.

Surnommée la perle de l'Oise, Senlis, sa capitale, prodigue un patrimoine très prisé des artistes comme des cinéastes, hérité de son privilège de ville royale. Dominant ses ruelles pavées et ses hôtels particuliers aux belles façades de pierre de taille, pointe la flèche de la cathédrale Notre-Dame, dont le portail central offre une statuaire des plus riches. Au musée de la Vénerie, les amateurs de chasse à courre trouveront une riche collection de peintures, tapisseries, cors en cuivre...

Ci-dessus : la forêt de Chantilly, l'une des anciennes chasses à courre royales.

À la lisière du Clermontois, sur les rives de l'Oise, Compiègne est célèbre pour les têtes couronnées qui, de Clovis à Napoléon III, y ont élu résidence. À découvrir : l'hôtel de ville et son beffroi du XVIe siècle, le château et les appartements du Roi et de l'Empereur, le haras magnifiquement logé dans les écuries royales.

Jeux de **matières**

En encadré : En haut : maison du Beauvaisis, à Gerberoy. En bas : l'église fortifiée d'Esqueheries.

Le charme de l'habitat tient à la simplicité de ses formes, matériaux et décors : fermes et granges ordonnées autour d'une cour centrale fermée dans l'Amiénois, maisons basses et allongées, répondant au souci de se protéger des vents d'ouest chargés de pluie, coiffées d'un toit pentu, de pannes flamandes dans le Marquenterre, villages de calcaire couvert d'ardoise massés autour de leurs églises fortifiées en Thiérache... Y dominent le calcaire, la craie, la brique (brute ou vernissée), le silex, et le torchis, qui s'associent parfois pour former d'étonnantes marqueteries minérales. Taillés en petits pavés, les silex noirs jouent aux dames avec le rouge vif de la brique. Les pignons s'élèvent en escalier jusqu'au toit (« pas de moineau »), ou en moellons de craie découpés de dents pointues de brique (« couteau picard »). Près du littoral, soubassements, façades et menuiseries se parent de peintures protectrices et de lait de chaux lumineux.

Des **églises** sur la **défensive**

Aux confins de la Picardie, des Ardennes et de la Belgique, se dresse un chapelet de soixante-cinq églises. Ici, point de vitraux ni de sculptures de saints, mais des donjons, des meurtrières, des assommoirs, des échauguettes ; de véritables forteresses religieuses édifiées au cœur des villages pour offrir un refuge à leurs habitants. Contrée stratégique, théâtre de guerres contre l'Espagne et l'Angleterre, terre d'exactions et de pillages, la Thiérache a longtemps vécu sous la menace, incitant les populations à la solidarité. Chacun devait cotiser pour permettre sa fortification et obtenir un droit d'asile. À l'appel du tocsin, tous couraient s'y réfugier avec famille et bêtes. À l'intérieur, cheminées, four à pain et puits contribuaient au ravitaillement en attendant la levée du siège. À découvrir sur la route des églises fortifiées : Parfondeval, Wimy, Plomion, Montcornet, Prisces, Burelles...

Fanfare, *vénerie* et **équitation**

Longtemps, l'identité picarde s'est construite sur l'usage de dialectes, patois locaux dont les contes, récits et chroniques cimentaient les liens entre les habitants des campagnes. Dans les villes, harmonies, fanfares, cliques donnent le ton. Trompettes, clairons et clarinettes égaient places publiques et kiosques à musique. Dans le Valois, les vastes forêts giboyeuses résonnent de la grande tradition de la vénerie héritée des chasses à courre royales. Vocalises cuivrées de trompes, martèlements de sabots de chevaux, aboiements de chiens et cavaliers lancés au galop campent le décor. Codifiée, elle s'organise autour d'un équipage de garde-chasse, valets de chiens limiers, piqueux, suiveurs... qui chacun se distingue par son grade, sa tenue et sa couleur. Des sonneurs de trompe indiquent, suivant un code de vocalises précises, le lieu de la bête, son âge... Équitation, élevage, courses, concours d'attelage comptent de nombreux passionnés (Valois, Vermandois, Amiénois, Thiérache...). Avec Chantilly, les communes de Gouvieux, Lamorlaye, Coye et Avilly forment un complexe hippique sur plus de 6 000 hectares, avec neuf cents propriétaires et éleveurs, trois mille chevaux de course, plus d'un millier de jockeys, des vétérinaires, selliers, maréchaux-ferrants...

Ainsi font, *font*, font...

Au début du XVIIIe siècle, les théâtres de marionnettes s'épanouirent pour divertir les populations rurales émigrées dans les villes textiles (Amiens, Abbeville...). Les « montreurs » de cabotans – pantins de bois articulés par une tringle à fils – étaient pour la plupart des tisserands désireux d'arrondir les fins de mois. Le public se composait d'hommes (les femmes n'étaient guère admises).D'abord nourri d'histoire de France et de valeurs républicaines, le répertoire évolua vers des adaptations de théâtre (Les Trois Mousquetaires...), puis des farces truffées de clins d'œil à l'actualité locale et mâtinées de patois picard. Le plus célèbre de ses personnages s'appelle Lafleur. Épris de justice et de liberté, il a le verbe haut, dénonce les travers des hommes et botte le derrière des gendarmes, sans jamais renoncer à ses pitreries ni à ses traits de caractère : paresseux, taquin, querelleur et bon vivant ! S'ajoutent Tchot Blaise, son fidèle compagnon timide et peureux, Popaul, un peu demeuré et très bègue, Papa Tchutchu, avare et paternaliste. Aujourd'hui encore, l'association « Chés Cabotans » (ces cabotins) d'Amiens maintient cette authentique culture populaire.

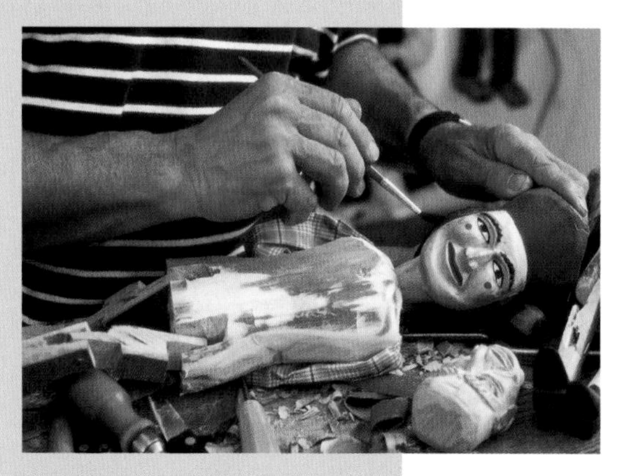

Ci-dessus : le château de Chantilly, domaine des princes de Condé, brille de mille feux.

En encadré : En haut : le manège du château de Chantilly. En bas : Jean-Pierre Facquier, fabricant de marionnettes à Amiens.

À un jet de pierre, s'élève le romantique château de Pierrefonds. Édifié par Louis d'Orléans, puis reconstitué en villégiature impériale par Viollet-le-Duc, il accroche le regard avec ses hautes tours et ses murailles surmontées de deux chemins de ronde agrémentés de défenses médiévales, mâchicoulis, créneaux, merlons... Autre joyau : Chantilly, avec son château entouré de pièces d'eau et de parterres à la française, ses Grandes Écuries, chef-d'œuvre d'architecture du XVIIIe siècle.

Le Soissonnais

Terre nourricière, terre du souvenir

Ce plateau calcaire arrosé par l'Aisne et ses affluents étale de vastes étendues de blé, de maïs, de betteraves et de colza. Là où des vallées profondes et humides l'entaillent (Vesle, Crise...), les cultures maraîchères prennent le relais.

Isolées sur une crête, de grosses fermes se retranchent derrière leurs murs d'enceinte qui, jadis, les protégeaient des pillages.

Les villages bâtis en enfilade au creux des vallons égrènent églises romanes et gothiques, granges monumentales, lavoirs et fontaines. Des siècles durant, le sous-sol a offert ses roches pour édifier les joyaux du gothique comme les humbles masures, faisant de lui la carrière de pierre du Bassin parisien.

Soissons, sa capitale, fut mérovingienne sous Clovis, carolingienne sous Pépin le Bref, puis martyrisée par la Grande Guerre. À découvrir : l'abbaye Saint-Jean-des-Vignes, qu'on ne peut rater tant ses flèches sont hautes, et la cathédrale Saint-Gervais.

Un peu plus au sud, le donjon de Septmonts, ancienne résidence des évêques, est un chef-d'œuvre du « baroque médiéval ». Dressé vers le ciel, il est formé d'une tour circulaire sur laquelle se greffent nombre d'appendices : encorbellements, éperons, tourelles, mâchicoulis, cheminées…

Au nord, à la limite du Laonnois, serpente la ligne de front du chemin des Dames, où périrent environ quatre cent cinquante mille soldats. De 1914 à 1918, elle fut le théâtre de combats acharnés entre Français et Allemands. Cimetières, mémoriaux et musée de la Caverne du Dragon nous invitent au recueillement.

Ci-dessus : « Je ne suis ni roi, ni prince, ni duc, ni comte, je suis le sire de Coucy. », telle était l'orgueilleuse devise des seigneurs du château de Coucy.

Ci-dessous : dressée en acropole, ceinte de remparts et de portes fortifiées, Laon abrite une cathédrale, où se mêlent arts gothique et roman, et un palais épiscopal.

Le Laonnois

Haut lieu de patrimoine

Terre d'étapes entre Champagne et Flandre, aux confins du Bassin parisien, le Laonnois déploie un plateau vallonné, où alternent de vastes cultures. Dessinant une mosaïque, se succèdent plaines dénudées au nord, vergers et pâturages au sud. À l'est, les marais de la Souche offrent un havre de nature aquatique où nichent les oiseaux migrateurs. À l'ouest, les 6 000 hectares de chênes, hêtres et frênes de la forêt de Saint-Gobain sont un paradis pour le randonneur. Son bourg fut le siège de la célèbre Manufacture des glaces créée par Louis XIV.

Non loin, se dressent le château de Coucy et sa puissante enceinte, longue de près de 2 kilomètres ! Chef-d'œuvre d'architecture militaire, cette forteresse hors norme dépassait en taille les châteaux royaux.

Ville capitale posée sur sa butte, Laon force l'admiration par la profusion de ses monuments, cernés d'un lacis de ruelles à l'atmosphère médiévale.

Au sud, les collines boisées dominent la plaine et sont jalonnées de superbes vendangeoirs, demeures bourgeoises des XVIIe et XVIIIe siècles qui, à la manière des châteaux bordelais, perpétuent le souvenir d'un vignoble dont les crus de blancs et de rouges étaient très prisés à la table des rois de France. Non loin, le charmant village de Bourguignon-sur-Montbavin célèbre ses peintres, les frères Le Nain, avec son festival de l'Art.

Terre d'archéologie

Terre d'élection de l'archéologie, la Picardie recèle nombre de vestiges préhistoriques, celtiques, gallo-romains, romains... En 1835, Jacques Boucher de Perthes découvrait près d'Abbeville des bifaces de silex qu'il affirme avoir été taillés par un homme « antédiluvien », provoquant l'hostilité et les foudres des milieux scientifiques. Depuis, la passion des fouilleurs n'a pas faibli ! Divers sites ont été mis au jour comme les campements de chasseurs de rennes de Verberie, les mégalithes de la Chaussée-Tirancourt, les sanctuaires gaulois de Gournay-sur-Aronde, l'oppidum (site naturel fortifié) de Pommiers (Soissonnais), érigé lors de la guerre des Gaules (58-51 avant Jésus-Christ), la villa romaine de Famechon... Portant le nom antique du fleuve Somme, le parc archéologique de Samara (près d'Amiens) permet de découvrir la végétation des marais, l'habitat et la vie quotidienne du temps de la préhistoire et à l'époque gallo-romaine.

Au fil de l'eau

Canaux de la Somme, de Saint-Quentin, de la Sambre à l'Oise... les circuits de découverte fluviale sont nombreux. Sur l'Aisne, unique voie reliant d'ouest en est Paris et les Ardennes, on aperçoit l'imposant château de Pierrefonds bâti sur un étroit promontoire rocheux, Soissons et sa cathédrale, et Laon, acropole du nord aux quatre-vingts monuments classés. Le long de la Somme, on découvre Amiens, sa cathédrale et ses hortillons où s'activent les maraîchers, Long, et son village agrippé à la falaise, et baie de Somme où s'unissent à l'horizon la mer, les dunes et le soleil couchant. Creusé à partir de 1770 entre l'Oise et l'Escaut, le canal de Saint-Quentin longe les vestiges de l'abbaye cistercienne d'Ourscamp, la ville de Noyon, sa cathédrale et sa bibliothèque du chapitre, Saint-Quentin où souffle l'influence espagnole, les vestiges de l'abbaye de Vaucelles, fondée par saint Bernard en 1132, et Cambrai. Entre Vendhuile et Le Tronquoy, s'étire le souterrain de Riqueval. Inauguré en 1810 par Napoléon, il permet de franchir le seuil de partage des eaux entre l'Escaut et la Somme. Il comporte une traction encore en service (appelée touage), qui remorque les péniches sur près de 6 kilomètres.

La Thiérache

Verdoyante et convoitée

Elle fleure bon le pays d'Auge normand ! Entre plaines picardes et massifs des Ardennes, cette contrée d'élevage est semée d'herbages et de pommiers, dont les haies vives dessinent une trame riante et humide. Comme dans l'Avesnois frontalier, y paissent des vaches laitières à l'origine du maroilles, « le plus fin des fromages forts ». Y serpentent ruisseaux et rivières (Thon, Brune, Gland, Oise...), tandis qu'au loin de grosses fermes s'ornent d'un porche surmonté d'un pigeonnier qui rappelle que sous l'Ancien Régime le droit de colombier n'était pas ici réservé à la seule noblesse. Autrefois, une forêt dense traversée de marécages couvrait ce territoire, avant qu'il ne soit défriché et asséché par les moines. Pays frontière soumis à toutes les guerres et tous les pillages, il conserve de son histoire tumultueuse un riche patrimoine d'églises-forteresses.

Sur les hauteurs, Vervins, sa capitale, abrite derrière ses remparts l'église fortifiée de Notre-Dame-de-l'Assomption, dotée d'un riche mobilier (buffet d'orgue, chaire, toiles du XVIIe siècle...).

Au nord-ouest, au creux de la vallée de l'Oise, Guise conserve son patrimoine, dont les vestiges de la forteresse des ducs et le familistère de Jean-Baptiste Godin, l'inventeur des poëles en fonte. Habitat communautaire sur quatre étages, autour d'une cour centrale avec verrière et galeries, il devait rendre harmonieuse la vie sociale et culturelle des ouvriers.

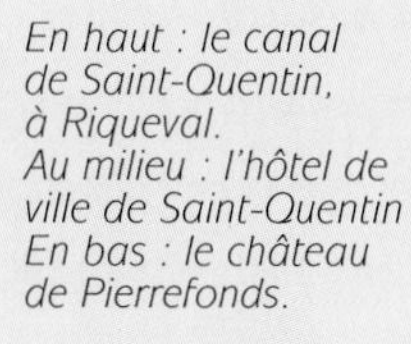

En haut : le canal de Saint-Quentin, à Riqueval.
Au milieu : l'hôtel de ville de Saint-Quentin
En bas : le château de Pierrefonds.

Pays de mer

• Le Marquenterre • Le Vimeu

Préservés du béton et de l'urbanisme, ils offrent 60 kilomètres de littoral où l'on parcourt avec bonheur et nostalgie étendues de sables fins, dunes, marais, petits ports de pêche et de plaisance, stations balnéaires de la Belle Époque... À l'intérieur des terres, commence la Picardie verte, semée de bocages et de villages.

Le Marquenterre

Entre ciel, terre, fleuve et mer

Havre ornithologique, « mer qui est en terre », il offre ses espaces infinis de sable, dunes, marais et prés-salés où paissent les troupeaux de moutons à tête noire. Au nord s'ouvre la Baie de Somme, lieu de passage et de nidification de trois cent vingt espèces de migrateurs (oies cendrées, spatules, alouettes, canards, éperviers, hirondelles...) et réserve d'une colonie renaissante de veaux marins. Rattaché au conservatoire du littoral, le parc ornithologique permet de les observer sans les déranger ! Sur la rive gauche, la charmante ville de Saint-Valéry offre ses ruelles pavées et bordées de maisons de pêcheurs basses et trapues, blotties les unes contre les autres à l'abri des vents marins, sa porte fortifiée, sous laquelle passa Jeanne d'Arc prisonnière des Anglais en 1430, et sa chapelle aux murs en damier de calcaire et de silex noir, d'où l'on embrasse un beau panorama sur la baie. À découvrir : l'écomusée Picardie conçu comme un village, avec sa ferme, sa laiterie, sa cidrerie, ses étables...

En haut : soles, turbots et crevettes grises sont les spécialités de la pêche du Hourdel.

Au milieu : cette maison du Crotoy est typique de l'habitat en Marquenterre.

En bas : dans les prés-salés du Crotoy, paissent des troupeaux de moutons à têtes noires.

Vannerie, *torchis,* boutons et **textile**

Avec leurs sols humides et tourbeux, Ponthieu, Marquenterre, Thiérache et Valois ont favorisé la culture de l'osier et son tressage. Vers 1900, on recensait soixante mille vanniers qui fabriquaient paniers à charbon, à anguilles, mannes à betteraves, berceaux, présentoirs à légumes... À découvrir : le musée de la Vie rurale et forestière de Saint-Michel-en-Thiérache, qui retrace cet artisanat.
Maisons et fermes en torchis habillaient jadis les campagnes de leurs belles tonalités ocrées. Sur un lattis formé de baguettes fendues dans des branches de châtaignier, des « maçons de terre » plaquaient un mélange d'argile, de paille d'orge ou d'avoine et d'eau. Stoppée par l'essor du béton, cette tradition bâtisseuse retrouve un second souffle.
À Buironfosse (Aisne), on produisait cent cinquante mille sabots par an avant 1914. Pour valoriser ce patrimoine, l'Amicale du sabot a ouvert un atelier musée où l'on découvre les techniques de fabrication avant de prendre en main herminette et parois pour creuser le bois de hêtre.
Haut lieu du travail de la nacre, Méru, dans le Thelle, est le dernier bastion de production de boutons en coquillages du Pacifique et de la mer de Chine. Dans le Vermandois, à Fresnoy-le-Grand, l'atelier La Filandière offre à la visite ses vingt-cinq métiers à bois à tisser encore en activité.

Vers 1850, sous l'impulsion d'hommes d'affaires parisiens et anglais, naquit la Côte d'Opale. Profitant de la mode des bains de mer, ils aménagèrent en plages, golfs et stations balnéaires ce qui n'était alors que dunes et garennes à lapins. L'une de ces plages, Le Touquet-Paris-Plage, luxueuse « Arcachon du Nord », attira son lot de célébrités et se couvrit de pittoresques villas au charme suranné.

À l'intérieur des terres, foraines (cordons de galets) et renclôtures (polders) abritent quelques grosses fermes et villages.

Rue, ancien port aujourd'hui situé à 6 kilomètres de la mer, mérite le détour pour sa magnifique chapelle gothique flamboyante.

Le Vimeu

Rural, artisanal et balnéaire

Encadré par la Somme, la Manche et la Bresle, son plateau calcaire s'élève au-dessus de 100 mètres. Au nord, la vallée de la Somme et ses étangs sont appréciés des randonneurs, pêcheurs de brochets et chasseurs de gibiers d'eau. À l'ouest, bois, prairies et vergers de pommiers annoncent la Normandie toute proche. De taille modeste, les exploitations agricoles sont orientées vers la polyculture et l'élevage bovin pour le lait. Des centaines de moulins à vent qui écrasaient le grain, seul subsiste celui de Saint-Maxent, capable de tourner sur une pyramide pour s'orienter au courant dominant.

Plus au sud, la forteresse de Rambures offre une belle palette de couleurs avec le bleu-noir des ardoises des toitures, le rouge orangé des briques et le calcaire blanc des mâchicoulis. La fabrication traditionnelle des chaises paillées se maintient comme l'industrie de la serrurerie implantée au XVIe siècle par les Espagnols, et lui a donné son nom (Sana Terra, la terre saine). 70 % de la serrurerie nationale et 80 % de la robinetterie y sont assurés. Sur le littoral, à la frontière du pays de Caux, le plateau s'achève par de hautes falaises crayeuses striées de silex et fragilisées par la violence des vagues déferlantes. Ancien bourg agricole devenu

station balnéaire avec l'arrivée du chemin de fer en 1873, Mers-les-Bains dresse face à la Manche un florilège de villas où souffle une profusion de styles et d'ornements : briques émaillées, bow-windows, balcons en fer forgé, frontons flamands à redents... tous peints avec des couleurs et des graphismes toniques. Un vrai spectacle d'architecture régionaliste !

En double page et ci-dessus : berceau de l'industrie mondiale du galet, Cayeux-sur-Mer offre aux estivants une vaste plage de sable bordée de trois cents cabines.

En encadré : haricots de Soissons.

Au **bon goût** *des terroirs*

Terres de cultures maraîchères, d'élevage et de pêche, les pays picards ont le bon goût authentique des terroirs.

Dans les environs d'Amiens, poireaux, oignons, radis roses, carottes, laitues pommées, endives et cerfeuil se cultivent en jardins flottants. Quant aux haricots de Soissons, ils sont réputés pour la finesse de leur goût.

Depuis le XVIe siècle, la pomme de terre, généralisée sous l'action de Parmentier (enfant du pays), accompagne les potages et les viandes dont le fameux mouton de pré-salé élevé sur les terres salées du Marquenterre et réputé pour la finesse de sa viande.

Le littoral sableux abonde en palourdes à la chair fine, en moules élevées sur bouchots et en petites crevettes grises. La pêche au filet apporte son lot de soles, turbots, carrelets et maquereaux.

Dans les rivières et étangs, truites, carpes, tanches, brochets et anguilles que l'on fume à la sciure de bois blanc donnent de savoureuses recettes.

S'ajoutent des spécialités locales, tels le pâté en croûte de canard d'Amiens, l'andouillette à la fraise de veau, la ficelle picarde (crêpe garnie de jambon, d'une sauce aux champignons et de fromage râpé), la flamiche, tarte aux poireaux et aux oignons, les tourtes aux coques et aux crevettes, le rollot, fromage de vache corsé, le gâteau battu... le tout arrosé de cidre, de bière ou d'hydromel.

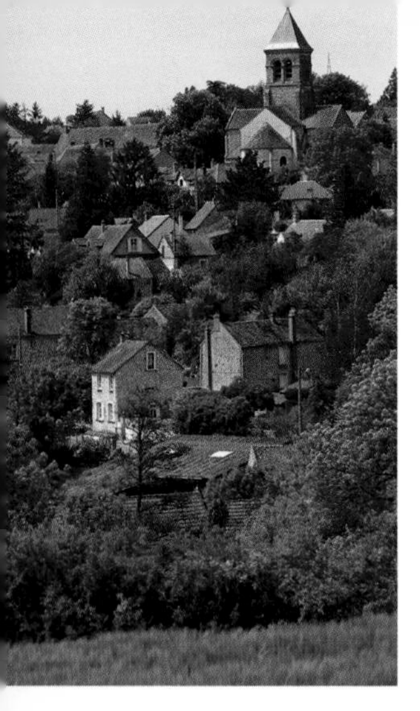

Dans un environnement à taille humaine, une mosaïque de patrimoines et de traditions révèle le foisonnement d'une histoire qui s'est longtemps confondue avec celle de Paris.

Carrefour de civilisations

Façonnée par l'homme à la mesure de ses besoins et de ses ambitions, l'Ile-de-France concentre les richesses et cumule les superlatifs ! Première région industrielle, la plus fortement peuplée (onze millions d'habitants, soit 20 % de la population française), première place économique et financière, première destination touristique… elle n'en demeure pas moins, malgré cinquante ans d'urbanisation ininterrompue, l'une des principales régions agricoles.

• Vers elle, ont convergé les forces vives de nombreux pays du Limousin, de Bourgogne, d'Auvergne, des Alpes, de Bretagne… Maçons de la Haute Marche, bûcherons morvandiaux, bougnats de l'Aubrac, ramoneurs de Maurienne, nourrices de Cornouaille l'ont hissée, à force de travail et de savoir-faire, au rang de région-capitale.

• Établie au centre du plus grand bassin sédimentaire d'Europe, à la confluence fluviale de la Seine et de la Marne et à la croisée des communications terrestres qui joignent provinces du nord, de l'est, du sud et de l'ouest, elle doit son appellation « insulaire » à une curieuse association de la géographie et de l'histoire. Le terme « Ile-de-France » apparaît dans les chroniques de Froissard à la fin du XIVe siècle pour désigner le plateau céréalier appelé « La France » (situé au nord de Paris) et exprimer une prosaïque réalité kilométrique : le temps nécessaire au roi de France pour atteindre les frontières de son modeste royaume : soit moins d'une journée de cheval ! Bien que mités par la rurbanisation et l'industrialisation – notamment dans leurs zones de contact avec Paris –, les pays qui la composent n'en conservent pas moins une réelle personnalité.

• Passée la proche banlieue traversée d'un dédale de voies rapides et d'autoroutes, cernée de zones industrielles et de stations-service, environnée d'alignements d'immeubles et de lotissements uniformes, tristes et sans relief, le dépaysement vous attend ! Quittant les grands axes pour les routes vagabondes, randonnez au cœur de vastes réserves forestières, serpentez le long des falaises de la vallée de la Seine creusées d'habitations troglodytiques, remontez les chemins du Moyen Âge, canotez entre deux ginguettes, retrouvez la magie des paysages impressionnistes, investissez les fastueux châteaux et retrouvez la splendeur royale des siècles passés !

Pays d'agriculture

• Le Parisis • Le Vexin français
• Le Mantois • Le Hurepoix • La Brie

Malgré la pression urbaine et routière, ils conservent un certain caractère rural. Sur toile de fond de champs de blé, de prairies à vaches et de cultures maraîchères, l'Histoire imprime sa trame d'abbayes, de villages médiévaux et de châteaux. Ses paysages romantiques des boucles de Seine et des bords de Marne abritent îles sauvages, guinguettes, maisons d'artistes...

Le Parisis

D'abbayes en guinguettes

En grande partie urbanisé, il est compris entre la Seine, l'Oise et la Marne, coiffant Paris et ses pays d'est en ouest.

Le Parisis tire son nom de la tribu gauloise des Parisii, qui peupla l'île de la Cité avant de s'établir sur ce territoire, deux cents ans environ avant notre ère. « Pays de France » est sa seconde dénomination. Elle rappelle que les envahisseurs francs lancèrent leurs hordes à l'assaut de ses routes commerçantes reliant Paris et la Flandre.

Ci-dessus : à Luzarches, l'église offre aux regards sa magnifique façade Renaissance.

Ci-dessous : le château d'Écouen rivalise d'élégance avec ceux de Chambord et de Chenonceaux.

Au nord, sa plaine alluviale traversée de rares rivières porte de grandes étendues de céréales. Cultures maraîchères et vergers escaladent ici et là les pentes calcaires. Les forêts de Carnelle, de l'Isle-Adam et de Montmorency voisinent avec de séculaires abbayes. Fondée par saint Louis sous la conduite de sa mère

Blanche de Castille, celle de Royaumont, vendue aux enchères sous la Révolution et partiellement détruite, fut reconvertie, en 1937, en « cercle culturel » accueillant de brillants artistes et intellectuels : Paul Valéry, Teilhard de Chardin… Elle reste aujourd'hui un haut lieu d'art où se succèdent séminaires, manifestations théâtrales, musicales, cycles d'étude.

L'abbaye de Royaumont dévoile, dans une belle austérité cistercienne, cloître (ci-dessus), réfectoire (ci-contre), logis des convers, palais abbatial et bâtiments des moines.

Ci-dessous : la guinguette de Champigny est toujours en activité.

Plus à l'est, se niche le charmant village de Luzarches, avec ses halles du XVe siècle, son église et son château ruiné. Œuvre d'une pléiade d'artistes de la Renaissance. Son Musée national possède de remarquables collections de mobiliers, tapisseries, céramiques, datant du XVIe siècle et provenant d'Italie, des Pays-Bas et de France.

À l'ouest, le Parisis affleure les amples boucles de la vallée de la Seine. Sannois (appréciée pour son moulin à vent à pivot du XVIIe siècle), La Frette-sur-Seine (où séjourna Maupassant) et Cormeilles-en-Parisis (établie sur une butte exploitée depuis le Moyen Âge pour son plâtre) conservent un charme particulier.

À l'est, le pays s'étend jusqu'à la vallée de la Marne, qui se plaît à musarder avant de devenir rectiligne à l'approche de la banlieue.

Sous le Second Empire, les bords de la Marne et son chapelet d'îles furent le lieu de détente favori des Parisiens, attirant artistes et cinéastes : Maurice Chevalier chantait « Une promenade au bord de l'eau, il n'y a rien de plus beau », Marcel Carné y tourna Nogent, Eldorado du dimanche et Jacques Becker Casque d'or. On s'adonnait aux plaisirs du canotage, on se rafraîchissait avec un petit vin blanc sous les tonnelles et l'on dansait dans les guinguettes de Joinville et de Précy (toujours en service !).

Nogent abrite le seul pavillon Baltard sauvé de la destruction des Halles de Paris.

Dans son square du Vieux-Paris, la fontaine Wallace, les réverbères et l'entrée du métro Georges-V offrent un condensé de la Belle Époque !

En haut : la Guinguette Chez Gégène, à Joinville-le-Pont, reste une véritable institution.

Terre cuite, *faïence,* ***verrerie*** *et vannerie*

L'abondance et la qualité des argiles briardes sont à l'origine d'une forte production de faïences, tuiles, briques... Après un long déclin, des ateliers renouent avec cette tradition. À Provins, on fabrique des carreaux de sol ornés de motifs médiévaux : scènes paysannes, merles picorant du raisin, bestiaires de coqs, cerfs, licornes... : la technique consiste à incruster deux argiles liquides de teintes différentes. À la tuilerie de Bezanleux, l'argile est reine depuis cinq siècles ! En 1638 déjà, le duc de Nemours lui commandait cinquante mille tuiles pour son château. On y fabrique aussi tomettes, carreaux de sol, briques... La cuisson s'opère dans un four de type gallo-romain à tirage vertical, pouvant contenir soixante tonnes ! Alentour, de vastes halles permettent leur séchage.

À Montereau, on crée depuis 1719 des faïences décorées de scènes chinoises, plantes aquatiques, coqs, jonquilles... La méthode consiste à peindre l'objet sur émail après cuisson à l'aide d'oxydes (jaune, bleu, vert...). Elle donne une subtile et fraîche polychromie mais interdit toute correction !

Depuis 1756, Sèvres abrite la Manufacture nationale de porcelaine. Son musée rassemble de riches collections de poteries, céramiques, faïences et porcelaines. Toutes les époques et les pays sont représentés (France, Iran, Égypte, Espagne...).

Le bois, l'eau et le sable très pur ont aussi favorisé l'essor de la papeterie et de la verrerie. À Barbizon, Soissy-sur-l'École, Colombes... des souffleurs de verre plongent leurs cannes dans le rougeoiement des flammes pour cueillir une pâte incandescente et malléable et en faire de délicats flacons et carafes.

Des deux cents vanniers que comptait la vallée du Morin ne subsiste qu'un artisan qui tresse paniers, chaises, malles... Ses saules poussent en terrains limoneux, près de la rivière, et donnent des rameaux de couleurs jaune pêche, sang de bœuf, verte...

Le Vexin français

Aux portes de la Normandie

Étendues de blé aux molles ondulations, villages ordonnés, falaises crayeuses de la vallée de la Seine… les paysages du Vexin français furent considérés comme œuvres d'art ! Apprivoisés par le travail des paysans, ils offrirent aux impressionnistes un thème pictural des plus féconds.

Préservé des atteintes de l'urbanisation, le Vexin livre un authentique patrimoine, avec ses grosses fermes enduites de plâtre, ses églises romanes et gothiques, ses pigeonniers et lavoirs aux pierres massives. Bordé par les vallées de l'Oise à l'est, de l'Epte à l'ouest et de la Seine au sud, son plateau calcaire ouvre de larges horizons et se couvre de limons propices aux grandes cultures céréalières.

En haut : dans un parfait contraste, un puissant donjon en forme d'amande surplombe le château de La Roche-Guyon de sa falaise crayeuse.

Au milieu : Cézanne à Marines, Claude Monet à Vétheuil, Van Gogh à Auvers-sur-Oise (ci-dessus)… ont fait naître de sublimes toiles baignées d'infinies lumières.

En bas : « Je suis entièrement absorbé par ces plaines immenses de champs de blé sur un fond de collines vastes comme la mer, d'un jaune très tendre, d'un vert très pâle, d'un mauve très doux », écrit Van Gogh à sa mère en 1890.

Sa monotonie est atténuée par la présence de cours d'eau qui tracent des vallées encaissées, où émergent ici et là des buttes boisées. Inscrit dans le parc naturel régional du Vexin français en 1995, il forme depuis l'an 911 la frontière historique entre Normandie et royaume de France.

À Saint-Clair-sur-Epte, Charles III le Simple concéda au chef de guerre Rollon et à ses troupes les terres situées à l'ouest de l'Epte (Vexin normand), en échange de leur renoncement aux expéditions de pillages qu'ils menaient jusqu'à Paris.

À l'ouest, cette paisible rivière bordée de peupliers et d'aulnes traverse un paysage de bocages et de pommiers qui annonce la Normandie.

Au sud, la vallée de la Seine dessine des boucles et dresse ses corniches calcaires creusées d'habitations troglodytiques.

Non loin, surgit le pittoresque village de La Roche-Guyon, tourné vers son élégant château de style classique.

Au sud-est, le long de la vallée de l'Aubette, on découvre Vigny, Théméricourt et Wy-dit-Joli-Village, qui prodiguent églises, châteaux, croix de chemin pattées, jardins de curé et un musée de l'Outil.

Non loin, la vallée de la Viosne s'étire paresseusement, rompant la plénitude du plateau céréalier. Un chapelet de marais (paradis des batraciens !) manoirs, moulins à grains, maisons de vignerons et menhirs l'environne.

Le Mantois

Tourné vers l'eau et les Anglais

Entre Normandie et Beauce, le Mantois se déploie en plateaux faiblement vallonnés et boisés. Au nord, serpente la vallée de la Seine qui conduit vers la Manche par un vaste estuaire sur lequel s'est établi Le Havre. Une chaîne presque ininterrompue d'usines, de cimenteries et de lotissements sans âme s'y déroule le long de l'autoroute, mutilant le charme agreste de ses collines habitées de villages et d'églises romanes, où jadis se cultivait la vigne. Quelques sites préservés estompent un peu cette pollution esthétique.

À l'est, au confluent de l'Oise et de la Seine, s'étage la cité de la batellerie de Conflans-Sainte-Honorine, principal carrefour des voies navigables du nord de la France.

Au sud, les paysages ruraux se dévoilent avec leurs étendues de céréales et de plantes fourragères. Les villages offrent de belles bâtisses (souvent transformées en résidences secondaires), mariant calcaire, meulière et colombages qui annoncent la proche Normandie. Grandes fermes à cours carrées, maisons vigneronnes, lavoirs, fontaines, croix de chemin… rappellent la prospérité passée.

Ci-dessus : à Conflans-Sainte-Honorine, les quais où accostent quarante mille péniches par an, la procession nautique, la chapelle pour mariniers et le musée de la Batellerie imprègnent le visiteur d'une grisante ambiance de lointains.

En encadré : En haut : le château de Vaux-le-Vicomte. En bas : le château d'Écouen.

La vie de château !

Proche du pouvoir royal et environnée de giboyeuses forêts, l'Ile-de-France a vu s'élever de fastueux palais dont Versailles est l'archétype. Cinquante ans durant, cinquante mille travailleurs s'y activèrent dans un perpétuel chantier mêlant tailleurs de pierre, sculpteurs, peintres, jardiniers… Symbole de l'absolutisme et capitale politique de 1682 à 1789, il fut le théâtre des plus grands rites monarchiques. Soucieux de rassembler la noblesse autour de sa personne (pour mieux l'assujettir !), Louis XIV mit au point un cérémonial de réceptions, conseils et fêtes auxquels la Cour se devait d'assister continûment. En perpétuelle représentation, le Roi-Soleil rayonnait sur tous ! Tenir le bougeoir à son Coucher ou assister à son Souper étaient même des faveurs très recherchées ! Derrière les grilles d'or qu'assaillent les visiteurs, on découvre de rares trésors : galerie des glaces, chapelle royale, appartements du Roi… À ne pas manquer non plus, le Grand et le Petit Trianon, le potager du Roi et le quartier Saint-Louis.

Vaux-le-Vicomte brille aussi de mille feux. La Fontaine y composa des vers, Molière y joua des pièces, Voltaire y séjourna… Bâti par Nicolas Fouquet, surintendant des Finances de Louis XIV, il nécessita dix-huit mille ouvriers ! Fort d'un goût très sûr (et d'une solide bourse !), il sollicita les plus grands maîtres : l'architecte Le Vau, le peintre Le Brun, le jardinier Le Nôtre… Enivré de puissance, il prit comme devise « *Quo non ascendam ?* » (jusqu'où ne monterai-je pas ?). Mais le 17 août 1661 signa sa perte ! En conviant le jeune Louis XIV à des festivités d'une incroyable magnificence – souper servi dans une vaisselle d'or massif, buffets pléthoriques, concerts, feux d'artifice –, il blessa l'orgueil du souverain qui le fit emprisonner à vie.

Comme un écrin à ces édifices somptueux, le jardin à la française plie la nature à sa volonté, faisant triompher perspective et symétrie. Parterres de buis et de fleurs dessinant des arabesques, alignements au cordeau de massifs d'arbres, bassins et canaux animés de fontaines et ornés de statues magnifient le château par leurs jeux de volumes.

Une **table** à ***redécouvrir***

Carrefour de communication et domaine des rois, l'Ile-de-France a longtemps drainé les meilleures denrées ! Si nombre de petites productions ont disparu, d'autres se maintiennent et conservent leur typicité : volailles de Brie (poulets, chapons, dindes...), poules noires de Houdan, asperges d'Argenteuil, haricots chevriers d'Arpajon, champignons de Paris (cultivés en carrière dans le Parisis), girolles, morilles et miel du Gâtinais, cresson du Hurepoix (40 % de la production nationale), confiture de pétales de roses de Provins (introduite en 1228 par Thibault IV de retour de croisade)... En Brie, les fromages sont réputés : bries (de Meaux, de Melun, de Nangis...), coulommiers, chèvres... Les fruits sont aussi à l'honneur : cerises de Montmorency, poires de Groslay, pommes du Morin (source de cidres acidulés et fruités).
Du XVe siècle aux années 1950, les pêches de Montreuil ont fait les délices de la noblesse d'Europe ! 500 hectares et 1 000 kilomètres de murs-espaliers lui étaient consacrés ! Cette arboriculture trouve son origine dans la méthode du « palissage à la loche » : les pêchers sont adossés contre des murs orientés au sud. Enduits de plâtre, ils reflètent la lumière et retiennent la chaleur, créant un bio-climat propice à l'éclosion des fruits. Aujourd'hui, on trouve encore quelques enclos où fructifient « Grosse Mignonne » et « Téton de Vénus ». À Thomery, à l'approche de Noël et de ses félicités, on offre une corbeille de chasselas doré et fruité. Pour conserver ce raisin cultivé sur des murs en espaliers, on récolte les grappes avec leurs sarments, que l'on place dans un flacon rempli d'eau froide contenant un peu de charbon de bois.

Ci-dessus : non loin du château de Beynes, le domaine de Thoiry conjugue avec attrait château (édifié par Philibert Delorme) et parc animalier où s'ébattent huit cents animaux.

En encadré :
À gauche : fromages de la Brie.
À droite : champignonnière du Parisis.
En bas, à droite : cerises de Montmorency.

Au creux de la vallée de la Mauldre, le château de Beynes porte une riche histoire architecturale. Son donjon primitif a été emboîté dans une première enceinte flanquée de neuf tours qu'une seconde est venue ceinturer (au XVe siècle), doublant son périmètre et l'adaptant à l'artillerie naissante. Au centre, une résidence de trois étages traversée par une rue centrale crée la surprise. Restauré par des bénévoles et animé par des fêtes villageoises, ce monument mérite d'être mieux connu !

À l'ouest, au cœur de la vallée de Vaucouleurs, se dresse sur un promontoire l'enchanteur Montchauvet. Ici, le temps semble s'être arrêté ! Peu de voitures, pas de magasins ni enseignes publicitaires pour venir troubler la quiétude du lieu. Ancienne ville-neuve fondée au XIIe siècle, ce bourg verrouillait la ligne de défense établie entre la Normandie anglaise et Paris. Si château, remparts et église n'ont pas survécu à l'Histoire, façades fleuries aux toitures ocrées, portes fortifiées, ruelles tortueuse et nature bucolique sont bien là pour nous ravir !

Le Hurepoix

Stratégique et résidentiel

Entre banlieue parisienne, Bourgogne et Beauce, le Hurepoix offre deux visages très opposés. L'un hyperurbanisé, au nord, où s'alignent sans fin, dans un inextricable mélange de styles et d'époques, maisons bourgeoises, immeubles de rapport, HLM, stations-service, centres commerciaux, usines, enseignes publicitaires... sur fond d'autoroutes et d'aéroport. L'autre, moins densément peuplé, au sud, où nature et quiétude reprennent leurs droits pour offrir aux citadins un paisible jardin résidentiel. Cet espace repose sur un plateau calcaire parcouru de vallées aux noms champêtres (l'Orge, l'Yvette, la Juine...), qui l'entaillent et lui donnent un relief accidenté où s'isolent quelques buttes.

Depuis le XIXe siècle, les cultures maraîchères (cresson, flageolets, pommes de terre...) y tiennent une place importante.

Au sud, la vallée de l'Essonne, jadis jalonnée de moulins, offre une oasis de calme et de fraîcheur. S'y lovent paisiblement les villages de La Ferté-Alais, Ballancourt-sur-Essonne, Mennecy...

En haut : ancien lavoir à la Ferté-Alais.

Au milieu : la forteresse de Dourdan fut construite par Philippe Auguste, vers 1222, pour contrôler la route des blés de Beauce qui ravitaillait Paris.

En bas : à l'ouest du pays, les plates étendues céréalières (blé, orge, maïs) rappellent la proximité de la Beauce.

Dominant la vallée encaissée de l'Orge, la tour de Montlhéry (autrefois Mont-le-Héry) surveille, depuis le XIe siècle, la route de Paris à Orléans. Témoin de la bataille qui opposa Louis XI et Charles le Téméraire, futur duc de Bourgogne, ce donjon est le dernier vestige d'un puissant château rasé par Henri IV.

Au sud, entre collines boisées et rivière, Dourdan, capitale du pays, fut ville royale sous les Capétiens. Son donjon servit à entreposer les céréales contre les razzias des barons pillards.

Bien que mité par la banlieue, le nord n'en offre pas moins quelques belles curiosités. À L'Haÿ-les-Roses, depuis 1899, un étonnant palais floral renferme une véritable architecture végétale : sauvages ou cultivées, galliques ou d'Extrême-Orient, plus de trois mille trois cents variétés, présentées sur un circuit paysagé de 2 hectares, accueillent le visiteur.

Sur la vallée de la Bièvre, Jouy-en-Josas est devenue célèbre pour sa production de toiles d'indienne, dont un musée retrace l'histoire.

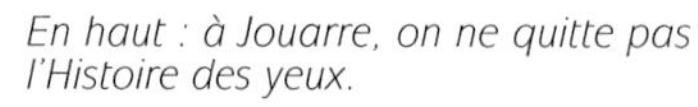

En haut : à Jouarre, on ne quitte pas l'Histoire des yeux.

Au milieu : à L'Haÿ-les-Roses, de délicates corolles aux pétales de soie se dressent sur leurs tiges, se déploient en buisson, grimpent sur les tonnelles.

En bas : la Brie étend un vaste plateau limoneux très fertile, voué au blé.

Page de droite en haut : à Provins, les ruelles pavées qui enlacent d'antiques demeures conduisent à la tour César.

Page de droite en bas : le respect des fêtes locales et commémorations font de la Brie une terre de traditions.

La Brie

Champenoise et médiévale

Entre le bassin de Paris et la Champagne, la Brie étend un vaste plateau limoneux très fertile, voué au blé. Au nord, elle est bordée par la Marne et au sud par la Seine. Leurs affluents (le Grand Morin, le Petit Morin, l'Essonne, le Loing, l'Yonne…) s'étirent en paisibles courbures, jadis rythmées de moulins, dessinant autant de vallées entre forêts, boqueteaux, prairies et étangs.

À l'est, la « Brie champenoise », ancienne possession des comtes de Champagne, se soulève légèrement pour former un rebord.

À l'ouest, la « Brie française », ancienne possession du roi de France, est émaillée de cultures de blé, de colza, de maïs, de tournesol, de betteraves et de pommes de terre.

Brie-Comte-Robert, Marolles-en-Brie et Ormesson-sur-Marne réservent de belles découvertes !

Entre la Marne et la vallée du Grand Morin, la « Haute Brie » (ou « Brie laitière ») mêle champs et prairies voués à l'élevage laitier pour la production du coulommiers et du brie. Ici et là, des fermes fortifiées entourées de douves ponctuent le paysage, rappelant les convoitises pour cette terre généreuse.

À Jouarre, l'abbaye bénédictine, fondée en 630, et ses cryptes mérovingiennes conservent des tombeaux où se déploient des trésors de sculptures religieuses.

À Coulommiers, se dresse la commanderie fondée par les moines-soldats de l'Ordre du Temple. Réchappée des démolisseurs et restaurée par des bénévoles, elle offre un ensemble unique de l'architecture templière. Conçue comme une grosse exploitation agricole – agrémentée d'une chapelle pour célébrer les offices et d'un logis pour le commandeur – elle avait pour rôle de financer les expéditions des frères d'Orient, défenseurs des lieux saints. Sur les terres attenantes, se trouve la restitution d'un jardin monastique du XIIIe siècle. Son plan en forme de damier, ordonné autour d'un puits central, compte quatre enclos ceinturés d'osier dont la disposition en croix rappelle les liens qui unissent le Ciel et la Terre. On y trouve le carré des plantes médicinales, le potager, l'enclos des herbes aromatiques et celui des fleurs à bouquets (roses trémières, violettes, iris...).

Surgissant au détour de la route, le château de Blandy-les-Tours est l'une des plus anciennes forteresses médiévales. Il avait pour rôle de défendre Melun et le domaine royal contre les Bourguignons, alliés des Anglais.

Provins, jadis réputée pour ses foires où affluaient marchands, artisans et banquiers d'Europe et d'Orient, s'affirmait comme la troisième ville du royaume après Paris et Rouen. Frappant sa propre monnaie, elle offrait vins, épices, laines, fourrures, draps et teintures. Dans la ville haute, la collégiale Saint-Quiriace, la tour César, la grange aux dîmes (avec cave voûtée sur croisées d'ogives), les remparts (plus de 5 kilomètres !)... invitent à découvrir l'histoire de la capitale des comtes de Champagne. Sillonnée de canaux et de rivières, la ville basse montre ses pignons pointus et fenêtres à meneaux, les églises Saint-Ayoul et Sainte-Croix et l'entrée d'interminables souterrains porteurs de légendes et d'énigmes.

À quelques kilomètres, l'enchanteur village de Saint-Loup-de-Naud se serre autour de son église romane dotée d'un remarquable portail sculpté.

DÉCOUVERTE

Vignobles du *Parisis*

Quinze siècles durant, le vignoble francilien abreuva les tables royales comme les guinguettes populeuses. Dès l'époque gallo-romaine, la vigne recouvrait les pentes de la vallée de la Seine. Au Moyen Âge, les abbayes de Saint-Denis et Saint-Germain-des-Prés produisaient des vins renommés et prisés des rois. Au XIIIe siècle, deux cent soixante villages viticoles étaient recensés autour de Paris ! De Rueil à Montmartre, de Chaillot à Clichy, la treille imprégnait les terroirs franciliens. Sept siècles plus tard, phylloxéra et urbanisation forcenée ont eu raison du vignoble.

Depuis quelques années, pourtant, des passionnés vendangent de nouveau sur les coteaux. De Suresnes à Rueil-Malmaison, en passant par Joinville-le-Pont ou Sucy-en-Brie, associations et particuliers mêlent leur enthousiasme pour produire des petits vins de couleur locale.

À Argenteuil (Parisis), jadis plus grande commune viticole de France, on vendange du seyvevillard, un cépage du pays nantais. À cette occasion, les habitants du quartier se retrouvent pour de sympathiques réjouissances !

Vignoble à Suresnes.

Pays de forêt

• Le pays d'Yveline • Le Gâtinais

Ils comptent quarante mille hectares de chênes, de hêtres, de châtaigniers... et les plus belles réserves de flore et de faune d'Europe. Sillonnés de sentiers de randonnées, de beaux villages et de châteaux, ils offrent de multiples possibilités de loisirs : varappe, équitation, promenades sur les pas des impressionnistes, observation des cerfs, des biches, des chevreuils...

Le pays d'Yveline

Rural, royal et aquatique

Sa vaste forêt jadis parsemée d'étangs, de marécages et de ruisseaux expliquerait-elle son nom ? En gaulois, Yveline signifierait « abondante en eau ». Sa richesse cynégétique attira les souverains qui en firent un domaine de chasse à courre.

Simple manoir à l'origine, le domaine de Rambouillet, augmenté de fiefs et de dépendances, s'est changé en haut lieu d'Histoire : il abrita la mort de François Ier, appartint à Louis XIV puis à Louis XVI, servit de villégiature à Napoléon Ier, vit Charles X abdiquer, devint résidence présidentielle sous Félix Faure... Son parc ordonné en jardins à la française traversés de canaux abrite trois charmants sites : la Laiterie de Marie-Antoinette créée par Louis XVI pour sa distraction, le pavillon des Coquillages, petite chaumière tapissée de coques, moules, éclats de nacre... et la Bergerie nationale, ferme expérimentale conçue pour cultiver des plantes exotiques et élever moutons mérinos, chevaux arabes, vaches suisses...

En haut : dans la forêt de Rambouillet, quinze mille hectares de chênes, de hêtres, de bouleaux et de pins sylvestres s'offrent à la promenade.

En bas : la vallée de Chevreuse, menacée par des opérations immobilières et l'extension du réseau routier, est protégée depuis 1985 par le parc naturel régional de la Haute-Vallée de Chevreuse.

Ville résidentielle au charme provincial, Rambouillet mérite un détour. Alentour, le massif forestier – parcouru de chemins et de ruisseaux formant des étangs (de Hollande, de Bourgneuf, de la Tour...), propices à la baignade – est l'un des derniers vestiges de la forêt d'Yveline, qui s'étendait jadis de Paris à Chartres.

Plus au nord, l'Yvette et ses affluents ont entaillé le plateau, faisant naître la vallée de Chevreuse, cadre d'un remarquable patri-

moine historique et architectural. Tout en douceur, ses paysages se déclinent en forêts, champs et friches herbues, ponctués de buttes qui ont résisté aux assauts de la rivière.

Édifié entre le XIe et le XVe siècle, le château de la Madeleine surplombe de 80 mètres le bourg jadis dédié au tannage des peaux. Aux mains de grands princes, il fut démantelé en 1630 par Richelieu soucieux de réaffirmer l'autorité de Louis XIII. Magistralement restauré, il déploie son enceinte flanquée de tours rondes et carrées qui enserrent un donjon roman épaulé de contreforts. Depuis l'église, un itinéraire invite à marcher sur les pas de Jean Racine qui avait coutume de se rendre à l'abbaye de Port-Royal-des-Champs :

« *Là l'on voit la biche légère*
Loin du sanguinaire aboyeur
Fouler, sans crainte et sans frayeur
Le tendre émail de la fougère. »

Fondée au XIIIe siècle dans le vallon de Rhodon, à quelques lieues de la capitale, cette abbaye devint célèbre, au XVIIe siècle, parce qu'elle abritait l'un des principaux foyers de diffusion du jansénisme. Énoncée par le Hollandais Jansénius, cette doctrine oppose à la thèse jésuite – selon laquelle l'homme peut s'améliorer de lui-même et escompter le secours de Dieu en toute occasion – une conception rigoureuse du catholicisme et un retour aux règles d'austérité. À côté de cette hostilité au laxisme des religieux et aux débordements de la Cour, couvait une fronde morale contre l'absolutisme.

Après maintes condamnations et expulsions, Louis XIV ordonna, en 1711, de raser l'abbaye pour que s'apaisassent les esprits... Dans les bâtiments des Petites Écoles qui ont échappé à la démolition, se tient un musée qui retrace l'histoire de ce courant monastique.

Plus au sud, Dampierre, l'abbaye des Vaux-de-Cernay, Senlis et Rochefort offrent de plaisantes occasions de promenades.

Sur la **route des impressionnistes**

Le Vexin et ses étendues entaillées de fraîches vallées, la majestueuse forêt de Fontainebleau, les bucoliques berges de la Seine ont séduit les tenants d'une nouvelle peinture en butte au conformisme pictural d'alors. Chevalet sur le dos, ils désertent les ateliers parisiens pour se rapprocher de la nature. Créateur de l'art paysagiste, Camille Corot réside à Barbizon de 1830 à 1835. Rompant avec les conventions, il peint la forêt et ses sous-bois, étudie les oppositions et les adoucissements de lumière, se passionne pour les étangs. Vers 1840, Rousseau et Millet s'y installent, bientôt rejoints par d'autres peintres à l'affût de nouveaux styles. Leurs toiles s'imprègnent des teintes sombres des troncs, des frondaisons, des sous-bois, de la tombée du jour, des ciels orageux... Levés à l'aube, ils s'appliquent aussi à saisir les gestes des paysans fendant le bois, moissonnant les blés, célébrant la noce. Vers 1865, Renoir, Sisley, Monet... se fixent non loin de là. Dans le Vexin, on se regroupe près de l'Isle-Adam pour saisir le miroitement de l'eau, les fleurs des vergers, l'atmosphère des hameaux. C'en est trop pour le Tout-Paris artistique qui se déchaîne, crie à l'hérésie, les qualifiant d'« impressionnistes ».
Ses membres – Boudin, Monet, Sisley, Cézanne, Renoir, entre autres – vouent une adoration totale à la lumière. Leurs toiles en captent les vibrations, les ardeurs et les impermanences au gré des saisons. Négligeant la reproduction des formes et la fidélité au réel, ils peignent des ciels d'une profondeur infinie, le miroitement de la lumière sur une rivière, le frémissement des teintes du soleil couchant. Si les lieux où ils plantèrent leurs chevalets ont changé, ils n'en conservent pas moins une âme esthétique. À Auvers-sur-Oise, Barbizon, l'Isle-Adam, où prirent pension Van Gogh, Rousseau, Renoir, des parcours jalonnés de reproductions de tableaux permettent de découvrir les lieux où les artistes ont posé leurs chevalets et leurs regards éternels.

En haut : le musée d'Aubigny, à Auvers-sur-Oise.

En bas : l'auberge Gane, à Barbizon.

Le Gâtinais

Royal et forestier

Son nom désigne une « Terre pauvre et marécageuse ». Entre Brie, Beauce et Bourgogne, ce pays a pourtant su tirer profit de sa position de carrefour et de la proximité de Paris pour s'affirmer.

Au nord, s'étend un plateau de sable, d'argile et de grès, couvert de vastes forêts dont celle, étonnamment variée, de Fontainebleau. Quadrillée par un réseau serré de chemins et de routes, elle couvre 25 000 hectares plantés de chênes, de bouleaux, de châtaigniers, d'acacias… Ses impressionnants chaos de roches gréseuses mis à nu par l'érosion font aussi le bonheur des adeptes de l'escalade.

Résidence de chasse puis de rois et de l'empereur Napoléon Ier, le château et les jardins de Fontainebleau rayonnent par leur beauté composite. Alentour, une ville est née avec ses hôtels particuliers, ses casernes, son église et son hippodrome.

Plus au nord, le village de Barbizon – devenu célèbre pour son école de peintres paysagistes – déroule sa longue rue principale bordée de maisons vénérables et d'auberges luxueuses noyées sous la vigne vierge.

En haut : la halle commerciale d'Égreville date du XVIe siècle. Elle est encadrée de deux pignons en maçonnerie renforcés par un contrefort central.

Au milieu, en haut : le château et les jardins de Fontainebleau ont vu passer François Ier, Henri IV, Louis XIV…, venus villégiaturer avec leur cour.

En bas : Moret-sur-Loing a inspiré les toiles de Sisley.

À Milly-la-Forêt, le Conservatoire national des plantes renferme plus de mille espèces aromatiques, médicinales, à parfum…

À l'est, se fait jour un bocage verdoyant parsemé de prairies d'élevage et de cultures fourragères et céréalières coupées de rivières. La vallée du Loing qui le borde au nord décline des paysages pleins de fraîcheur et semés de pittoresques villages jadis immortalisés par les impressionnistes.

À l'ouest, dominent les grandes cultures, comme dans la Beauce voisine (blé, maïs, tournesol…), ponctuées de silos à grains et de grosses fermes.

Nemours s'étend autour de son château sur les rives du Loing environnées de barres rocheuses.

Perchée sur son éperon de calcaire et entourée de remparts, la cité de Château-Landon domine la verte vallée du Fusain.

Au sud, Montargis est sillonnée par les eaux du Loing et du Puiseaux et traversée par le canal de Briare.

ALSACE
LORRAINE

Généreux et conviviaux, les pays d'Alsace prodiguent
des trésors de patrimoine naturel, architectural
et gastronomique, nourris d'influences françaises et alémaniques.
Terres de labeur et de guerres acharnées, ceux de Lorraine
font mentir leur image industrieuse par leurs paysages
de montagnes piquées de forêts majestueuses
et leurs cités royale et impériale de Nancy et de Metz.

Capitale de l'Alsace, Strasbourg est riche d'un patrimoine exceptionnel protégé par l'UNESCO.

Opulente, gourmande et conviviale

Grande région touristique, elle cultive l'image des « 5 C » : choucroute, colombages, cigogne, cathédrale et coiffe ! Elle n'en reste pas moins riche d'authenticité et d'histoire ! Nourrie des influences françaises et alémaniques, elle préserve une culture originale, comme le montre le sens de la convivialité et du bien vivre de ses habitants.

• Rattachés au bassin rhénan par ses paysages, ses pays étonnamment variés se parcourent sur trois étages : la plaine, étendue agricole fertile et carrefour de communication qui s'étend sur la rive gauche du Rhin, les collines sous-vosgiennes, terre d'élection d'un vignoble doré réputé de par le monde, les Vosges de grès et de granit piquées de forêts et de forteresses qui étagent leurs sommets de 500 à 1 400 mètres.

• Sa réputation de grande table gastronomique n'est plus à faire ! Les ferventes relations entretenues avec la bonne chère cachent aussi un art de vivre. Ici, le vin est roi ; il procure richesse et considération !

• De Strasbourg à Colmar, s'égrènent d'opulentes cités amoureusement fleuries par leurs habitants. Certaines sont d'authentiques joyaux d'architecture médiévale ou Renaissance, telles Kaysersberg ou Riquewihr. Elles témoignent d'une prospérité viticole qui s'exporte dans l'Europe entière.

• Derrière ce décor où tout n'est qu'harmonie, se dissimule aussi le fardeau de l'Histoire. Écartelée entre souveraineté allemande et française au gré des conflits (1871, 1918 et 1945), elle garde le sentiment diffus d'être incomprise. Heureusement, son image de terre lointaine accrochée à l'extrémité de la France s'efface pour une réalité plus constructive et conforme à sa culture : celle de capitale de l'Europe !

Pays d'agriculture

• Le Kochersberg • Le Sundgau • Le Grand Ried
• L'Outre-Forêt

Entre massif des Vosges et Allemagne, dans la plaine d'Alsace bordée par le Rhin alternent terres agricoles plantées de chou et de houblon, forêts, rieds marécageux et prairies traversées de rivières jadis semées de moulins Au nord, l'Outre-Forêt, pays des villages fleuris et de l'harmonie, et au sud le Sundgau, rural et forestier, prodiguent un bain de nature apaisant.

Le Kochersberg

Rural et fleuri

Sur cette terre de plateau et de collines, se succèdent blé, betterave sucrière, tabac, colza, tournesol, soja, vigne et houblonnières. Sa richesse est visible jusque dans ses villages fleuris, massés autour de leur clocher.

Rattachés tantôt à l'Empire, tantôt à l'évêché de Strasbourg ou à des seigneurs locaux, certains pays ont adopté la Réforme prônée par Luther et Calvin. Ces différences de confessions se lisent encore dans la pierre : les portails des fermes catholiques s'ornent de niches dotées de statuettes de saints ; ceux des fermes protestantes montrent des inscriptions bibliques gravées sur des plaques.

Strasbourg, la capitale du Kochersberg, carrefour des civilisations rhénane et française, est une incomparable ville d'art construite autour de sa cathédrale. Vers elle convergent des ruelles chargées d'histoire.

Ci-dessus : le quartier de la Petite France, à Strasbourg, est inoubliable.

Ci-dessous : les houblonnières rappellent que l'Alsace est la première région brassicole (55 % de la production de bière).

Au sud, s'étend la vallée de l'Ehn. Là, entre Krautergersheim et Innenheim, s'étirent de vastes champs aux reflets métalliques bleutés. C'est le pays du chou et de la choucroute. Il regroupe 90 % des producteurs français et une trentaine de restaurateurs créatifs qui invitent à déguster de savoureuses spécialités – croustillant de lotte, pâté rustique, faisan, noix de Saint-Jacques… – toutes accompagnées de choucroute !

Le Sundgau

Cathédrale de verdure

Ses vallées, pâturages et forêts de feuillus et résineux prodiguent une généreuse nature ! Longtemps isolé et replié entre plaine du Rhin, massifs des Vosges et du Jura, ce pays méridional est riche d'authenticité. Ses collines humides et venteuses doucement vallonnées sont traversées du nord au sud par la vallée de l'Ill au cours sinueux et ses affluents (la Largue et le Thalbach) jadis semés de moulins.

À l'ouest, les forêts sont peuplées de chênes, de hêtres et de frênes qui alimentent encore quelques scieries locales.

Ci-dessus : aux portes du Jura alsacien, la cité perchée de Ferrette conserve son cachet médiéval et forme le point de départ d'un réseau de sentiers balisés.

Ci-dessous : donnant sur la rue du village, les fermes opulentes et fleuries égrènent leurs bâtiments autour d'une cour, ou les rassemblent sous un même et volumineux toit doté de croupes et d'auvents.

Aménagés par les moines pour l'élevage de la carpe, les étangs abondent aussi en truites et en brochets, attirant martins-pêcheurs et grenouilles.

Au nord, au pied du massif vosgien, le lœss favorise une agriculture diversifiée (céréales, betteraves, tabac). Au nord-est,

il s'abaisse vers l'industrieuse vallée du Rhin où il voisine avec l'Allemagne et la Suisse.

Altkirch, sa paisible capitale, dévoile de belles maisons hautes et étroites. Une demeure Renaissance abrite le musée sundgauvien des Arts et Traditions populaires.

Le Grand Ried

Agricole et urbain

Entre Colmar et Strasbourg, il désigne les plaines humides parfois inondées traversées par le Rhin et l'Ill. Champs cultivés, prairies d'élevage et forêts se succèdent, offrant un refuge aux oiseaux (courlis cendré, cigognes, héron...) et d'agréables parcours de randonnée, d'équitation et de pêche. Malgré les travaux d'endiguement et de drainage, l'eau reste très présente sous forme de rivières, de sources phréatiques, de canal...

La forêt occupe une large place avec ses massifs de chênes, de frênes, d'aulnes... et ses nombreux bosquets. Les sols sablonneux enrichis par les dépôts d'alluvions portent des cultures de céréales, tabac, betteraves... En zone inondable, les grandes étendues de maïs, soja et tournesol, plus rentables que le fourrage mais plus polluantes, dominent.

Le Grand Ried compte deux capitales : Sélestat, au centre, et Colmar, au sud.

L'une, ancien foyer de l'humanisme rhénan, conserve une prestigieuse bibliothèque, une commanderie templière, une grande église gothique...

L'autre, miraculeusement épargnée lors des violents combats de 1945, est réputée pour son quartier des tanneurs, sa Petite Venise où s'alignent au coude à coude de hautes et étroites façades colorées bordées par la petite rivière de la Lauch, son Koifhus, palais des douanes...

À mi-parcours, à Illhaeusern, l'Auberge de l'Ill, fleuron du patrimoine gastronomique alsacien, ravira les palais les plus délicats.

Architecture *aux **mille** colombages*

Ci-dessus : Colmar.

Le pan de bois est le symbole fort de l'identité alsacienne. Au hasard des villages, on découvre des maisons aux robustes ossatures de chêne, entre lesquelles éclatent enduits rouge, jaune ou bleu.

Rustiques et de guingois, cossues et altières avec pignon sur rue, elles ont toutes en commun d'être démontables ! Chacune se compose d'un cadre de poutres porté par un soubassement de grès rose, qui l'isole de l'humidité et assure sa stabilité. Dessus, prennent appui des poutres horizontales (les sablières), qui ceinturent chaque étage, et des poteaux verticaux (les colombes). Comme ces empilements tendent à se déformer, ils sont raidis avec des pièces placées en oblique (les écharpes).

La recherche d'espace dans les villes de remparts conduisit les constructeurs à faire avancer les étages les uns par rapport aux autres : l'encorbellement était né ! Les vides laissés furent comblés avec un mélange d'argile et de paille : le torchis. Dessus, un enduit à la chaux, coloré avec des ocres ou des pigments, apportait finition et protection. Si toutes ces bâtisses cultivent un air de famille, aucune ne ressemble à l'autre ! Un millésime gravé sur un linteau, un gourmet (patron des vignerons) sculpté sur un poteau, ou un symbole qui protège du mauvais sort... sont autant d'emblèmes signant leur personnalité.

Ci-dessous : Riquewihr.

Musique, *réjouissances* et **couleurs** de la **foi**

En moins d'un siècle, ces pays ont changé quatre fois de nationalité ! Nourris des cultures rhénane et française, ils se sont forgés une riche culture de traditions, avec un goût prononcé pour la musique (sept cent cinquante chorales, deux cents harmonies, quatre-vingt-dix fanfares... recensées) et les chants folkloriques exprimant la joie, l'amour, le travail... Désormais rares, dialectes et costumes gardent quelques adeptes dans la vallée de Munster et l'Outre-Forêt. La cuisine signe le bien vivre et la convivialité. Chaque village conserve sa recette de *baeckaoffa* (potée aux trois viandes) ou de *fleischschnacka* (beignets), qui donnent lieu à des réjouissances. En octobre, la fin des vendanges annonce de joyeuses fêtes où l'on déguste les vins nouveaux. Dans les villages, les maisons serrées les unes contre les autres traduisent un fort sens communautaire. S'y rattachent le goût du travail, la ponctualité et le respect de la nature. La religion est l'autre pivot de la tradition. On célèbre toujours Noël autour du sapin – dont nous avons emprunté l'usage – que l'on garnissait jadis de fruits et de pâtisseries.

Plus qu'une protection ou un décor, les couleurs des façades affichent leur confession. Dans le Hanau ou le Kochersberg, le bleu, couleur du manteau de la Vierge, domine. À l'inverse, le rouge rallie les familles protestantes.

Les colombages dessinent aussi bien des symboles : le losange annonce un souhait de fécondité féminine, la croix de Saint-André, une progéniture multipliée (tant dans l'étable que dans la maison !), les chaises curules (X aux angles arrondis) rappellent le siège impérial que les paysans cossus aimaient faire figurer sur leurs demeures.

Ci-dessus : Colmar rayonne dans l'Alsace entière, pour la richesse de son patrimoine.

En encadré : Ci-dessus : le marché de Noël, à Strasbourg. Ci-contre : la fête de l'amitié, à Molsheim.

Au sud, Rouffach, opulente cité épiscopale installée au pied des vignes, offre de belles surprises architecturales avec son église Notre-Dame, sa halle aux blés, sa tour aux sorcières et ses maisons patriciennes.

L'Outre-Forêt

Au-delà de l'Alsace

Elle forme l'extrémité septentrionale de l'Alsace. Ses collines portent des sols alluvionnaires propices à la polyculture et à l'élevage. À l'ouest, elle s'adosse aux contreforts vosgiens d'où émergent les ruines de châteaux forts. Avant de s'ouvrir sur l'Allemagne avec laquelle il partage la frontière, ce pays isolé a vécu replié sur lui même, développant des particularismes comme le parler rhénan ou le protestantisme.

Dans les villages, à l'heure de la messe, on voit encore parfois des habitants revêtir le costume traditionnel : bonnet de soie décoré de perles, foulard brodé de fleurs et jupes

noires pour les femmes ; chemise blanche à col montant, pantalon et gilet en drap noir pour les hommes.

Merveilleux répertoire d'architecture à pans de bois, les bourgs alternent sans complexe humbles masures manouvrières et altières demeures de « seigneurs-paysans » coiffées de tuiles à bouts arrondis en « queue de castor ». À l'intérieur, règne une ambiance chaleureuse tout en clair-obscur, où les rayons de soleil embrasent les chaudes colorations des boiseries d'une armoire ou d'un coffre.

Wissembourg, sa capitale, offre un visage souriant avec ses monuments bien mis en valeur.

Plus au sud, après avoir traversé le pays pétrolier (qui fournit 37 000 tonnes d'or noir par an jusqu'en 1962), on arrive à Seebach. Village agricole où se côtoient confessions protestante et catholique, il aligne ses superbes pignons blanchis au lait de chaux garnis de coquettes toitures « à nez cassé ».

Modèle d'ordre, de propreté et d'harmonie, Hunspach invite à la flânerie avec ses rues aux noms évocateurs : rue des Moutons, des Anges... Dans les cours ouvertes sur la rue, sèchent les épis de maïs et s'empilent les bûches utilisées pour alimenter le poêle.

À ne pas manquer non plus : Hoffen et Hohwiller, magnifiques villages fleuris.

Poêles, *meubles peints* et *céramique*

Continental aux hivers rigoureux, le climat alsacien n'est pas étranger à l'invention du fameux poêle en faïence à accumulation de chaleur. Chargé de bois, il diffuse une température douce et constante toute la journée. Premier meuble de la maison et œuvre d'art habillée de carreaux émaillés (bleu, vert, rouge...), ornée de scènes religieuses, voire d'un décor Renaissance, il est présent dans nombre de stubes (salles communes), non loin de l'alcôve (chambre à coucher), offrant parfois une banquette propice à la détente. Jadis, dans le Hanau, le Haguenau, le Sundgau..., il était d'usage que le mobilier d'une jeune mariée traversât le village aux yeux de tous afin d'en estimer la valeur. Dans les milieux modestes, il fallait se contenter d'un vieux lit ou d'une armoire usagée, hérités des parents. Pour leur redonner un peu d'éclat, on les décorait de polychromes mêlant soleils, losanges, fleurs, animaux de ferme... dans une symétrie propre à l'art populaire. Dans l'Outre-Forêt, à Soufflenheim et à Betschdorf, on produit des céramiques depuis le Moyen Âge. Les unes sont des plats et assiettes vernissées, décorés de motifs de fleurs ou d'animaux, les autres sont des poteries en grès de grande qualité (pichets, pots...), gravées de décors peints au bleu de cobalt, sur lesquelles on jette une poignée de gros sel en cours de cuisson pour obtenir un effet de glaçure très décoratif.

En haut : céramiques, à Kaysersberg.

Au milieu : poêle en faïence, Damien Spatora, à Kaltenhouse.

En bas : meuble peint, Dany Gersmar, à Colmar.

Pays de vigne

• LES COLLINES SOUS-VOSGIENNES

S'il ne dépasse pas 3 à 5 km de large, le vignoble s'étend sur 110 km et s'étage de 200 à 400 mètres. Plébiscités dans le monde entier, ses vins sont riches d'arômes ! Situé sur les premiers rebords des Hautes Vosges, balcon ensoleillé dominant la vallée du Rhin, il est source de prospérité depuis deux mille ans.

Les Collines sous-vosgiennes

Terre bénie des dieux

Rares sont les terres qui disposent d'autant d'atouts géologiques et climatiques pour faire naître de l'or liquide ! Ce micro-pays rattaché aux Hautes Vosges égrène une mosaïque de terroirs calcaires, argileux, schisteux… à l'origine de subtils arômes minéraux, de fleurs ou de fruits dont s'imprègnent les racines. Le printemps est précoce et les pommiers fleurissent dès la mi-avril sous l'effet d'un vent tiède venu des Alpes. Les étés sont chauds et secs, et les pluies faibles grâce à la barrière du massif des Vosges. Enfin, la proximité du Rhin, large voie de communication, favorise l'exportation des vins vers l'Europe. D'opulents villages, véritables républiques dotées du statut de ville, ceinturés de remparts et riches de grands édifices publics, rappellent la prospérité héritée de cette activité. Cernés par les vignes, ils dressent leurs façades cossues ouvertes sur la rue principale où règne, dès l'annonce des vendanges, une intense activité. Beaucoup méritent une visite tels Rouffach, Turckheim, Kaysersberg, Hunawihr, Ribeauvillé, Barr…

Fort de son patrimoine exceptionnel, Riquewihr offre l'image mythique d'une cité alsacienne de la fin du Moyen Âge. Elle affiche avec orgueil son Dolder (beffroi d'aspect militaire), ses fontaines de grès rose, son pressoir monumental, ses enseignes colorées des Winstubs (auberges) et ses pimpantes maisons à colombages sous lesquelles se logent de séculaires caves où résonne l'écho et sommeillent de divins nectars.

En haut : cernée de vignes et de murailles dominées par un donjon cylindrique, Kaysersberg offre un décor coloré de maisons à pans de bois.

Au milieu et en bas : depuis les Romains, les collines sous-vosgiennes sont constellées de ceps sur lesquels veille avec rigueur et passion une forte communauté de vignerons.

Pays de montagne

• Les Hautes Vosges • L'Alsace bossue

Face au Rhin, la chaîne des Vosges s'allonge sur 170 kilomètres et s'élève jusqu'à 1 424 mètres. Elle livre de superbes panoramas de crêtes séparées par des vallées, hêtraies et sapinières, rochers sculptés par l'érosion, hauts pâturages, lacs... qui sont autant de lieux de villégiature et de buts d'excursions vivifiants à souhait !

Les Hautes Vosges

Haut lieu de nature et de tourisme

Ces terres de grands espaces, où flamboient les forêts à l'automne, s'enneigent les hauts pâturages, s'ébattent chamois et grands tétras, sourd l'eau vive des rivières, offrent une rare diversité de milieux naturels. Protégées par le parc naturel des ballons des Vosges, elles se parcourent à pied, à vélo, à cheval, à ski... à travers 7 000 kilomètres de sentiers balisés, pistes de ski, circuits historiques. Les Hautes Vosges forment une chaîne découpée par de nombreuses vallées profondes réunies par des cols.

À l'est, vues de la plaine d'Alsace, elles dressent un versant abrupt qui s'élève rapidement.

Ci-dessus : en forêt vosgienne, dans un écrin de seize châteaux forts, Lembach tire ses ressources du tourisme et de l'industrie du bois.

Ci-dessous : l'été, à l'occasion de la transhumance, les prairies d'altitude se peuplent d'ovins et de bovins dont le lait sert à la fabrication du munster.

À l'ouest, vues de Lorraine, elles sont moins pentues et ondulantes.

Au nord, les Vosges gréseuses montrent des reliefs modérés, colonisés par des hêtraies (avec chênes et bouleaux), qui s'abaissent graduellement vers Saverne.

Au sud, les Vosges cristallines (ou de granit) s'élèvent pour atteindre 1 424 mètres au Grand Ballon (sommet d'altitude), puis se maintiennent vers 1 000 mètres jusqu'au Champ du Feu. Les vallées s'achèvent en cirques rocheux tandis que les forêts disparaissent au profit des Hautes Chaumes. Jadis voués à l'élevage, ces pâturages d'altitude ont perdu leurs troupeaux et accueillent des stations de ski.

Ancienne frontière franco-allemande entre 1871 et 1945, la route des Crêtes ouvre son splendide écrin à la randonnée. On découvre le ballon de Guebwiller et son lac, le mont Sainte-Odile et son abbaye, le Mur païen (enceinte cyclopéenne), la vallée de Munster et ses fabricants de fromage cru et fermenté à pâte molle (les marcaires)... sans oublier les chaleureuses fermes-auberges où l'on déguste de roboratives spécialités.

De la forêt, émergent les ruines de plus de cent vingt châteaux, véritables nids d'aigles qui rappellent que, vingt siècles durant, l'Alsace fut une province âprement convoitée. Seul le Haut-Kœnigsbourg reconstitué pour l'Empereur Guillaume II conserve fière allure et séduit les visiteurs.

L'Alsace bossue

Entre collines et monts vosgiens

Elle offre deux visages. À l'ouest, son plateau ouvert et agricole livre des paysages bosselés où alternent prairies d'élevage, vergers et forêts giboyeuses. À l'est, son versant de grès rose inscrit dans le parc naturel régional des Vosges du Nord s'élève modestement entre 300 et 400 mètres. Mais ses vallées aux versants raides, son manteau forestier dense et ses rochers rongés par l'érosion lui donnent un air montagneux.

Dans les villages, s'alignent des maisons-blocs réunissant sous un même toit activités domestiques et agricoles. Lorentzen, Domfessel et Mackwiller offrent de beaux exemples de bourgs typiques avec château, église fortifiée, moulin...

Ci-dessus : plus haut sommet des Vosges (1 424 mètres), le Grand Ballon, vieux massif granitique érodé, est prisé des skieurs et des randonneurs.

Ci-dessous : au cœur des Hautes Vosges, le massif du Honeck dresse ses sommets au-delà de 1 300 mètres, égrenant vallons, vallées et cirques impressionnants.

Bâtie sur un col, la touristique cité de La Petite-Pierre est le siège du parc. Au XIXe siècle, la petite industrie (coutellerie, textile, poterie, tannerie...) apporta un net essor économique.

Sa capitale, Sarre-Union, est le résultat du rapprochement, en 1793, de Bouquenom et La Neuveville, qui se font face sur les rives de la Sarre.

Une **table** *généreuse*

Bien manger, bien boire et bien vivre : tels sont les trois commandements alsaciens ! Grande table de France, cette contrée se visite au fil de ses routes gastronomique. « L'Alsace, c'est chou ! » revendiquent les panneaux qui jalonnent la route de la choucroute. Créatifs, les chefs cuisiniers accommodent aussi ce légume roi à de nouvelles saveurs telle la choucroute au cochon de lait caramélisé et foie gras fumé. Autres valeurs sûres, les viandes et gibiers : *baeckaoffa* (potée aux trois viandes), coq au riesling, faisan farci aux coings confits, strüdel de chevreuil… Peu avant la Révolution française, Strasbourg devint capitale du foie gras en inventant le « pâté de foie d'oie ».

Sur la route des poissons d'eau douce, sont à l'honneur : matelote d'anguille, strüdel de sandre en croustille de nouilles, ravioles de truite à la confiture d'oignon…

Sur la route des vins qui serpente le long du massif vosgien, on goûte la poésie à l'évocation des arômes de poire, de coing, de jasmin et de miel…

Sur la route des fromages, on célèbre le munster au lait cru de vache. Le kougelhof, brioche cuite dans un moule cannelé en terre vernissée, les bredles, petits fours au beurre et aux œufs, aromatisés à la cannelle et aux amandes pilées, le pain d'épices, hôte des fêtes religieuses et cadeau de bienvenue offrent de savoureux desserts !

En haut : vin du domaine Weinbach.

Au milieu : choucroute de Colmar.

En bas : desserts alsaciens.

Les **sept péchés** *capiteux*

Au contraire de la Champagne – où l'étiquette affiche la marque commerciale – ou du Bordelais – où le nom du château prévaut –, l'Alsace est la seule région à désigner ses vins par ses cépages au nombre de sept :

– Le sylvaner donne des vins légers et désaltérants qui accompagnent coquillages et plateaux de fruits de mer, ainsi que les charcuteries et les quiches.

– Le pinot blanc est un vin rond, délicat et fruité, alliant fraîcheur et souplesse. Il s'accommode aux poissons et viandes blanches.

– Le pinot noir est le seul à produire des vins rouges et rosés. Sa légèreté et son fruité de cerise le destinent aux charcuteries, viandes rouges et gibiers.

– Le riesling, sec, racé et fruité, est l'un des meilleurs vins gastronomiques au monde. Ses arômes de fruits, fleurs ou minéraux, s'accordent subtilement aux poissons et crustacés.

– Le gewurztraminer, autre chef-d'œuvre, est corsé, charpenté, à la forte richesse aromatique. Son bouquet offre des parfums de fruits mûrs, de rose et d'épices (*gewurz* signifie « épicé » en allemand). On le sert à l'apéritif, avec le foie gras, les poissons et crustacés, le canard à l'orange…

– Le tokay-pinot gris, capiteux et charpenté avec des arômes de sous-bois parfois un peu fumés, s'harmonise avec les foies gras, gibiers et viandes blanches.

– Le muscat donne des vins secs, frais et très bouquetés, à servir en apéritif ou avec les asperges.

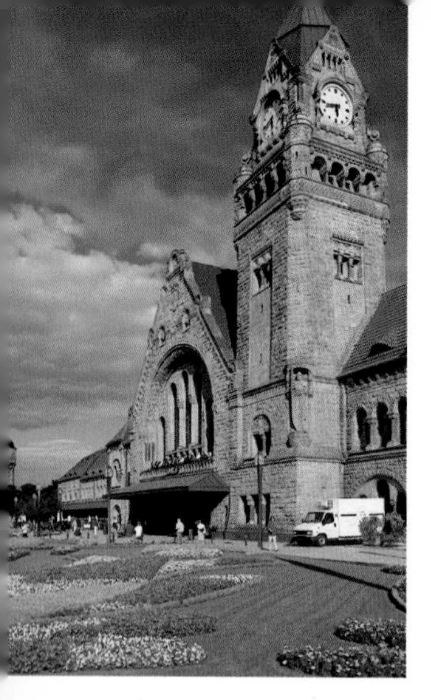

La Lorraine fut de toutes les convoitises. Elle offre à présent un royaume d'eau, de forêts et de montagnes aux vacanciers.

Reine de nature et de patrimoine

Entachée d'une image industrieuse liée à ses activités textile, minière et sidérurgique, victime de trois guerres acharnées avec l'Allemagne, la Lorraine est injustement délaissée ! Pourtant, s'ils sont peu touristiques ses pays n'en regorgent pas moins d'authentiques espaces vierges et de richesses naturelles propices aux plus oxygénantes randonnées. Montagnes sauvages des Vosges piquées de forêts majestueuses, cirques glaciaires, constellations de lacs et d'étangs paisibles... Pas moins de trois parcs naturels régionaux les protègent et les valorisent, regroupant plus de 600 000 hectares et 10 000 kilomètres de sentiers balisés : le parc de Lorraine, le parc des Vosges du Nord et le parc des ballons des Vosges.

• Domaine d'un épais manteau forestier qui étage ses hêtres, épicéas et pins sylvestres, ses landes et ses pelouses d'altitude où s'épanouissent myrtilles, gentianes, orchidées, lynx, chamois, grand tétras, il invite à plonger au cœur d'un royaume de nature.

• Château d'eau de la France, cette région est quadrillée par une multitude de fleuves, de rivières, de canaux, de mares salées, de torrents et de cascades : 700 kilomètres de voies navigables et des centaines d'étangs environnés de chênaies et de sapinières. Riche d'une centaine de sources d'eaux froides et chaudes qui surgissent de terre, la Lorraine est aussi l'une des premières régions thermales française.

• Son patrimoine, malmené par des guerres incessantes, demeure prestigieux, comme en témoignent Metz ou Nancy, tour à tour ville comtale, ducale, royale et même impériale ! De l'époque gallo-romaine au XVIIIe siècle, la Lorraine fut l'un des grands foyers de la verrerie, ses cristalleries royales de Saint-Louis et de Baccarat exportant dans le monde entier. De même, les faïenceries de Longwy, Lunéville et Sarreguemines, la lutherie de Mirecourt, les cotonnades des Vosges et les images d'Épinal connurent un âge d'or. Patrie de Jeanne d'Arc, du poète Verlaine, du fondateur de l'Art nouveau Émile Gallé, du père de l'Europe Robert Schuman... elle témoigne d'une vie culturelle tout aussi foisonnante !

Pays de forêt

• LE PAYS DE NEUFCHÂTEAU • LA PLAINE SOUS-VOSGIENNE
• LE TOULOIS • LE VAL DE MEUSE

Peuplés de hêtres, chênes, sapins, épicéas... et environnés de lacs et d'étangs, ils s'offrent aux plaisirs de la randonnée, du cyclotourisme et du nautisme. Marqués par l'histoire, ils mêlent un patrimoine de découvertes et de mémoire : maison de Jeanne d'Arc, villes thermales Belle Époque, villages vignerons, mémoriaux de Verdun...

Le pays de Neufchâteau

Célèbre Jeanne d'Arc !

Aux confins de la Champagne, ce pays porte de vastes forêts de hêtres et de chênes exploitées pour l'industrie du meuble. Autour de Neufchâteau, sa capitale, les exploitations cultivent blé et luzerne, vouant les lourdes terres situées à l'est à l'élevage laitier.

Perchée sur un éperon rocheux au confluent de la Meuse et de la Mouzon, Neufchâteau doit son nom à la forteresse que les ducs de Lorraine firent ériger au XIIe siècle pour contrôler la vallée. Ville libre et carrefour commercial entre Lorraine, Champagne et Bourgogne, elle connut une forte prospérité grâce à ses foires, son atelier monétaire, ses artisans (drapiers, orfèvres, ébénistes) et ses taxes prélevées sur les marchandises !

Au n° 2 de la place Jeanne-d'Arc, se trouve la maison des frères Goncourt, écrivains passionnés d'art. À leur mort, on fonda, en 1896, une académie chargée de décerner chaque année à un livre le fameux prix portant leur nom.

Plus au nord, au bord de la vallée de la Meuse, Domrémy-la-Pucelle doit sa célébrité à Jeanne d'Arc, qui y vit le jour en 1412. Non loin, la basilique de Bois-Chenu, où l'on vient en pèlerinage au mois de mai, marque le lieu où la jeune Lorraine entendit, à l'âge de treize ans, des voix lui enjoignant de « bouter les Anglais hors de France ».

La maison natale de Jeanne d'Arc est ornée d'un tympan supportant une statue de la sainte agenouillée et d'un blason de la famille.

À Neufchâteau, la Meuse rejoint la Mouzon.

La Plaine sous-vosgienne

Forestière et thermale

Installée au pied du massif des Vosges, la plaine vosgienne ressemble d'en haut à une longue clairière cernée de forêts de sapins et de hêtres ! Traversée par la Moselle et ses affluents, elle compte de nombreux pâturages voués à l'élevage laitier et à l'engraissement de charolais. À l'ouest, des sources d'eaux chaudes, chargées lors de leur parcours souterrain de gaz et de minéraux aux vertus médicinales, ont fait naître les stations thermales de Vittel et de Contrexéville. Leurs sources d'eau froide sont également à l'origine d'une industrie d'embouteillage qui produit plus de 1 milliard de litres d'eau minérale par an ! Après un long oubli, les sources sulfatée, calcique et magnésienne de Vittel furent redécouvertes en 1854, lorsque « prendre les eaux » devint très à la mode.

À 5 kilomètres se trouve Contrexéville, dont la notoriété n'a rien à envier à sa voisine. À la Belle Époque, le shah de Perse, le roi de Serbie et la grande duchesse de Russie y établirent leurs quartiers d'été. Depuis, la cité n'a rien perdu de son charme désuet avec ses thermes de style néo-byzantin et ses fontaines en marbre de Carrare.

Située de part et d'autre de la Moselle, on découvre Épinal, capitale des Vosges. Bien qu'amputée par les guerres mondiales, son patrimoine conserve de beaux vestiges : la basilique Saint-Maurice d'influences champenoise, bourguignonne et lorraine, la place des Vosges bordée de maisons à arcades où se tiennent commerces de bouches et cafés, le quartier de Rualménil, jadis fief des artisans papetiers et drapiers qui utilisaient la force motrice de la Moselle pour faire tourner leurs moulins. Fondée par l'évêque de Metz à la fin du xe siècle sur le site fortifié de Spinal (« épine » du massif vosgien), elle doit sa célébrité à ses images naïves et colorées que des colporteurs diffusaient dans toute la France.

Ci-contre : les sources de Contrexéville sont prescrites pour traiter l'obésité, les infections urinaires, les rhumatismes et le cholestérol.

Au milieu : les images d'Épinal représentent toutes sortes de scènes de la vie quotidienne.

En bas : les eaux de Vittel sont réputées pour soulager les migraines et soigner les allergies, les affections des reins et du foie.

C'est au XVIIe siècle que l'imprimeur de cartes à jouer Claude Cardinet eut l'idée d'imprimer des images pieuses. Appelées « feuilles saintes », elles représentaient à l'origine Dieu et ses saints et étaient bordées de cantiques. Après la Révolution, elles s'inspirèrent d'événements politiques et militaires. On pensait que leur présence suffisait à préserver du malheur ! Mais en 1871, l'annexion à l'Allemagne entraîna l'interdiction de toute vénération de l'Église. Les portraits de l'empereur firent alors leur apparition, suivis des épopées napoléoniennes, des scènes de la vie quotidienne… et même de ménage ! Désormais, les images célèbrent les contes de fées, les récits pour enfants, la bande dessinée…

Le Toulois

Pays de la vigne et de la mirabelle !

Regroupé autour de Toul, sa capitale, il forme un plateau qui se relève à l'ouest au contact des côtes de Meuse. Ses cultures de céréales, prairies, forêts et bois, près desquels s'établissent des villages-rues, en font un lieu riant et paisible. Au nord-est, les villages viticoles de Bruley, Lagney, Bulligny ouvrent la route du vin ! Seule appellation d'origine contrôlée de Lorraine, les côtes de Toul regroupent huit communes qui occupent le revers des côtes de Meuse. Abrités des vents dominants, les coteaux offrent des sols argilo-calcaires ensoleillés surplombant la Moselle. Ils produisent des vins à boire jeunes : gris issus du gamay, acides et rafraîchissants, rouges issus du pinot noir (aux parfums de framboise et de cassis), et blancs issus d'auxerrois (aux arômes de pomme). La Côte abrite aussi des vergers de mirabelliers, pommiers et cerisiers.

Dominée par sa cathédrale et enserrée dans un rempart, Toul occupe un site surmonté de deux buttes, là où le cours de la Moselle décrit une boucle capricieuse. Située sur la voie de Lyon-Trèves, elle devint le siège d'un évêché en 365, puis connut une période florissante sous Charlemagne. Siège d'un important évêché, elle fut détachée de la Lorraine en 928, pour former une ville libre. Elle régna alors sur une trentaine de villages alentour, avant d'être rattachée à la France en 1648. Fortifiée par Vauban, elle devint l'une des places fortes les mieux défendues d'Europe ! Bien que fort touchée par les trois guerres avec l'Allemagne, Toul conserve de belles demeures Renaissance, une cathédrale, joyau du gothique lorrain, un palais épiscopal…

Plus au sud, Vannes-le-Châtel est réputée pour ses cristalleries gérées par la célèbre société Daum créée en 1878. Non loin, le centre européen de recherche et de formation aux arts verriers propose des démonstrations de soufflage et de créations en cristal.

Cristallier, *luthier* et *faïencier*

À l'avant-garde de la mode et du progrès, la Verrerie Royale de Saint-Louis, la cristallerie de Portieux ouverte en 1705 et celle de Baccarat en activité depuis 1764 exportèrent dans le monde entier services de verres, carafes à vin, vases, candélabres géants décorés de filets d'or et gravés d'arabesques. Centrée sur la production de cristal soufflé à la bouche (arts de la table, sculpture contemporaine, bijoux…), ce secteur occupe près de deux mille personnes.
Au cœur des Vosges, les artisans de Mirecourt perpétuent la tradition de la lutherie et de l'archerie depuis quatre siècles. Grands amateurs de musique à corde pincée, les ducs de Lorraine favorisèrent son essor en réglementant la fabrication des violons, luths et mandolines. Au XIXe siècle, on comptait plus d'un millier de facteurs de violons. Mais les guerres mondiales et la crise économique eurent raison de cet art patronné par sainte Cécile ! En 1970, deux enfants du pays ont rallumé le flambeau en rouvrant des ateliers et en créant une école de lutherie où sont formés chaque année trente luthiers d'exception.
Réputées pour leurs semis de fleurs et leur double camaïeu de roses et de violines sertis de filets d'or, les faïenceries de Lunéville et de Saint-Clément ont connu leurs heures de gloire sous Louis XV et Louis XVI. Née en 1798 pour lutter contre la concurrence asiatique, la faïencerie de Longwy a acquis sa notoriété grâce à ses émaux étalés au pinceau et mélangés à une algue qui en renforce l'épaisseur.

Nancy, *capitale* de *l'Art nouveau*

« Innover toujours, ne copier jamais », telle est la devise de l'École de Nancy ! Créée en 1901 sous le nom de l'Alliance provinciale des industries d'art, elle regroupait, autour du maître verrier passionné de botanique Émile Gallé, ébénistes, sculpteurs, céramistes, architectes… Avec eux, verre, fer, pierre et bois perdaient leur apparence rigide pour laisser la place à la douceur de la ligne courbe et les ornementations de fleurs et d'animaux. Artisans et artistes firent éclore une nouvelle esthétique appelée Art nouveau qui, vingt ans durant, domina les arts décoratifs et l'architecture. Verrier à la technique éblouissante, Émile Gallé en fut la cheville ouvrière : « Nos racines sont au fond des bois, parmi les mousses, autour des sources », expliquait-il.
Ses œuvres (lampes en forme de champignon, meubles aux formes galbées et élancées, ornés de décorations florales et de savantes marqueteries…) restituent avec poésie le souffle de la vie végétale.

Le Val de Meuse

Terre de mémoire

Encastré entre la côte de la Meuse à l'est et les vallons du Barrois à l'ouest, le Val de Meuse forme un long plateau entaillé par une large vallée tapissée de rafraîchissantes forêts et de prairies que broutent vaches laitières, bœufs et veaux de boucherie.

Au nord, aux confins de la Belgique, Stenay est la capitale de la bière ! Au début du siècle dernier, ses habitants en buvaient 175 litres chacun par an ! Installé dans une ancienne malterie, son musée fait revivre la mémoire des grands brasseurs.

Au centre, s'ouvrent les paysages meurtris du pays de Verdun où s'écrivit en lettres de sang l'une des pages les plus dramatiques de la Première Guerre mondiale. À l'image de celle de Stalingrad en 1943, la bataille acharnée dont elle fut le théâtre de 1916 à 1918 marqua un tournant en faveur de la résistance française. Dès l'époque gauloise, la situation stratégique du site de Verdun fut mise à profit pour ériger un oppidum, puis un castrum à l'époque romaine, et sous Louis XIV une citadelle conçue par Vauban. Après la bataille de la Marne et l'échec de l'offensive allemande, le front se décala pour se fixer sur les côtes de la Meuse. Deux ans durant, terrés dans des tranchées parmi les rats, les soldats combattirent au corps à corps dans la boue et le froid, essuyèrent déluges d'obus et « nettoyages » au lance-flamme, souffrant de la faim, de la peur et des maladies. Ce fut « l'enfer de Verdun », au cours duquel sept cent mille soldats français et allemands trouvèrent la mort. Si la nature a depuis repris ses droits sur ces lieux, façonnant même un décor champêtre, ils n'en portent pas moins de profondes cicatrices : sol stérile, présence de sapes d'où remontent parfois les ossements de soldats anonymes.

En haut : avant d'être rattachée à la couronne de France en 1648, Verdun formait, avec Toul et Metz, l'enclave indépendante des Trois-Évêchés.

Au milieu : l'ossuaire de Douaumont a été élevé pour rendre hommage aux trois cent mille soldats tombés sur le champ de bataille de Verdun.

En bas : établie sur les bords de la Meuse, Verdun conserve des monuments dignes d'intérêt tels le palais de justice, l'hôtel de ville et la cathédrale.

Dans la ville de Verdun, qui fut jadis le siège d'un puissant évêché avec Toul et Metz, et où fut signé en 843 le traité de Verdun consacrant la fin de l'empire de Charlemagne et sa division en trois royaumes, on découvrira la citadelle souterraine où dix mille poilus vivaient enterrés dans 7 kilomètres de galerie, le Centre mondial de la paix, la cathédrale et le palais épiscopal réchappés des guerres. Non loin, l'ossuaire de Douaumont, monumental mausolée dressé comme un phare sur une crête, abrite les ossements de cent trente mille soldats non identifiés et domine quinze mille tombes.

Plus au sud, environné de forêts de hêtres, de chênes et de charmes, Saint-Mihiel est réputée pour son palais abbatial qui abrite une bibliothèque riche de neuf mille volumes.

Plus loin, la Meuse élargit sa vallée et se couvre de fleurs et d'herbages. Val des couleurs, elle a donné son nom à la cité de Vaucouleurs, où Jeanne d'Arc se rendit pour demander armes et monture au sire de Baudricourt.

Pays d'une capitale

• Le Pays messin • Le pays de Nancy

Entre le IXe et le XIe siècle, la Lorraine a vu naître plusieurs villes phares, autour desquelles se sont constitués des pays. Aux mains d'évêques, de ducs ou de princes éclairés, elles connurent un âge d'or, attirant commerçants, banquiers et artistes, se couvrant de palais et de cathédrales !

Le Pays messin

Tourné vers sa capitale

Il doit son nom et son unité à l'attraction de Metz, à la fois capitale de pays et de la Lorraine, qui au Moyen Âge étendait sa juridiction sur plus de cent villages ! Au nord, s'ouvre la vallée de l'Orne qui la sépare du Thionvillois, jalonnée de mines et d'industries qui rappellent sa vocation sidérurgique. À l'est, la fertile vallée de la Moselle porte des cultures de céréales tandis que sa côte fortement relevée est couverte de ceps qui produisent des vins blancs fruités secs.

Metz fut tour à tour romaine, française et allemande. Surnommé « le prince des poètes », Paul Verlaine y naquit en 1844. Située sur l'axe de communication qui relie l'Europe du Nord à la Méditerranée, elle devint un important foyer commercial, exportant vin, sel, céramique, textile... et comptant vingt mille habitants ! Ses ateliers d'enluminure, son artisanat de l'ivoire et son école de chant grégorien sont réputés dans toute l'Europe.

Intégrée au Saint-Empire germanique, elle obtint, en 1180, une charte de franchises et se constitua en ville libre, attirant artistes et commerçants, se couvrant d'églises et de palais. Place financière appréciée, elle comptait à l'époque soixante changeurs ! Mais une telle richesse et une si grande indépendance éveillèrent la convoitise d'Henri II qui, en 1552, établit un protectorat sur les Trois-Evêchés, petite république réunissant Metz, Toul et Verdun. Rattachée à l'Allemagne après l'annexion de l'Alsace-Lorraine en 1871, elle connut un nouvel essor urbain. On renforça alors son rôle militaire et l'on aménagea de nouveaux quartiers, aérés par des boulevards.

En haut : établie entre la Moselle et la Seille, Metz, capitale de la Lorraine, forme un nœud de communication routier, ferré et fluvial que domine la cathédrale Saint-Étienne née de la réunion au XIIIe siècle de deux églises.

En bas : ville à l'atmosphère attachante, riche en promenades et en monuments historiques, Metz offre de belles places d'architecture classique comme la place de la Comédie qu'illuminent à Noël des arbres scintillants.

Le pays de Nancy

Les riches heures de Stanislas !

Au cœur de la Lorraine, le pays de Nancy forme une plaine agricole environnée de bois et de secteurs industrieux marqués par l'épopée de la sidérurgie. Bâtie sur la rive gauche de la Meurthe, en bordure du canal de la Marne au Rhin, Nancy fut sept siècles durant la capitale des ducs de Lorraine. Domaine des princes éclairés et d'une cour internationale, elle connut un âge d'or et vit s'édifier quatre villes distinctes ! Reçus en pairs dans les Flandres, en Provence, en Toscane et en Espagne, ses ducs se forgèrent un goût très sûr, affirmant un art de vivre fastueux.

Fondée au XIe siècle, rebâtie après un incendie et fortifiée aux XIIIe et XIVe siècles, la ville fut assiégée par Charles le Téméraire, puis reprise par le duc de Lorraine René II en 1477. À la fin du XVIe siècle, Charles III ajouta une villeneuve à la cité médiévale. Son plan en damier avec ses larges rues tirées au cordeau, ses immeubles festonnés de pierres de taille moulurées et ses perspectives contrastaient avec la vieille ville au tracé dense et sinueux.

Au XVIIIe siècle, le duc François III l'apporta à Louis XV en échange de la Toscane, qui plaça à sa tête son beau-père, Stanislas Leszczynski, roi de Pologne chassé par les Russes. Gouverneur débonnaire, il consacra trente ans durant sa fortune à embellir Nancy, qui devint un haut lieu littéraire et scientifique. Il fit bâtir un nouveau centre reliant la cité médiévale et la ville nouvelle, délimité par deux portes monumentales. Pour recevoir la statue de son gendre Louis XV, il créa la place Royale (qui porte son nom aujourd'hui), bordée de cinq pavillons d'une parfaite symétrie portés par une enfilade majestueuse de colonnes.

Berceau de l'Art nouveau, le Nancy du XIXe siècle offre un patrimoine dédié au règne végétal où s'égrènent grilles rehaussées de volutes, marquises aux courbes nonchalantes, façades décorées de mosaïques, bow-windows...

Entre 1871 à 1918, Nancy, devenue ville frontière après l'annexion de l'Alsace et la partition de la Lorraine, vit affluer tant de réfugiés qu'il fallut construire une nouvelle cité ! Voila pourquoi, on traverse les époques et les styles en la parcourant ! Capitale des affaires, elle englobe à présent un district de vingt et une communes et compte trois cent cinquante mille habitants, dont quarante mille étudiants.

Pays de montagne

• La Vôge • Les Hautes Vosges lorraines

Occupant la Lorraine du sud, traversés par le massif vosgien, long de 134 km, large de 68 km, qui culmine à 1 426 m, ils sont entaillés de vallées et de gorges, émaillés de cascades, sauts et sources thermales, bordés par la ligne des Crêtes qui les séparent de l'Alsace, ils offrent un royaume de nature préservée.

La Vôge

Au cœur des forêts et des sources

Aux confins de la Champagne et de la Franche-Comté, elle forme un pays de transition, une « marche » entre les Hautes Vosges et la Plaine sous-vosgienne. D'altitude modérée, son plateau gréseux montre cependant un relief accidenté, entaillé de vallées et de gorges où s'écoulent d'impétueux cours d'eau bordés de prairies. Très boisé, il est couvert pour presque moitié d'une épaisse forêt mêlant chênes, hêtres et résineux. L'eau est sa seconde richesse, qui s'écoule en fleuve, rivières et canal (la Saône et ses affluents et le canal de l'Est), ou essaime en sources, fontaines et cascades.

Bains-les-Bains et Plombières-les-Bains sont réputées pour leurs sources chaudes préconisées dans le traitement des rhumatismes, maladies cardio-artérielles et douleurs articulaires. Nichée dans la verdoyante vallée de l'Augronne, Plombières-les-Bains peut s'enorgueillir de deux mille ans de thermalisme ! Grands amateurs, les Romains captèrent ses eaux sortant de terre à 62 °C et les canalisèrent dans de vastes thermes. Au Moyen Âge, les abbesses de Remiremont, recrutées dans les familles dotées d'au moins quatre quartiers de noblesse, y possédaient une résidence et les ducs de Lorraine y prenaient les eaux. Montaigne, Lamartine, Maupassant, Beaumarchais louèrent, eux aussi, la station, assurant sa renommée. En 1715, Louis XIV, atteint d'une infection au pied, se vit prescrire de l'eau de Plombières. Mais lorsque les précieuses bouteilles parvinrent à Versailles, le roi se mourait.

En haut : vieux massif de grès et de granit aux cimes arrondies, qui culmine à 1 426 mètres, les Vosges livrent une nature riche de forêts et de lacs où l'on peut observer cerfs, chamois, lynx, buses...

Au milieu : depuis le XVIIIe siècle, les onze sources thermales de Bains-les-Bains prodiguent leur minéralisation exceptionnelle aux curistes souffrant de maladies du cœur et des artères.

Ci-contre : en contrebas de Remiremont, porte du parc régional des Ballons des Vosges, la cascade du Géhard se déverse par palliers en tombant dans des marmites creusées par l'érosion.

Rempart
de la *mémoire*

Près des frontières belge, luxembourgeoise et allemande, chemine une ligne hérissée de forts, blockhaus et tourelles de tir. C'est la ligne Maginot qui s'étire sur plus de 200 kilomètres, des Vosges du nord jusqu'au Rhin ! Conçue par le ministre de la Guerre de la IIIe République, André Maginot, pour contenir l'armée allemande, elle devait « courir » de la mer du Nord à la Méditerranée. Mais le projet, trop ambitieux, fut revu à la baisse. Entre 1927 et 1936, quatre cent dix casemates, 100 kilomètres de galeries souterraines, cent cinquante-deux tourelles à éclipse, trois cent quarante pièces d'artillerie et d'innombrables cuvettes inondables, fossés anti-chars et champs de mines furent aménagés. Signalées en surface par leurs tourelles de tir, ces villes souterraines enfouies à 30 mètres de profondeur étaient dotées de cuisines, puits et réserves alimentaires permettant à des garnisons entières de vivre en toute autonomie.

Des voies ferrées alimentées par des centrales électriques reliaient les ouvrages aux dépôts de munitions. Bombardée, contournée par la Belgique et prise à revers en 1939, cette « cuirasse du Nord-Est » ne remplit pas son rôle. Aujourd'hui, anciens combattants et passionnés d'histoire joignent leurs efforts pour ranimer ces vestiges militaires et les ouvrir au public.

Ci-dessous : au cœur du pays des Trois-Rivières, Plombières-les-Bains est une charmante station thermale nichée dans une vallée boisée.

En encadré : le fort de Douaumont.

Au sud-est, les vallées encaissées de l'Augronne et de la Semouse offrent de rafraîchissantes oasis environnées de prairies et de forêts. Non loin, les cascades du Géhard et de Faymont dévalent entre rochers et sapins pour se déverser dans des marmites géantes. Classée station verte, la commune du Val d'Ajol s'étend sur plus de 7 000 hectares, regroupant soixante hameaux disséminés à travers bois.

Avec les Vosges saônoises voisines, elle partage un riche patrimoine de croix et calvaires essaimés au hasard des chemins ou isolés dans les herbages.

À l'ouest, le massif forestier de Darney compte 15 000 hectares de chênes et de hêtres, où s'établirent jadis nombre d'ateliers de verreries.

Plus au sud, sur les premiers contreforts des Vosges, Châtillon-sur-Saône est une ancienne place forte imprégnée des styles lorrain, comtois et bourguignon. Ses maisons montrent une entrée de cave semi-enterrée voûtée en « berceaux décalés » pour permettre la descente des tonneaux de vin sur le dos sans risquer de heurter le plafond. Elles signalent que la vigne abondait avant que le phylloxera ne la ravage !

Les Hautes Vosges lorraines

Royaume des grands espaces

Elles font la joie des randonneurs qui profitent de ses eaux pures, passent de la fraîcheur d'une sapinière à l'aridité des Hautes Chaumes, pelouses d'altitude où poussent myrtilles, gentianes et bruyères. Inscrites dans le parc naturel régional des ballons des Vosges, leurs formes douces et arrondies s'élèvent de 600 à 1 400 mètres, mêlant prairies, étendues d'épicéas, sources, cascades, vallées profondes.

Installée sur les deux rives de la Meurthe dont l'altitude s'étage jusqu'à 900 mètres, Saint-Dié-des-Vosges, sa capitale, profite d'un environnement exceptionnel. Elle a vu naître en 1832 Jules Ferry. Nommé ministre de l'Instruction publique en 1879, il est resté célèbre pour sa législation scolaire. Ici, fut imprimée en 1507, dans la *Cosmographiae introductio,* la première carte du continent découvert par Christophe Colomb et dénommé America en hommage au navigateur Amerigo Vespucci. Depuis1990, la ville célèbre cette initiative en organisant un grand festival de Géographie. Bien que détruite par l'occupant en 1944, Saint-Dié conserve de belles curiosités, tels sa cathédrale de grès rose, son cloître gothique et son musée Pierre Noël consacré à la forêt, l'agriculture, l'ornithologie.

À l'est, la ligne des Crêtes relie les sommets vosgiens, de Saint-Dié au nord, au ballon d'Alsace au sud. De l'annexion de l'Alsace-Lorraine en 1871 à la victoire en 1918, elle marqua la frontière entre la France et l'Allemagne, symbolisant la limite des territoires perdus à reconquérir. Lors de la Grande Guerre, elle fut aménagée par l'armée française pour assurer la liaison entre le nord et le sud du front. Sur son parcours rythmé de cols et de corniches, elle offre de saisissants panoramas sur l'Alsace et les Vosges.

Solide *et* *roborative* !

Ici comme ailleurs, l'élevage du cochon est à l'origine de nombreuses spécialités : mise au point au XVIIe siècle, la quiche est une savoureuse tarte garnie d'un mélange d'œufs battus, de crème fraîche et de lardons ; pot-au-feu de lard fumé, la potée rassasie les plus grands appétits avec ses saucisses, sa palette et ses queues de cochon associées aux chou blanc, navets, carottes, poireaux et pommes de terre ; le lard apporte aussi une précieuse contribution aux potages et soupes à base de légumes et à l'omelette ; spécialité du Val d'Ajol, l'andouille est une grosse saucisse à base de viande et d'estomac de porc, marinée et fumée au feu de bois.

Dans les Hautes Vosges, les prairies d'altitude sont dévolues aux vaches à la robe blanche tachetée de noir, dont le lait sert à élaborer le géromé (terme patois issu de Gérardmer), ancêtre du munster, à la croûte fauve et à la pâte crémeuse. Aménagées en fermes-auberges, les marcairies – fermes d'altitude où l'on fabriquait jadis ce fromage – accueillent à présent les estivants autour d'une tofaille, pommes de terre cuites à l'étouffée dans du saindoux avec des oignons et du lard que l'on sert avec du collet fumé.

À côté des plats salés, les douceurs sucrées occupent une place de choix avec la madeleine de Commercy, la dragée de Verdun aux amandes, au chocolat ou au nougat, la tarte ou le clafoutis aux mirabelles, la mousse glacée à l'eau-de-vie de mirabelle, les macarons de Nancy…

En haut : le Géromé. Au milieu : Saint-Nicolas. En bas : mirabelles à Vigneulles.

Eaux-de-vie : *la dernière* goutte ?

Chaque année, durant l'hiver, des villages entiers sont envahis par d'entêtantes odeurs d'alcools fruités ! Tout commence à la mi-août avec la récolte des mirabelles, lorsque les collines qui bordent Meuse et Moselle ploient sous des milliers de fruits dorés serrés en grappes. Sitôt triées, elles sont mises à fermenter dans des tonneaux puis bouillies dans un chaudron. Cette première chauffe isole les substances volatiles contenues dans les fruits qui s'échappent en vapeurs par un serpentin, plongé dans l'eau froide pour les condenser en liquide. Appelée « cuite », cette goutte d'aspect trouble et à haut degré alcoolique nécessite une seconde chauffe et une filtration pour se muer en eau-de-vie qui titre d'abord 80 degrés avant de décroître à 40 degrés.

Versée dans des bonbonnes cerclées d'osier ou vieillie dans des tonneaux de frêne, elle est appréciée des amateurs d'apéritifs et de digestifs fruités et… corsés !

Mais depuis 1960, la loi interdit toute transmission du droit de bouillir. À moins que le législateur ne tempère cette réglementation, les bouilleurs de cru et leur eau-de-vie seront remisés dans un musée d'ici vingt ans.

Au sud, s'ouvre la vallée des lacs de Gérardmer, creusée par les glaciers du quaternaire. Émaillée de cascades, sauts et sources, elle jouit d'atouts naturels exceptionnels ! La forêt qui l'environne compte 200 kilomètres de sentiers accessibles aux randonneurs, promeneurs et vététistes. Encaissée dans une vallée aux versants couverts de sapins, au bord d'un vaste lac de barrage, Gérardmer est une station de ski alpin et de fond reconstruite après guerre avec des maisons aux allures de chalets suisses. Au début du XIXe siècle, une puissante industrie textile du coton se fit jour dans le massif des Vosges. L'existence de multiples cours d'eau, source d'énergie motrice pour les filatures, la présence d'une main-d'œuvre paysanne nombreuse et la proximité de Mulhouse et de ses capitaux, riche centre de production des « indiennes », toiles de coton peintes ou imprimées, favorisèrent cet essor. Jusqu'à la crise qui débuta en 1960, on comptait deux cent cinquante usines employant plus de quarante mille ouvriers !

Ci-dessus : environnée de nombreux lacs et de forêts, la vallée de Gérardmer livre un royaume de nature aux randonneurs, aux cyclistes et aux amateurs de voile.

Ci-dessous : autour de Gruey-lès-Surance aux solides maisons de granit couvertes de lave, la forêt – hélas très endommagée par la tempête de décembre 1999 – génère une activité essentielle à l'économie locale.

À l'est, située à la jonction de la vallée de la Moselle et de la Moselotte, en bordure d'un immense lac, Remiremont mérite une visite pour ses rues bordées d'arcades, ses hôtels particuliers et ses nombreuses fontaines.

Pays d'industrie

• Le Thionvillois • Le Warndt

De 1870 à 1970, l'exploitation du fer et du charbon a fait naître la plus puissante industrie sidérurgique que la France ait connue. Hérissés de cheminées géantes, chevalements de mines et gares de marchandises désormais endormis, ces pays n'en restent pas moins ruraux, forestiers et constellés d'étangs et d'oiseaux.

Le Thionvillois

L'épopée des gueules jaunes

Le Thionvillois fut l'un des pays du fer lorrains ! Couvrant 120 kilomètres sur une épaisseur de 10 à 40 mètres, ses gisements se font jour à partir de Longwy au nord (Pays Haut), puis se déploient au sud jusqu'au-delà de Pont-à-Mousson (Pays de Pont-à-Mousson). Établi sur la rive gauche de la Moselle, aux portes du Luxembourg et de l'Allemagne, il forme un bassin autour de Thionville, sa capitale, où dominent mines, hauts fourneaux, aciéries, usine et gares de marchandises.

Grâce au renfort d'une main-d'œuvre immigrée (Italiens, Polonais, Maghrébins…), il connut une intense activité jusqu'en 1970, livrant 3 milliards de tonnes de « minette » – minerai contenant 35 % de fer. Mais la concurrence mondiale et le tarissement des débouchés se liguèrent pour sonner le glas de cet empire. Une à une, les mines fermèrent jusqu'en 1993.

Après une douloureuse reconversion, et grâce à de gros investissements, la sidérurgie lorraine est redevenue compétitive dans certains domaines (automobile, nucléaire…).

À l'est, le musée des Mines de fer de Neufchef se loge dans une ancienne galerie qui s'ouvre à flanc de collines. Le long d'un parcours de 1,5 kilomètre, il reconstitue des chantiers qui montrent l'évolution des techniques d'extraction.

En haut : à Longwy, les paysages sont marqués par les cheminées des hauts fourneaux et les terrils, témoins de l'industrie sidérurgique aujourd'hui en déclin.

Au milieu : non loin du Luxembourg, l'ancienne seigneurie de Rodemack ravira les amateurs de patrimoine.

En bas : ville universitaire au Moyen Âge et villégiature des ducs de Lorraine, Pont-à-Mousson égrène de belles curiosités, parmi lesquelles sa place Duroc, bordée de maisons à arcades du XVIe siècle.

Au centre et à l'ouest du Thionvillois, les paysages de fer n'ont pas droit de cité ! C'est le domaine des cultures de céréales, des prairies, des vergers et des forêts. Les promeneurs qui sillonnent ses campagnes et les plaisanciers qui voguent sur la Moselle seront séduits par la variété de son patrimoine : châteaux, villages de charme, pelouse d'orchidées, réserve géologique…

Au nord, Rodemack est l'un des plus Beaux villages de France. Surnommé « la Carcassonne lorraine », il conserve de sa splendeur passée une atmosphère médiévale marquée par sa forteresse et ses ruelles étroites bordées de demeures aux fenêtres cintrées.

Non loin, Mondorf-les-Bains est dotée de deux sources efficaces contre les affections hépatiques, intestinales et rhumatismales.

Au **pays** *des* ***villages-rues!***

Les villages occupent des espaces variés, mêlant étangs, prairies, champs et coteaux ensoleillés portant vergers ou vignes. Un alignement continu de maisons situées de part et d'autre d'une rue centrale rappelle que, jadis, l'asolement triennal obligeait les paysans à posséder trois types de parcelles qu'ils devaient ensemencer, récolter ou laisser en jachère ou en pâture suivant un calendrier précis. Entre la chaussée et la rangée de maisons s'étend l'« usoir », jardinet où l'on entreposait la charrue, le bois et le fumier. Étroite, la maison réunit sous son toit habitation et exploitation. La porte d'entrée s'ouvre sur un couloir qui traverse toute la maison et dessert cuisine, chambres, celliers... Sans fenêtre, la cuisine est placée entre deux chambres pour les réchauffer grâce à son poêle. Couronnée d'un arc aplati, une imposante porte charretière conduit à la grange, à l'écurie et à l'étable.

Histoire *et* **terroir** en **fête**

En Lorraine, le père Noël n'a pas détrôné saint Nicolas ! Chaque début décembre, on fête le patron des Lorrains (et des écoliers !). Le père fouettard n'est pas loin, armé d'un martinet au cas où il y aurait des méchants à punir. Une vieille légende raconte que ce saint aurait ressuscité trois enfants découpés et mis au saloir par un affreux boucher ! À Nancy, cette célébration rassemble orchestres, fanfares, harmonies sur fond de défilés de chars où se dressent château enchanté, poupées géantes, pantins articulés...

Chaque mois d'avril, à Gérardmer, on célèbre la féerie des Jonquilles dans un étourdissant défilé de chars décorés de fleurs jaune d'or fraîchement cueillies sur les coteaux environnants. S'y ajoutent les marchés de Noël, le carnaval de Thionville, la fête médiévale de Cons-la-Grandville, la fête de la Mirabelle à Metz, le festival de musique ancienne à Sarrebourg...

Promenades *fluviales*

Au rythme des écluses, deux itinéraires permettent de se familiariser avec l'identité des pays lorrains : le canal de la Marne au Rhin et le canal de l'est.
Le canal de la Marne, construit entre 1838 et 1853 pour relier Paris à l'Alsace, joint Vitry-le-François à Strasbourg en 312 kilomètres et 160 écluses ! En le parcourant, on rencontre Saint-Nicolas-de-Port, qui fut longtemps un haut lieu de pèlerinage en l'honneur de saint Nicolas, patron de la Lorraine, mais aussi Nancy, capitale des ducs de Lorraine, et Vaucouleurs, domaine de René de Beaudricourt qui mena Jeanne d'Arc auprès de Charles VII...
À proximité de Saverne, on découvre le spectaculaire plan incliné de Saint-Louis-Arzviller, qui permet de passer d'un bief à l'autre en dévalant une pente de 41 % de dénivelé ! Mis en service en 1969, cet élévateur à bateaux remplace les 17 écluses, échelonnées jadis sur 4 kilomètres et dont le franchissement nécessitait une journée entière ! Il se compose d'un chariot-bac – une « baignoire » de 43 mètres où se logent les péniches –, qui se déplace sur des rails le long d'une rampe de béton à la vitesse de 4 mètres par seconde.
Reliant Commercy à Givet dans les Ardennes, le canal de l'Est longe la Meuse avant d'emprunter le fleuve jusqu'à la frontière belge. Il conduit à Verdun, réputée pour sa cathédrale, son palais épiscopal, sa citadelle et son Centre mondial de la paix.

Au creux d'une boucle de la Moselle, Sierck-les-Bains donne à voir ses belles demeures à flanc de coteau, face aux pentes abruptes du Stromberg qu'escalade la vigne. Ses façades percées de fenêtres à meneaux, ses porches Renaissance, ses vieux ponts et ses ruelles pavées invitent à la plus dépaysante flânerie !

Son appellation « les-bains » fut ajoutée au XIXe siècle à la suite de la découverte de trois sources aux vertus curatives. Depuis, une gare a pris la place des thermes !

Le Warndt

Pays du charbon et du bois

Placé sous l'influence de Forbach, sa capitale, et bordé par la Sarre allemande au nord et à l'est, le Warndt forme un bassin houiller qui produit près de 5 millions de tonnes de charbon – soit les trois quarts de la production nationale, avec huit mille mineurs. Entièrement mécanisées et automatisées, les mines du secteur Carling-Merlebach, au sud de Forbach, sont les seules encore en activité aujourd'hui, mais jusqu'en 2005 seulement.

Si l'exploitation du plomb et du cuivre remonte au Moyen Âge, il fallut attendre l'essor industriel, vers 1850, pour assister à celle du charbon. Chevalements de puits et cités ouvrières furent édifiés dans un climat de fièvre de l'or noir, tandis qu'une forte main-d'œuvre immigrée (Polonais, Italiens, Slovènes) venait se mêler aux habitants.

Depuis 1950, cette mono-industrie concurrencée par le pétrole, le nucléaire et le charbon américain, plus faciles à extraire, connaît une crise irréversible.

En encadré :
En haut : ruelle à Rodemack.
En bas : procession à Nancy.

CHAMPAGNE-ARDENNE
FRANCHE-COMTÉ
BOURGOGNE

Horizons crayeux griffés de labours, coteaux plantés de ceps, vallée entaillée par les méandres capricieux de la Meuse, les pays de la Champagne et du massif de l'Ardenne s'étendent sous un ciel infini ! Royaumes de montagnes où se succèdent forêts, rivières, cascades et lacs, ceux de Franche-Comté invitent aux plus oxygénantes randonnées. Harmonieuse mosaïque de paysages et de patrimoine, les pays de Bourgogne sont appréciés pour leur douceur de vivre et les grands crus qu'ils prodiguent.

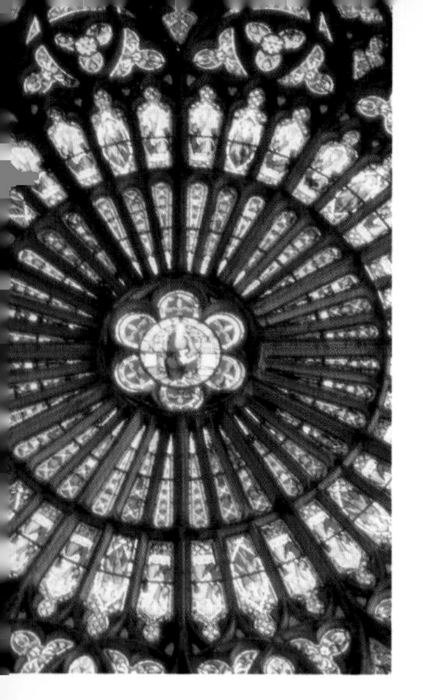

À la folie guerrière des hommes, la Champagne a fait don d'une belle rédemption : un merveilleux jardin de nature !

Terre de craie et de crus

En vieux français, une champagne est une terre de champs ouverts, dénudée et dépourvue d'enclos. Avec ses immenses horizons crayeux griffés de labours sous un ciel infini, la Champagne mérite son nom ! Amendée, boisée, humanisée, elle sait aussi offrir des paysages plus attrayants. Au-delà des étendues mollement ondulées, s'élancent à l'ouest ses coteaux tapissés de vignes sagement alignées, s'ouvrent à l'est ses forêts trouées de lacs et d'étangs où nichent cygnes, grues cendrées et canards sauvages, se dessine au sud son damier de prairies bocagères dominées par les clochers des églises.

• Entaillé par la vallée de la Meuse qui serpente capricieusement jusqu'à la Belgique, le massif des Ardennes est couvert d'une épaisse forêt millénaire, nimbée de légendes et de mystères. Ses éperons rocheux et défilés profonds dévoilent une nature sauvage où il fait bon se ressourcer !

• En Champagne, le Moyen Âge a été source de rayonnement spirituel et d'âge d'or. Dès le XIIe siècle, les foires d'Arcis-sur-Aube, de Troyes, de Bar-sur-Aube... attirent les marchands de toutes nationalités. Sous la protection des comtes de Champagne, on fait le commerce des toiles de Reims, draps de Châlons, cuir de Troyes, tandis que les changeurs italiens consentent crédits et lettres de change. En 1115, saint Bernard, disciple de Robert de Molesmes, fonde l'abbaye de Clairvaux ouvrant la voie de la réforme cistercienne. Cette dernière tissera un vaste réseau d'abbayes dans toute l'Europe, prônant le retour à la tradition monastique. Troyes s'impose comme un des foyers artistiques majeurs d'Occident, avec ses écoles de sculpture et de vitrail. Depuis le XVIIIe siècle, la craie est le filon sacré des crus !

• Denrée minérale, réserve d'eau et roche friable propice à abriter des caves, la Champagne porte le breuvage mythique mis au point par dom Pérignon. Choyé par tout un peuple de vignerons, il est source d'un vigoureux commerce comme d'une renommée internationale.

• Peu propice à l'agriculture, l'Ardenne a, quant à elle, fondé son essor sur l'exploitation de ses ressources naturelles, faisant naître industries forestière, ardoisière, drapière, métallurgique... Terre frontalière, elle fut à la croisée de tous les affrontements, bataille de Rocroi en 1643 contre les Espagnols, conflit franco-prussien de 1870, guerres mondiales de 1914-1918 et 1939-1945. Villes dévastées, ligne Maginot, villages rasés, collines semées de mémoriaux et cimetières... en témoignent.

Pays d'agriculture

• LE CHAUMONTAIS • LE PAYS D'OTHE
• LE LANGROIS

Ils déroulent leurs plateaux crayeux et céréaliers coupés de vallées où coulent Seine, Aube et Marne. Doucement ondulés, leurs paysages sont arides malgré l'abondance des précipitations, l'eau s'infiltrant dans la craie pour réapparaître dans les vallons. À l'est et au sud, s'ouvre la Champagne humide des sources et des lacs, peuplée d'un biotope très riche et dominée par les cimes de ses grandes forêts.

Le Chaumontais

Forestier et fluvial

« Cette partie de la Champagne est toute imprégnée de calmes, vastes, frustes et tristes horizons : bois, prés, cultures et friches mélancoliques ; reliefs d'anciennes montagnes très usées et résignées : villages tranquilles et peu fortunés dont rien, depuis des millénaires, n'a changé l'âme, ni la place. » Ainsi, le Général de Gaulle évoqua-t-il son pays d'adoption. De part et d'autre de la Marne doublée par un canal qui la joint à la Saône, il déploie ses paysages forestiers portés par un plateau calcaire escarpé à mesure que l'on approche le pays de Langres et le Barrois au sud.

Ci-dessus : établie sur l'Yonne, entre Champagne et Bourgogne, Villeneuve-sur-Yonne marque la frontière de la « petite Normandie » du pays d'Othe.

C'est à Colombey-les-Deux-Églises (en bas) – repérable de loin à sa grande croix de Lorraine (au milieu) –, que le général de Gaulle mûrit ses grandes décisions politiques.

Bâtie sur un promontoire, Chaumont, sa capitale, conserve son caractère médiéval hérité de son rôle de place commerciale et artisanale tournée vers le négoce des draps et le travail des peaux ; une tradition du cuir qui se maintient aujourd'hui. Au hasard de ses ruelles tortueuses, on découvre des maisons ornées de tourelles et de lucarnes à festons. Du château des comtes de Champagne qui abritait l'une de leurs résidences, subsiste un donjon quadrangulaire aux murs de près de 3 mètres d'épaisseur ! En venant de Troyes, on traverse un superbe viaduc en pierre à trois étages, long de 600 mètres, qui domine la vallée de la Suize du haut de ses 60 mètres.

Le pays d'Othe

Pétillant et verdoyant

C'est la « petite Normandie » champenoise ! Entre Champagne sèche et Bourgogne céréalière, il déplie son plateau de craie entaillé de vallons et tapissé de forêts et de bosquets. La couche d'argile qui le recouvre est à l'origine d'une agriculture extensive et bocagère, mêlant prairies, haies vives et pommiers. Mais avec l'exode rural et la mécanisation des campagnes, cette mosaïque verdoyante a laissé place aux cultures céréalières et oléagineuses nées du remembrement des terres.

Devenus plus rares, les pommiers de la plaine ondulée du Florentinois au sud sont toujours à l'origine d'un cidre sec et pétillant, à la belle robe couleur or. Nombre d'exploitations conservent un vieux pressoir prêt à fonctionner !

Dans les prairies épargnées, paissent les vaches dont le lait compose le soumaintrain et le saint-florentin, deux fromages à croûte lavée brun-rouge.

Ci-dessus : de ses 2 kilomètres d'enceinte, Villeneuve-sur-Yonne conserve deux portes fortifiées, véritables châtelets flanqués de tours d'angles et d'assommoirs.

Ci-dessous : à Joigny, l'architecture rappelle la prospérité qu'elle connut grâce au transport fluvial et au négoce du bois, des cuirs, des vins, puis du charbon.

Bien que déboisée pour former et regrouper des terres agricoles, la forêt – qui vit jadis une floraison d'établissements religieux – conserve d'importantes étendues de chênes et de hêtres sillonnées d'allées rafraîchissantes.

Au nord, Aix-en-Othe, sa capitale, est bâtie sur la rive droite de la Nosle.

Créée de toute pièce par Louis VII en 1163 pour marquer l'avancée extrême de son domaine, Villeneuve-sur-Yonne groupe ses belles demeures des XVIIe et XVIIIe siècles autour de sa haute église Notre-Dame qui mêle influences champenoises et bourguignonnes.

Bâtie sur le flanc d'un éperon crayeux qui domine l'Yonne, Joigny, ville d'art et d'histoire, étage ses belles demeures à pans de bois dans un écrin de collines boisées. Au hasard des ruelles pentues, ses façades livrent de riches décors : tournisses à écailles et engoulantes (têtes de sangliers fantastiques), statuts de saints (François d'Assise, Jean-Baptiste…), thème de l'Annonciation… sur fond de tessons de terre cuite vernissée.

Reflets des terroirs

Potée champenoise, andouillette de Troyes, boudin blanc de Rethel... cette cuisine à la solide et savoureuse personnalité apaise les plus robustes appétits ! Lard, saindoux, beurre frais ou cru, ail écrasé, oignons et pommes de terre y comptent pour beaucoup. Isolée des autres provinces, l'Ardenne reste proche de son terroir. Emblème de sa forêt, le sanglier est source d'une charcuterie fine et parfumée. Ses autres gibiers (chevreuil, lièvre, grive...) sont rôtis ou préparés en terrines. Né de la tradition du tue-cochon, le jambon cru est fumé avec des branches de genêt ou de genévrier. S'ajoutent salade de pissenlits, bayenne (gratin de pommes de terre, d'oignons et d'ail), omelette au lard ou aux morilles.
Les rivières poissonneuses sont à l'origine de matelotes (anguille, brochet, carpe...) au vin blanc et à la crème, tandis que porcheries et basses-cours fournissent pâté d'oie, pieds de cochon panés à la Sainte-Menehould, soupe de légumes ou de chou au lard, canard au miel et aux épices... Les desserts déclinent biscuits roses de Reims, bouchons de Champagne au chocolat, anglois (tarte aux quetsches), pain d'épices (fabriqué jadis par la corporation des maîtres pain d'épiciers de Reims), dariole (tartelette garnie de flan)...

S'ils ne sont pas légion, les fromages comptent des spécialités : le langres, au goût puissant qui peut être affiné au marc de champagne, le cendré d'Argonne, affiné sous la cendre de bois, le trappiste d'Igny à la douce saveur de lait de vache, le chaource, crémeux et peu fermenté...

La divine alchimie du champagne

Elle compte trois étapes : l'élaboration du vin, l'assemblage de la cuvée et la prise de mousse (ou champagnisation).
Après récolte manuelle, les grappes sont pressées sans être foulées pour obtenir un jus blanc – même avec du raisin noir ! Mis en cuve, les jus subissent une première fermentation.
À part les blancs de blancs millésimés qui ne contiennent que des raisins blancs chardonnay, tous les champagnes résultent d'un mélange de trois cépages de lieux et d'âges différents. En général, la composition est : deux tiers de raisins noirs et un tiers de raisins blancs. Stabilisée au froid, la cuvée reçoit une liqueur sucrée et des levures. Pour obtenir une seconde fermentation, elle est mise dans de solides bouteilles (qui résistent aux pressions !) et placée en cave à 10-12 °C. Un gaz carbonique se forme et se dissout dans le vin, le rendant effervescent. Pour éliminer l'indésirable dépôt de levures, les bouteilles sont placées « têtes inclinées » vers le bas sur des pupitres perforés, avant de subir une rotation d'un huitième de tour, jusqu'à se tenir à la verticale. Pour dégorger le dépôt concentré dans le col, les bouteilles sont mises dans un bain réfrigérant à – 20 °C.
À l'ouverture, les bouchons sont expulsés à 390 kilomètres/heure ! La quantité de vin manquant est remplacée par du vin de même nature.

Un pétillant vignoble !

C'est le plus septentrional et le plus réglementé de France ! Depuis 1927, une appellation d'origine contrôlée distingue ses crus des autres vins effervescents interdits de mention « champagne ». Riche de plus de 30 000 hectares, il couvre la Marne, une partie de l'Aube et de l'Aisne et des communes de Haute-Marne et de Seine-et-Marne. Épernay en est la capitale productrice et Reims, ville du sacre des rois, la capitale culturelle et touristique. Rigoureux et continental, le climat qui l'environne n'est pas bénéfique à son expansion, mais la craie qui le porte compense ce handicap.
En surface, elle élève des versants protecteurs contre les vents humides. En sous-sol, elle favorise le drainage de l'eau et lui permet, l'été, de remonter irriguer les racines. Elle reflète aussi les rayons du soleil vers les ceps et emmagasine la chaleur. Sa minéralité est source d'arômes de pommes, de poires, de cassis, de tilleul... Et sa tendreté permet de creuser galeries et caves où les bouteilles fermenteront par millions à une température constante de 10 °C, mêlée de 90 % d'humidité.
Seuls trois cépages sont autorisés, un blanc à jus blanc et deux rouges à jus blanc : le chardonnay, qui aime les sols légers et crayeux de la côte des Blancs et du Cézannais, apportant aux vins ses notes florales, le pinot noir, qui pousse sur les coteaux sablo-crayeux de la montagne de Reims et donne ses arômes de fruits rouges, le pinot meunier, qui se plaît sur les sols argileux de la vallée de la Marne et de l'Aube, conférant ses notes de fruits blancs.

En haut, à gauche : andouillette de Troyes.

En haut, à droite : fromages de Langres.

En bas, à gauche : champagne.

En bas, à droite : champagne et biscuits de Reims.

Le Langrois

Source de découvertes

À la croisée de la Champagne, de la Bourgogne et de la Franche-Comté, il occupe une partie du plateau de Langres (décrit dans les manuels de géographie !), forme une ligne de partage des eaux où Seine, Meuse, Aube et Marne prennent leur source avant de s'élancer vers la Manche et la mer du Nord, ou de rejoindre leur fleuve directeur. Entaillé de vallées, il est tapissé de bois et de forêts de chênes, de hêtres et de frênes propices à la randonnée. Destinés à alimenter le canal de la Marne à la Saône, quatre lacs-réservoirs permettent de s'adonner aux plaisirs aquatiques de la baignade, du canotage et de la planche à voile.

À l'ouest, le Langrois regarde vers la montagne et ses plateaux coupés de vallées étroites et souvent sèches qui s'élèvent jusqu'à 605 mètres.

Ci-dessus : en se promenant sur les remparts de Langres, couronnés d'un chemin de ronde long de 4 kilomètres, on découvre de grosses tours et des portes fortifiées adaptées à l'artillerie.

Ci-dessous : la tour de Navarre à visiter en priorité.

À l'est, à Fayl-Billot, s'ouvre le pays vannier qui comptait huit cents artisans environ au début du siècle dernier. Son existence est intimement liée à la présence de ruisseaux et de sols humides argilo-calcaires bien drainés, favorables à la croissance de l'osier. Soucieuse de perpétuer cette activité, l'École nationale d'osiériculture et de vannerie forme des jeunes, tandis que des artisans exposent leurs réalisations : corbeilles, valises pique-nique, mannes à vendange, meubles en rotin...

Postée sur un éperon rocheux, Langres, sa capitale parfois surnommée la Carcassonne de l'Est, force l'admiration ! Ses remparts, couronnés d'un chemin de ronde long de 4 kilomètres, offrent une vue imprenable sur ce pays des sources et des lacs. Dans la cité où naquit le philosophe et encyclopédiste Diderot, l'enchevêtrement des rues héritées du Moyen Âge, la cathédrale Saint-Mammès, la Maison Renaissance agrémentée de frises sculptées et de colonnettes ioniques et corinthiennes... réjouiront les amateurs de vieilles pierres !

Pays de vigne

• La Champagne crayeuse

Plantée à l'époque gallo-romaine, la vigne foisonne sur 20 000 hectares, dévalant les coteaux crayeux et regardant les méandres de la Marne, tirant au cordeau ses chatoyants alignements. Villages cossus où les porches monumentaux laissent entrevoir celliers et pressoirs. Massif forestier et églises romanes s'y égrènent paisiblement.

La Champagne crayeuse

Une mer de ceps !

Sans la rencontre de l'excellente orientation sud-est de ses coteaux et de la pétillante découverte d'un moine bénédictin, la renommée de la Champagne crayeuse serait bien terne ! La tradition attribue la découverte du champagne à dom Pérignon, cellérier de l'abbaye de Hautvillers. Si cette technique de fermentation du vin effervescent, mise au point vers 1680, paraît être plus l'œuvre collective de moines que d'un seul homme, il ne reste pas moins que ce personnage féru de viticulture sut sélectionner les ceps, les tailler et assembler leurs raisins pour créer cet or liquide ! Lieu de pèlerinage œnologique, Hautvillers lui en est éternellement reconnaissant…

Avant que les sols de sa vaste plaine de calcaire fussent amendés pour porter céréales et betteraves, les géographes la qualifiaient de « Champagne pouilleuse ». Et leurs commentaires n'étaient guère élogieux : « Un mor-

En haut : chef-d'œuvre de l'art gothique et du vitrail, la cathédrale de Reims déploie deux mille trois cents sculptures de saints, anges aux ailes déployées, Vierge en majesté, rois.

Au milieu : classée parc naturel régional depuis 1976, la Montagne de Reims abrite la forêt domaniale de Verzy, peuplée de hêtres tortillards (les faux), aux formes noueuses et tourmentées.

En bas : de part et d'autre d'Épernay, dévalent des coteaux le long manteau soigneusement jardiné du vignoble.

Bonneterie, *coutellerie,* ***tapisserie*** et **vannerie**

Favorisée par les foires de Champagne, l'activité textile connaît, à partir du XIIe siècle, une forte croissance. Draps, toiles, puis velours et bonnets sont exportés dans toute l'Europe. Au XIXe siècle, l'introduction des métiers mécaniques permet de fabriquer en séries bas, gilets et pantalons. Capitale de la bonneterie, Troyes compte un intéressant musée doté de collections à décors brodés, perlés ou incrustés.
Au XIVe siècle, la coutellerie s'est développée à Langres avant d'essaimer en Ardenne. Pratiquée en petits ateliers (la « boutique »), la forge, la coutellerie fine, l'outillage à main et la ciselure font vivre six mille personnes vers 1880. À Troyes, la maison de l'Outil et de la Pensée ouvrière possède de remarquables collections.
Depuis 1878, on tisse de luxueux tapis de laine d'inspiration orientale et de style (de Louis XIII à Empire). À la manufacture Le Point de Sedan, cinq métiers uniques au monde résonnent aux sons des claquements secs des peignes de bois et du va-et-vient des navettes. À la manière d'un orgue de Barbarie, ils avalent des cartons pliés en accordéon dont les perforations déterminent les motifs des tapis.
Huit siècles durant, les mineurs ont extrait l'ardoise mauve et gris-vert de l'Ardenne. Peu accessibles, les gisements imposaient une extraction « à gradins renversés » consistant à creuser suivant l'inclinaison oblique de la veine. À Fumay et à Rimogne, maison et musée de l'Ardoise retracent cette activité et les dures conditions de vie des « scailleteux ».
Cachées sous les herbes, les ocres de l'Ardenne sont très prisées pour leurs teintes chatoyantes. Elles sont employées pour colorer enduits, badigeons, fresques mais aussi vernis, produits cosmétiques... Jadis, les ruisseaux étaient jalonnés de moulins à couleurs où l'on broyait ces terres avant de les conditionner dans des tonneaux de bois.

En haut : tapisserie de Sedan.

Au milieu : ferronnerie d'art.

En bas : grossiste en osier.

ceau de craie blanche, sale et indigente », « une immense plaine de plâtre », « des steppes pierreuses où seuls les moutons trouvent à subsister »...

Le haut clocher des églises signale de loin les villages vignerons regroupés dans un pli de terrain cerné par les ceps.

Au nord, bornée par la vallée de l'Aisne, la Champagne sèche repose sur un plateau dénudé, faillé de vallées limoneuses où se regroupent villages et cultures.

À l'est, s'ouvre la plaine vallonnée, fertile et boisée de la Champagne humide où règnent d'opulentes cultures de céréales et de betteraves.

À l'ouest, la Montagne de Reims, butoir naturel contre les invasions et plateau boisé culminant à 288 mètres, tranche avec la monotonie de la plaine agricole.

Haut lieu de l'histoire de France, Reims est la ville où Clovis fit naître, en 496, la monarchie franque et le cérémonial des sacres qui, de Louis VIII (1223) à Charles X (1824), sans oublier le couronnement de Charles VII en présence de Jeanne d'Arc (1429), ordonna vingt-cinq souverains. Pilonnée sans relâche entre 1914 et 1918, la cité des arts deux fois millénaire fut détruite à 80 %. Sous la bannière de l'Art déco, elle a élevé sur ses décombres une architecture éclectique parée de pignons, tourelles d'angles, bow-windows... et décorée de mosaïques, céramiques, bas-reliefs...

En sous-sol, s'ouvre un immense gruyère minéral formé de galeries et de caves (appelées crayères), où mûrissent par millions les flacons de Champagne et reposent des loudres de chêne sculpté.

Moine champenois hostile aux fastes de l'Ordre de Cluny, Robert de Molesmes jeta, en 1098, les bases d'une réforme monastique en fondant le monastère de Cîteaux. Implanté dans un lieu d'isolement et de pauvreté, il devint le chef de file d'une congrégation rayonnant dans toute l'Europe.

Entre les vallées de l'Aube et de la Seine, Troyes, capitale historique de la Champagne où fut fondé en 1129 par Hugues de Payns l'ordre du Temple, regorge de ruelles pavées bordées de charmantes maisons à pans de bois dressées avec pignons sur rue. Cathédrale, basilique, église et hôtel-Dieu ajoutent encore à l'atmosphère médiévale qui l'imprègne.

Ancien carrefour marinier établi sur la Marne et ses deux bras jadis jalonnés de moulins à blé et à foulons (pour les draps), Châlons-en-Champagne dispose d'un riche patrimoine : maisons à pans de bois, cathédrale gothique, collégiale dotée de vitraux du XVIe siècle et d'un carillon de cinquante-six cloches, canaux traversant ponts et jardins paysagés...

Cernée par les vignes, choyée par la Marne, Épernay et son avenue de Champagne abrite les caves légendaires de Moët & Chandon et Mercier, et un superbe foudre géant d'une capacité de deux cent quinze mille bouteilles !

Une palette de *savoir-faire*

Ci-dessous : cathédrales souterraines, les crayères entraînent vers un fascinant voyage sous leurs nefs voûtées.

En encadré : en haut maison à Joigny. en bas : maison à Troyes.

Calcaire et craie, pans de bois, torchis et terre cuite, ardoise, schiste mauve... la diversité des matériaux de la maison traduit la richesse géologique locale et les savoir-faire des bâtisseurs.
En Champagne sèche, les villages de craie se regroupent autour d'une source, élevant leurs habitations isolées de l'humidité par un soubassement de silex ou de briques.
En Champagne humide, fermes, églises et hameaux en pans de bois et torchis rappellent la présence de forêts et d'argile. Comme en Argonne, des lattes de chêne (essentage) ou des bardeaux en forme d'écailles de poisson protègent les façades de l'averse cinglante.
Sur le plateau de Langres, dominent moellons calcaires et pierre de taille sur les murs et les encadrements de portes et de fenêtres.
En Ardenne, les maisons sombres aux toitures plates tirent profit des gisements de schiste. Ici et là, subsistent des toits en tuiles romaines introduits au lendemain de la conquête de la Gaule. Ils mêlent tuiles creuses et plates aux bords relevés qui s'imbriquent les unes dans les autres. En fer forgé ou en tôle découpée et peinte, girouettes et enseignes rivalisent d'attrait pour animer toits et façades de leurs scènes de vendanges, de labour ou de chasse. En pans de bois, craie et briques, les pigeonniers s'associent aux fermes champenoises. Isolés dans la cour ou surmontant une porte cochère, ils accueillent leurs pensionnaires à l'étage, réservant leurs parties basses au foin, aux outils ou aux poules.

Pays de forêt et d'industrie

• L'ARDENNE

Mal adaptée à l'agriculture en raison de son relief escarpé, elle a fondé son essor sur l'exploitation de ses ressources naturelles, faisant naître industries forestière, ardoisière, drapière. Nature et paysages sauvages n'en restent pas moins souverains ! À découvrir en parcourant les défilés profonds de la vallée de la Meuse et de son épaisse forêt.

L'Ardenne

Terre de grands espaces

Enclave triangulaire tournée vers la Belgique, elle repose sur un massif de grès, de granit et de schiste nivelé par l'érosion. Sa superficie de 10 000 km² profite surtout à la Belgique qui en détient les 9/10 !

Culminant à 502 mètres (la croix de la Scaille sur la frontière franco-belge), l'Ardenne est profondément entaillée par les méandres étroits de la Meuse et de la Semoy, qui dessinent de capricieuses boucles.

La déesse celte Arduina, chevauchant un sanglier dans l'épaisse forêt de chênes et de hêtres qui tapisse les versants du massif, lui a donné son nom. Profonde et secrète, refuge d'animaux sauvages et d'êtres imaginaires, cette forêt fut longtemps nimbée de légendes et de mystères !

Le climat semi-continental qui, selon les saisons, enveloppe ses cimes d'un voile de brume, les enneige ou les empourpre n'y est peut être pas étranger. Ses sous-bois, où gîtent sangliers et chevreuils, amoncellent bruyères, genêts et marais tourbeux (les fagnes).

Au nord, les vallées de la Meuse et de la Semoy regroupent la population et sont jalonnées d'industries (métallurgie, chaudronnerie). Ce qui n'empêche pas de jouir de panoramas remarquables sur les éperons, pitons et rochers qui dessinent les sinuosités et les défilés profonds de la Meuse. Le canal de l'Est, qui longe le fleuve avant de l'emprunter jusqu'à la frontière belge, offre un circuit privilégié.

Lové dans un méandre, sur un promontoire aux allures de presqu'île, Monthermé ordonne ses maisons en lanières tournées vers le fleuve.

Non loin, Bogny-sur-Meuse permet d'atteindre le sentier Nature et Patrimoine, pour découvrir des affleurements géologiques. À 400 mètres d'altitude, le mont Malgré-Tout donne accès à un magnifique belvédère.

Ville des batailles, Sedan a connu la défaite de 1870, l'occupation puis l'invasion allemande durant les deux guerres mondiales. Bâti sur un éperon rocheux, son château fort est le plus vaste d'Europe.

Capitale de l'Ardenne, Charleville-Mézières est née de la réunion d'une commune commerçante et bourgeoise et d'une autre administrative et militaire. Ville natale d'Arthur Rimbaud (1854-1891), un musée rend hommage à « l'enfant aux semelles de vent » en présentant lettres, photographies, manuscrits, et objets personnels. Sœur jumelle de la place des Vosges à Paris, sa place Ducale bordée de demeures en pierre de taille et brique de style Louis XIII juchées sur des arcades crée la surprise.

Non loin, le musée de la Forêt de Renwez évoque sur 5 hectares les métiers du bois.

Vue du ciel, Rocroi, à l'ouest, fortifiée par Vauban, ressemble à une étoile à dix branches enserrée de murailles.

Page ci-contre, en haut : le château de Sedan abrite un historium qui retrace l'histoire de la cité.

Page ci-contre, en bas : Charleville-Mézières est née de la réunion de deux communes.

Ci-dessous : le plateau de Rocroi contraste avec le reste du pays.

Les innombrables lacs et les milliers de kilomètres de sentiers de Franche-Comté offrent aux promeneurs découvertes et sérénité.

Paradis du tourisme vert

Aux confins de la Suisse, entre Vosges et Jura, ce territoire de montagnes, de forêts et de lacs regorge de trésors naturels, historiques et culturels ! Un et multiple, il invite à découvrir une vivifiante mosaïque de milieux. De crêts en combes, de monts en vals, de cluses en défilés, de gorges en vallées encaissées où les rivières s'écoulent en cascade, il déploie mille curiosités géologiques ! Et lorsque la neige couvre ses versants, skieurs et conducteurs de traîneaux attelés de chiens du Groenland relaient randonneurs et cavaliers.

• Ses pays portent le plus vaste massif boisé de France : 700 000 hectares peuplés de chênes et de hêtres et de fraîches sapinières qui couvrent 45 % de ses sols. Or vert pour les bûcherons et les scieries, ils abritent une flore et une faune exceptionnelles. Les lacs paisibles et étangs miroitants rappellent que la Franche-Comté est aussi le royaume de l'eau ! Ses gorges creusées par les eaux furieuses, ses cascades ponctuées de sauts successifs et son canal du Rhône au Rhin se prêtent aux sports nautiques comme aux promenades fluviales. Sans oublier les sources aux vertus thérapeutiques des villes thermales, qui raviront les curistes.

• Les amateurs de vieilles pierres seront à la fête, eux aussi : leurs pas les entraîneront à la découverte de villages vignerons, de fontaines et lavoirs aux allures de temples grecs, de fermes à « tué » où l'on fume viandes et charcuteries, de clochers à « toitures à l'impériale », d'une saline royale, de citadelles de Vauban...

• Renommé pour ses vins d'excellence et ses savoureux fromages, ce lieu hors norme est aussi un creuset d'innovations et d'expériences. Il s'est inventé mille métiers et savoir-faire artisanaux, telle la fabrication de lunettes, de pipes, d'horloges, de jouets de bois... en même temps que Peugeot et Alsthom bâtissaient leurs empires.

• Faut-il s'étonner qu'une terre aussi féconde ait vu naître (ou accueilli) tant de génies scientifiques, littéraires ou artistiques ? Georges Cuvier (né à Montbéliard), Louis Pasteur (à Dole), Victor Hugo (à Besançon), Bernard Clavel (à Lons-le-Saunier), Gustave Courbet (à Ornans), Jean Messagier (comtois d'adoption)... la liste est longue !

• Convoitée pour ses richesses (gisements de sel, forêts, etc.), assiégée pour ses sites stratégiques (Besançon, Belfort) et échangée au gré d'alliances et de mariages à cause de son rôle de carrefour entre Italie, Espagne et Pays-Bas, elle a vécu une histoire tumultueuse faite d'âges d'or et de périodes de désolation. À présent apaisés et plus hospitaliers que jamais, ses pays livrent leurs beautés !

Pays de forêt

• Le Dolois • Les Vosges saônoises
• Le pays de Besançon

Ils portent le plus vaste massif boisé de France : 700 000 hectares de feuillus et de résineux qui couvrent près de 45 % du territoire. Équitablement réparti entre Jura, Haute-Saône et Doubs, propriétaires privés et communes, cet or vert pour les hommes abrite un patrimoine naturel exceptionnel que de nombreux sentiers aident à découvrir.

Le Dolois

Gloire du comté !

Installé sur les derniers prolongements de la plaine de la Saône, le Dolois est traversé d'est en ouest par le Doubs.

Au nord, s'opposent le massif granitique de la Serre, qui culmine à 391 mètres, et les vallonnements des Avants-Monts, tapissés de prairies et de forêts de chênes, de hêtres et de châtaigniers. Au sud, le Finage consacre ses sols fertiles aux cultures du blé, du maïs et du colza, tandis que le val d'Amour étale sa vallée arrosée par la Loue bordée de plages de graviers.

Établie sur un amphithéâtre dominant le Doubs, Dole, ancienne capitale de la Franche-Comté et symbole de la résistance face au royaume de France, a connu son âge d'or : favorisée par les ducs de Bourgogne et les Habsbourgs, elle fut dotée d'un parlement, d'une université et autorisée à battre monnaie. Mais sa réussite et son indépendance attisèrent la convoitise des Français qui, de Louis XI à Louis XIV, l'assiégèrent et l'incendièrent. Reconstruite, la ville ne cessa de s'étendre. Toutefois, en 1696, une ordonnance royale la déposséda de ses privilèges au profit de Besançon, tandis que Vauban faisait raser ses remparts.

Ci-dessus : blottie autour de sa collégiale au puissant clocher-porche, Dole garde de sa gloire passée un riche patrimoine : hôtels particuliers bordés d'escaliers à vis ou à double volée, palais de justice, maison natale de Pasteur...

Ci-dessous : les anciens disent de la forêt de Chaux : « On usait une paire de sabots à la traverser ! ».

Au pied de la ville, le canal du Rhône au Rhin offre de belles promenades.

Non loin, la forêt de Chaux est le deuxième massif de feuillus français, avec 22 000 hectares de chênes, de hêtres et de bouleaux. Ses gisements d'argile et de calcaire ont permis l'implantation, au Moyen Âge, d'ateliers de bûcherons, charbonniers, potiers et de petites industries.

Les grottes d'Osselle comptent 8 kilomètres de galeries ornées de concrétions colorées par l'oxydation du cuivre et du fer. Nécropole des ours il y a quarante mille ans, elles ont servi de refuge aux prêtres réfractaires sous la Révolution !

Ci-dessus : les Romains, qui prêtaient aux sources d'eaux chaudes de Luxeuil-les-Bains des vertus de purification et de fécondité, y établirent une ville et des thermes.

Les Vosges saônoises

Paradis aquatique

Au pied du massif vosgien, les Vosges saônoises occupent un petit plateau tout entier dédié à l'eau ! Paysagères du fait des glaciers disparus il y a douze mille ans, elles sont constellées d'étangs bordés de roches et de sapins. Leur superficie va de quelques ares à 15 hectares, leur profondeur n'excédant jamais 3 mètres.

Ces étangs sont nés du travail des hommes, qui les ont creusés à la place d'anciens marais datant du Moyen Âge. Le poisson qu'ils abritaient offrait une précieuse source alimentaire !

Des itinéraires, des chemins vicinaux, des pistes et des sentiers conduisent à des hameaux ou des lieux-dits aux noms insolites : La Mer, Brest, La Goutte, Beulotte-Saint-Laurent... En les empruntant, on découvre ce pays des Mille Étangs, longtemps à l'écart du monde, où les eaux noires forment autant de miroirs dans lesquels se reflètent des paysages qui gardent le souvenir de nombreuses légendes.

Situé dans la vallée du Breuchin et dominé par le mont Saint-Martin, Faucogney-et-la-Mer est une ancienne place forte qui mérite une visite.

À l'ouest, Luxeuil-les-Bains, la capitale du pays, est une ville d'eau depuis deux mille ans ! Ruinée par les invasions barbares, la cité renaquit en 590 grâce à la fondation d'un monastère par le moine irlandais saint Colomban. Placée sous l'autorité de Rome et favorisée par Charlemagne, elle devint une puissante seigneurie ecclésiastique qui ne fut rattachée à la Franche-Comté qu'en 1534 ! Au XVIIIe siècle, débuta la reconstruction des thermes, bientôt interrompue par la Révolution ! Sous Napoléon III, l'essor du thermalisme favorisa la reprise des travaux et l'édification d'hôtels et d'un casino. Après 1870, la fréquentation des curistes s'intensifia. C'était la Belle Époque, et l'on voyait affluer le Tout-Paris !

La ville doit aussi sa renommée à sa dentelle, inspirée des ouvrages de Venise, de Bruges et de Milan. Prisée par la cour impériale qui villégiaturait dans les Vosges voisines, elle prit un fort essor au XIXe siècle. Remise à l'honneur par d'anciennes dentellières, elle se distingue par l'originalité de ses motifs floraux et stylisés, qui décorent les robes de mariées, pèlerines, parures de lits...

Le pays de Besançon

Cœur de la Franche-Comté

Rivières sauvages, saline royale, « Venise comtoise », citadelle à la gloire du Roi-Soleil, le pays de Besançon regorge de trésors naturels, historiques et culturels !

Alternant plaines et plateaux du massif du Jura, il est traversé par les vallées du Doubs et de la Loue. S'il parcourt 90 kilomètres à vol d'oiseau, le cours du Doubs, frontalier avec la Suisse, s'attarde sur 430 kilomètres ! Navigable, il traverse de splendides paysages de falaises couronnées de forêts et de prairies peuplées de montbéliardes aux mamelles généreuses.

Au sud, la Loue est réputée pour être l'une des plus belles rivières d'Europe ! Son cadre sauvage et ses eaux vives combleront toutes les envies de chlorophylle, de pêche, de canoë, de rafting... Prenant sa source à Ouhans, elle dévale un escalier rocheux dans un sourd grondement, grave un sillon au fond de gorges avant de s'élancer entre des falaises boisées.

Sur son parcours coupé de chutes bouillonnantes, on découvre, accroché à un versant ensoleillé, l'enchanteur village de Lods. Autour de l'église se groupent ses maisons de vignerons dont les toits à pans coupés s'unissent pour former une marqueterie de tuiles ocrées.

Ci-contre : devenue centre culturel, la saline d'Arc-et-Senans accueille artistes, spectacles et classes du patrimoine.

Généreuse *nature* !

Ici, champignons des bois, gibiers, poissons d'eau vive, viandes fumées aux parfums boisés s'associent avec subtilité. Garniture d'automne, les chanterelles, morilles, girolles se mêlent aux omelettes et aux « croûtes ».
Volailles et gibiers sont à la base de recettes de coq au vin jaune, de civet à la crème, de lièvre au vin blanc...
Des siècles durant, potées comtoises et gaudes (galettes de maïs cuites dans du lait) ont nourri les campagnes.
Engraissé avec des pommes de terre bien cuites, écrasées et tièdes, de la farine d'orge et de seigle, l'animal était sacrifié en famille, pour fournir viandes et charcuteries que l'on salait et fumait pour les conserver durant les longs mois d'hiver. De cette tradition, sont nées bien des spécialités, tel le jambon de Luxeuil.
Produite en zone de montagne à plus de 600 mètres d'altitude, la saucisse de Morteau est préparée avec de la chair de porc nourri aux céréales et au petit-lait. Celle de Montbéliard est aromatisée à l'ail et au cumin, puis fumée aux sarments de vigne.
Terre d'arbres fruitiers et de végétaux odorants, la Franche-Comté est grand producteur de miels (de sapin, d'acacia, de trèfle) et d'alcool distillé, tel le kirsch de Fougerolles, produit à partir de cerises « guigne » noires ou rouges. De cette tradition sont nées les griottines, ces griottes sauvages qui macèrent dans un sirop au kirsch. Fabriqué à partir d'anis vert, de mélisse et d'hysope mélangés à de l'alcool, l'anis de Pontarlier est distillé au bain-marie dans des alambics en cuivre, avant d'être vieilli en fûts de chêne. La liqueur de sapin compte vingt-quatre plantes médicinales et aromatiques. Plante à fleurs jaunes qui couvre les hauts pâturages, la gentiane est obtenue par distillation de ses racines.

En encadré : En haut : séchoir à jambon. En bas : fromagerie à Poligny.

Fromages : *meules* d'emploi !

La Franche-Comté est une terre d'élevage renommée pour ses fromages. Malgré l'industrialisation, nombre de fromages sont encore produits de manière semi-artisanale dans les fruitières. La politique de qualité de cette région, fondée sur l'attribution d'appellation d'origine contrôlée (AOC), définit les aires de production, la surface d'herbage par vache et impose un cahier des charges strict.
Né du besoin de garder les provisions de lait durant les longs mois d'hiver, le comté est élaboré à partir de lait de montbéliardes ou de pies rouges de l'Est. Il en faut 600 litres pour former une meule de 50 kilos ! Heureusement, la montbéliarde à la robe blanche tachetée de brun-rouge en produit 6 000 par an ! Le goût du fromage varie avec la saison de pâturage : fruité l'hiver, « noisetté » l'été.
À base de lait cru, le morbier offre une pâte mi-sèche mi-collante, traversée d'une ligne noire horizontale. Il s'agit d'un charbon végétal étalé sur la meule coupée en deux, qui est ensuite pressée et affinée. Cette particularité a pour origine sa fabrication iinitiale, qui s'effectuait en deux temps : le matin avec un caillé peu abondant (issu de la première traite), que l'on protégeait par un peu de suie de bois, le soir avec un caillé plus généreux (issu de la deuxième traite).
Le vacherin du Haut Doubs (ou mont-d'or) n'est fabriqué que de septembre à mars, après que les troupeaux ont passé l'été dans les hauts pâturages. On le cercle dans une sangle d'épicéa pour maintenir sa pâte molle et l'enrichir d'une saveur boisée.
Unique en son genre, la cancoillotte est un fromage liquide qui se déguste froid ou chaud avec une fondue, des pommes de terre rôties, des œufs brouillés, des saucisses de Morteau.

Capitale du pays et de la Franche-Comté, Besançon force l'admiration par le site naturel qu'elle occupe : « Le Doubs entoure presque la ville entière d'un cercle qu'on dirait tracé au compas », s'étonna Jules César. Ville libre d'Empire, elle fut prospère sous Nicolas de Granvelle, chancelier de Charles Quint, qui la dota d'un palais Renaissance. Mais en 1656, elle passa des Habsbourgs d'Allemagne aux Habsbourgs d'Espagne, ouvrant (à son insu) une période de guerres incessantes. Conquise en 1668 par Louis XIV, puis restituée (la même année) à l'Espagne après le traité d'Aix-la-Chapelle, reprise en 1674, elle fut rattachée à la France en 1678. Si les Bisontins acceptèrent difficilement leur nouvelle nationalité, ils approuvèrent volontiers d'hériter du statut de capitale comtoise au détriment de la ville de Dole et d'accueillir le Parlement, la Chambre des comptes, l'université... Nombre d'écrivains et de penseurs y virent le jour ou vinrent y - travailler : Victor Hugo, Stendhal, Balzac, Proudhon, les frères Lumière, Tristan Bernard.

À 15 kilomètres à l'est, le musée de Plein air des Maisons comtoises de Nancray regroupe un florilège d'architecture rurale ! Ces bâtisses vouées à la démolition ont été démontées puis fidèlement restituées autour d'un jardin, retrouvant leur beauté originelle.

En se promenant sur les quais de Besançon (ci-dessous), on découvre les façades d'immeubles sur arcades, la cathédrale, l'horloge astronomique (ci-dessus), dont les soixante-dix cadrans indiquent les jours, les saisons, les heures dans seize points du globe.

À l'ouest, se dresse la saline royale d'Arc-et-Senans. Fleuron d'architecture industrielle classé au patrimoine mondial, cette manufacture de l'or blanc épouse la forme d'un demi-cercle (1 kilomètre de diamètre) orienté sur la course du soleil. De part et d'autre de la monumentale maison du directeur, se déploient en hémicycle les bâtiments de production et les logements ouvriers. Inspirée des théâtres romains, cette disposition fut imaginée pour inspirer ordre et discipline : le travailleur, placé dans une cité où chacun est exposé aux yeux de tous, se doit d'adopter un comportement exemplaire !

Curieusement, on ne trouvait pas de sel dans le sous-sol de la commune. En fait, les sites voisins qui en étaient pourvus (Salins-les-Bains, par exemple) étaient tellement déboisés – rappelons que le bois permettait de chauffer et de séparer par évaporation le sel de l'eau –, qu'on préféra transporter leurs saumures dans un conduit en bois (le saumoduc) et édifier une nouvelle saline

à l'orée d'une forêt encore intacte. Ordonnée par Louis XV en 1775, elle est l'œuvre de l'architecte Ledoux, précurseur de l'urbanisme et inventeur de l'architecture symbolique.

Au sud, Ornans compose un décor qui lui vaut le surnom de « Venise comtoise ». Ville comtale au XIIIe siècle, administrée par un conseil municipal présidé par un maire, elle devint chef-lieu de bailliage, attirant hommes de loi et bourgeois qui inscrivirent leur fortune dans la pierre. Le peintre Gustave Courbet, maître de l'école réaliste et précurseur de l'impressionnisme, y naquit en 1819. Conquis par la beauté du lieu, il puisa son inspiration dans ses paysages pour réaliser la plupart de ses œuvres (*La Source de la Loue, L'Après-Dîner à Ornans, L'Enterrement à Ornans*...), dont l'influence sur la peinture du XIXe siècle fut considérable.

Alentour, un circuit jalonné de reproductions de tableaux montre les paysages qui ont séduit l'artiste.

Ci-dessus : lovée dans une boucle parfaite du Doubs, Besançon est dominée par un éperon rocheux haut de 118 mètres, sur lequel Vauban établit un chef-d'œuvre de citadelle (trente ans durant !).

En encadré : fabrique de pipes à Saint-Claude.

ART ET ARTISANAT

Sangliers, *horlogers* et ***pipiers***

Couvrant 40 % du territoire, la forêt constitue l'une des ressources majeures des Francs-Comtois. Son exploitation a fait naître bien des métiers : sabotiers, charbonniers, ébénistes... Des forges, des scieries et des verreries s'y sont également implantées pour se procurer combustibles et matières premières.

L'harmonieuse union du lait des vaches montbéliardes et des arômes résineux de l'épicéa doit beaucoup aux boisseliers et aux sangliers : les premiers confectionnent les boîtes où s'affinent les fromages ; les seconds prélèvent sur les troncs d'épicéas des lanières (ou sangles) destinées à ceinturer la pâte molle desdits fromages.

Jadis, les Comtois, paysans et bûcherons, devenaient, à l'approche de l'hiver, tourneurs sur bois ou sculpteurs pour compléter leurs ressources. Les fermes étaient équipées d'un atelier pour fabriquer chaises, coffres d'horloges, ustensiles de cuisine, jouets...

En 1560, l'introduction du tabac par Jean Nicot favorisa l'essor de la pipe. Peu pratique, elle se composait d'un tuyau terminé par un fourneau en argent ou en porcelaine. Héritiers d'une technique de tournage créée par des moines, les artisans sanclaudiens eurent l'idée de fabriquer des fourneaux en corne puis en bois. Mais le buis, le noyer et le merisier qu'ils utilisaient dénaturaient le goût du tabac. Ils adoptèrent alors la racine de bruyère, qui rendit les pipes douces à fumer.

Saint-Claude se hissa au rang de capitale, employant cinq mille ouvriers à sa production. Mais cette activité n'apporta pas que la prospérité : en 1799, un fumeur « de petites bouffées » provoqua l'incendie de la ville.

Pays de montagne

• LE HAUT JURA • LE HAUT DOUBS

Épine dorsale, la chaîne du Jura s'étend en arc de cercle sur 250 kilomètres, du massif des Alpes, au sud, à celui des Vosges, au nord, culminant à 1 718 mètres au ballon d'Alsace. Malgré une altitude modeste, il frappe par la vigueur de son relief abrupt et charme par les contrastes de ses paysages, qui alternent vastes forêts, pâturages, torrents écumants, lacs paisibles.

Le Haut Jura

Terre des grands espaces

Ici, la nature s'est montrée plus généreuse qu'ailleurs ! La forêt couvre 70 % du territoire, étageant, jusqu'à 650 mètres, son manteau de feuillus, puis de résineux. Impétueuse ou assagie, l'eau sourd de toute part : sources, rivières traversées de rapides, lacs naturels aux eaux pures et poissonneuses, gorges profondes, cascades vertigineuses.

Créé en 1986, le parc naturel régional du Haut Jura inscrit en grande partie ce pays de moyenne montagne – l'altitude y oscille entre 307 et 1 495 mètres – dans ses limites de protection. Son épais massif forestier traversé de torrents, ses hauts plateaux solitaires et ses combes offrent un gîte privilégié aux truites, hérons cendrés, lynx, grands tétras, bécasses des bois. Les amoureux de nature y trouveront 2 000 kilomètres de sentiers de randonnées pédestres et équestres.

Ci-dessus : Saint-Claude campe un site magnifique.

Ci-dessous : peuplés de truites, de brochets, de perches, les lacs du Haut Jura s'offrent aux plaisirs de la pêche comme à ceux de la natation et du canotage.

Au sud de Champagnole, s'ouvre la région des lacs, entourée de forêts dont les flamboyants feuillages d'automne rappellent les paysages du Canada. Ces étendues vertes et bleues, au nombre d'une vingtaine, sont nées il y a dix mille ans, lors de la fonte des glaciers qui a laissé derrière elle des cuvettes, que les eaux de fonte des neiges et les sources ont remplies depuis. Mais certaines, comme le lac-barrage de Vouglans, sont des retenues artificielles destinées à réguler les eaux capricieuses de l'Ain. Avec 230 hectares, le lac de Chalain est le plus vaste d'entre eux. Sa rive occidentale, basse et inondable, est classée Monument historique depuis 1911. À la faveur

d'une baisse de son niveau, les archéologues y ont découvert les vestiges d'une cité lacustre établie, cinq mille ans auparavant, par des cultivateurs soucieux de protéger leurs récoltes des pillards. Une reconstitution de ces maisons sur pilotis tout en bois permet de franchir la barrière du temps !

Non loin, les cascades du Hérisson se déversent en chutes successives, sur des hauteurs pouvant atteindre 65 mètres !

Au confluent des hautes vallées de la Bienne et du Tacon, Saint-Claude est un haut lieu de monachisme et de pèlerinage. Avant la Révolution, la cité connut une grave crise religieuse : son abbaye devint si célèbre et puissante qu'elle se transforma en refuge doré pour la noblesse comtoise assoiffée de fortune et de libertinage. La capitale du Haut Jura doit son dynamisme à un artisanat très spécialisé, représenté par la fabrication de pipes (depuis 1750) et la lapidairerie. Ces petites industries ont conduit les Sanclaudiens à se regrouper en coopératives. Fondées sur un système de cotisations protégeant le travailleur, elles ont permis la gestion collective des ateliers.

À l'ouest, Moirans-en-Montagne, ancienne cité drapière, se consacre depuis un siècle à la fabrication de jouets en bois.

Plus au nord, logée dans une gorge profonde (une « cluse »), Morez est un bel exemple d'intégration de site industriel en montagne. Spécialisée dans la lunetterie depuis 1796, elle produit dix millions de paires de lunettes par an, soit plus de 50 % du marché français. Désenclavée par de vertigineux viaducs, elle est reliée à Saint-Claude par une ligne ferroviaire qui longe les gorges de la Bienne, livrant de superbes panoramas.

À l'est, le haut plateau des Rousses fait frontière avec la Suisse. Sa station, située entre 1 100 et 1 680 mètres d'altitude, est réputée pour son domaine skiable. Non loin, a lieu chaque hiver la Transjurassienne, qui réunit trois mille skieurs de fond pour 76 kilomètres de course !

Ci-dessus : un sentier pédestre de 3,7 kilomètres longe le parcours des cascades du Hérisson, ponctuées de trente et un sauts consécutifs, entrecoupés de gorges et de grottes.

En encadré : le musée des Maisons comtoises, à Nancray.

Pastorale, *agricole* ou **vigneronne**

Reflet des activités du terroir et d'un climat rigoureux, l'architecture rurale montre plusieurs visages.
En montagne (Haut Jura et Vosges saônoises), la maison forme un bloc et regroupe troupeaux, hommes et fourrage. À l'étage, sous la toiture, s'étend la grange qui communique avec l'étable par une trappe depuis laquelle on déverse le foin pour nourrir les bêtes l'hiver – les températures extrêmes et l'enneigement interdisant toute activité extérieure. Trapue et longiligne, elle est portée par des murs épais aux rares ouvertures. Ses façades et sa toiture sont protégées par des planchettes d'épicéa longues de 30 et 60 centimètres (les tavaillons et les ancelles). Aujourd'hui, tuiles plates ou tôles métalliques patinées d'une rouille rouge orangé les remplacent.
Dans les environs d'Arbois, la maison vigneronne est bâtie sur une cave voûtée. Un cellier et des locaux de vinification complétés d'une étable – pour abriter chevaux et vaches – jouxtent le corps de logis. Parfois, la toiture est couverte de laves, lourdes plaques de calcaire ou de grès. Vaste bâtisse, la maison d'élevage est conçue pour vivre en autarcie l'hiver. Elle réunit cuisine, chambres, grenier à blé, étable, écurie et cave. Sa particularité est d'être traversée par une cheminée qui peut atteindre 18 mètres de haut ! Appelée « tué » (ou « tuyé »), cette hotte pyramidale tout en bois repose sur les murs de la cuisine. Deux vantaux mobiles réglables (ou « tourne-vent ») équipent le haut du conduit. Unique en son genre, ce foyer permet de fumer et de conserver viandes et charcuteries que l'on suspend à des perches.

Le Haut Doubs

Aux portes de l'aventure

Ce pays de montagnes et de falaises, entaillé de cluses et de défilés majestueux, troué de lacs scintillants, tapissé de prairies à montbéliardes et de forêts bordées de piles de grumes, comblera amoureux de nature et passionnés de sports ! Berceau du ski de fond, terre d'élection du VTT, il offre un grand choix de sentiers balisés et de pistes enneigées.

À l'est, s'ouvre le territoire du Saugeais. À sa tête se trouvent une présidente de la république, un Premier ministre et un service des douanes ! Peuplé de trois mille cinq cents âmes, il possède son hymne, sa frontière et même sa monnaie ! C'est à la suite d'une boutade qu'est née cette république – un brin folklorique : lors d'une halte du préfet en 1947, un des habitants, qui ont en commun d'être catholiques et traditionalistes, interpelle ce dernier sur le ton de la plaisanterie : « Monsieur, avez-vous un laissez-passer pour entrer dans la république du Saugeais ? » Amusé mais dépité d'apprendre que cette enclave animée d'un sentiment régionaliste ne compte pas de président, le préfet nomme aussitôt son interlocuteur « chef de la république du Saugeais ». Depuis, la tradition, gentiment acceptée par les élus locaux et les représentants de l'État, n'a pas faibli.

Marqué par un climat sévère – de – 3 °C (la nuit au mois d'août) à – 35 °C (en janvier) –, les enneigements réguliers du val de Mouthe sont très appréciés des skieurs de fond et des adeptes de chiens de traîneaux.

Édifié au XIe siècle puis modernisé par Vauban, le fort de Joux, devenu prison d'État sous l'Empire, reçut des détenus célèbres dont Mirabeau qui, profitant de ses « quartiers libres », séduisit l'épouse d'un marquis de Pontarlier et fut poursuivi pour rapt et adultère.

Plus au nord, le cours du Doubs, ralenti par un barrage naturel, forme le lac de Chaillexon. Ses eaux se mêlent avant de se déverser dans un bouillonnement d'écume en une chute haute de... 27 mètres !

Située au pied du massif du Jura, entre Suisse et Italie, Pontarlier a été la capitale de l'absinthe. Sa distillation fut mise au point en Suisse en 1797. Mais fortement taxée, elle franchit la frontière dans les bagages d'un certain Henri-Louis Pernod. Appréciée des armées de Napoléon, elle gagna les hautes sphères intellectuelles et artistiques, faisant naître un phénomène social. Rimbaud, Baudelaire, Verlaine, Toulouse-Lautrec, Van Gogh firent de la « Fée Verte » un rituel, une muse, tandis que Musset « s'absinth[ait] un peu trop ! ». En 1900, Pontarlier comptait vingt distilleries, qui produisaient dix millions de bouteilles par an ! Mais après une vive campagne de critiques, menée par les ligues moralistes, les défenseurs de la famille – qui affirmaient qu'elle « rend fou et criminel » – et les viticulteurs du Midi – qui s'estimaient concurrencés –, l'absinthe fut interdite en 1915, laissant la ville sinistrée. Musées et distilleries, qui produisent un apéritif anisé, entretiennent aujourd'hui son souvenir.

Proche de là, s'ouvre la cluse de Joux, entaille transversale creusée dans la montagne par l'érosion. Elle ouvre une route qui, dès l'époque romaine, fut aménagée en voie commerciale reliant Italie, Flandres et Champagne. Le puissant château de Joux, nid d'aigle perché sur un promontoire, la commande.

Un peu plus au sud, à une altitude de 848 mètres, le lac naturel de Saint-Point est le plus vaste du Jura. La légende raconte que les eaux du lac de Saint-Point renferment une cité prospère, engloutie après que ses habitants (riches et égoïstes !) eurent refusé l'hospitalité à une femme et à son enfant. Plus au sud encore, s'ouvre le val de Mouthe.

À l'ouest, dans un amphithéâtre tourné vers la Loue, Mouthier-Haute-Pierre est un charmant village. Au printemps, les cerisiers en fleur qui l'entourent lui donnent un air de fête ! Non loin, la source de la Loue campe l'un des plus beaux sites du Jura ! Alimentée par les eaux du Doubs, du Drugeon et les infiltrations de pluie, elle jaillit d'une profonde cavité au pied d'une haute falaise. En 1901, à la suite de l'incendie d'une distillerie de Pontarlier, on décida, pour éviter une explosion, de vidanger 1 million de litres d'absinthe dans le Doubs, qui changea de couleur. Deux jours plus tard, la Loue toute proche devenait à son tour franchement verte. C'est ainsi qu'il fut prouvé que la Loue est une résurgence du Doubs !

Enfin, on ne manquera pas de gravir le mont d'Or, réputé pour sa spectaculaire falaise de calcaire peuplée de chamois et de faucons pèlerins, qui domine de ses 1 460 mètres la station de ski de Métabief et offre un superbe panorama sur les Alpes.

Ci-dessous : environné de forêts et peuplé de canards colverts, grèbes huppés, râles d'eau, le lac de Saint-Point est l'endroit rêvé pour la baignade et le canotage. Par grands froids, il se transforme en une immense patinoire naturelle.

Fêtes paillardes et « *méca-fête* » !

Depuis 1612, Champlitte honore saint Vincent, le patron des vignerons, pour que le vin « monte au sarment » ! Après avoir couronné les « Épousés » de la fête, les habitants forment une procession avec le curé, les enfants de chœur et le président de la confrérie des Houes d'or drapé d'une cape rouge et coiffé d'un tricorne noir. Après l'office, sonne l'heure de trinquer joyeusement.

L'été, les bûcherons se mesurent dans des épreuves de force et d'adresse : sciage d'un sapin en un temps record, lancer de hache, sculpture à la tronçonneuse...

À Saint-Claude, garçons et filles, coiffés de bonnets de coton, vêtus de chemises de grand-papa, pourchassent le diable ! Des chars décorés défilent, et les « Soufflaculs » font voler les jupes des dames pour « chasser Satan où qu'il se réfugie » ! Montbéliard a rendez-vous, le 31 décembre, avec son Réveillon des boulons. Cette farandole mécanique rassemble en un bruyant défilé personnages corsetés de métal, voitures couvertes de vieux bidons, clés à molettes... Créée en 1993, elle commémore la fin de la mécanisation manuelle dans les usines Peugeot.
À Belfort, les Eurockéennes réunissent des groupes de rock du monde entier pour des concerts qui attirent quatre-vingt mille spectateurs.

Pays de vigne

• LE VIGNOBLE • LE REVERMONT

De Salins-les-Bains à Saint-Amour, le vignoble s'étend en arc de cercle sur 80 kilomètres. Des 20 000 hectares qu'il comptait vers 1880, il n'en subsiste que 2 000, portés par des coteaux ensoleillés orientés à l'ouest. Si sa production n'excède pas 1 % de la moyenne nationale, sa renommée dépasse largement les frontières !

Le Vignoble

Terre d'ors jaune et blanc !

Appelé aussi pays d'Arbois, il occupe le haut du domaine de Bacchus, prolongé au sud par l'arrière côte du Revermont. Espace de transition, il se loge entre la plaine de la Saône, à l'ouest, et les rebords du Jura, à l'est, dont il emprunte les terres fertiles vouées à l'élevage laitier et aux cultures de céréales. Mais c'est à la vigne qu'il doit richesse et renommée !

Capitale de ce vignoble, Arbois est restée célèbre pour l'esprit frondeur et indépendant de ses habitants. Ainsi, en 1834, la ville, en soutien à la révolte des tisseurs de soie lyonnais, proclama la République ! L'affaire tourna court mais enfanta une expression restée fameuse : partis quérir de la poudre pour leurs armes, les révoltés se virent sommés de dénoncer leurs chefs d'insurrection. La délégation fit cette réponse : « *No sin tou t'sefs* » (Nous sommes tous chefs). Arbois doit aussi son éclat à un « bienfaiteur de l'humanité », Louis Pasteur ; il y vécut jusqu'à quatorze ans et, par la suite, resta fidèle à son pays.

Née de la dissolution du calcaire par l'eau chargée de dioxyde de carbone, la reculée des Planches est une vallée encaissée. Au pied de sa falaise de 245 mètres, s'ouvre la grotte d'où jaillit l'une des sources de la Cuisance.

Ci-dessus : Arbois est une cité à l'opulente architecture, peuplée de caves où se pressent les amateurs de crus régionaux.

Ci-dessous : portés par des coteaux dont l'altitude varie entre 250 et 480 mètres, les ceps plongent leurs racines dans un enchevêtrement de marnes bleues, noires et rouges.

Poursuivant la route des vins, on aborde la cité de Poligny, qui marie ses divins crus à son savoureux comté – dont elle est la capitale. Sa prospérité se lit à travers ses hôtels particuliers, fontaines, collégiale, hôtel-Dieu... cernés de remparts. Siège d'une école de laiterie réputée, elle abrite un musée qui dévoile les méthodes de fabrication du comté.

Perché sur un escarpement d'où dévalent les coteaux tapissés de vignes, Château-Chalon doit son prestige à son nectar jaune : « Sire, le premier vin du monde se récolte dans un petit canton de votre Empire : à Château-Chalon », s'entendit dire Napoléon III !

Non loin, la reculée de Baume-les-Messieurs compose un site grandiose où se joignent trois vallées surplombées de falaises ponctuées de grottes et de cascades.

C'est dans ce lieu isolé qu'un moine irlandais créa une abbaye au VIe siècle. Baptisée Beaume-les-Moines, l'abbaye prit le nom de Beaume-les-Messieurs au XVIe siècle, après que son humble communauté, s'étant relâchée, eut cédé la place à de nobles chanoines !

Victime comme tant d'autres de l'exode rural, la ville garde, dans ses vieilles demeures serrées les unes contre les autres, la nostalgie de son passé vigneron.

De retour vers le nord-est, l'or jaune cède la place à l'or blanc. Matière indispensable pour conserver viandes et poissons, le sel fut monopole royal jusqu'à la Révolution et source de lourds impôts. Le voler menait droit à l'échafaud !

Grâce à ses gisements souterrains laissés par l'océan il y a trois cent millions d'années, Salins-les-Bains a connu une forte prospérité. On visitera avec intérêt ses salines logées dans des galeries voûtées du XIIIe siècle. Attestées dès le Ve siècle, elles occupaient huit cents saulniers, bûcherons et tonneliers. Mais au XVIIIe siècle, face à l'épuisement de la forêt (qui fournissait le combustible pour chauffer l'eau salée), Louis XV ordonna l'édification de la saline d'Arc-et-Senans pour traiter ses « petites eaux ». Le transport des saumures fut alors assuré par un conduit en bois long de 22 kilomètres ! L'activité cessa en 1962. Depuis, Salins a trouvé son salut dans la construction d'un établissement thermal.

Ci-dessus : la société Bel est célèbre pour sa Vache qui rit® immortalisée en 1930 par une montbéliarde à la robe rouge vif et au museau hilare.

Ci-dessous : la ville d'Arbois doit au vigneron Henri Maire, réputé pour sa détermination et son caractère batailleur, d'avoir remis à l'honneur les crus arboisiens et jurassiens.

Le Revermont

Fait renaître la treille

Formant la retombée sud, l'arrière côte, le « revers », du domaine viticole, il souffre d'être le parent pauvre de la route des vins ! Sa forme tout en longueur, l'absence de sites prestigieux, l'accès parfois malaisé à ses villages n'aident pas à sa reconnaissance. Abandonné après la crise du phylloxera, il a repris vie depuis 1980, grâce à une vingtaine de vignerons passionnés qui produisent vins rouges, rosés, blancs, jaunes, de paille, pétillants…

Lons-le-Saunier, enclavée dans une cuvette bordées de collines, est à la fois capitale du pays et du Jura. Elle doit son nom (et sa prospérité) à son vignoble et à ses sources salines exploitées jusqu'en 1966 avant d'être concurrencée par le sel de Camargue.

Conquise en 1674 par les troupes de Louis XIV et rattachée à la France, la ville perdit son allure médiévale et adopta une physionomie classique, avec ses cent quarante-six arcades, son hôtel-Dieu, son théâtre… En 1862, le chemin de fer favorisa l'installation de fromageries – dont la société Bel –, puis des industries du plastique (montures de lunettes, emballages, jouets…).

En 1892, profitant de l'essor du thermalisme, un établissement dédié aux bienfaits de l'eau y fut construit. Culturellement très dynamique, elle s'enorgueillit d'avoir accueilli ou vu naître des personnalités comme Paul-Émile Victor ou l'auteur de *La Marseillaise* en 1760 : entré dans l'armée sur ordre de son père, Rouget de Lisle mit à profit sa passion pour la musique et la versification pour composer en 1792 – après un dîner bien arrosé – *Le Chant de guerre pour l'armée du Rhin*. Distribuées à la garnison, les paroles voyagèrent jusqu'à Marseille. Les Parisiens, voyant le corps des volontaires marseillais entrer dans la capitale en entonnant : « Allons enfants de la patrie... », baptisèrent ce chant *La Marseillaise*. Le 14 juillet 1879, il devint notre hymne national.

Pays d'industrie

- Le pays de Montbéliard
- Le pays de Belfort

Ils n'ont pas l'image d'une terre de hauts fourneaux. Et pourtant ! Forts d'une main-d'œuvre abondante, de forêts (pour le combustible), de fer et de rivières (pour la force hydraulique), ils ont connu un essor spectaculaire, à partir du XVIIIe siècle, devenant les fiefs de la métallurgie, de l'horlogerie et de l'automobile.

Le pays de Montbéliard

Un pôle économique !

Frontalier avec la Suisse et l'Alsace, il fut allemand quatre siècles durant. C'est à la suite du mariage de la petite-fille du dernier comte de Montbéliard avec le prince de Wurtemberg, que ce comté bascula dans l'Empire germanique au XVe siècle. Devenu principauté, il se mua en cité princière ouverte à la culture alémanique comme aux idées de la Réforme. La religion protestante y devint officielle, attirant calvinistes et anabaptistes persécutés. Réputée pour son savoir-faire pastoral, l'une de ces minorités luthériennes, les mennonites, introduisit des vaches de type bernois qui, croisées avec des vaches pie rouge, donnèrent naissance à la montbéliarde, l'une des meilleures vaches laitières du monde ! Mais plus qu'à l'agriculture, c'est à l'industrie que cette enclave rattachée à la République française en 1793 doit son décollage économique. L'adoption par le patronat luthérien des thèses libérales anglo-saxonnes, l'ouverture de nouveaux débouchés avec la France et la proximité de l'Europe firent de ce pays un très grand site industriel. En 1890, l'entreprise Peugeot – qui fabriquait alors des moulins à café et des vélos – construisit la première voiture à pétrole. Plus de six cents modèles marqués de l'emblème du lion se succédèrent – Torpedo en 1911, 201 en 1929 (dite « voiture de la crise »), cabriolet 403 en 1960, 205 Turbo en 1986… – et induisirent quarante mille emplois, hissant la firme au premier rang des constructeurs automobiles.

Le patrimoine de Montbéliard est des plus variés : hôtels particuliers, château des Wurtemberg (ci-dessus), halles du XVIe siècle, temple Saint-Martin bâti en 1604 (le plus ancien de France)…

Ci-dessous : brodeuses de Montbéliard.

Montbéliard, sa capitale, est la ville natale du père de la paléontologie, Georges Cuvier. À ses portes, le faubourg industriel de Sochaux s'est développé autour des usines Peugeot, attirant les paysans franc-comtois puis les émigrants du Maghreb, de Turquie, etc. Aujourd'hui, la firme PSA (née de la fusion Peugeot-Citroën) produit deux millions de véhicules par an et emploie vingt mille personnes. Le site peut se visiter, comme son musée de l'Aventure Peugeot.

À l'est, Audincourt a vécu, trois siècles durant, au rythme de ses forges, tandis que Beaucourt a connu deux siècles de prospérité avec l'installation en 1777 d'une manufacture d'horlogerie. Son très inventif propriétaire, Frédéric Japy, intégra au fil des ans de nouvelles activités : serrures, appareils ménagers, caisses enregistreuses… Pour le bien-être de ses cinq mille ouvriers, il fit construire des cités avec jardins et mit en place une caisse de secours, des écoles, des formations gratuites, leur donnant même, après dîner, lecture de la Bible !

Le pays de Belfort

Territoire indépendant

Terre de passage entre Vosges et Jura, il épouse les limites du Territoire de Belfort, formant le quatrième plus petit département de France ! Victimes d'incessantes guerres, ses habitants ont appris à faire front à l'envahisseur et à cultiver le sentiment de l'indépendance. Trois espaces se partagent ses 609 km², livrant un patchwork de milieux naturels propices à de belles randonnées.

Au nord, la montagne vosgienne étire ses derniers contreforts boisés où dévalent les ruisseaux avant de s'adoucir en plaines semées d'étangs. À l'est, le Sundgau offre ses vertes vallées couvertes de pâturages et de forêts. Au centre, la trouée de Belfort – encore appelée porte de Bourgogne – forme un couloir de 30 kilomètres qui sépare les Vosges du Jura, ponctué de collines et d'étangs.

Au sud, s'élève le massif jurassien qui dégage de superbes échappées vers la Suisse.

Passage stratégique entre les Vosges et le Jura, Belfort, sa capitale, croisa longtemps la route des envahisseurs. Après les Celtes et les Barbares, les royaumes de Bourgogne, de Germanie et de France la convoitèrent ardemment. Ville dotée d'une charte de franchises, elle passa, en 1324, sous domination autrichienne par suite d'un mariage avec la famille Habsbourg. Prise par les Français au XVIIe siècle, elle fut fortifiée par Vauban, vingt ans durant. En 1870, elle subit un siège qui la fit entrer dans l'histoire : après la défaite de Sedan et la capitulation de Strasbourg, les armées de Prusse l'encerclèrent avec quarante mille soldats. Dans la citadelle, le colonel Denfert-Rochereau et sa garnison de seize mille hommes (pourtant inexpérimentés) résistèrent cent trois jours, malgré un déluge de quatre cent cinquante mille obus ! En récompense de cette héroïque défense, la ville obtint de rester française. Elle vit alors affluer les Alsaciens et les Lorrains qui refusaient l'annexion allemande. Parmi eux se trouvaient des industriels qui implantèrent de puissantes entreprises dont Alsthom – géant spécialisé dans la fabrication de locomotives électriques et à présent de TGV et chaudières nucléaires. Forte de sa puissance économique, la ville se couvrit de HBM (Habitations Bon Marché) et de cités-jardins, passant de huit mille habitants à quarante mille en 1914 ! De ce passé tumultueux subsiste une riche architecture militaire, dont la pièce maîtresse est la citadelle Vauban.

Ci-dessus : rénovée avec soin, la vieille ville de Belfort ne manque pas d'attraits ni de douceur de vivre, avec ses ruelles bordées de nobles demeures, sa halle aux grains, sa cathédrale...

Ci-dessous : refusant d'être rattachée au département du Haut-Rhin en 1918, la ville vit son statut de Territoire de Belfort confirmé et fit ériger un colossal lion en grès rouge, symbole de l'héroïsme de ses défenseurs et de sa puissance.

Dans cette province riante, paysages et patrimoine s'imbriquent dans la plus belle harmonie.

Mosaïque de paysages et de patrimoine

Alésia, Vézelay et sa colline éternelle, les hospices de Beaune, le Palais des ducs de Dijon, le château de Clos-Vougeot et son écrin de vignes savamment agencées… tous ces sites témoignent d'une histoire féconde qui a tour à tour hissé la Bourgogne au rang de province romaine, de royaume burgonde, de duché féodal et de haut lieu de la chrétienté. Avec en héritage de multiples apports politiques, économiques et culturels.

• Dans ses abbayes dépouillées, souffle l'esprit cistercien des grands réformateurs, fondé sur le travail et le rejet du superflu. Le besoin de vin des moines pour célébrer l'eucharistie a fait naître un vignoble aujourd'hui réputé dans le monde entier.

• À la cour dijonnaise s'est déployé le plus beau salon d'Occident, peuplé de peintres, sculpteurs, architectes… Ce brassage d'hommes et d'idées tient à la position de carrefour de la Bourgogne, entre Rhin et Rhône, Atlantique et Méditerranée, nord et sud.

• Son sol et son sous-sol, riches et nourriciers, prodiguent céréales, vins, pâtures à bétail, bois, pierres, argile et même minerai de fer, charbon… que les voies romaines, les fleuves puis les canaux acheminèrement en France et dans toute l'Europe.

• Si naturelle qu'elle puisse paraître, la Bourgogne est profondément humanisée par les activités rurales et par l'implantation de forges, fonderies, mine et installations sidérurgiques qui rappellent son passé industriel (La Machine, Montceau-les-Mines, Le Creusot, Autun…).

• Évocatrice de douceur de vivre, on l'apprécie pour sa bonne chère et ses grands crus. Les fabuleux festins de la cour ducale ont laissé un souvenir de gourmandise qui n'est sans doute pas étranger à cette réputation !

Pays d'agriculture

• L'Auxerrois • La Puisaye • La Bresse • Le Nivernais
• Le Charolais

En harmonie, ils alternent plaines boisées, plateaux entaillés de vallées et collines verdoyantes. L'agriculture y déroule son patchwork de champs de céréales et de colza, pâtures à charolais, cultures de fruits rouges... Futaies de chênes, gisements d'argile et d'ocre ont aussi fait naître un riche artisanat. Villages, abbayes romanes, châteaux, rivières et canaux s'y coulent avec bonheur.

L'Auxerrois

Grenier à blé

Champs de blé blondissants sous le ciel d'été, coteaux plantés de ceps et de cerisiers en fleur, situé entre Bourgogne, Champagne et Orléanais, l'Auxerrois offre forêts et prairies au nord et à l'ouest, tandis qu'à l'est et au sud s'alignent les pieds de vigne. Avant que le phylloxéra ne le frappe, ce vignoble produisait des crus parmi les plus réputés. Reconstitué à partir de plants américains, il s'étend sur les coteaux des vallées du Serein et du Chablisien et donne des vins rouges corsés, des rosés fruités et des blancs secs et aromatiques. Non loin, les cerisiers aux blanches floraisons printanières portent « marmotte », « montmorency », « bigarreau »... aux chairs tendres et sucrées. À cause de la proximité de Paris, l'agriculture s'est vite délestée de ses bras. Remembrées, les exploitations cultivent oléagineux et céréales, faisant de ce pays – et du Tonnerrois voisin – une « terre à blé ».

Au sud, doublée par le canal du Nivernais, la haute vallée de l'Yonne égrène ses villages (dont le pittoresque Mailly-le-Château), jadis tournés vers le flottage du bois. De hautes falaises découpées et boisées encadrent son cours paisible.

Ci-dessus : champs de céréales, prairies et cerisiers composent les paysages doucement vallonnés de l'Auxerrois.

Ci-dessous : terre à blé depuis la crise de phylloxéra, le pays que traverse l'Yonne porte aussi le vignoble de Chablis, source de vins blancs secs aux arômes minéraux.

Construite en amphithéâtre sur la rive gauche de l'Yonne, Auxerre, sa capitale, est ville d'art et d'histoire. Le spectacle de l'abbaye Saint-Germain et de la cathédrale Saint-Étienne se reflétant dans ses eaux ouvertes aux plaisanciers n'est pas le moindre de ses atouts ! Elle fut ancienne cité romaine, haut lieu chrétien, ville bourguignonne puis française.

Au nord, se profile l'abbaye cistercienne de Pontigny, que les disciples de Bernard de Clairvaux fondèrent en 1114.

La Puisaye

Le Moyen Âge réinventé

« On y vivait l'été, on y lessivait ; on y fendait le bois l'hiver, on y besognait en toute saison et les enfants jouant sous les hangars se penchaient sur les ridelles des chars à foin. » Ainsi Colette (née en 1873 à Saint-Sauveur-en-Puisaye) évoque-t-elle le pays où elle vécut enfance et adolescence. Ses terres bocagères semées de chemins creux bordés de « bouchures » (haies vives), d'étangs, de bois et de prés en font un refuge de verdure. Frontalière avec la Sologne et la forêt d'Orléans, elle repose sur un plateau entaillé de vallées. Herbages, forêts, argile et ocre ont marqué son économie fondée sur l'élevage de vaches laitières, la production de charbon de bois, de poteries et de colorants. Les marchands-bateliers de la Loire voisine les distribuaient sur les marchés de l'Orléanais, de Touraine et d'Anjou, avant d'être relayés en 1642 par les mariniers du canal de Briare reliant Seine et Loire. Grâce à des artistes novateurs, la poterie connaît un nouvel essor avec la céramique décorative. Capitale du pays potier, Saint-Sauveur-en-Puisaye abrite la maison natale et le musée de Colette.

Plus au nord, le château de Saint-Fargeau, aux tours surmontées de lanternons, ravit l'œil par l'harmonie de ses proportions, le mélange des styles et sa cour d'honneur en pentagone.

Ci-dessus : Auxerre compte nombre d'églises, d'hôtels particuliers, de demeures à pans de bois et « festes » (couples de maisons accolées).

Ci-dessous : à Ratilly, la forteresse médiévale de grès ferrugineux abrite un centre d'art contemporain.

Restauré par des passionnés de patrimoine bénévoles, il est le théâtre estival d'un grand spectacle historique. Près de Treigny, dans une clairière récemment défrichée, on plonge dans l'univers des bâtisseurs du Moyen Âge. Carriers, tailleurs de pierre, maçons, charpentiers... œuvrent à l'édification du château de Guédelon. Vêtus d'une tunique de laine, proscrivant tout recours aux techniques modernes, ils tranchent la roche, forgent le fer, tressent des cordes de chanvre. Une aventure doublée d'une expérimentation des techniques de construction à suivre pendant un quart de siècle !

La Bresse

Riche d'authenticité !

Grosses fermes en torchis, grasses prairies, haies vives, bois et étangs font de ce pays un conservatoire de paysages !

Entre Bourgogne, Franche-Comté et Rhône, sa plaine humide et vallonnée imbrique cultures maraîchères, herbages à vaches laitières (pour la production du bleu de Bresse) et champs de maïs. En Bresse bourguignonne, l'absence de villages et les fermes dispersées le long des chemins rappellent la médiocrité des terres – argileuses et humides – cultivées de façon extensive après amendement. En complément, l'élevage (volailles, porcs, bovins) et l'artisanat (armoires, sabots, chaises paillées...), commercialisés à la foire annuelle de La Balme, apportent un appoint appréciable. L'été, les joueurs de vielle et de violon animent noces et bals. L'argile et le bois remplacent la pierre qui fait défaut pour bâtir les maisons longues et basses, coiffées d'un toit débordant. Pour voir ces superbes bâtisses, on peut se rendre à Juif, Tronchy, Baudrières, Bruaille, Flacey-en-Bresse... Après l'exode des jeunes vers 1950, le pays se spécialise dans la culture du maïs et l'élevage du poulet de Bresse appellation d'origine contrôlée).

Cabanes et *seigneuries* du pauvre

En haut : Chissey.

Au milieu : Joigny.

En bas : le domaine des Planons, à Saint-Cyr-sur-Menthon.

Le village de pierres blondes finement appareillées, blotti autour de son église romane qui domine ses toits ocrés et pentus, est l'image dominante de l'habitat. Selon les matériaux présents localement, le type d'activité pratiquée et les traditions bâtisseuses, des particularismes se font jour.

En Dijonnais, la maison vigneronne, couverte de laves (plaques de calcaire) et construite sur cave, voisine avec les « cabottes » (cabanes de pierres sèches).

Dans le Nivernais, la grange-étable réunit sous le même toit fourrage et bovins non loin d'un puits à margelle massive. En Morvan, la chaumière de granit s'étire et se coiffe de seigle.

En Bresse, pays d'habitat dispersé, la terre argileuse et les chênes remplacent la roche inexistante. Les murs à pans de bois et torchis sont protégés des pluies par de larges toitures débordantes sous lesquelles sèchent les épis de maïs. Galeries couvertes, séchoir à maïs, pigeonniers et moulins ne sont jamais très loin. Les villes conservent de magnifiques demeures à colombages où se déploient sculptures, décors Renaissance, encorbellements (à Dijon, Auxerre, Joigny...). Églises et châteaux se parent de tuiles vernissées aux rutilants motifs géométriques.

À partir du VIIe siècle, des établissements hospitaliers sont fondés. Prenant en charge les plus démunis, nourrissant les marginaux, assistant les enfants malades, ils forment les « seigneuries du pauvre ». Merveille d'inspiration flamande, l'hospice de Beaune est célèbre pour la magnificence de ses décors.

Réputée pour ses foires aux bestiaux, Louhans, sa capitale, crée la surprise avec sa Grande-Rue bordée de cent cinquante-sept arcades, qui accueille tous les lundis un pittoresque marché de produits fermiers, volailles, vêtements… et draine une foule bigarrée. Son hôtel-Dieu, de style baroque, et son apothicairerie raviront les visiteurs. À Pierre-de-Bresse, l'écomusée rassemble les objets d'antan et retrace la vie traditionnelle.

À l'est, s'ouvre la Bresse jurassienne et ses champs céréaliers entrecoupés de prairies bordées de rivières et d'étangs poissonneux. Au sud, la Bresse bressane déroule ses collines semées de bois, d'églises romanes et de fermes. En toiture, elle élève une étonnante cheminée « sarrasine » formée d'une mitre ajourée et ornementée, surmontée d'un lanternon et d'une croix.

En haut : bâtie à la fin du XIVe siècle, la porte du Croux de Nevers couronnée de tourelles en encorbellement et de mâchicoulis rappelle que la cité fut comté puis duché aux mains de puissantes familles de Flandre, de Bourgogne et d'Italie.

En bas : terre agricole à l'habitat dispersé, la Bresse est ponctuée de fermes à pans de bois et torchis d'argile.

Le Nivernais

Le tourisme vert

Forêts millénaires, collines parcourues de chemins ancestraux, bocages piquetés de bœufs blancs, eaux impétueuses ou paisibles, vignobles qui s'empourpent à l'automne… Ici règnent verts horizons et douceur de vivre ! Arrosé par la Nièvre, la Loire, l'Allier, l'Yonne et leurs affluents – sans oublier le canal du Nivernais –, le Nivernais offre aussi maintes promenades aquatiques et de nombreux lieux de pêche. Au nord, dominent les plateaux céréaliers entrecoupés de forêts. Au centre, les belles futaies de Bertranges, Bellary, Prémery élèvent leurs parures de chênes et de hêtres. À l'ouest, la plaine alluviale du val de Loire où alternent vergers, prairies et vignoble de Pouilly-sur-Loire. Au sud-ouest, les terres marneuses lourdes et humides dessinent un maillage bocager de prairies où s'ébattent les bœufs charolais. L'habitat se disperse en hameaux, fermes opulentes, villages et châteaux.

Au nord-est, Clamecy, ville étape entre Morvan et Paris, a vu, trois siècles durant, passer sur l'Yonne qui la traverse les immenses trains de bois flottants vers la capitale. Cette activité – coupe, vente et transport du bois de chauffage – a procuré travail et idées révolutionnaires ! À chacune de leurs expéditions, les flotteurs rapportaient des chroniques d'événements parisiens qui faisaient le tour du pays…

Bâtie sur un éperon rocheux et dominée par la collégiale Saint-Martin de style gothique flamboyant, cette belle médiévale mérite une visite approfondie.

Au confluent de la Nièvre et de la Loire, non loin du bec d'Allier, Nevers, la capitale du Nivernais, prodigue un riche patrimoine : palais ducal, élégant château de la Loire Renaissance, hôtels particuliers, église Saint-Étienne, merveille d'art roman bourguignon, remparts et porte fortifiée du Croux… Introduite au XVIe siècle, la faïence (à décors historiés bleu, jaune ou vert sur fond blanc) a fait sa renommée. Quelques ateliers qui tiennent encore boutique nous font découvrir l'art du potier.

Plus au nord, la promenade sur les remparts de La Charité-sur-Loire, ancienne cité portuaire très active, offre un charmant panorama sur la cité, son abbatiale et le val de Loire qu'enjambe un pont du XVIe siècle.

Rural, ce pays n'en fut pas moins industrieux ! Riche en minerais de fer, bois et charbon, il vit s'installer nombre de forges, relayées au XIXe siècle par une puissante industrie minière et métallurgique.

Ci-dessous : sur la rive droite de la Loire, Nevers est une belle provinciale qui doit sa prospérité à l'industrie de la faïence et à la navigation fluviale.

En encadré : défilé de Saint-Vincent.

Traditions au cœur

Haut lieu de la douceur de vivre, la Bourgogne porte des traditions liées à l'histoire et à la terre nourricière. En pays de vigne, ordres et confréries célèbrent dignement le culte de Bacchus, mêlant le sacré et le profane. Lors des cérémonies des Chevaliers du Tastevin, on chante le ban et on intronise l'amateur éclairé après lui avoir fait jurer amour et fidélité aux vins de Bourgogne ! Au printemps, on se donne rendez-vous à la fête de la Saint-Vincent « tournante » pour des processions, des banquets et des bals.
À Beaune, Clos-Vougeot, Nuits-Saint-Georges... les « Trois glorieuses » animent ventes de charité, plantureux repas de fin de vendange (la « paulée ») et dégustations. En pays de montagne, la majesté des paysages, l'isolement et l'âpreté de la vie ont fait naître une culture riche d'authenticité où se mêlaient sens du religieux, croyances et légendes fantastiques, et truculents parlers locaux sur fond d'esprit de fête. En période de moissons, les repas s'étiraient en festins prolongés par les chants et danses des joueurs de violon et de vielle, costumés et portant sabots. Itinérants, ils animaient noces et bals de ferme en ferme, déclinant bourrée morvandelle, scotiche, mazurka... En terre spirituelle, la vie monacale et les grands pèlerinages de Cluny, Paray-le-Monial, Vézelay... perpétuent la tradition cistercienne prônant isolement et humilité. De nouvelles pratiques culturelles enrichissent désormais ce patrimoine : le carnaval de Chalon-sur-Saône et son festival des artistes de rue, le festival international de musique baroque de Beaune, l'installation du monastère bouddhiste Kagyu Ling à Toulon-sur-Arroux...

Les Morvandiaux de Paris

Dans les années 1920, le Morvan émigre à Paris. De ses cent quarante mille habitants, seuls trente mille lui restent fidèles. Les autres, à la recherche d'une vie meilleure, deviennent bûcherons, jardiniers, employés de la fonction publique (RATP, Police, SNCF, Hôpitaux...), nourrices appréciées pour la qualité de leur lait, ouvriers dans l'industrie... Comment expliquer un tel exode ? Par l'âpreté d'une terre et la rudesse d'un climat qui se liguent pour imposer un nomadisme saisonnier. Entre le Morvan et Paris, les hommes se font galvachers (charretiers transportant des marchandises), flotteurs (convoyeurs de troncs d'arbres), tandis que les femmes allaitent et élèvent les nouveau-nés de la bourgeoisie et de la noblesse. Un tel exil crée le besoin de retrouver ses racines ! Noyés au sein d'une ville de près de deux millions d'habitants, les émigrés se regroupent par quartiers, établissent leurs lieux de rencontre (cafés, restaurants...) et créent leur amicale. Aujourd'hui, la rue du Morvan et le faubourg Saint-Marcel ne sont plus le théâtre de bals et de sauteries. Certains Morvandiaux sont rentrés au pays, tandis que d'autres animent des groupes folkloriques et célèbrent les vendanges de Montmartre !

Le Charolais

Des mineurs aux éleveurs

C'est le pays « à vaches » ! Plus de 60 % des bœufs bourguignons y sont élevés. Fierté régionale, le charolais, ce roi des herbages, lui assure une notoriété mondiale depuis qu'il a essaimé dans près de soixante-dix pays ! À l'est, le haut Charolais fait sentir son relief avec ses buttes de granit et de grès qui portent les ruines d'anciennes forteresses. Dominant de 600 mètres la plaine charolaise, le mont Saint-Vincent, ancien siège d'une résidence comtale, ouvre un beau et vivifiant panorama. À l'ouest, vallonnements et ondulations vont se fondre dans la plaine parcourue de vallées.

Au sud, les vieilles façades de Charolles, sa capitale, se mirent dans le confluent de deux rivières. Depuis 1844, une faïencerie d'art y a élu domicile, imposant un style floral très prisé où dominent iris, œillets rouges, roses et tulipes traitées en camaïeux de bleus.

À l'ouest, Paray-le-Monial, haut lieu de spiritualité et centre de pèlerinage, attire quatre cent mille visiteurs chaque année.

Ci-dessus : emprunts d'harmonie et de douceur, ses paysages bocagers bordés de haies touffues sont peuplés de charolais, bovins charnus à robe blanche, à l'origine d'une fondante viande persillée.

Ci-dessous : le mercredi, Charolles vit au rythme de ses foires aux moutons (autres « vedettes » locales), porcs, bœufs charolais, volailles, et de ses marchés de produits fermiers.

Sa basilique du Sacré-Cœur est un chef-d'œuvre de l'art roman bourguignon où triomphent équilibre et harmonie.

Berceau des races bovines et ovines, le Charolais est aussi une terre d'industrie. Exploitation minière, métallurgie et production de faïence s'y sont développées dès le XVIIe siècle, profitant des matières premières disponibles localement (argile, charbon, fer…) et de l'ouverture du canal du Centre reliant Digoin à Chalon, la Loire à la Saône. Perrecy-les-Forges, paisible bourg établi en lisière de forêt, illustre cette dualité, mêlant clocher roman, pâtures, puits de mine et logements ouvriers.

Sœur jumelle du Creusot née en 1856, Montceau-les-Mines ne fait pas mystère de sa vocation ouvrière ! Découverte au XVIe siècle, la houille y a été exploitée intensément de 1810 à 1992. La ville s'est développée le long du canal du Centre, englobant dans son agglomération les villages voisins, attirant ruraux en quête d'emplois et communautés de mineurs polonais. Non loin, à Blanzy, le musée de la Mine retrace cette épopée.

Pays de vigne

• Le Dijonnais • Le Mâconnais

De Dijon aux portes du Rhône, s'étend un vignoble d'exception où s'épanouissent des crus parmi les plus célèbres ! Une mosaïque de terroirs clos de murets appelés « climats », qui marquent la nature du sol, l'exposition, l'altitude, s'exposent aux regards. Telles des sentinelles, des châteaux aux tuiles vernissées veillent en majesté sur ces hectares de la renommée.

Le Dijonnais

Perle d'architecture et de crus

C'est le domaine de Bacchus ! Sur la Côte et l'Arrière-Côte (on dit désormais les Hautes-Côtes), règne la vigne et sonnent les noms mythiques : Gevrey-Chambertin, Nuits-Saint-Georges, Romanée-Conti... Entre plateaux et plaine, champs de céréales, d'oignons et prairies, le Dijonnais forme un talus où s'alignent au cordeau les ceps que les couleurs mordorées de l'automne habillent de mille feux. S'y imbrique un chapelet de beaux villages environnés de maisons vigneronnes, de pressoirs et de « murgers », murets de pierres sèches. Dans les environs de Comblanchien, se dressent les hautes carrières à ciel ouvert de marbre et de calcaire. Au nord, le pays des Tilles est traversé de cours d'eau, de vallons boisés et de forêts giboyeuses. Dans son écrin de verdure, non loin des sources de la Seine, Saint-Seine-l'Abbaye et Salmaise méritent un détour. Au sud, serpente la charmante vallée de l'Ouche et l'abbaye « idéale » de Cîteaux où Bernard de Clairvaux initia le mouvement cistercien.

Renommée pour sa gastronomie et son patrimoine artistique, Dijon est capitale du pays et de la Bourgogne. « Quelle belle ville, c'est la cité aux cents clochers ! » se serait écrié François Ier. De la tour Philippe-le-Bon, on découvre en panoramique ses rues animées bordées de demeures où s'enchevêtrent les styles, cent quarante monuments historiques et de rutilantes toitures vernissées.

En haut : sur une vingtaine de kilomètres, le vignoble abrite les plus prestigieuses appellations : vougeot, vosne-romanée,nuits-saint-georges...

Au milieu : cité des ducs de Bourgogne, ville parlementaire et zone frontalière entre la France et le Saint Empire germanique, Dijon offre mille curiosités architecturales, parmi lesquelles le palais des États de Bourgogne.

En bas : autour de son château des xve et xvie siècles, s'étend sur 450 hectares le domaine de Gevrey-Chambertin, source de vins rouges charnus et robustes.

Plus au sud, Beaune, célébrée pour son vin, doit son origine et son nom à… l'eau ! Née autour d'une source sacrée et de Belenos, dieux des eaux vives, elle est réputée pour son hôtel-Dieu où triomphe le gothique flamboyant. Formé par quatre bâtiments, il s'ouvre sur une vaste cour d'honneur. Ses toitures vernissées comptent deux étages de lucarnes à la flamande surmontées de dentelles de plomb et de girouettes armoriées. Une galerie sculptée donne accès à la salle réservée aux malades aisés tandis que, en dessous, la chambre des « Pôvres » accueillait les plus démunis qui pouvaient suivre les offices célébrés au fond de la chapelle.

Le Mâconnais
Terre de transition et de religion

Ici souffle l'influence du Sud ! À l'extrême sud, Mâcon, sa capitale, est distante de 65 kilomètres de Lyon (mais de 155 de Dijon !). Sans renier son appartenance bourguignonne, le Mâconnais affirme un caractère presque méridional. Jadis, la langue d'oc relayait celle d'oil et le droit écrit prévalait sur le droit coutumier. Moins prononcées, les toitures délaissent la tuile plate et l'ardoise pour la tuile canal.

Superposés, les monts du Tournugeois (au nord) et du Mâconnais (au sud) montrent leurs coteaux noyés sous la vigne à l'origine du fameux pouilly-fuissé. Plus haut et sur les versants moins bien orientés, les prairies d'élevage partagent l'espace avec les forêts de sapins, chênes, hêtres. Entre les deux, l'étroite plaine alluviale de la Saône ondoie sous les blés, les tournesols et le maïs. À l'ouest, elle bute sur les monts du Clunisois (culminant à 761 mètres), tapissés de conifères. Ici, douze moines conduits par l'abbé Bernon fondèrent en 910 un monastère qui, sans cesse enrichi de nouveaux édifices, connut un rayonnement prodigieux jusqu'à devenir la « Nouvelle Rome » du monde occidental. Supplanté par l'ordre de Cîteaux, affaibli par les guerres de religions puis démantelé sous la Révolution, cet empire monastique n'en conserve pas moins de fascinants vestiges ! Au nord, Tournus est réputée pour son abbatiale Saint-Philibert, archétype de l'art roman bourguignon. Non loin, les villages de Brancion, Chapaize et Blanot comptent parmi les fleurons dont on ne se lasse pas d'admirer la minérale beauté des églises, châteaux, halles, maisons à galeries… Sur la rive droite de la Saône, Mâcon aligne ses belles demeures dominées par la cathédrale Saint-Vincent. À découvrir : la maison de Bois, merveille de décors sculptés, l'hôtel-Dieu, l'apothicairerie et le musée Lamartine. À l'ouest, telle la proue d'un vaisseau, se dresse la roche de Solutré (493 mètres) dans son paysage de vigne.

En haut : tournée vers la Saône, Mâcon, qu'il faut découvrir depuis le quai Lamartine, est renommée pour ses foires aux vins.

Au milieu : depuis le Xe siècle, les reliques de Saint-Philibert, qu'abrite l'abbaye du même nom à Tournus, attirent pèlerins et amateurs d'art.

En bas : toute d'harmonie et d'austérité, l'église romane du village médiéval de Brancion est typique de la Bourgogne du sud, avec ses toits de lauze et son clocher carré.

Pays de montagne

• LE MORVAN

Longtemps considéré comme une contrée sauvage où la civilisation n'avait pas pénétré, le Morvan déroule son vieux massif de granit usé et raboté, long de 100 kilomètres et large de 30 kilomètres. En dépit d'altitudes modestes (400 à 900 mètres), il ressemble à une montagne avec ses vallées encaissées, ses sols âpres et son climat rude.

Le Morvan
Royaume d'infinis paysages

Serait-ce le cœur de la France ? Situé sous l'« épaule gauche » de l'Hexagone, à l'intersection de quatre départements, il en adopte la forme, irrigue Paris du labeur de ses habitants et bat au rythme de ses traditions bien ancrées. Cours d'eau rapides, forêts denses, hameaux perchés, moulins, landes à genêts, faune richissime, pistes de ski de fond... font le charme de cet ancien territoire gaulois. Vert au printemps, noir en hiver, il est profondément forestier.

Au XVIe siècle, il recelait un immense grenier à bois. Traversé de cours d'eau, son exploitation se révéla aisée. Pour acheminer les bûches, on construisit des radeaux qu'on laissa flotter au gré des courants. Une aubaine pour Paris qui grelottait de froid ! À l'aube du XXe siècle, il lui fournissait 90 % de son bois de chauffage qui, depuis Clamecy, en passant par l'Yonne puis la Seine, gagnait la capitale. Coupées l'hiver, les grumes étaient jetées dans un ruisseau équipé d'un étang-réservoir qui provoquait une crue artificielle au moment voulu. En mars, les eaux de Clamecy formaient une véritable mer de bois ! Les radeaux flottants atteignaient plusieurs kilomètres de long ! Mais la concurrence du charbon stoppa cette prospérité tandis que le chemin de fer marqua la fin de la galvache – transport en charrette tirée par des bœufs – et vida le pays de ses habitants.

Ile de nature et de quiétude, ce pays à la forte personnalité regorge de possibilités de loisirs et de découvertes : les chemins forestiers sont propices aux randonnées pédestres et équestres, l'eau des rivières invite à la pêche et aux sports nautiques extrêmes, et la neige permet la pratique du ski de fond.

Ci-dessus : la création, en 1970, du parc régional du Morvan et le développement du tourisme vert ouvrent de nouveaux horizons.

Ci-dessous : perchée sur le mont Beuvray, Bibracte – ancienne capitale gauloise où Vercingétorix fut élu chef des armées contre l'envahisseur romain – offre un panorama unique sur les pays de Bourgogne.

Pays d'industrie

• Le Châtillonnais • L'Autunois

Sidérurgie du Creusot, charbon de La Machine, fer de Montbard... S'ils ont exploité très tôt leurs ressources minières, ces territoires n'en restent pas moins ruraux et empreints d'harmonie. À leur patrimoine architectural s'ajoutent forges, mines, cristallerie royale et musées qui retracent leur épopée.

Le Châtillonnais

Terre prodigue

Aux confins de la Champagne et aux portes de la Bourgogne, le Châtillonnais ne se donne pas au premier regard ! Ses plateaux calcaires laissent insoupçonnées ses vallées encaissées qui serpentent sous le couvert des chênes, des charmes et des hêtres. De vastes étendues céréalières y prennent place ainsi que les rivières poissonneuses de l'Aube, de l'Ource, de la Seine et de la Laignes. Grâce à ses abondantes ressources, le Châtillonnais s'est ouvert très tôt aux activités d'industrie : ses herbages ont permis l'élevage du mouton pour le commerce de sa laine, ses rivières ont entraîné les roues des moulins à grains et à foulon, les scieries et les forges, ses gisements de fer ont fait naître une industrie sidérurgique très active, sans oublier l'épaisse forêt qui a fourni le combustible pour fondre le minerai, l'écorce pour les tanneries, le bois pour la construction et les traverses de chemin de fer. Mais la concurrence de la fonte lorraine, puis la Première Guerre ont stoppé cet âge d'or et imposé une reconversion vers la céréaliculture.

En haut : matière première, le bois couvre 80 000 hectares du Châtilllonnais.

Au milieu : à Châtillon-sur-Seine, le musée du Châtillonnais renferme une partie du trésor de Vix.

En bas : après avoir connu un âge d'or sidérurgique jusqu'au XIXe siècle, le Châtillonnais s'est reconverti dans la céréaliculture et l'élevage bovin.

Établie près des sources du fleuve qui arrose Paris, Châtillon-sur-Seine trouve ses origines dans l'Antiquité, comme le prouve le monumental cratère en bronze de Vix, découvert dans la tombe d'une princesse du VIe siècle avant Jésus-Christ.

Non loin, rivières, étangs et lacs font le bonheur des amateurs de pêche (perches, brochets, carpes...) et de chasse (chevreuils, sangliers, cerfs...).

L'Autunois

Marqué par les dynasties

Entre forêts morvandelles et prairies charolaises, ce pays de transition déroule champs et prairies et disperse hameaux et grosses fermes. À l'est, les coteaux du Couchois et des Maranges portent un petit vignoble. Au sud, le massif granitique d'Uchon (culminant à 681 mètres) contraste avec la vallée verdoyante de l'Arroux qui le borde à l'ouest. Autun, sa capitale, fut la principale cité romaine de Gaule. Construite par l'empereur Auguste au Ier siècle avant Jésus-Christ, elle comptait nombre d'édifices (temples, théâtre pouvant contenir vingt mille spectateurs, thermes...), tous enclos dans une enceinte de 6 kilomètres flanquée de cinquante-quatre tours ! Les nombreux vestiges conservés permettent de se représenter la grande Augustodunum. Chef-lieu d'un important diocèse, la cité peut s'enorgueillir de posséder sur sa cathédrale le tympan du Jugement Dernier, chef-d'œuvre sans équivalent de la sculpture romane.

Fondée par Auguste au Ier siècle avant Jésus-Christ, Autun (ci-dessus) est la plus romaine des villes de Bourgogne, comme en témoigne la porte d'Arroux (ci-dessous).

Rustique mais ***délicate***

« La Bourgogne, c'est comme le cochon », aimait à dire Henri Vincenot. « Il y a du meilleur et du moins bon, mais tout se mange. » Ce penchant gustatif tient beaucoup à la richesse de la terre, à la diversité des modes de vie et à l'action passionnée des confréries gastronomiques, qui portent haut les produits du terroir. En Morvan et en Bresse, la table se fait rustique et roborative avec les crapiaux (crêpes épaisses), les gaudes (bouillie de maïs grillé) et la soupe au chou. La chair moelleuse des poulets et chapons bressans élevés en liberté et nourris au maïs et au lait caillé offre de délicieux rôtis. Sur les bords de la Saône et du Doubs, on apprécie la pôchouse, matelote de poissons de rivière cuite dans du vin blanc. En pays dijonnais, la table joue la délicatesse avec le melon vert, le brochet, les œufs en meurette... S'y ajoutent le jambon de Pâques (persillé), la moutarde, le pot-au-feu de charolais, l'escargot à grosse coquille, le pain d'épices, la liqueur de cassis... Sans oublier l'époisses, la boulette de la pierre-qui-vire, le crottin de Chavignol, le chèvreton de Mâcon...

Un vignoble *célébré* *dans le monde entier*

Pommard, chambertin, romanée... Ces crus magiques distillent leurs effluves à travers le monde ! S'il n'excède pas 1 à 2 kilomètres de large sur 60 de long, le vignoble où dominent pinot noir et chardonnay représente 12 % des surfaces en AOC de France et regroupe cent quinze appellations régionales, sous-régionales, communales, bourgogne (aligoté, grand-ordinaire...), chacune portée par des sols souvent morcelés entre propriétaires. L'histoire du réputé Clos de Vougeot se confond avec celle de l'Église, qui favorisa son essor pour célébrer son culte et l'élever au rang de symboles de la communion et de l'hospitalité. Pendant tout le Moyen Âge, les moines forcèrent la vigne à produire des grappes chargées des sucs nécessaires à leur vin de messe. En entourant les meilleures parcelles de murs de pierre, les cisterciens créèrent les « clos », qui donnèrent à la viticulture toute sa personnalité. Puis, ce furent les ducs de la Cour, « princes des plus grands vins de la chrétienté », qui l'ennoblirent, organisant de mémorables festins où étincelait une vaisselle d'or et d'argent. Depuis 1934, la confrérie des Chevaliers du Tastevin, ambassade vineuse de réputation internationale, se charge de promouvoir grands crus et vins nouveaux. « Jamais en vain, toujours en vin » est sa devise ! Vêtus de pourpre et d'or, ses membres se réunissent au Clos de Vougeot, lors de réceptions et banquets des plus conviviaux.

Au sud, s'étend le bassin industriel du Creusot, creuset où convergèrent par milliers les paysans que la ferme ne parvenait pas à nourrir. Vers 1800, les progrès techniques transformèrent la modeste fonderie royale en immense centre de production sidérurgique.

Le marteau-pilon du Creusot est le plus gros, le plus puissant et le plus bruyant au monde !

En encadré : En haut : fromages bourguignons. Au millieu : la confrérie du Clos de Vougeot. En bas : cassis de Dijon.

Des usines, sortirent les premières locomotives, des bateaux à vapeur, le pont Alexandre III de Paris, le marteau-pilon de 100 tonnes (record du monde), et même des sous-marins ! Cent vingt-quatre ans durant, la famille Schneider régna sur cet empire, mettant en place un système social des plus avancés : logements ouvriers gratuits, maternité, écoles, hôpitaux, dans la grande tradition paternaliste patronale. En contrepartie, soumission et paix sociale étaient exigées ! Dans les années 1980, la crise sonna le déclin, laissant Le Creusot sinistré. Pour découvrir cette aventure industrielle, on peut visiter le château de la Verrerie, le Centre des Techniques et le marteau-pilon.

CENTRE-VAL DE LOIRE
PAYS DE LOIRE
POITOU-CHARENTES

Terres de villégiature royale et d'art de vivre à la française qu'unit le « dernier fleuve sauvage de France », les pays du Centre et de la Loire enchantent par l'harmonie de leurs paysages et la douceur de leur climat. Entre Midi aquitain et Massif central, ceux du Poitou et des Charentes mêlent en beauté marais sillonnés de canaux, campagnes parsemées d'églises romanes et stations balnéaires.

Terre des rois et de leur cour itinérante, où s'épanouit l'art de vivre de la Renaissance, domaine des châteaux enchanteurs, jardin fertile où prospèrent vergers et vignobles, berceau de la langue française, patrie de la bonne chère, ce cœur de la France résume tout le génie de notre nation !

Jardin de la France

Peuplé depuis la préhistoire, le Centre-Val de Loire fut de toutes les convoitises. Son histoire est marquée par d'incessantes querelles entre seigneurs locaux, des conflits entre familles régnantes française et anglaise, des batailles entre Philippe Auguste et Richard Cœur de Lion, des rivalités de cour et d'héritage, des guerres de religion et les deux conflits mondiaux.

• Heureusement, du Moyen Âge à la Renaissance, de Charles VII à François Ier, ses forêts giboyeuses et son climat doux et tempéré coiffé d'un ciel lumineux séduisirent les rois qui y établirent leurs résidences et firent d'Amboise, Chinon et Tours les capitales de leur royaume. Attirant architectes et artistes d'Italie, poètes et écrivains, dignitaires de la cour et riches marchands, ils favorisèrent l'éclosion d'un art de vivre brillant et d'une économie prospère.

• Voie commerciale reliant le bassin méditerranéen, Paris et les côtes de l'Atlantique, la Loire lui a donné ses autres richesses. Ses 900 kilomètres de voies navigables ont permis le transport des hommes et des marchandises. Ses rives, fertilisées par ses crues répétées, portent des sols où prospèrent légumes et fruits. Majestueux, ce « dernier fleuve sauvage d'Europe », auquel les hommes opposent depuis mille ans des levées de terre, digues, barrages et étangs-réservoirs pour contenir ses ardeurs, paresse entre bancs de sable et îlots boisés, traverse de hautes falaises de craie, longe coteaux de vigne et prairies bocagères. Nonchalante, la Loire unificatrice sait aussi se montrer destructrice, passant d'un lit de sable à une mer en furie, inondant sa vallée sur 10 kilomètres de large !

• Saint des saints de l'esprit français et haut lieu littéraire, le Centre-Val de Loire a vu naître et accueilli quelques-uns des plus grands humanistes, artistes, poètes et écrivains : Rabelais, Ronsard, Du Bellay, Descartes, Balzac, George Sand, Alain-Fournier, Maurice Genevoix... Tous ont célébré, dans une langue sonore et drue, sa douceur de vivre, la courtoisie des mœurs de la cour et ses traditions paysannes.

Pays d'agriculture

• La Beauce • La Champagne berrichonne
• Le Boischaut du Sud

Sur des plaines et plateaux secs, ils portent à l'infini des cultures céréalières entrecoupées de quelques villages ramassés autour de leur église, seul relief émergeant de cet horizon vert. Favorisés par l'histoire et évoqués par d'illustres écrivains, ces pays comptent des villes prestigieuses et de belles curiosités touristiques.

La Beauce

Le grenier à blé français

Vue d'avion, la Beauce ressemble à un damier qui alterne parcelles de blé, d'orge, de maïs et de colza à perte de vue.

Entre Chartres et Orléans, les vallées de l'Eure et de la Loire, cette plaine qu'aucun relief ne trouble – excepté les silos à blé, canons d'aspersion et monticules de betteraves sucrières – produit 8 millions de tonnes de céréales par an, soit 15 % de la céréaliculture française ! Cette terre, exploitée dès avant la conquête romaine, doit sa fertilité à son substrat limoneux et à son climat sec. Mais depuis 1990, la surproduction, la concurrence des blés d'Amérique et d'Europe, l'alerte aux nitrates et l'épuisement des nappes phréatiques ont conjugué leurs méfaits pour entraîner un effondrement des cours et la pollution des sols. Un programme de jachères (2 millions d'hectares de blé et d'oléagineux) et de diversification des cultures (pommes de terre, salades, haricots verts, petits pois…) décidé par la politique agricole commune (PAC) a heureusement permis, pour un temps, d'enrayer la crise.

En haut : si les rives de l'Eure ne vibrent plus au rythme des moulins ni aux bruits des battoirs des lavandières, elles n'en conservent pas moins leur charme d'antan.

Au milieu : Chartres, la capitale de la Beauce, se signale de loin par les flèches de sa cathédrale, joyau de l'art gothique éclairé par 2 000 m² de verrières.

En bas : les villages de la Beauce sont cernés par un océan de vert tendre et de jaune d'or qu'avalent jour et nuit, dans les dernières semaines de juillet, six mille moissonneuses-batteuses.

Entaillée par la vallée de l'Eure qui y prend sa source, Chartres, ville gallo-romaine prospère, comté puis cité épiscopale, a connu un âge d'or grâce au rayonnement de ses écoles, à son pèlerinage de la Vierge et à ses communautés d'artisans. Dans la ville basse traversée par l'Eure, tanneurs et parcheminiers ont élu domicile tandis que la ville haute est devenue le domaine des gens de robe.

Rues aux noms évocateurs, maisons à pans de bois et ponts de pierre composent une agréable promenade.

Un peu plus au sud, le bourg agricole d'Illiers-Combray est célèbre jusqu'au Japon ! C'est ici que, enfant, Marcel Proust passa ses vacances chez sa tante Léonie. La description du village, du parc de Swann, de la maison au charme suranné, avec sa cuisine emplie d'odeurs de gelées de fruits « qui ont quitté le verger pour l'armoire » inondent les pages de son roman *À la recherche du temps perdu*.

À l'est, dans la vallée de l'Œuf, Pithiviers est connue grâce à son homonyme : le fameux gâteaux aux amandes !

Au sud, sur un éperon rocheux dominant la vallée du Loir, Châteaudun doit son nom à un imposant donjon élevé au XIIe siècle. Malgré l'incendie qui ravagea la cité en 1723, elle conserve un remarquable patrimoine, tout comme Vendôme établie entre les multiples bras du Loir.

En haut : la cathédrale de Bourges, un chef-d'œuvre absolu du gothique.

Au milieu : dans les rues du vieux Bourges, calme et sérénité sont préservés.

En bas : du nord au sud, la vallée du Cher traverse un paysage de vignes, de forêts et de bois.

La Champagne berrichonne

Les très riches heures de Bourges

Au cœur du Berry, la Champagne berrichonne, rattachée au royaume en 1101, est l'une des plus anciennes provinces. Elle porte un plateau calcaire sec et peu boisé, voué aux cultures céréalières et oléagineuses. C'est le second grenier à blé français après la Beauce et le premier pays producteur de lentilles vertes, avec 70 % de la récolte nationale.

Première appellation contrôlée du vignoble de la Loire attribuée en 1936, le quincy produit des vins blancs à la robe d'or pâle, au nez fin et au caractère vif. Non loin, Reuilly donne des blancs secs et bouquetés, des rosés délicats et rafraîchissants et des rouges légers aux senteurs de violette et de framboise.

En remontant le Cher, on découvre l'abbaye cistercienne de Noirlac, l'un des plus beaux ensembles monastiques de France.

Inscrit dans un horizon céréalier dénudé et sans relief, Issoudun est riche de deux mille ans d'histoire ! Située sur la levée de

César – l'axe reliant Poitiers à Bourges –, elle fut cité gauloise puis romaine, place forte que se disputèrent Philippe Auguste et Richard Cœur de Lion et ville commerciale comptant sept foires annuelles ! En 1240, Blanche de Castille la vendit à son fils Louis IX. Ville royale, elle devint le siège d'un baillage couvrant la moitié du Berry ! Dominée par sa tour Blanche, symbole de la lutte entre Capétiens et Plantagenêts, elle conserve un hôtel-Dieu, une apothicairerie et de vieilles rues bordées de demeures du XVIIe siècle dignes d'intérêt.

Établie sur les rives de l'Indre, Châteauroux doit son nom à la forteresse bâtie au XIe siècle par Raoul le Large, et qui fut apportée en dot à Henri II d'Angleterre. Ancien duché, elle a tiré profit de ses marchés aux bestiaux, aux peaux et aux laines, et de son industrie textile jusqu'au XVIIIe siècle.

À l'est, Bourges, capitale du Berry, est ville d'art et d'histoire. Derrière ses remparts s'amoncellent des trésors de patrimoine, environnés de 135 hectares de jardins maraîchers flottants ! Ancienne cité romaine prospère, elle devint au XIe siècle une vicomté bientôt intégrée au domaine royal. En 1137, Louis VII le Jeune y fut nommé roi de France. Mais en répudiant Aliénor d'Aquitaine – héritière du duché d'Aquitaine qui épousa alors en seconde noce Henri II Plantagenêt, comte d'Anjou, duc de Normandie et futur roi d'Angleterre –, il déclencha la guerre de Cent Ans ! Malgré cela, Bourges, érigée en duché en 1360, devint un foyer d'essor intellectuel et artistique doublé d'une riche ville drapière. En 1422, après la mort de son père, Charles VII s'y proclama roi de France. Mais sa mère, nommée régente, s'y opposa, et il fut surnommé ironiquement le « petit roi de Bourges ». La ville doit aussi beaucoup à Jacques Cœur, marchand d'envergure internationale et grand argentier, qui lui donna de prestigieux édifices, tandis qu'une université était fondée en 1463.

Vanniers, *parcheminiers* et ***potiers***

Liée à la présence de ruisseaux et de sols bien drainés, l'activité de la vannerie occupait jadis une forte main-d'œuvre dans les vallées de la Loire, de l'Indre et de la Vienne. Aujourd'hui, cette tradition se maintient à Villaines-les-Rochers qui compte une centaine d'artisans réunis en coopérative. Coupé en hiver, l'osier est mis en bottes par taille, placé dans l'eau pour favoriser la remontée de la sève, écorcé au début de l'été, puis tordu, plié et entremêlé pour faire naître des paniers à pains, des valises à pique-nique, des meubles…

Pendant deux mille ans, le parchemin fut le seul support pour écrire et enluminer les textes saints et actes royaux ! À Levroux, on perpétue cet artisanat né au royaume de Pergame, en Asie mineure. La peau de mouton est trempée dans un bain de chaux, délainée puis écharnée pour éliminer derme et épiderme et ne conserver que la fleur du cuir. Utilisées à présent pour la reliure des livres, la peau des tambours et la décoration (panneaux de buffets, abat-jour…), le parchemin fait preuve d'intemporalité !

Dans le Berry, les sols argileux et les forêts ont favorisé la naissance, dès l'époque gallo-romaine, de la poterie de grès (saloirs, pots à lait, cruches…). À La Borne, une quarantaine de potiers maintiennent l'art de la terre et du feu à travers une production de céramique contemporaine.

Ci-dessus : parchemin de Levroux.

Ci-contre : atelier de vannerie à Villaines-les-Rochers.

Ci-dessous : parcheminier à Levroux.

Le *jardin* de *la* France

Climat tempéré, vallées fertiles de la Loire, étangs poissonneux et forêts giboyeuses de Sologne font de ce territoire le berceau des cultures fruitières et maraîchères précoces, des champignons (cèpes, girolles...), des poissons d'eau douce (carpes, sandres, perches...), du gibier (lièvres, perdrix, chevreuils...). Domaine des varennes – sols fertilisés par les alluvions déposées par les crues de la Loire –, potagers et vergers produisent asperges, endives, carottes, salades, fraises, pommes, prunes, reines-claudes, poires...
Les volailles fermières se distinguent par la géline de Touraine, dite Dame Noire, et les dindons de Noël. Les charcuteries offrent de savoureuses entrées : pâté de Chartres, rillettes de Tours, boudin frais, andouillette de Vouvray, rillons (morceaux de porc dorés à point), charbonnée (civet d'abats de porc cuit avec des lardons dans du vin rouge), andouille de Jargeau (à base de poitrine de porc et d'épaule). Pêchés à la ligne ou au filet lors de la vidange des étangs de Sologne, les poissons entrent dans la composition de matelotes d'anguilles au bourgueil, sandres à la fondue de poireaux, brochets rôtis.
S'y ajoutent les desserts : le cotignac d'Orléans à la pulpe de coing, le pithiviers (galette feuilletée à la crème d'amande), les fouaces (pâtisseries sucrées au miel et parsemées de noix), les croquets du Berry, sans oublier l'insolite recette des pommes et poires « tapées », séchées au four puis aplaties avec un maillet, que l'on déguste macérées dans du vin rouge aromatisé d'épices, ni celle des sœurs Tatin qui, dit-on, retardées par un rendez-vous galant prolongé, oublièrent de placer la pâte dans le moule de leur tarte aux pommes ! Alertées par l'odeur de caramel qui s'échappait du four, elles rattrapèrent leur étourderie en posant la pâte sur les pommes, avant d'enfourner de nouveau.

En haut, à gauche : récolte des asperges, à Marcilly-en-Gault.

En haut, à droite : vidange d'étang en Sologne.

Ci-dessous : Argenton-sur Creuse est surnommée la « Venise du Berry ».

Le Boischaut du Sud

Domaine de cœur de George Sand

Ici, bat le cœur géographique de la France ! De savants calculs ont fait de Saint-Amand-Montrond, ancien fief des princes de Condé et dernier bastion de la rebellion des princes contre le pouvoir royal, le centre officiel de la France.

Alentour, nombreuses sont pourtant les communes à revendiquer ce titre ! À 10 kilomètres plus au nord, l'imposante stèle de Bruère-Allichamps rappelle que le vrai centre de la France est ici, comme l'atteste une borne romaine du IIIe siècle. Non loin, une aire de l'autoroute A71 a été baptisée, elle aussi, « Aire du centre de la France ». Au sud de Saint-Amand-Montrond, à Saulzais-le-Potier, une stèle précise que « ce serait ici que les calculs de l'éminent mathématicien et astronome, l'abbé Théophile Moreux, auraient déterminé le centre de la France ». Hélas, à Vesdun on ne partage pas cet avis ! Une imposante carte de France démontre que, d'après les calculs d'ingénieurs avertis, le centre de gravité (qui ne tient pas compte du relief) se trouve là.

Quoi qu'il en soit, entre les ultimes rebords du Bassin parisien et les premiers contreforts du Massif central, ce pays se partage entre une plaine fertile vouée à la céréaliculture et une succession de collines bocagères portant champs et prairies voués à l'élevage de charolais et de limousines.

La Châtre, étagée sur un coteau dominant l'Indre, est une jolie ville marquée par le souvenir de George Sand qui demeurait dans les environs. Née à Paris en 1803 mais élevée à Nohant-Vic par sa grand-mère, elle y vécut une enfance au contact d'une nature sauvage, écoutant les récits paysans, dansant la bourrée, accompagnant les braconniers. En 1836, elle fit du château de Nohant un cénacle artistique en y recevant la fine fleur des arts et des lettres : Balzac, Chopin, Delacroix, Flaubert... Son roman *La Mare au diable* s'inspire de la terre de son enfance : « Oui, mon garçon, dit-elle, c'est ici la mare au diable. C'est un mauvais endroit, et il ne faut pas s'en approcher sans jeter trois pierres dedans, de la main gauche, en faisant le signe de la croix de la main droite ; ça éloigne les mauvais esprits. »

Alentour, la vallée Noire, les sources de l'Indre et la haute vallée de la Bouzanne offrent des paysages de vallons boisés et de bocages traversés de chemins creux qui regorgent de trésors d'architecture : donjon de Sarzay flanqué de quatre tours rondes surmontées de mâchicoulis, abbaye cistercienne de Varennes, Châteaumeillant réputée pour son vin gris, château de Culan, jardin médiéval du prieuré Notre-Dame d'Orsan.

Ci-dessus : dans le château de Nohant, la chambre de George Sand a été préservée du temps.

En encadré :
En haut : château à Saint-Amand-Montrond.
Au milieu : maisons à colombage, à Tours.

En bas : château du Moulin.

Le tuffeau, *pierre à* décor

Terres de châteaux princiers et royaux, les pays du centre de la France n'en restent pas moins ruraux ! Mêlant maisons à colombages, fermes à cours fermées, demeures vigneronnes, moulins à vent et cabanes de vigne, leur architecture offre une riche palette de styles et de couleurs.
Hormis en Sologne et en Beauce, où dominent le chêne et l'argile, la brique et le silex, le tuffeau (un calcaire crayeux aux nuances laiteuses) compose les façades, les encadrements de portes, de fenêtres et les lucarnes. Tendre et homogène, il se moulure aisément, s'ornant de filets, cannelures, pilastres et denticules.
Issue des carrières de l'Anjou, l'ardoise aux tonalités noir bleuté coiffe les toitures. Dans les pays de bocages comme le Perche ou la Brenne, règne la maison-bloc, qui réunit sous son toit habitation, écurie, étable et grange.
En Beauce, Berry et Touraine, les fermes déploient leurs bâtiments autour d'une vaste cour occupée par un abreuvoir. Groupées aux pieds des coteaux, les maisons vigneronnes abritent logement, four à pain, remise à outils, pressoir et cave.
Basse et trapue, la maison solognote s'allonge au sol sous un grand toit de tuiles plates ocrées. Ses murs sont formés de poutres de chêne raidis par des pièces obliques. Depuis le XIXe siècle, la brique disposée en « feuilles de fougères » supplante le torchis pour remplir les vides laissés entre les poteaux.

Pays de forêt et d'étangs

• Le Blaisois ou pays de Blois • Le Val de Loire tourangeau • La Sologne

300 000 hectares de chênaies, hêtraies, landes de bruyères où s'ébattent lièvres, faisans, chevreuils et nichent hérons, grives et rouges-gorges, une myriade d'étangs où sont élevés des carpes, des brochets et des anguilles, voilà le paradis des randonneurs, ornithologues et pêcheurs.

Le Blaisois ou pays de Blois

Une terre royale

Au contact de la Beauce, de la Gâtine tourangelle et de la Sologne, le Blaisois est traversé par la vallée de la Loire, dont les terres fertiles sont vouées aux cultures maraîchères. De la vaste forêt qui le recouvrait jadis subsistent 10 000 hectares de hêtres, de charmes et de chênes rouvres (exploités pour la tonnellerie, l'ébénisterie et le parquetage).

Au sud, passé Chaumont, les coteaux d'argile à silex et de calcaire marquent l'entrée du vignoble de Touraine qui regroupe cent trente communes et compte huit appellations réputées : touraine-amboise, montlouis, chinon, bourgueil...

Blois, sa capitale, possède un remarquable château ordonné autour d'une cour d'honneur dont Louis XII et François Ier firent leur résidence préférée. Dans leur sillage, ils entraînèrent dignitaires de la cour et artistes, favorisant l'édification d'hôtels particuliers, d'édifices religieux, d'ateliers d'orfèvrerie et d'horlogerie. La forteresse primitive du château abrite l'une des plus anciennes salles civiles gothiques où se réunirent, en 1576 et en 1588, les états généraux, assemblée des représentants du clergé, de la noblesse et du tiers état. Portée par une galerie à arcades, l'aile Louis XII caractérise la première Renaissance et le passage du château fort à la demeure de plaisance. L'aile François Ier dresse en majesté sa façade des Loges et son escalier, chef-d'œuvre de sculpture, d'où la cour assistait à l'arrivée des grands personnages. Enfin, l'aile Gaston d'Orléans, de facture classique, très symétrique, est marquée par l'emploi des ordres dorique, ionique et corinthien.

En haut : ville royale, Blois est bâtie en amphithéâtre sur un escarpement qui domine la Loire.

Au milieu : surnommé « le Versailles de la Renaissance », le château de Blois, formé de quatre ailes, résume quatre siècles d'architecture.

En bas : le Blaisois est dominé par d'altiers châteaux et manoirs.

Plus au sud, sur une falaise dominant la Loire, le château de Chaumont-sur-Loire agrémente sa silhouette militaire médiévale d'un souriant décor Renaissance.

Le Val de Loire tourangeau

La vallée des rois

Terre où s'épanouit l'art de vivre de la Renaissance et s'élabora le français, patrie de la bonne chère réputée pour sa douceur de vivre, ce pays de cocagne ne manque pas d'attraits !

Traversé par la Loire et ses affluents, le Val de Loire tourangeau déroule un verdoyant ruban planté de 15 000 hectares de ceps, source de vins fruités et rafraîchissants qui mûrissent dans les caves creusées dans le tuffeau des coteaux.

Établie entre les vallées de la Loire et du Cher, Tours, sa capitale, est née de la réunion de deux cités, l'une romaine, l'autre catholique, aux mains de saint Martin, grand évêque des Gaules. À sa mort en 397, les moines des environs se disputèrent sa dépouille ! À la faveur de la nuit, les Tourangeaux l'enlevèrent et regagnèrent la cité par la Loire.

Ci-dessus : dressé autour d'une cour d'honneur qu'il ouvre sur le Cher et la Loire, le château de Villandry abrite un magnifique plafond hispano-mauresque en bois sculpté, provenant de Tolède.

Ci-dessous : Balzac disait d'Azay-le Rideau : c'est un « diamant taillé à facettes serti par l'Indre, monté sur pilotis ».

À leur passage, un miracle se produisit : les arbres dénudés par l'hiver verdirent, les plantes fleurirent et les oiseaux chantèrent ! Autour du tombeau de saint Martin s'organisa le premier grand pèlerinage de la gaule-romaine ! Du VIe au VIIIe siècle, sous l'évêque Grégoire de Tours puis le moine Alcuin, la ville devint un haut lieu spirituel, se couvrant d'églises et d'écoles de copistes. En 1461, Louis XI fit de Tours la capitale du royaume, favorisant la culture du mûrier et l'élevage du ver à soie pour permettre la fabrication d'étoffes de soie. Mais la révocation de l'édit de Nantes et les guerres de Religion, en entraînant l'émigration des artisans gagnés à la cause de la Réforme, y mirent un terme.

Sur les bords de la Loire, Amboise reste attachée au souvenir des rois de France qui en firent leur capitale, rythmée par les fastes d'une cour brillante. Fasciné par la civilisation italienne, Charles VIII y attira architectes, sculpteurs et artistes, qui édifièrent l'une des

plus belles demeures ligérienne, à la fois palais et forteresse. Sous François Ier, la cité brilla à nouveau de mille feux. La vie de cour connut un tourbillon de fêtes. Passionné par les arts, le roi convia, en 1516, Léonard de Vinci, grand artisan de l'essor de la Renaissance.

Enjambant en majesté le Cher de ses cinq arches, Chenonceaux est le plus féminin des châteaux de la Loire ! Au corps de logis principal élevé par Catherine Bohier en 1521, Diane de Poitiers, maîtresse d'Henri II, fit ajouter un pont pour relier la rive opposée, sur laquelle Catherine de Médicis fit bâtir une galerie à l'italienne exécutée par Philibert Delorme. Non loin, s'aperçoit l'imposant donjon de Montrichard, rasé « à hauteur d'infamie » par Henri IV, témoin de l'âpre lutte entre le lion d'Angleterre et le lys de France.

Ci-dessus : Amboise, ville royale, vécut au rythme des fastes d'une cour brillante.

Ci-dessous : sur l'un des affluents de l'Indre, le pittoresque village de Montrésor est dominé par son château Renaissance orné de lucarnes et de tours aux toits en poivrière.

En route vers le sud-ouest, on rallie Azay-le-Rideau. Délicieuse demeure de plaisance bâtie entre deux bras de l'Indre, le château détourne avec élégance ses défenses féodales à des fins ornementales.

Surplombant la vallée où Cher et Loire se rejoignent, le château de Villandry est l'un des derniers édifices de la Renaissance ligérienne. Ses jardins reconstitués en 1906, uniques en Europe, s'étagent sur trois terrasses : une grande pièce d'eau bordée par un cloître végétal de tilleuls, des jardins d'ornement consacrés à l'amour et un potager décoratif.

Alentour, cultures maraîchères, vignoble, vergers, prairies et forêts s'inscrivent dans le parc naturel régional Loire-Anjou-Touraine, créé en 1996 pour les protéger de l'extension urbaine.

Dans un écrin d'étangs et de futaies, le château d'Ussé est un étonnant édifice mi-médiéval, mi-Renaissance, hérissé de toitures en poivrière, de flèches, de cheminées et de clochetons. Mêlant à son imposante allure militaire un riant décor de plaisance, il inspira Charles Perrault pour la création de *La Belle au bois dormant*.

Plus au sud, aux marches de l'Anjou, de la Touraine et du Poitou, Chinon doit la richesse de son patrimoine à sa situation de capitale du royaume sous Charles VII.

La Sologne
Une forêt et des braconniers !

La Sologne déroule 250 000 hectares de chênaies, hêtraies, landes de bruyères aux floraisons jaune d'or où s'ébattent lièvres, faisans, chevreuils et nichent hérons, grives, rouges-gorges. Riche de trois mille étangs peuplés de carpes, brochets, anguilles et dominés par quatre cents châteaux et manoirs, cette plaine de sable et d'argile aux sols pauvres doit son nom à la présence de marécages jadis infestés par les fièvres.

Jusqu'au XVIIIe siècle, à l'initiative des moines puis des rois qui y séjournaient, les travaux d'assainissement et de défrichement se succédèrent pour favoriser la pisciculture, l'élevage de moutons et la culture de céréales. Mais il falllut attendre le Second Empire, avec le marnage des terres, l'ouverture du canal du Berry, la création de routes et de domaines agricoles, pour qu'elle connût un réel essor économique.

Ci-dessus : avec la pisciculture en étang, la chasse est l'une des principales ressources de la Sologne.

Ci-dessous : enchevêtrement de forêts, de landes et d'étangs, la Sologne livre des paysages empreints de douceur que les brumes du matin nimbent d'un voile de mystère.

Terre de villégiature et rendez-vous de chasse de François Ier à Napoléon III, la Sologne a vu naître quelques splendeurs architecturales parmi lesquelles le château de Chambord.

Située entre les bras de la Sauldre, Romorantin-Lanthenay, sa capitale, organise une fois l'an les journées gastronomiques de Sologne, durant lesquelles trente-cinq mille visiteurs dégustent cent cinquante spécialités du terroir ! Installé dans deux moulins à eau et une tour médiévale, son musée de la Sologne présente d'instructives expositions sur l'histoire, la vie quotidienne et l'économie.

Proche de là, à Chaon, la maison du Braconnage évoque l'histoire de cette pratique clandestine qui prit son essor à partir de 1523, suite à la publication d'un arrêté qui fit de la chasse un privilège nobiliaire, interdisant aux paysans tout prélèvement de gibier. On y découvre tous les secrets du « braco », qui pouvait être fermier, bûcheron, domestique et même garde-chasse ! Maurice Genevoix a puisé dans cette tradition pour écrire *Raboliot* : « Est-ce que les hommes sont maîtres de cet instinct qui les pousse vers la chasse, fils d'une terre giboyeuse ou craillent les faisans, où rappellent les perdrix dans les chaumes, où les lapins, par bandes, sortent des bois à l'assaut des récoltes ? »

En haut, à droite : en Sologne viticole, non loin de Cheverny, le château de Roujoux abrite un musée qui retrace l'histoire de la forêt solognote.

Au milieu : Romorantin-Lanthenay fut l'une des résidences de François Ier et une florissante cité drapière puis lainière jusqu'au XIXe siècle.

En bas : mi-gothique, mi-Renaissance, le château de Chambord est le plus vaste édifice ligérien, avec quatre cent quarante pièces, quatre-vingt-trois escaliers et trois cent soixante-cinq cheminées !

Alentour, les villages de Nançay, d'Orçay, de Ménétréol, environnés d'étangs et de bois que nimbent les brumes matinales, marquent l'entrée du territoire du Grand Meaulnes, roman autobiographique d'Henri Alban Fournier (dit Alain-Fournier). Né en 1886 à La Chapelle-d'Angillon et élève à l'école-mairie d'Épineuil-le-Fleuriel, il décrit avec une fidélité mêlée de poésie ses souvenirs d'enfance : « Une longue maison rouge, avec cinq portes vitrées, sous les vignes vierges, à l'extrémité du bourg ; une cour immense avec préaux et buanderies [...] ; des champs, des prés et des jardins qui rejoignaient les faubourgs [...] tel est le plan sommaire de cette demeure où s'écoulèrent les jours les plus tourmentés et les plus chers de ma vie. »

Ci-dessus : pauvre en pierre, la Sologne abonde en bois et gisements d'argile, livrant aux bâtisseurs les matériaux de leurs maisons : torchis, tuiles, briques et poutres.

Ci-dessous : noyé dans les vignes, le château de Bourgueil abrite l'une des huit appellations des vins de Touraine.

En encadré : En haut: devanture de café solognot. En bas : Vigne dans les environs de Doisly.

Breuvages des **rois !**

De Cheverny à Bourgueil, la Loire et ses vallées affluentes (Loir, Indre, Vienne et Creuse) traversent un verdoyant ruban planté de 15 000 hectares de vigne ! Bénéficiant de microclimats océaniques adoucis par l'influence des fleuves, elles portent une mosaïque de terroirs, sources de vins blancs, rouges et rosés fruités et rafraîchissants, qui mûrissent dans les caves de tuffeau. Les sols alternent sable et argile qui se mêlent au calcaire entrecoupé de graviers et de silex, garant d'une saine humidité.
Si les Romains en sont les pères, c'est sous le règne des rois d'Angleterre et des comtes d'Anjou que la vigne prit son essor, s'exportant dans toute l'Europe par la Loire.

De Charles VII à François Ier, de Rabelais à Ronsard, tous ont loué la Dive Bouteille ! Poète de la Pléiade, Du Bellay déclama : « Fay que l'humeur savoureuse, de la vigne planturееuse, aux rays de ton œil divin, son nectar nous assaisonne, nectar comme le donne, mon doux vignoble angevin. »
Gardiennes de cet art de vivre, les confréries bachiques tiennent chaque année leurs chapitres et adoubent les futurs chevaliers. La Confrérie de la Dive Bouteille et l'ordre du Sacavin d'Anjou comptent parmi les plus réputés. Gérard Depardieu, qui cultive la vigne en Anjou, a ainsi prêté serment aux entonneurs rabelaisiens de Chinon : « Je jure de lutter contre ceux qui ne goûtent à rien et boivent sans raison, et je promets de ne jamais mettre de l'eau dans mon vin. »

Autour de la Loire, fleuve unificateur et porte ouverte sur l'océan, ces pays ont façonné une mosaïque de paysages nourriciers.

Entre terre, mer et fleuve

Louée pour l'harmonie de ses paysages, la douceur de son climat, la fertilité de ses terroirs, cette terre de confins mêlée d'influences normande, bretonne et poitevine a séduit bien des rois, princes et poètes ! Si la Loire apporte son unité à cet assemblage de pays – souvent critiqué –, elle est aussi source de discorde. Entre les partisans d'un projet de régulation de son cours et les écologistes soucieux de préserver le « dernier fleuve sauvage de France », le ton, à l'image de ses eaux capricieuses, monte vite !

• Berceau de la dynastie des Plantagenêts, dont le domaine s'étendait de l'Écosse aux Pyrénées, province convoitée par les rois de France, fief du roi René, prince poète et esprit des plus complets de son temps, les pays de Loire connurent un âge d'or que rappellent les joyaux urbains d'Angers – réputée pour son château et ses rues marchandes bordées de maisons à pans de bois sculptés et d'hôtels particuliers –, du Mans – avec sa cathédrale, livre ouvert d'art médiéval – et de Saumur – dominée par son majestueux château hérissé de clochetons, girouettes dorées et lucarnes finement ciselées. Ils renferment aussi un riche patrimoine d'abbayes (dont celle de Fontevraud, plus grand ensemble monastique de France), les clochers vrillés du Baugeois, les galeries troglodytiques du Saumurois.

• Mais l'histoire émaillée de guerres de religions et d'insurrections contre-révolutionnaires a apporté aussi son lot de désolation. Bastion de l'Ancien Régime, rurale et profondément religieuse, la Vendée, révoltée par les persécutions et le maintien des injustices, se soulève en 1793 contre la jeune République. Armés de fourches et de faux, les paysans et leurs seigneurs chassent les Républicains en pratiquant la « guérilla rurale ». La répression sera brutale, occasionnant persécutions et massacres. Aujourd'hui apaisée, la Vendée offre les agréments de sa côte pour séduire le visiteur, ruban de plage de sable fin, stations balnéaires, lacis de canaux s'enfonçant sous une profonde voûte de saules, de peupliers et de frênes têtards… sans oublier ses îles d'Yeu et de Noirmoutier.

Pays de forêt et de bocage

• Le Bocage vendéen • Le Beaugeois • Le pays manceau

Malgré de nombreux arrachages, consécutifs aux remembrements des terres, les haies d'aubépine et de genêt se maintiennent en Gâtine et en Vendée pour border les prairies où engraissent les bœufs de race parthenaise. Environnés de chênes et de hêtres, ils réservent des destinations chargées d'histoire et de curiosités insolites.

Le Bocage vendéen

Royaume de Mélusine

Entre Loire, Poitou et océan, le Bocage vendéen dessine une marqueterie doucement vallonnée de prairies et de champs coupés de haies d'aubépines longées de chemins creux.

Au nord, s'étend le Haut Bocage, arête dorsale de la Vendée, bordé par la Sèvre nantaise que jalonnent moulins à céréales et à papier, et murettes de pierres sèches des cultures de vigne. Des Herbiers jusqu'au-delà de Pouzauges, ses monts des Alouettes (231 mètres) et Mercure (285 mètres) sont couverts de landes de genêts et d'ajoncs, dominées par quelques moulins à vent.

En haut : formée par la réunion de deux communes, l'une protestante (Saint-Gilles), l'autre catholique (Croix-de-Vie), Saint-Gilles-Croix-de-Vie garde en mémoire les guerres de Religion et ses victimes.

Au milieu : Vouvant, ancienne place forte aux rues pavées, conserve une remarquable église.

En bas : à Saint-Hilaire, un écomusée accueille les visiteurs.

Au sud, le Bas Bocage offre de grandes parcelles géométriques et des bocages irréguliers entaillés par des vallées aux noms plaisants : la Vie, la Jaunay, la Giboule… Site d'intérêt national, le massif forestier de Mervent-Vouvant est un lieu idyllique, avec ses chênes, hêtres, charmes et châtaigniers, ses cèpes et bolets, ses rivières poissonneuses (gardons, carpes, brèmes…) et ses plans d'eau où se pratiquent la voile, le canoë et le pédalo.

Dressée sur un promontoire, Vouvant offre aux visisteurs ses remparts et un donjon qui abrite la maison de Mélusine. Cette femme-serpent et fée bâtisseuse construisait, la nuit venue, de merveilleux châteaux !

À l'ouest, battue par l'océan, la corniche vendéenne forme un plateau rocheux de falaises, de criques et de grottes qui plongent dans la mer. Elle mène à Saint-Gilles-Croix-de-Vie, au port très actif tourné vers la pêche à la sardine, à la dorade, à la sole et au thon.

Au nord-ouest, le chemin de la Mémoire et le mémorial de Vendée, établis sur la commune Les Luc-sur-Boulogne – dont les habitants furent massacrés par les colonnes infernales en 1794 –, offrent un lieu de souvenir dédié à toutes les victimes de la Terreur.

Plus au sud, La Roche-sur-Yon, capitale du bocage vendéen, est une ville sans histoire ! Créée de toute pièce par Napoléon en 1804, qui y établit la préfecture de Vendée, elle s'inscrit dans un plan en forme de pentagone, avec ses rues droites qui convergent vers une grande place bordée d'immeubles en pierre de taille.

Le Baugeois

Un pays retors !

Entre Anjou et Touraine, borné par les vallées du Loir et de la Loire, il déploie tout en longueur son plateau calcaire quadrillé de bocage et piqué de châteaux forts. Vestiges des grandes forêts médiévales défrichées par les moines, les massifs de Chandelais, Monnaie, Chambiers et Pontménard comptent des futaies de chênes rouvres et tauzins parmi les plus remarquables de France.

À l'ouest, s'étend le territoire de Rougé le Braconnier. Ce nom est celui d'un paysan qui, en 1854, fut poursuivi jour et nuit par les gendarmes et l'armée, parce qu'il avait été surpris en train de poser des pièges. Grâce à sa connaissance parfaite de la forêt, et à la complicité des habitants, l'homme traqué échappa aux forces de l'ordre trente mois durant !

Au centre, autour de Baugé, capitale du Baugeois, on découvre les clochers tors baugeois : au lieu de monter droit vers le ciel, leurs flèches couvertes d'ardoise se vrillent, se tordent et se penchent, défiant toutes les lois de l'équilibre ! Cinq spécimens sont recensés, à Vieil-Baugé, Pontigné, Mouliherne, Fougeré et Fontaine-Guérin.

Les clochers tors baugeois (ci-dessus) ne filent pas droit ; un phénomène architectural des plus surprenants… qui touche aussi les boules de pétanque (ci-dessous).

Comment leurs poutres ont-elles été tordues de la sorte ? A-t-on imposé ces voussures aux troncs des chênes au fur et à mesure de leur croissance ? Cela supposerait d'avoir « tuteurer » les jeunes pousses au moins cent ans à l'avance ! S'agit-il plutôt d'une déformation naturelle due à un mauvais séchage du bois ? Ou faut-il voir dans ce phénomène un art de bâtir propre aux charpentiers de marine du XVIIIe siècle ?

Face à ces hypothèses rationnelles, de sympathiques théories ont vu le jour : selon les sourciers, les clochers suivraient les détours des eaux passant sous les églises tandis que, d'après les poètes, ils offriraient naturellement leurs façades aux caresses des vents.

Mais les clochers ne sont pas les seuls à contredire la ligne droite ! Sur les terrains de pétanque incurvés, les boules de fort prennent, elles aussi, la tangente ! Cerclées de métal, ces boules de 1,3 kilo ne sont pas rondes mais aplaties et bombées d'un bord à l'autre.

Le pays manceau

Des Plantagenêts à l'automobile

Entre le Perche et l'Anjou, ce confluent de routes fut sillonné par les ducs de Normandie et les rois de France qui voulaient s'emparer du Maine et du Mans. Il traverse une verte campagne de forêts, de prairies bocagères plantées de pommiers et de vignes, hérissée d'orgueilleux châteaux et de belles églises romanes.

Désormais réduite à l'état de landes reboisées en pins, l'ancienne forêt du Mans fut le théâtre du premier accès de folie de Charles VI : en 1392, au cours d'une partie de chasse, le roi chargea subitement son entourage et tua quatre de ses écuyers avant d'être maîtrisé. Livré à l'anarchie, déchiré par les rivalités des princes, le royaume tomba presque tout entier aux mains des Anglais, après que le monarque eut destitué son fils, le futur Charles VII.

Plus à l'ouest, le pays de Sablé reste très rural, avec ses campagnes vallonnées, creusées de cours d'eau bordés d'herbages. Là, sont élevées les volailles labellisées de Loué.

Le Mans, capitale du pays manceau, est situé sur une étroite colline. Ici, hôtels particuliers, collégiale, maison-Dieu, demeures à pans de bois teintés de rouge et de bleu se serrent autour d'une majestueuse cathédrale.

Ci-dessus : des scènes de films tels Cyrano de Bergerac, Le Bossu, Le Masque de fer, *ont été tournées dans ce beau décor historique du Mans.*

Ci-dessous : au confluent de la Sarthe et de l'Huisne, trône Le Mans.

Ancienne cité romaine, la ville s'est entourée d'une muraille pour résister aux invasions. Ces fortifications demeurent les mieux conservées de France. En 1129, la cité fut le théâtre de la naissance de la dysnastie des Plantagenêts, lors du mariage de Geoffroi V, comte d'Anjou, avec Mathilde, fille de Henri Ier d'Angleterre. En 1154, le fils de Geoffroi V, Henri II, se maria avec Aliénor d'Aquitaine, détentrice du duché d'Aquitaine. Il devint ainsi le roi d'un domaine qui s'étendait de l'Écosse aux Pyrénées ! Prospère, la cité comptait alors des manufactures d'étoffes de laine teinte en noir, destinées aux gens d'Église, des tanneries pour transformer le chanvre en toile et des ateliers de fabrication de chandelles de cire.

Depuis le XIXe siècle, le Mans doit sa vocation mécanique à Amédée Bollée. En 1875, il eut l'idée de placer une chaudière à vapeur sur un châssis doté de quatre roues : « L'Obéissante » était née et allait rallier Le Mans à Paris à la vitesse de 20 kilomètres à l'heure !

Par la suite, la mise au point de prototypes à pétrole, l'accueil des frères Wright qui firent voler le premier biplan à 110 mètres d'altitude, la création en 1923 des Vingt-Quatre Heures du Mans et l'installation d'une usine Renault placèrent la cité au rang des capitales mondiales de la mécanique.

Pays de vigne

• LE VAL D'ANJOU • LE SAUMUROIS

Regroupant les vignobles des coteaux de la Loire et du pays nantais, ils forment une mosaïque de terroirs, à l'origine de grands crus parmi lesquels le savennières et le quarts-de-chaume. Mais ils regorgent de bien d'autres trésors, hérités de l'histoire : cité ducale et royale, somptueux châteaux, abbayes, habitations troglodytiques...

Le val d'Anjou

Terre de douceur

Célébré par Rabelais et Du Bellay, architecturé de somptueux châteaux par les rois et les familles aristocratiques, vendangé par le bon peuple, cet harmonieux jardin est coiffé d'un ciel lumineux et toujours clément.

Plaine déployée en arc de cercle, le val d'Anjou est bordé par les vallées de l'Authion et de la Loire, longue de plus de 1 000 kilomètres, aux multiples bras d'eau. Au cours des siècles, les Angevins tentèrent de se protéger de ses crues répétées et dévastatrices en enserrant ses berges dans des levées de terre empierrées, complétées par des digues et des réservoirs destinés à recueillir ses eaux excédentaires. Aujourd'hui assainie, cette bande de terre fertilisée par des siècles d'inondation forme une « petite Hollande » de 45 000 hectares, où se succèdent prairies, cultures maraîchères, vergers et pépinières.

Ci-dessus : hôte exigeant, la vigne requiert des soins et des prévenances tout au long de l'année, tels la taille pour régulariser la vigueur de ses pieds et l'entretien du sol pour reconstituer la réserve nutritive nécessaire aux racines.

Ci-dessous : aux alentours de Trélazé, la campagne s'émaille de somptueux châteaux (tel celui du Plessis-Bourré), transition entre la forteresse médiévale et le palais Renaissance.

Située entre les deux rives de la Maine, Angers, la capitale du val d'Anjou, regorge de monuments remarquables : hôpital Saint-Jean, galerie David-d'Angers, château construit au XIIIe siècle par saint Louis, *Tenture de l'Apocalypse* (longue de 103 mètres et haute de 5 mètres), cathédrale aux

magnifiques vitraux du XIIIᵉ siècle, rues marchandes bordées de maisons à pans de bois sculptés...

Au nord, les 8 000 hectares du vignoble d'Anjou donnent des vins rouges issus de cabernet franc et cabernet sauvignon, appréciés pour leurs parfums de framboise et de cassis.

Au sud-ouest, la Loire décrit une boucle en demi-cercle que domine une Corniche angevine, balcon accroché au coteau d'où l'on découvre de splendides panoramas sur la vallée.

À Montjean-sur-Loire, un écomusée rappelle que la cité fut un port très actif (le second après Nantes !), spécialisé dans l'acheminement du charbon, de la chaux et du chanvre qu'elle extrayait, produisait et cultivait dans la campagne environnante.

Plus au sud, Trélazé est la capitale mondiale de l'ardoise, grâce à l'exploitation de ses gisements de schiste souterrains depuis le XVᵉ siècle.

Ci-dessus : le château d'Angers comptait dix-sept tours massives qui atteignaient 60 mètres de hauteur avant qu'Henri III ne donnât l'ordre de les démanteler.

En encadré :
En haut : carrelage traditionnel aux Rairies.
En bas : faïencerie Moreau à Malicorne.

Art et Artisanat

Ardoisiers, potiers et sabotiers

Depuis le XIIIᵉ siècle, les ardoises d'Anjou ornent les toitures des pays de la Loire de leurs nuances gris bleuté. Des cinquante carrières en activité vers 1880, seule subsiste celle de Trélazé qui compta jusqu'à six mille huit cents fendeurs d'à haut, appelés les « seigneurs de la pierre » (chargés de refendre les blocs de schiste en fines plaques), et carriers d'à bas (travaillant à l'extraction souterraine des bancs d'ardoise). Née de la transformation de l'argile en schiste sous l'effet de gigantesques pressions et températures, ses ardoises offrent une longévité de plus de cent ans !

Forte de 5 300 hectares, la forêt domaniale de Bercé est l'une des plus belles chênaies de France. Âgés de deux cents à deux cent cinquante ans, ses chênes étaient renommés pour la construction navale tandis que les hêtres servaient à la boissellerie et à la saboterie. On comptait six cent cinquante ateliers de sabotiers en 1848, qui produisaient cinq cent cinquante mille paires de sabots ! À Jupilles, la maison du Sabot retrace l'histoire de cet artisanat.

Dès l'époque gallo-romaine, l'argile grasse et malléable du pays manceau et des Mauges favorisa l'essor d'ateliers de potiers et de céramistes façonnant assiettes, cruches, statuettes de la Vierge, épis de faîtage... Seules les faïenceries d'art de Malicorne-sur-Sarthe, spécialisées dans la copie d'anciens, et les ateliers de potiers du village du Fuilet demeurent en activité.

Le Saumurois

Béni des dieux !

Cité royale, vignoble renommé, vallée de la Loire... sur la rive gauche du fleuve, au contact du Poitou et de la Touraine, le Saumurois offre l'harmonie de ses paysages, la douceur de son climat et la richesse de son architecture. Passée la vaste plaine céréalière et oléagineuse du pays de Gennes, les collines escarpées sont couvertes de vignes du Layon et de l'Aubance. Bien exposés au midi et portés par des sols schisteux et argilo-sableux, les coteaux du Layon produisent un raisin doux que les viticulteurs vendangent tardivement. Après fermentation, s'élabore un nectar aux senteurs florales, voire épicées et fruitées !

Perle de l'Anjou, Saumur, la capitale, doit sa renommée à son enchanteur château enjolivé de clochetons, girouettes dorées et lucarnes finement ciselées, que la miniature des *Riches Heures du duc de Berry* a rendu célèbre dans le monde entier.

Au XVIIe siècle, la Réforme trouva un écho favorable parmi les bourgeois de la cité dont l'esprit d'entreprise s'avéra entravé par les privilèges ecclésiastiques. En 1593, une académie protestante fut fondée, attirant de toute l'Europe professeurs, imprimeurs, libraires... Hélas ! Ce rayonnement intellectuel, associé à une grande vitalité économique, fut brisé par l'édit de Nantes.

Plus au sud, Montreuil-Bellay conserve sa belle atmosphère médiévale, avec ses murailles et son château qui abritent de vastes cuisines. Autour du château Renaissance de Brézé, on découvre une cité fortifiée troglodytique avec pont-levis et chemin de ronde. Elle a abrité, au XVIIe siècle, les armées du prince de Condé. On y trouve, creusées autour d'un puit de lumière, des salles d'armes, silos à grains, boulangerie, glacière, et d'imposants pressoirs à vin. Leurs parois, transfomées désormais en « cathédrale d'images », sont le théâtre d'un spectacle audiovisuel intemporel.

En haut : l'abbaye de Fontevraud abrite aujourd'hui un centre culturel qui propose des stages de musique et de chants, des pièces de théâtre, des concerts...

Au milieu : dans les sous-sols du château de Montreuil-Bellay, 1 000 kilomètres de galeries souterraines accueillent des caves viticoles, des champignonnières et même des villages entiers !

En bas : Saumur, la perle de l'Anjou.

Non loin, la caverne sculptée de Denezé-sous-Doué déploie une exceptionnelle galerie de personnages taillés en ronde-bosse. Chef-d'œuvre de l'art populaire du XVIe siècle, elle mêle, dans un esprit libertaire et sans souci de proportions, figures grimaçantes, visages angéliques, personnages célèbres, corps dénudés, géants diformes, créatures chétives... tous empreints de mystère. Ces anciennes carrières de tuffeau, où règnent 90 % d'humidité et une température de 14 °C, sont aussi mises à profit pour la culture des champignons de Paris et le vieillissement des vins de Saumur et des crémants de Loire.

Au sud-est, aux confins de l'Anjou, de la Touraine et du Poitou, l'abbaye de Fontevraud est le plus grand et le mieux conservé des ensembles monastiques de France. Placée sous la protection des comtes d'Anjou, elle devint la nécropole royale des Plantagenêts, abritant les gisants d'Henri II, d'Aliénor d'Aquitaine et de Richard Cœur de Lion. Transformée par Napoléon Ier en une sordide prison, elle a depuis bénéficié d'une restauration exemplaire.

***Fruits** de la **terre**,* **fruits** de la *mer*

Ici, la géographie, où se mêlent influences bretonne, ligérienne et normande, dicte le menu ! Terres maraîchères des bords de Loire, prairies, rivières et océan Atlantique composent une mosaïque de milieux naturels et de nourritures. En bordure de Loire, entre Saumurois et pays nantais, prospèrent carottes, poireaux, artichauts, asperges, fraises, framboises, tomates, sans oublier la mâche qui a conquis l'Europe entière ! Terres d'élevage, les Mauges, le Bocage vendéen… sont le domaine des races maine-anjou, charolaise, blonde d'Aquitaine, de l'agneau de prés-salés, des dindes noires, poulets, pintades, chapons…

Parmi les spécialités, il faut goûter le cul de veau préparé au vin blanc et aux morilles, la poitrine de veau farci aux pruneaux, le châteaubriant, le canard de Challans rôti à la broche, l'oie farcie de Segré aux marrons, le poulet jaune à l'angevine (revenu dans le beurre et l'huile de noix et mouillé au vin blanc). À déguster également, les cochonnailles, dont les célèbres rillettes du Mans (fabriquées depuis 1480), le boudin blanc (à base de lard, d'œufs et de lait), le boudin noir aux herbes et au chou, l'andouillette au vin rouge de Vouvray, le jambon cru de Vendée accompagné de mogettes (haricots blancs cultivés dans les marais), le tantouillet (daube d'abats cuite au vin rouge)…

Les poissons d'eau douce sont à la base, eux aussi, d'excellentes recettes : alose de Loire farcie à l'oseille, civelles cuites au court-bouillon ou frites, brochet au beurre blanc, bouilleture (matelote d'anguille au vin rouge et aux pruneaux)…

Sur la côte, la pêche (bars, sardines, congres, crabes…) et la conchyliculture (huîtres creuses fines de claire et moules de bouchot) se partagent l'océan.

Au dessert, le berlingot nantais, la brioche vendéenne, le petit-beurre, le beurré nantais (créé par la famille Lefèvre-Utile à l'origine de la marque LU®) combleront les becs sucrés !

Ci-contre en haut : vignes dans les environs de Mouzillon.

Ci-dessous : sardines de Croix-de-Vie.

Galettes nantaises.

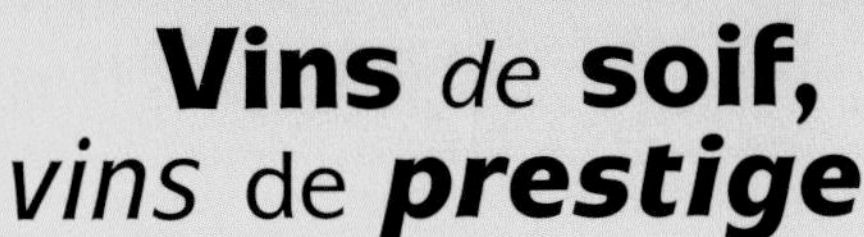

Vins *de* **soif,** *vins* de ***prestige***

Les coteaux de la Loire et du pays nantais occupent 50 000 hectares de sols schisteux, argilo-sableux et calcaires sous un climat océanique aux hivers doux.

Le vignoble anjou-saumur donne des vins blancs secs, moelleux ou liquoreux, parmi lesquels le savennières aux arômes de fleurs blanches, les coteaux-du-layon, issus du chenin blanc (dont les vendanges s'opèrent par tries successives pour sélectionner les grains touchés par la pourriture noble), le quarts-de-chaume aux parfums de fruits avec une pointe d'amertume en fin de bouche, le bonnezeaux (à déguster à l'apéritif et sur le foie gras) et les coteaux-de-l'aubance, sans oublier les vins pétillants de Saumur élaborés selon la méthode champenoise . Du côté des vins rouges, le saumur-champigny offre ses arômes de framboise, cassis et cerise.

De Nantes à Saint-Nazaire, le muscadet, issu du cépage melon de Bourgogne, est un populaire petit blanc sec désaltérant, « qui-va-à-tout ». Légèrement musqué – d'où son nom –, il se récolte du val d'Anjou au pays de Retz mais ses meilleurs crus proviennent des coteaux de sèvre-et-maine, au sud-est de Nantes. La dénomination « sur lie » atteste un vin de qualité supérieure, plus frais et plus fruité, élevé en barrique sur ses propres dépôts.

Ci-contre à gauche : cave de vieillissement au château de Villeneuve.

Ci-contre au milieu : pressoir à long fût de Sèvre-et-Maine.

Ci-contre à droit : bouilleur de cru à Greez-sur-Roc.

Pays de mer

- Le pays de Guérande
- Le Marais breton-vendéen

Presqu'îles, labyrinthe de marais peuplés d'oiseaux et d'anguilles, estuaires de la Vilaine et de la Loire, cordons dunaires, plages de sable fin, ports de pêche... ces 350 kilomètres de côtes doivent leur prospérité à l'exploitation des marais salants qui bordaient jadis presque tout le littoral.

Le pays de Guérande

Langue de terre ouverte sur la mer

« Nulle part l'homme n'est plus loin du monde, y compris les îles et leurs villages, que dans ces fourrés dont le roitelet, le crapaud et les grands faucheux d'eau se partagent la jouissance. » Ainsi Chateaubriand évoque t-il la Grande Brière, territoire mi-terrestre, mi-aquatique qui s'étend au centre du pays sur 7 000 hectares. En s'enfonçant dans son dédale aquatique, on découvre un remarquable réservoir de vie sauvage où nichent butors étoilés, marouettes, loutres et s'épanouissent glycéries flottantes, trèfles maritimes, nénuphars blancs, tandis que ses eaux abritent brochets, perches, sandres et anguilles.

Ci-dessus : à l'aide d'un râteau en bois de 5 mètres de long, le paludier écume les cristaux et les rassemble sur une bordure d'argile, où ils s'égouttent avant d'être stockés dans des greniers.

Ci-dessous : les vasières (réservoirs) reçoivent l'eau des grandes marées qui s'écoulent par les étiers (canaux) dans les œillets (bassins rectangulaires).

Ancienne tourbière installée dans une cuvette granitique, elle est parsemée de prairies et d'îlots bordés d'iris, de saules pleureurs et de roselières, que quadrillent des canaux sur lesquels glissent les « chalands », ces barques plates aux extrémités pointues.

Pauvre en apparence, ce marais, géré collectivement depuis le xve siècle par les habitants des vingt et une communes riveraines, a fourni de nombreuses ressources. À l'abri des inondations, le centre des îles, appelé « gagnerie », était voué aux cultures vivrières et aux prés, tandis que la périphérie, protégée des crues par une levée de terre, portait des potagers. Occupées à présent par des plans d'eau, les « piardes » sont d'anciennes tourbières dont on extrayait des milliers de briquettes utilisées comme combustible et exportées en Bretagne et dans les îles. On exploitait aussi les « mortas », chênes et bouleaux fossilisés dans la tourbe, pour fabriquer manches de couteaux, pipes... Quant aux roseaux, ils servaient à la couverture des chaumières et à la vannerie.

À l'ouest, les paysages d'eau s'estompent au profit du bocage et des cultures agricoles. Les noms des hameaux, Kercradet, Kerveloche, Kerbriand... affirment leur appartenance à la Bretagne voisine. Depuis 1970, le parc naturel régional de Brière protège ce milieu fragile, victime de l'exode rural et de l'abandon des activités traditonnelles.

Face à l'océan, les plages de sable et le bleu de la mer s'étalent à l'infini. Aménagées dans les années 1930, les stations balnéaires du Pouligen au Croisic forment la Côte sauvage.

Plus au sud, la presqu'île de Guérande étend un vaste damier de 1 600 hectares, alternant réservoirs, canaux et bassins de décantation. Avec les îles de Ré et de Noirmoutier, elle est la dernière saline française à produire de « l'or blanc » selon des techniques qui remontent au Moyen Âge. Indispensable pour conserver viandes et poissons, le sel de Guérande fut à l'origine d'un intense commerce portuaire qui favorisa une grande prospérité. Victime de la concurrence des sels de Méditerranée (plus rentables mais moins riches en sels minéraux) et de la pression immobilière, elle a failli être remplacée par des immeubles et des parkings ! Ses exploitants, appelés paludiers, sont passés de deux mille trois cent cinquante en 1840 à trois cents dans les années 1950. Aujourd'hui protégé, le site vit au rythme des récoltes de ses jardiniers de la mer.

Lors des grandes marées, la mer envahie les « vasières », découpées en œillets (compartiments de 70 m²). Sous l'action du soleil, l'eau s'évapore et se concentre, cristallisant le sel qui se dépose au fond de l'œillet. En surface, s'opère une fine cristallisation appelée « fleur de sel », qui donne un sel plus fin, au goût de violette.

Ci-dessus : rare et délicate, la fleur de sel – ce « caviar de sel » très prisé des grands restaurateurs – s'accommode à merveille avec les pommes de terre en robe des champs, les poissons, les viandes ou un foie gras fondant.

Ci-dessous : l'école de Cavalerie de Saumur.

L'histoire *remonte* le ***temps***

Depuis 1947, Nantes célèbre son carnaval, symbole d'une société sans interdits ni distinctions socioprofessionnelles. Entre mars et avril, on se déguise et l'on rivalise de gaieté pour fourbir farces et canulars !
Début janvier, les habitants élisent le roi et la reine de carnaval, puis assistent aux défilés de chars, parades de clowns et fanfares.
À Champagné, la fête des Lances associe la cérémonie religieuse du dimanche des Rameaux aux joutes et jeux d'adresse.
Depuis 1978, le site du château du Puy-du-Fou est le théâtre d'un spectacle nocturne, la Cinéscénie, auquel ont déjà assisté cinq millions de personnes ! Huit cents acteurs bénévoles y font revivre l'histoire de la Vendée, avec d'impressionnants moyens techniques (éclairages au laser, pyrotechnie, cascades d'eau...).
Non loin, sur 35 hectares, s'étend le Grand Parc, avec sa cité médiévale. On y découvre artisans, spectacles de fauconnerie, tournois de chevaliers...

Saumur hausse ***l'étalon*** !

Sauts d'obstacles, voltiges, courbettes et cabrioles, depuis 1764 la capitale du Saumurois perpétue la grande tradition équestre française. Fondée sous Louis XV, l'École de cavalerie, rebaptisée École royale de cavalerie sous Charles X en 1824, puis École nationale d'équitation en 1972, est la dernière de France à pratiquer le dressage académique. Puisant leurs origines dans la Renaissance italienne, ces parades (ou carrousels) furent créer pour prouver la maîtrise des élèves officiers en selle. Vêtus d'une culotte et d'une veste noire rehaussée d'or, coiffés d'un bicorne à cocarde tricolore, ils portent le nom de Cadre noir – pour les distinguer du Cadre bleu formé par les instructeurs militaires habillés d'un uniforme de ladite couleur. Dernière représentante de la cavalerie française, cette formation qui associe vingt-cinq écuyers militaires et civils maintient le rayonnement de la tradition équestre.

Le Marais breton-vendéen

Entre terre et mer

En contact avec le Poitou et la Bretagne, il offre 40 000 hectares de paysages aquatiques aux couleurs changeantes, que bordent de vertes prairies traversées de canaux sur lesquels glissent les yoles, barques à fond plat locales.

Ancien golfe gagné sur l'océan, il doit son émersion à un chapelet d'îles (aujourd'hui les villes côtières de Bouin, Beauvoir, Monts, Riez...) qui, formant un barrage naturel, ont permis un lent processus de colmatage. En créant des digues ou « chaussées », avec la vase prélevée par le creusement des canaux, les moines l'ont cependant accéléré ! Si les marais salants ont laissé la place à des bassins aquacoles (coquillages et moules), les pâturages restent le domaine des chevaux de race vendéenne, des vaches brunes et moutons de prés-salés.

Situées sur les anciennes îles ou dispersées à travers le marais sur des tertres d'argile, les bourrines, maisons basses coiffées de roseaux, se nichent dans des bouquets d'arbres qui les protègent du vent.

Sur la côte, dans la baie de Bourgneuf et la presqu'île de Noirmoutier, les huîtres creuses fines de claire et spéciales de claire sont affinées en bassins dans une eau peu salée et riche en plancton. Les moules de bouchot, fixées sur des pieux alignés dans la vase, couvrent 600 kilomètres de zone d'exploitation.

Au large des côtes, le Marais breton-vendéen se prolonge par les enchanteresses îles d'Yeu et de Noirmoutier, à découvrir lors de vivifiantes balades en vélo – si possible hors saison pour éviter les nombreux estivants qui s'y pressent !

Bretonne par sa côte ouest bordée de falaises déchiquetées, atlantique par sa façade orientale longée d'un ruban de plages de sable, Yeu, située à 14 kilomètres de la côte, a su préserver son mode de vie insulaire.

Noirmoutier, reliée au continent par un pont depuis 1971 et accessible à marée basse par la chaussée submersible de Gois, s'offre comme une langue de terre défiant l'océan en une alternance de dunes couvertes de pins maritimes, de bois de chênes verts et de landes foisonnantes, de polders (terres littorales asséchées) et de marais salants... sans oublier ses champs où prospère sa fameuse pomme de terre primeur exportée dans toute l'Europe.

Auguste Renoir, séduit par le blanc de ses maisons noyées sous les roses trémières et les camélias, la tranquillité de ses criques et la beauté de ses levers de soleil, y séjourna avec palette et pinceaux.

Outre le tourisme, les cinq mille habitants de l'île d'Yeu vivent de la pêche au thon (entre le Portugal et les Açores), à la sardine (au large des côtes du Maroc), et aux crustacés.

Pays d'industrie

• LE PAYS NANTAIS

Le pays nantais doit sa vitalité économique à son port autonome Nantes-Saint-Nazaire et aux chantiers de l'Atlantique où furent construits Le Normandie, La Jeanne-d'Arc, Le Millénium...

Le pays nantais

Tourné vers sa capitale

La Loire qui le traverse y achève son parcours commencé 1 000 kilomètres plus au sud, au mont Gerbier-de-Jonc.

Au nord, elle borde un plateau boisé et doucement ondulé, que découpent quelques vallons encaissés.

Au sud, elle est dominée par les coteaux du vignoble nantais qui produit le célèbre muscadet, vin sec, légèrement salé et musqué. Alentour, prospèrent cultures maraîchères et horticoles où sont plantés carottes, salades, navets, pommes de terre, mâche, muguet...

Au sud-est, Clisson, assoupie sur les bords de la Sèvre nantaise, crée la surprise ! Petit bout d'Italie en Loire-Atlantique, elle compose une riante cité néoclassique avec ses demeures patriciennes ajourées de loggias et coiffées de tuiles canal, ses parcs ombragés de pins parasols précédés de colonnades en hémicycle, ses moulins à eau aux baies en plein cintre tout en brique.

Située sur l'estuaire de la Loire, à 50 kilomètres de l'Atlantique, la capitale du pays, Nantes, est l'ancienne cité des ducs de Bretagne où fut signé l'édit de Nantes en 1598.

En haut : Saint-Nazaire, quatrième port français.

En bas : détruite lors des guerres de Vendée, en 1794, par les colonnes infernales, Clisson doit sa résurrection italianisante à un peintre et à un sculpteur qui ont séjourné à la villa Médicis à Rome.

Tournée vers la mer, elle profita, entre les XVIe et XIXe siècles, de la traite des Noirs – ou commerce du « bois d'ébène ». Chargés de fusils, de miroirs et de cuivre, ses navires gagnaient l'océan par l'estuaire de la Loire, pour se rendre sur le continent africain et embarquer des esclaves enchaînés qu'ils acheminaient en Martinique, aux Antilles et à Saint-Domingue où ils travaillaient dans les plantations de canne à sucre. Au retour, les bateaux rapportaient dans leurs flancs sucre, café, indigo, coton, tabac... Grâce à ce commerce triangulaire, Nantes devint le premier port de France, se couvrant d'hôtels particuliers et de monuments de style classique.

Après 1850, l'abolition de la traite des Noirs, la fabrication du sucre à partir de la betterave, l'essor du chemin de fer et l'ensablement de la Loire s'associèrent pour stopper cette prospérité. L'essor des conserveries et des biscuiteries (BN® et LU®), la création du port autonome de Nantes-Saint-Nazaire et des chantiers de l'Atlantique où furent construits deux cents paquebots et navires de guerre ont depuis permis un spectaculaire redressement.

Capitale de la région Pays-de-Loire, cette Bretonne de souche connaît même la plus forte progression démographique et économique de France !

Placés sur les chemins du pèlerinage de Saint-Jacques-de-Compostelle, le Poitou-Charentes fut le berceau d'un élan de foi inégalé.

POITOU-CHARENTES

Tourné vers la mer, porté par la foi et la terre

Transition entre l'Ouest, le Midi aquitain et le Massif central, univers marécageux sillonné de canaux qui s'enfoncent sous de fraîches frondaisons, vallée paisible bordée de grandes forêts des pays de Tardoire et d'Horte… ces pays placés sur la route de Compostelle sont devenus le haut lieu de l'épanouissement de l'art roman.

• Sur la côte baignée d'une lumière très pure née de l'alchimie du soleil, de l'océan et d'un relief sans aspérités, se succèdent landes sauvages aux senteurs de résine et d'eucalyptus, îles peuplées de maisons blanches, stations balnéaires de la Belle Époque adoucies par les eaux chaudes du Gulf Stream. Portes ouvertes sur l'Atlantique, les grands ports illustrent une vocation maritime fructueuse comme un destin douloureux : La Rochelle, place commerciale européenne et orgueilleuse citadelle du protestantisme, Rochefort, premier arsenal militaire du royaume de Louis XIV créé par Colbert et fortifié par Vauban, Brouage, enclose dans son enceinte bastionnée.

• Cette province doit aussi sa prospérité à ses terres couvertes de vignes ! Est-ce parce qu'il a la réputation d'être lent et réservé que le Charentais a mis au point le cognac ?

• Ici aussi, l'économie de la pêche et de l'ostréiculture demeure, malgré les crises, en tête de la production française.

• Nés dans les campagnes, les habitants n'en furent pas moins réceptifs à l'appel du large lorsque disettes et guerres de religions laissèrent leurs contrées sinistrées. Suivant les pas de Samuel de Champlain, grand navigateur et géographe fondateur de la ville de Québec, ils émigrèrent au XVIIe siècle vers la Nouvelle-France, en Acadie et en Louisiane.

• Héritiers des cultes celtiques et victimes du déchaînement des éléments, paysans et marins ont développé des pratiques religieuses où croyances surnaturelles et foi ardente font bon ménage !

Pays d'agriculture

• LE RUFFECOIS • LE POITEVIN

Entaillés par les boucles vagabondes de la Charente et de ses affluents, ils alternent plaines et plateaux calcaires fertiles voués aux cultures céréalières, oléagineuses et fourragères. Appréciés pour leurs cités historiques, ils n'en sont pas moins tournés vers l'avenir, comme en témoigne le Futuroscope de Poitiers.

Le Ruffecois

Fait renaître son patrimoine

Rural et encore peu touristique, il déroule une vaste plaine vouée, au nord, à l'élevage des vaches, des chèvres et des moutons, et plantée, au sud, de blé, d'orge, de colza et de tournesol.

Avec ses belles demeures dominées par la façade romane de son église, Ruffec, la capitale, marque la limite septentrionale du vignoble de cognac qui s'épanouit sur les terroirs des Bons bois et des Fins bois.

À l'est, la riante vallée de l'Argentor, surnommée « la Suisse charentaise », rejoint le val d'Angoumois pour déverser ses eaux dans la Charente. Châteaux, églises romanes et abbayes émaillent son parcours sinueux bordé de vallons et de forêts.

De toute beauté, le village de Tusson invite à de belles flâneries sur un parcours émaillé de nobles demeures et de fermes cossues aux porches monumentaux, qu'agrémentent lavoir, jardin médiéval, échoppes d'artisans... Trois siècles durant, il fut la capitale des foires aux bestiaux du Poitou. Les marchands y mettaient en vente bœufs, ânes et mulets sur la place du village. Quand les affaires étaient conclues, les fermiers gagnaient les débits de boissons du bourg pour y comparer leurs acquisitions.

Établie sur la rive gauche de la Charente (en haut), Ruffec est une cité de trois mille six cents âmes, réputée pour ses marchés, ses foires et ses brocantes (au milieu).

En bas : le village de Tusson est redevenu un merveilleux lieu de vie, qui conjugue harmonieusement le développement touristique et la formation des jeunes.

Tusson était aussi renommé pour son vignoble et son abbaye, où Marguerite d'Angoulême – sœur de François Ier, se retira en 1547. Mais en 1880, la crise du phylloxera entraîna un premier déclin, aggravé en 1950 par l'apparition du tracteur qui mit fin à la traction animale. Comme des milliers d'autres, le bourg s'enfonça dans l'asphyxie du dépeuplement et de l'inactivité.

Soucieuse de ressusciter son village, une association bénévole a organisé, en 1976, des chantiers de restauration. Parallèlement, la venue de commerçants et d'artisans a été favorisée, et un chantier-école conduisant au CAP de menuisier, charpentier, tailleur de pierre et maçon, a été créé.

Le Poitevin

Du Moyen Âge au IIIe millénaire

Regroupés autour de Poitiers, sa capitale, les pays du Poitevin recèlent un abondant patrimoine d'abbayes, de manoirs et de châteaux, environnés de lacs et de belles futaies de chênes, de pins et de châtaigniers. Les vallées encaissées du Clain, de l'Auxance et de la Boivre, qui les traversent du nord au sud, délimitent un paysage de plaines céréalières et de bocages voués à l'élevage.

Poitiers est chargée d'une riche histoire. Au détour de ses ruelles escarpées, on découvre un florilège d'églises mêlant roman, gothique et gothique flamboyant, une cathédrale parée de trois portails à tympan richement sculptés, un baptistère du VIIe siècle, des maisons à pans de bois... Mais c'est l'église Notre-Dame-la-Grande, pur joyau de l'art roman poitevin, qui retient le plus l'attention ! Sur sa façade dominée par un pignon triangulaire et encadrée de deux clochetons coniques, on découvre Adam et Ève, Nabuchodonosor sur son trône, les prophètes Moïse, Jérémie, Isaïe et Daniel, les douze apôtres entourés des évêques saint Hilaire et saint Martin, le Christ en majesté et diverses scènes de l'Annonciation, la Visitation, la Nativité... Ancienne cité romaine, Poitiers reste célèbre dans l'histoire de France pour avoir vu Charles Martel repousser les Sarrasins en 732 ! Étape sur la route du pèlerinage de Saint-Jacques-

Ci-dessus : ornée d'un foisonnement de sculptures, la façade de l'église Notre-Dame-la-Grande offre un décor animé d'une vie intense.

Ci-dessous : le Futuroscope, situé au nord, accueille deux millions et demi de visiteurs par an et induit seize mille emplois.

de-Compostelle, la ville se couvrit d'hostelleries et d'églises tandis que le comte du Poitou, Guillaume IX, premier troubadour, y logeait une cour brillante. En 1356, la défaite du roi Jean le Bon face aux armées du Prince Noir aboutit au traité de Brétigny qui fit basculer la ville (comme une grande part du royaume), dans le giron des Anglo-Gascons. Reprise quinze ans plus tard par Du Guesclin, elle devint, après l'exil de Charles VII en 1419, la capitale provisoire de son royaume alors très réduit. Dotée d'un parlement et d'une université, elle attira les étudiants de l'Europe entière et compta parmi ses élèves des penseurs exceptionnels comme Rabelais, Calvin, Du Bellay, Descartes. En 1510, on y dénombrait dix imprimeurs et vingt libraires. Mais les guerres de religions amorcèrent son déclin. Assiégée et bombardée en vain par l'armée protestante de Coligny, la ville sortit affaiblie des luttes religieuses.

Ci-contre : la façade de Notre-Dame-la-Grande fait défiler sous nos yeux des scènes bibliques.

En encadré : En haut : rue Saulnier à Cognac. En bas : fort Boyard.

Rurale, *vigneronne* et ***îlienne***

Avec leurs pierres blondes appareillées avec soin et leurs toitures coiffées de tuiles rondes qui débordent en génoise, les maisons poitevines et charentaises cultivent un air méridional. Mais suivant la géologie du sous-sol (calcaire, granit...) et le milieu rencontré (campagne, côte, îles), elles offrent de multiples personnalités.
Dans le vignoble de Cognac, l'habitat est dispersé en domaines organisés autour d'une cour fermée. Maison d'habitation, chai et écurie se retranchent derrière un portail monumental orné de pilastres et de chapiteaux ioniques, doriques ou corinthiens, que couronne une corniche.
En Gâtine, la métairie est une ferme assez fruste, bâtie en moellons de granit et couverte d'un toit à double pente.
S'il n'est pas une composante essentielle de l'habitat, le pan de bois se manifeste dans plusieurs villes au riche passé marchand (La Rochelle, Poitiers, Saint-Jean-d'Angély...). Portées par des piles de pierre, leurs maisons dotées d'encorbellements protègent leurs poutres des intempéries grâce à des ardoises posées en rangées ou en chevrons.
Sur le littoral et dans les îles, les maisons basses aux murs blanchis à la chaux et aux huisseries peintes de couleurs vives se regroupent en villages aux rues étroites pour se protéger des vents marins. Dans les marais salants, l'habitat est modeste : une seule pièce au sol en terre battue, servant de cuisine et de salle à manger !

Les **forts,** *remparts* de l'***Atlantique* !**

De La Rochelle à l'île d'Oléron, la côte charentaise ne compte pas moins de douze places fortes ! Œuvres des ingénieurs militaires Vauban, Ferry et Montalembert, elles racontent quatre siècles de prouesses architecturales pour parer aux assauts des flottes anglaise, espagnole et hollandaise et l'accès aux arsenaux royaux de Brouage et de Rochefort. Si des châteaux défendaient déjà l'entrée de la Charente et le passage vers le continent au XIIIe siècle, leur système de défense devenait inadapté face à l'essor de l'artillerie et de ses boulets dévastateurs au XVIIe siècle.
Commissaire général des fortifications du royaume, Vauban imagine un système de fortifications bastionnées semi-enterrées, où les murailles rasantes n'offrent plus de prise au feu de l'ennemi. Postes avancés naturels, les îles de Ré, d'Oléron, d'Aix et Madame sont mises à profit pour former une première ligne de défense de citadelles. Dotées d'un plan en étoile, demi-circulaire ou en ellipse rythmées par les bastions, contre-garde et demi-lunes, elles sont précédées d'épais remblais de terre et de fossés.
D'autres forts (Chapus, Fouras, Prée, Enet, Lupin, Liédot...) sont construits les pieds dans la mer ou dans les marais, sur des pieux ou un enrochement. Conçus pour impressionner l'ennemi, ils abritent casernes et poudrières retranchées derrière une épaisse cuirasse de pierre. Le plus célèbre d'entre eux est le fort Boyard, impressionnant vaisseau de pierre, mis en chantier en 1804, prévu pour recevoir soixante-quatorze canons sur trois étages et loger deux cent soixante hommes ! Pourtant, il ne fut jamais armé, les progrès de l'artillerie ayant été plus rapides que la construction !

Pays de vignoble

• L'ANGOUMOIS • LE PAYS DE COGNAC

De La Rochelle aux portes de Libourne, de part et d'autre de la Charente, ils alignent 90 000 hectares de ceps de vigne qui, s'ils ne donnent que des vins médiocres, sont source d'un breuvage ambré universel. Issu d'une double distillation et d'un patient vieillissement en fûts de chêne, le cognac s'exporte à 90 % aux États-Unis, en Angleterre, au Japon...

L'Angoumois

De la tradition papetière à la bande dessinée

Tourné vers sa capitale, Angoulême, l'Angoumois porte un plateau calcaire fertilisé par des « sols de groie » (terres caillouteuses riches en argile), voué aux cultures céréalières et fourragères (trèfle et luzerne). Il doit son unité à la vallée de la Charente – « le plus beau ruisseau du royaume » selon François Ier –, qui le parcourt de boucle en boucle, et à la langue d'Oc dont il est l'ultime terrain d'expression septentrional. Escorté de peupliers, le fleuve aux méandres vagabonds est bordé de prairies où paissent les vaches laitières et engraissent les bœufs parthenais.

La ville haute d'Angoulême, encerclée par ses remparts, abrite une cathédrale dominée par un clocher à six étages d'aspect italien, parée d'une façade sculptée, chef-d'œuvre de l'art roman, peuplée de soixant-quinze statues illustrant le thème du Jugement dernier. Sa ville basse compte de charmants quartiers à l'atmosphère médiévale.

Ci-dessus : au sud, les côtes de l'Angoumois élèvent leur relief planté de ceps de vigne, qu'émaillent de grosses fermes retranchées derrière leur portail sculpté et des églises romanes aux flèches couvertes d'écailles.

Ci-dessous : Angoulême se partage entre une ville haute établie sur un promontoire rocheux et une ville basse sise sur les bords de la Charente.

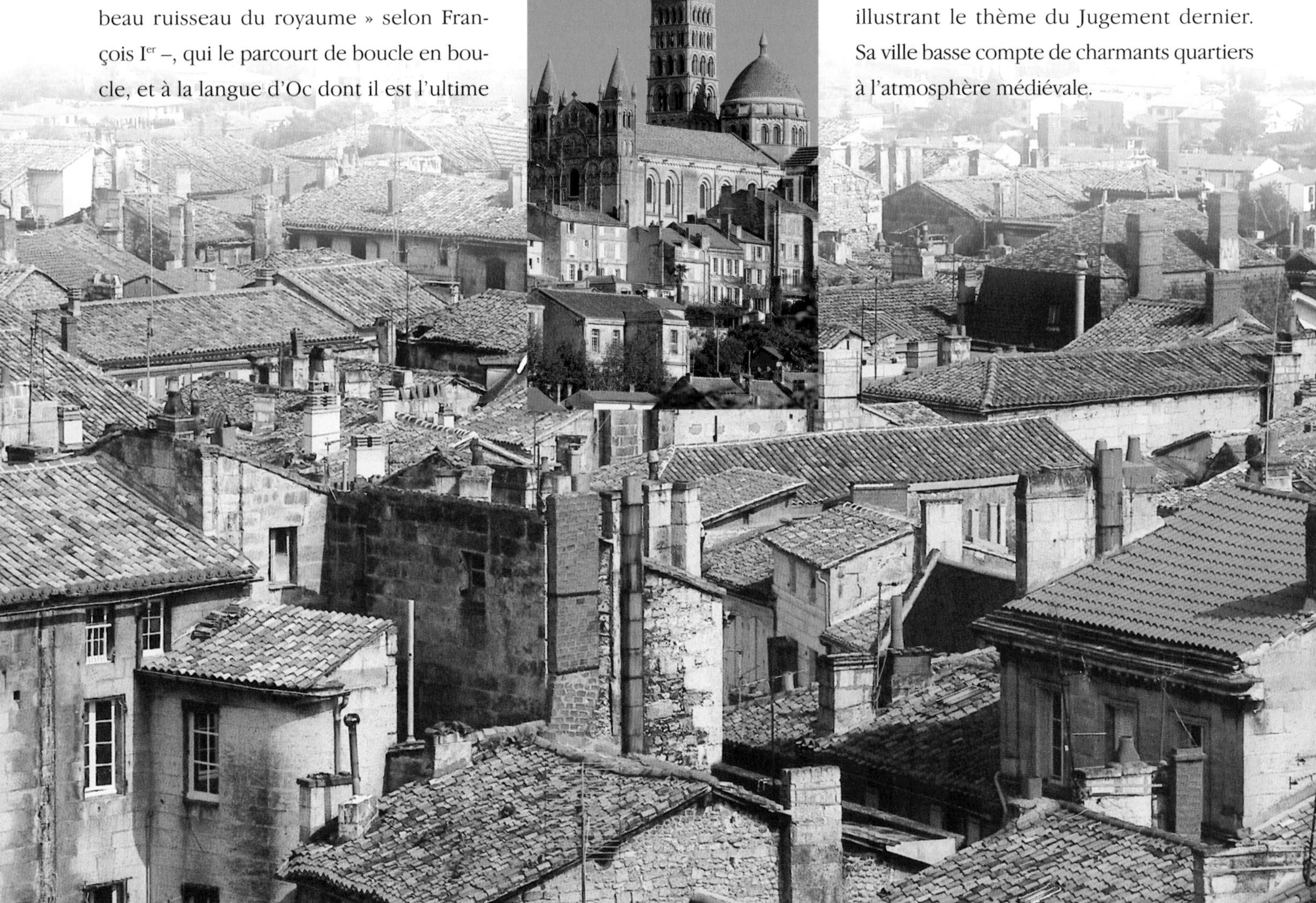

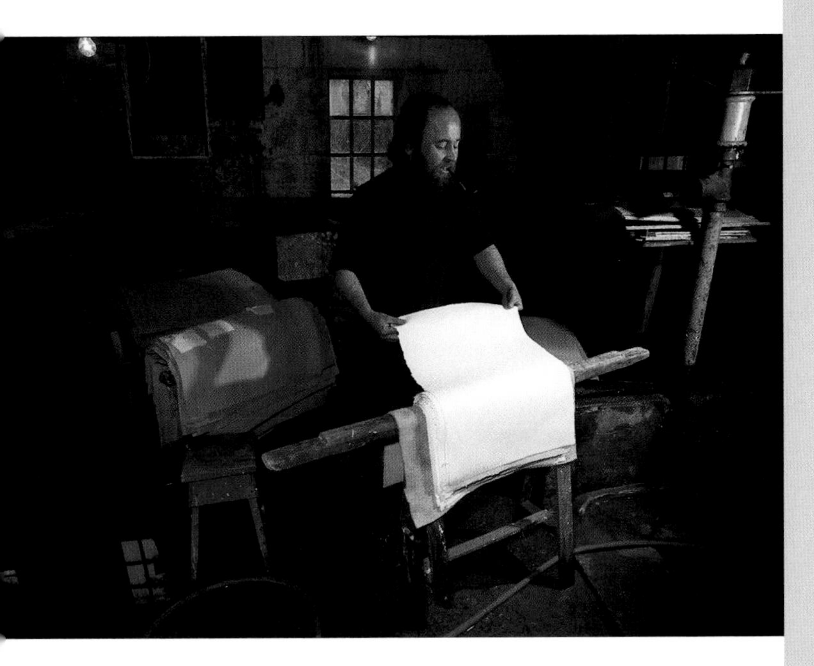

Ci-dessus : favorisée par François Ier puis Colbert, l'industrie papetière connut un essor considérable, exportant dans toute l'Europe son papier vélin (d'aspect uniforme), vergé (doté de stries et de sillons) et en filigrane (marqué de motifs en transparence).

L'Angoumois et sa capitale, érigés en duché par François Ier, doivent leur prospérité aux eaux navigables de la Charente, qui leur permirent de commercer avec l'Angleterre et la Hollande et d'actionner les roues d'une multitude de moulins à maillets, pilons de bois martelant les fibres du coton, du lin et du chanvre, où se fabriquait la pâte à papier.

Invité à séjourner dans la cité en 1533 par Marguerite d'Angoulême (qui y naquit en 1492), Calvin y exposa ses thèses du retour au christianisme des origines débarrassé de ses pouvoirs temporels, qui trouvèrent un vif écho parmi la population. Hélas, la révocation de l'édit de Nantes, en 1685, provoqua le départ vers la Hollande des maîtres papetiers gagnés au protestantisme !

Depuis, la ville affiche une nouvelle vocation qui attire deux cent mille visiteurs chaque année : la bande dessinée. Lancé en 1974, le salon de la BD, simple réunion de quartier regroupant des passionnés d'images animées, s'est peu à peu imposé comme le festival mondial de référence, réunissant éditeurs et auteurs de tous pays, ainsi qu'un public enthousiaste.

Un pôle de l'image abritant des entreprises de haute technologie et un centre de formation (école des métiers de l'image et du cinéma) est en chantier.

Foire aux ***célibataires*** et **haute** *technologie*

Chaque printemps, le pays de Royan vit à l'heure du Moyen Âge ! Les communes de Breuillet, Mornac-sur-Seudre, Vaux-sur-Mer, Saint-Palais... mettent en scène leurs Fêtes romanes où l'on découvre tournois de chevalerie, spectacles de jonglerie, noces paysannes, foires médiévales... Station balnéaire appréciée pour la douceur de son climat, Saint-Trojan-les-Bains célèbre depuis 1959 la fête du Mimosa. Début février, cavalcades de rues, défilés de chars fleuris, musique folklorique... animent la cité nichée entre une forêt de pins maritimes et la mer.
À Génétouze, la foire aux Célibataires attire chaque été deux mille personnes en quête de l'âme sœur.
Depuis 1985, La Rochelle vit à l'heure des Francofolies ! Six jours durant, un festival de concerts de plein air réunissant une centaine d'artistes francophones (Ferré, Charlebois, Lavilliers...) enflamme la cité et ses quatre-vingt mille spectateurs.
Ville de verre et de béton, le Futuroscope de Poitiers est le plus grand parc mondial de l'image ! Créé en 1987 au milieu des labours, il déploie une succession de salles de projection ultra-sophistiquées où l'on découvre les formats d'images les plus spectaculaires (3D, synthèse, haute résolution...). Écrans géants, plats ou hémisphériques, sièges mouvants, lunettes à cristaux liquides... rien ne manque pour garantir frissons et émotions.

Belles *lettres* et ***romans*** **exotiques**

Terre de tradition papetière, les Charentes sont aussi le domaine d'élection de poètes et d'écrivains renommés.
Née en 1492, Marguerite d'Angoulême fut considérée comme la femme la plus cultivée de son temps ! Sœur de François Ier et épouse d'Henri d'Albret, roi de Navarre, elle se fit la protectrice des libres penseurs, humanistes et réformistes.
Né à Pons en 1552, Agrippa d'Aubigné parlait déjà le grec et le latin à l'âge de neuf ans ! Huguenot, poète, pamphlétaire et ardent militant calviniste, il mena un combat sans merci contre les catholiques. Condamné à mort après la publication de l'*Histoire Universelle* et *Les Tragiques*, il se réfugia à Genève en 1624.
Officier de marine né à Rochefort en 1850, Julien Viaud devient, après plusieurs tours du monde, romancier à succès sous le pseudonyme de Pierre Loti – un nom de fleur attribué par une fiancée tahitienne ! Cinquante ans durant, la mer, sa muse inspiratrice, bercera son goût de l'errance et nourrira maints récits teintés d'un exotisme nostalgique. En 1879, il décrit Constantinople dans *Aziyadé*, puis Tahiti dans *Rarahu*, se lance dans les romans d'amour (*Fantôme d'Orient, Le Roman spahi, Madame Chrysanthème*...), avant de se tourner vers les histoires vécues de marins (*Pêcheur d'Islande, Mon frère Yves*...) et les récits de voyages (*L'Inde sans les Anglais, Vers Ispahan*...).
Le Poitou compte aussi de grands écrivains et philosophes tels Régine Deforges née à Montmorillon, où se déroule l'action de *La Bicyclette bleue* et Michel Foucault, auteur de *L'Archéologie du savoir*, où il analyse, strate par strate, les opérations intellectuelles sous-jacentes à la culture, *Les Mots et les Choses* où il étudie les institutions répressives (l'asile et la prison), *L'Histoire de la sexualité*...

Le pays du Cognac
Universellement connu !

De part et d'autre de la vallée de la Charente, le Cognaçais est le pays de l'eau-de-vie que le monde entier nous envie ! Bien que couvrant 90 000 hectares, son vignoble ne donne que des vins médiocres. Mais en pratiquant une double distillation et un patient vieillissement en fûts de chêne, les vignerons les métamorphosent en un breuvage universel qui s'exporte aux États-Unis, au Canada, en Angleterre, au Japon…

Cognac, sa capitale, partage avec Dijon (réputée pour sa moutarde) le privilège d'être l'une des villes les plus célèbres au monde ! Au hasard de ses ruelles pavées bordées d'hôtels particuliers, on arrive jusqu'à la Charente dont les eaux navigables permirent très tôt de à ses habitants de faire le commerce des vins. Ses nombreux chais, où sommeillent par milliers les tonneaux d'eau-de-vie, se colorent d'un voile gris – résultat du développement d'un champignon microscopique qui prolifère en se nourrissant des vapeurs d'alcool qui s'évaporent des fûts.

Ci-dessus : ville natale de François Ier et de Jean Monnet, Cognac appelle à la flânerie.

Ci-dessous : les chais peuvent bien sûr être visités pour la dégustation et l'achat, mais aussi pour comprendre l'alchimie particulière qui préside à leur fabrication.

Le cognac n'est pas l'apanage de la ville de Cognac ! Délimitée en 1909, son aire d'appellation couvre une mosaïque de terroirs qui s'étendent de La Rochelle, à l'ouest, aux portes de Libourne, au sud-est, dessinant un verdoyant jardin de coteaux plantés en cépage ugni blanc. Au-delà du triangle d'or de la grande champagne (Cognac-Jarnac-Segonzac), s'étendent les crus de la petite champagne, les borderies, les fins bois, les bons bois et les bois ordinaires. Si vous désirez vous initier à l'art de la dégustation, l'université internationale des Eaux-de-vie de Segonzac propose aux amateurs des stages d'initiation.

Pays de mer

• LE MARAIS POITEVIN • L'AUNIS • LE ROCHERFORTAIS • ROYAN, MARENNES ET OLÉRON

Telles des proues qui s'avancent dans l'océan, s'étalent landes sauvages aux senteurs de résine et d'eucalyptus, îles baignées par les eaux chaudes du Gulf Stream, stations balnéaires Belle Époque, marécages sillonnés de canaux qui s'enfoncent sous de fraîches frondaisons... Au cœur d'une zone stratégique où s'entre-déchirèrent Français et Anglais, catholiques et protestants, ils ont vu naître de remarquables arsenaux royaux.

Le Marais poitevin

Venise sauvage

Entre Vendée et Poitou, le Marais poitevin offre 90 000 hectares de prairies et de champs sillonnés par un lacis de canaux qui s'enfoncent sous une profonde voûte végétale de saules, peupliers et frênes têtards. Il abrite nombre d'oiseaux sédentaires et migrateurs, de poissons et une flore très riche... Les habitants y circulent en plattes (barques à fond plat qui servaient jadis au transport des chevaux, vaches, bidons de lait, bois de chauffage) Recouverts d'un tapis de lentilles d'eau, ces « chemins flottants » déploient 160 kilomètres de voies navigables. Situé entre 0,5 et 1,5 mètre en dessous du niveau de la mer, le Marais poitevin occupe un ancien golfe marin creusé par les glaciers, puis colmaté par les dépôts d'argile et inondé par la mer à la suite d'un réchauffement climatique.

Si naturel qu'il puisse paraître, il est né de la main de l'homme ! Commencés au xᵉ siècle par des moines cisterciens et bénédictins, les travaux d'assèchement furent repris par Henri IV, qui fit appel à des ingénieurs hollandais spécialisés dans la construction de polders. Ainsi naquit, à l'ouest, le marais « desséché » voué à l'élevage ovin, bovin mais aussi aux ânes du Poitou réputés pour leur endurance, et aux cultures maraîchères. Nu et horizontal, il est traversé de canaux rectilignes régulés par des écluses protégées de la mer par des digues.

En haut : seuls les gens du cru savent s'orienter dans cet enchevêtrement de canaux !

Au milieu et en bas : la Venise verte est bordée de riants villages aux maisons maraîchines blanchies au lait de chaux, dotés d'embarcadères d'où l'on peut effectuer des promenades en barque.

En proie à de longues périodes de crues, et refuge des réfractaires à la conscription et au bagne, le marais « mouillé », à l'est, ne fut assaini que sous Napoléon III, après canalisation de la Sèvre niortaise et création d'un vaste maillage de chenaux, conches et rigoles pour drainer les eaux de pluie.

Vitrine touristique du Marais, la Venise Verte, située aux portes de Niort, est la zone du marais mouillé la plus visitée ! Mais la plus grande zone marécageuse de France (après la Camargue) est en péril ! En vingt ans, les pompages en eau, rendus nécessaires pour l'irrigation des cultures céréalières en progression constante, ont fait disparaître 30 000 hectares de marais « mouillé ». Sur le terrain, intérêts économiques et écologiques s'affrontent, tout comme les hommes, agriculteurs, éleveurs et amoureux du marais !

Classé parc naturel régional en 1979, le Marais poitevin a perdu son label en 1991 en raison du non-respect des clauses de protection du biotope et de la régression de sa faune et de sa flore. Assèchement des nappes phréatiques, épandages d'engrais, pollution aux nitrates et extension routière font craindre d'irréversibles bouleversements.

L'Aunis

Porte ouverte sur l'Atlantique

Dans le prolongement de sa plaine aux terres rougeâtres vouées aux cultures de céréales et à l'élevage, l'Aunis s'ouvre sur l'océan par deux baies parmi les plus petites du monde ! Protégées des houles de l'océan par la côte et les îles de Ré et d'Oléron fortifiées par Vauban, ces pertuis bretons et d'Antioche forment une rade naturelle qui vit Français et Anglais s'entre-déchirer pour sa possession ! Ce n'est qu'en 1627 – à l'issu d'un siège de quinze mois contre La Rochelle alliée à l'Angleterre – que Richelieu parvint à rattacher cette zone stratégique au royaume de Louis XIII.

L'île de Ré, reliée au continent par un pont qui s'élève à 30 mètres au-dessus de la mer, est parsemée de landes sauvages, émaillées de bourgs pimpants. On la sillonne à bicyclette, grâce à 90 kilomètres de pistes cyclables ! Tour à tour découpée, bordée de dunes plantées de pins et de tamaris, de plages de sable fin et de marais, sa côte offre des paysages variés.

Surnommée l'île du sel et du vin, elle doit sa physionomie effilée et morcelée à quatre petits îlots que les dépôts d'alluvions dus aux marées ont fini par souder. Tardivement touché par le phylloxera, le vignoble rétais a continué de produire vins blancs et rouges, alors que le vignoble du continent avait disparu.

À côté du tourisme, l'économie repose sur la culture des primeurs, l'ostréiculture, la mytiliculture, la récolte de la salicorne (« haricot vert » des mers) et l'exploitation du goémon (employé pour la fabrication des cosmétiques et des gélifiants).

En haut : baignée par les eaux chaudes du Gulf Stream et ensoleillée deux cent vingt jours par an, l'île de Ré est le rendez-vous favori des amateurs de douceur de vivre et de grand air !

Au milieu ; les sauniers rétais récoltaient jadis 30 000 tonnes de gros sel sur 2 000 hectares de marais salants. Aujourd'hui, seuls 220 hectares et soixante-dix producteurs subsistent.

En bas : la tour de la Chaîne témoigne du passé colonial de La Rochelle.

Porte sur l'océan, La Rochelle, capitale du pays, fut tour à tour port de pêche, de commerce, de guerre et d'arsenal ! Rattachée à l'Angleterre après le mariage d'Aliénor d'Aquitaine avec Henri II Plantagenêt, la cité reçut une charte communale en 1199 l'affranchissant de toute tutelle féodale. Fortifiée par des remparts, commerçant avec l'Angleterre et les Flandres, nantie d'un maire entouré de ses échevins, elle se mua en une authentique République, indépendante et rebelle ! Gagnée par les idées de la Réforme, la cité devint huguenote et accueillit les grands chefs protestants : Coligny, le prince de Condé, La Rochefoucauld et même Henri de Navarre, futur Henri IV ! Prenant ombrage de cette puissance qui défiait leur autorité, Charles IX, puis Louis XIII assiégèrent la ville en 1572 et en 1628, lui imposant un blocus total qui laissa la population affamée et exsangue. Au XVIIIe siècle, la ville renaquit grâce au commerce colonial et à la traite des Noirs. De ce passé prospère, elle conserve un patrimoine des plus variés, avec son vieux port encadré par les tours de la Lanterne, de la Chaîne et Saint-Nicolas, ses hôtels particuliers, demeures d'armateurs, sa cathédrale, son temple protestant, son hôtel de ville Renaissance…

Entre **terre** et ***mer***

Terre d'élevage, le Poitou et les Charentes offrent une herbe grasse que broutent le bœuf parthenais, l'agneau diamandin et l'agneau de pré-salé.

Les volailles (poulardes de Bressuire et de Barbezieux, oies du Poitou…) et le cochon sont à la base de solides recettes, tels le farci poitevin (poitrine de porc accompagnée d'ail, d'oseille et de persil, le tout haché et enveloppé dans une feuille de chou), le gigorit (abats cuits dans le vin rouge), la tourte de poulet… Surnommés « viande de carême », les « cagouilles » (escargots petits-gris des vignes) avaient la réputation d'apporter la richesse à ceux qui les mangeaient pour le nouvel an !

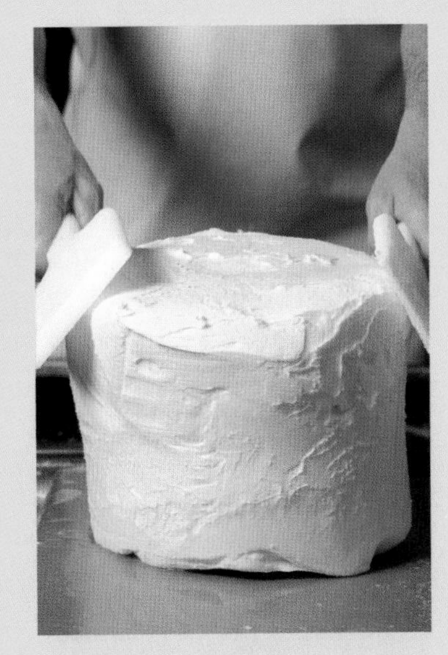

Doux ou demi-sel, le beurre, apprécié pour sa finesse et son onctuosité, bénéficie de diverses appellations : Charentes, Deux-Sèvres, Échiré, Surgères… Il accompagne à merveille les jeunes légumes à la croque-au-sel, les crevettes, langoustines, crabes… pêchés sur la côte.

L'océan fournit aussi poissons, crustacés et coquillages. La pêche au chalut apporte sa provende de merlus, soles, dorades, bars, rougets… qui se nappent de sauce au cognac, se poêlent à la meunière ou se grillent avec des feuilles de laurier.

L'huître de Marennes-Oléron, au goût délicat et iodé, se déguste avec du pain bis beurré et du vinaigre à l'échalote. Les moules de bouchot permettent l'élaboration de la mouclade, gratin à la marinière, et de l'éclate (on dispose les moules sur une planche recouverte d'aiguilles de pins que l'on enflamme).

Ci-dessus : farci poitevin.

Ci-contre en haut : beurre du Poitou.

Ci-contre en bas : civelles ou alevins d'anguilles.

Ci-dessous à gauche : distillation à Ambleville.

Ci-dessous à droite : pineau des Charentes.

Bénéficiant d'un climat adouci par les effluves du Gulf Stream et d'un sol sablonneux, l'île de Ré est réputée pour ses légumes précoces (asperges, artichauts et pomme de terre).

Dans le Marais poitevin, on cuisine la « bouilleture » (matelote d'anguille au vin rouge et aux pruneaux servie sur des tranches de pain).

S'ajoutent des fromages tels la jonchée niortaise, le fromage battu au lait de vache ou de brebis accommodé de fines herbes, le chabichou du Poitou à la délicate saveur de noisette…

Desserts et confiseries ne sont pas oubliés, avec la galette saintongeaise, l'angélique du Haut Poitou, les marguerites d'Angoulême (bonbons au chocolat), les nougatines de Poitiers…

Le ***cognac,*** *breuvage* de **légende !**

« On prend son verre dans le creux de sa main, on le réchauffe, on l'agite en lui donnant une impulsion circulaire afin que la liqueur dégage son parfum. Alors, on le porte à ses narines et on le respire…» Ainsi, Charles de Talleyrand, chef du clergé constitutionnel en 1790, évoque-il l'art de déguster un bon cognac ! Eau-de-vie exportée dans le monde entier, ce breuvage ambré provient de la double distillation de vins blancs produits en Charente et en Charente-Maritime. Son origine remonte au XVIe siècle. Comme les vins expédiés vers les pays du Nord supportent mal les longs voyages en mer, les Charentais, sur les conseils des Hollandais, s'essayèrent à le chauffer pour en tirer une liqueur concentrée plus stable dans le temps et moins encombrante (une barrique d'eau-de-vie condense sept barriques de vin). Le cognac était né ! Sa distillation s'effectue dans un alambic en cuivre avec une première chauffe de huit heures (à « feu nu et doux »), qui donne un alcool titrant entre 25 et 35 °C (le brouillis), puis une « repasse » ou « bonne chauffe » qui ne conserve que le «cœur», un alcool clair et transparent, prêt à vieillir en fûts de chêne chargés en tannins. Durant ce séjour, le cognac subit une lente oxydation et une évaporation intense. C'est « la part des anges » qui voit disparaître 10 millions de litres par an !

Selon la légende, le pineau serait né de l'étourderie d'un moine qui aurait versé par erreur du moût de raisin dans une barrique de cognac. Oublié dans un coin, le fût n'aurait été ouvert que quelques années plus tard, réservant la surprise d'un vin apéritif doux et capiteux. Toujours en usage, ce procédé appelé « mutage » est désormais réglementé : le pineau doit provenir des cépages utilisés pour la production du cognac, titrer plus de 16 ° et vieillir au moins un an en fût de chêne.

Le Rochefortais

Terre d'arsenaux royaux

Au nord, entre la basse vallée de la Charente et la baie d'Yves dédiée à l'élevage des moules de bouchot, s'étend le marais de Rochefort traversé de canaux et bordé de prairies. Appelé « petite Flandre », il fut asséché au XVIIe siècle par des ingénieurs hollandais, pour permettre l'élevage de moutons et la production de laine.

Plus au sud, le marais de Brouage occupe un ancien golfe marin que les dépôts de sédiments ont peu à peu comblé. Exploités jusqu'au XVIIIe siècle, ses 8 000 hectares de marais salants firent la richesse du petit port de Brouage qui devint la capitale européenne du sel ! Venus des Flandres, de la Hanse et d'Angleterre, les navires y accostaient pour charger leurs flancs du précieux or blanc.

Port catholique face à La Rochelle protestante, Brouage fut aménagé en base militaire lors de son siège par Richelieu en 1628. Après la réddition de la cité huguenote, elle se mua en une citadelle enclose dans une enceinte de 2 kilomètres, défendue par huit bastions ponctués de dix-huit échauguettes ! Assise sur une puissante charpente de bois enfouie dans la vase, elle abritait casernes, hôpital et halles aux vivres, pouvant entretenir une garnison de six mille hommes ! Mais l'envasement de la place forte et le choix de la ville de Rochefort fait par Colbert, en 1666, pour y installer un arsenal royal scella son destin. Aujourd'hui classée Grand Site national, la cité désertée retrouve son lustre et son animation d'antan !

Ci-dessus : les 8 000 hectares de marais salants du Brouage ont fait la richesse du petit port de Brouage. Aujourd'hui ensablés et en herbe, ils servent de pâtures aux bovins.

Ci-dessous : la corderie royale, installée à Rochefort, est logée dans un édifice long de 372 mètres.

Rochefort, sa rivale et capitale du pays, possède une histoire exceptionnelle ! Bien que située à 15 kilomètres de l'océan, elle fut désignée pour recevoir « le plus grand arsenal du royaume ». Fortifié par Vauban, son site comprenait onze chantiers de construction, quatre bassins de lancement pour les navires, fonderie, chaudronnerie, forges, scierie, tonnellerie, et une corderie royale. De 1690 à 1926, l'arsenal qui employait jusqu'à dix mille personnes arma trois cent cinquante navires, parmi lesquels des bâtiments à trois ponts comme Louis le Grand, L'Hermione (sur lequel La Fayette embarqua pour l'Amérique en 1780, pour soutenir les insurgés contre les troupes anglaises), La Méduse (dont le naufrage au large des côtes de la Mauritanie inspira le célèbre tableau du

peintre Géricault), Le Sphinx (premier bâtiment à vapeur), Le Mogador (plus puissante frégate à roues réalisée en France)... En 1688, face à l'afflux considérable de la population, le Grand Intendant de marine Michel Bégon fit bâtir une ville avec un plan en damier aux rues pavées bordées d'hôtels particuliers. Rochefort est aussi réputée pour avoir vu naître le romancier voyageur Pierre Loti en 1850. Ce dernier, attiré par les civilisations exotiques, entra dans la marine et parcourut l'Afrique, l'Orient et l'Asie en tout sens ! Fidèle à son port d'attache, il aménagea sa maison natale en un palais des Mille et une nuits ! Tout à la fois précieux, romanesque, fantasque et nostalgique, il ressuscita pieusement ses souvenirs en créant une mosquée ornée de faïences ottomanes, où il installa une fontaine pour ablutions et même un minaret pour l'appel à la prière ! Un peu plus loin, un salon turc couronné d'un plafond en cèdre du Liban sculpté, inspiré de l'Alhambra de Grenade, est peuplé d'armes de Damas et de narguilés ! Sans oublier la salle Renaissance, théâtre d'une fastueuse fête chinoise, et la salle gothique où il donna un mémorable dîner.

Quant à l'île d'Aix, elle est restée célèbre pour avoir vu séjourner Napoléon Ier en 1815, avant son exil à Sainte-Hélène.

En haut : 60 000 tonnes d'huîtres (soit 50 % de la production française de fines de claire et spéciales de claire) sont affinées dans le bassin de Marennes-Oléron.

Au milieu et ci-contre : l'île d'Aix est appréciée pour ses paysages méditerranéens, ses criques, ses plages de sable fin et ses maisons blanches cachées sous les roses trémières.

Royan, Marennes et Oléron

Mosaïque de terre et d'eau !

De la Côte sauvage à la Côte de beauté, leur littoral est tout entier voué au tourisme balnéaire ! Villas de la Belle Époque enfouies sous les pins, plages de sable fin, baies et falaises troglodytiques s'y succèdent de Saint-Pierre-d'Oléron à Meschers-sur-Gironde, en passant par Vaux-sur-Mer, Saint-Palais, Royan... Les anciens marais salants de l'estuaire de la Seudre abritent le plus vaste parc ostréicole d'Europe !

Phare spirituel qui, telle une proue en équilibre instable s'avance dans le plus grand estuaire d'Europe, Talmont-sur-Gironde est l'une des perles de la Saintonge ! Ancienne place forte bâtie sur le modèle des bastides d'Aquitaine, elle dresse sur une falaise calcaire son église romane et son cimetière marin. Menacée par les coups de boutoirs de l'océan qui sapaient la base de son promontoire, elle doit son salut à une spectaculaire campagne de restauration.

Non loin, une forêt de pieux de bois supportant des pontons conduit aux estacades des pêcheurs – cabanes sur pilotis où pendent les carrelets (grands filets plats utilisés pour remonter aloses, lamproies, civelles).

Plus à l'ouest, l'île d'Oléron est la deuxième plus grande île après la Corse ! Longue de 30 kilomètres et reliée par un pont au continent, elle est réputée pour la luminosité exceptionnelle de son ciel, la température de ses eaux adoucies par le Gulf Stream, ses grands bois de pins et de chênes verts aux senteurs de résine et d'eucalyptus, ses maisons blanches enfouies sous les roses trémières et les mimosas... Bien que le commerce maritime ait contribué à sa prospérité, l'île demeure davantage tournée vers l'agriculture que vers la pêche. À côté de la culture du blé et des primeurs, elle élève l'agneau des prés-salés, élabore un vin blanc à la saveur iodée et pratique l'aquaculture (truites, anguilles...).

De son occupation anglaise entre 1152 et 1372, l'île conserve des particularismes locaux, tels le prénom James ou la « quichenotte » (coiffe traditionnelle dont le nom, *kiss not,* signifie « n'embrasse pas ») qui protégeait les Oléronnaises des marins trop entreprenants !

Le bassin de Marennes-Oléron dessine un miroitant jardin aquatique de 6 600 hectares constellé de claires, bassins d'eau peu salée et riche en plancton.

Au large, le fort Boyard – fleuron de la ligne de défense avancée de Vauban pour protéger le continent des incursions anglaises – n'a jamais tiré un boulet de canon ! À peine terminée, la forteresse était déjà dépassée par la technologie militaire.

AQUITAINE
MIDI-PYRÉNÉES

Coiffés d'un climat méridional, portés par des sols généreux et riches de vingt mille ans d'histoire, les pays d'Aquitaine regorgent de trésors de patrimoine. Ceux de Midi-Pyrénées, empreints de paysages, de traditions et de populations bien différents, sont marqués par le règne des comtes de Toulouse et la croisade contre les Albigeois. Ils offrent cirques grandioses, pics enneigés, causses creusés de gouffres et collines gersoises.

AQUITAINE

Bonne chère, grands crus, climat méridional, vallées sauvages, gorges traversées de torrents, plages bordées de pinèdes, châteaux légendaires… existe-t-il plus harmonieuse contrée ?

« Royaume de gueule », symphonie de couleurs

Conjuguant douceur de vivre, appétit et soif de découvertes, cette terre de juste milieu rassemble sur près de 10 % du territoire français (41 400 km²), la majeure partie de l'ancien duché de Guyenne (déformation d'Aquitaine), que se disputèrent âprement rois de France et d'Angleterre jusqu'en 1453. Des vignes pourpres du Médoc aux montagnes des Pyrénées coupées de gorges et de canyons, des vallées piquées de châtaigniers du Périgord vert aux collines bossues de l'Agenais, des immenses forêts landaises aux longues plages de sable blanc ourlées de dunes s'ouvrant sur le bassin d'Arcachon, elle prodigue une symphonie de paysages et de couleurs !

• Vingt mille ans d'histoire ont parsemé son sol de trésors de patrimoine : châteaux dressés sur leurs à-pics rocheux mirant leur orgueilleuse silhouette dans les eaux de la Dordogne, bastides à la géométrie en damier fondées par les rois de France et d'Angleterre pour affirmer leur souveraineté, stations balnéaires du Second Empire, grottes ornées d'admirables fresques de bisons et de mammouths, cités historiques chefs-d'œuvre du classicisme, villages de pierres blondes s'étirant tel un collier de perles au pied d'une abrupte falaise…

• Féconds, ses terroirs sur lesquels s'ébattent oies bien grasses, agneaux de Pauillac, bœufs de Bazas, porcs noirs, et où s'épanouissent tomates juteuses, cèpes odorants et fraises acidulées, offrent de goûteux plaisirs de bouche qui rappellent à nos papilles le plaisir originel de la bonne chère.

• Attachés à leur terre nourricière, les hommes perpétuent avec passion leurs traditions héritées de siècles de vie rurale et pastorale, rude mais authentique. Épreuves de force basques, détection de truffes avec truies ou chiens truffiers, courses landaises, fête des échassiers landais, théâtre itinérant, chasse à la palombe… sont autant de prétextes à des agapes plantureuses !

Pays d'histoire

• LE PÉRIGORD NOIR • LE PÉRIGORD CENTRAL

Classée patrimoine de l'humanité, la « Vallée de l'Homme » qui les traverse est une authentique galerie d'art, où se succèdent quatre cent mille ans de civilisation. À côté des admirables grottes ornées, d'altières forteresses rappellent que le Périgord fut de toutes les convoitises.

Le Périgord noir

Pays de l'Homme et de l'émerveillement !

Des trésors gastronomiques (foie gras, cèpes, truffes...), d'orgueilleux châteaux dressés au-dessus des eaux de la Dordogne, des grottes ornées d'admirables peintures de bisons, des bastides qui s'alanguissent sous un ciel déjà méridional... le Périgord noir invite à mille visites !

Vaste massif calcaire entaillé de vallées, il doit son nom aux forêts sombres et persistantes de chênes et de châtaigniers qui s'étagent sur ses coteaux exposés au midi. Dans les vallons, les exploitations se consacrent à l'élevage laitier, aux cultures du blé, du tabac, du maïs, des prunes... et aux productions fermières de canards et d'oies bien grasses.

La grotte de Lascaux (rendue à l'obscurité et au silence en 1963) se découvre depuis 1983 à travers un fac-similé grandeur nature. Après avoir visité cette « chapelle Sixtine de la préhistoire », Picasso déclara : « En peinture, il n'y a plus rien à inventer. »

Plus au sud, on découvre la grotte de Font-de-Gaume. La grotte des Combarelles, galerie d'art riche de huit cents gravures animalières et humaines, évoque toute la faune magdalénienne. Non loin, s'ouvre sur 10 kilomètres le réseau de galeries de la « grotte aux Cents Mammouths » de Rouffignac.

En haut : le fac-similé de la grotte de Lascaux reproduit dans une exubérance de formes et de mouvements ses fresques de bisons ventrus, d'aurochs menaçants et de chevaux galopants dont les traits d'ocre épousent à merveille les courbes du relief.

Au milieu : creusés de toute part par l'érosion, les flancs des vallées de la Dordogne et de la Vézère traversent le pays.

En bas : accrochés à flanc de rocher, Castelnaud, Beynac (ci-dessous), Montfort... changèrent de mains plus de dix fois au gré des batailles et des traités d'échanges de territoires !

Grâce aux amours croisées d'Aliénor d'Aquitaine et de Henri II Plantagenêt, futur souverain d'Angleterre, les Anglais s'ancrèrent solidement en Périgord, favorisant une course effrénée à la fortification ! Aujourd'hui, deux mille citoyens britanniques y ont élu domicile – auxquels s'ajoutent l'été douze mille sujets de Sa Très Gracieuse Majesté –, perpétuant trois siècles d'implantation en Aquitaine !

Domme, surnommée « l'acropole du Périgord », est une superbe bastide fondée en 1281, d'où l'on profite d'un des plus beaux panoramas sur les lents méandres de la Dordogne.

Non loin, Roque-Gageac étire ses demeures comme un collier de perles au pied d'une abrupte falaise. Au temps des gabares, le village était un port très actif, acheminant bois et vins vers Bordeaux.

Plus au sud, Villefranche-du-Périgord, accueille l'été le marché aux cèpes, véritable bourse aux bolets où négocient courtiers, particuliers et récoltants.

Ancien évêché et siège de justice royale, Sarlat-la-Canéda, la capitale du Périgord noir, offre aux regards son patrimoine médiéval et Renaissance ciselé dans le calcaire blond, composé d'une cathédrale, d'un palais épiscopal, d'un Présidial, d'hôtels particuliers... Sur ses marchés, les producteurs du pays proposent mille « merveilles de gueule » (foies gras, huile de noix, cèpes, truffes, tomates, fraises...).

Le Périgord central

Contrée légendaire

Entre le Périgord blanc, qui imprime ses couleurs crayeuses, et le Périgord vert, tapi sous un épais manteau de chênes et de hêtres, le Périgord central porte des collines calcaires entaillées par la vallée de l'Auvézère et ses affluents. Des prairies entrecoupées de taillis de châtaigniers rendent possible l'élevage de bœufs, de porcs, de canards et d'oies pour la production de foies gras, confits et magrets.

Ci-dessus : outre les fruits et céréales, les hameaux et fermes isolées qui occupent les versants du Périgord central se consacrent à la culture du tabac.

Ci-dessous : plusieurs siècles de guerres entre Français et Anglais, catholiques et protestants, ont parsemé ce pays de châteaux.

Au nord, sur une boucle de la Dronne – qui favorisa jadis l'essor de la batellerie –, Brantôme est appelée « la Venise du Périgord ».

Non loin, fortifié autour d'un prieuré augustinien, Saint-Jean-de-Côle est un charmant village médiéval accessible par un pont gothique en dos d'âne, couvert de pavés.

Sorges, élue « capitale de la truffe », invite à découvrir les variétés, les cycles végétatifs, les différentes méthodes de recherches et façons de cuisiner ce savoureux champignon souterrain. Abondant autrefois au pied des chênes et des coudriers sauvages, la truffe est aujourd'hui une denrée d'exception. On estime sa production annuelle à 6 tonnes. La moitié seulement est vendue sur les marchés – en raison de l'« autoconsommation » familiale. Ici, le visiteur plonge dans un monde où les affaires se traitent d'un regard, d'un chiffre griffonné sur un papier – qui s'élève de 2 000 à 3 000 francs le kilo !

À l'est, en vigie sur une butte, Hautefort est un majestueux château surmonté de coupoles et de clochetons. Luxueuse demeure

Renaissance, Puyguilhem s'apparente aux châteaux de la Loire avec son escalier d'honneur, ses tours couronnées de mâchicoulis décoratifs et sa cheminée ornée des douze travaux d'Hercule. Plus au nord, Jumilhac-le-Grand (situé dans le Nontronnais voisin) élève dans un sublime enchevêtrement tours rondes, façades incurvées et pavillons coiffés de toitures en poivrières.

Périgueux, la capitale du pays, est une ancienne cité romaine aux ruelles bordées d'élégantes demeures médiévales et Renaissance. Pourvue de temples, de basiliques, d'un amphithéâtre et de thermes, elle est chargée d'histoire.

En haut : à Domme, la halle et la maison du gouverneur.

Ci-contre : un exemple d'habitat à Castelnau.

Au milieu : à Sarlat-la-Canéda, sur la place des Oies, trône l'hôtel Plamon.

En bas : préfiguration du Sacré-Cœur de Paris,la cathédrale romano-byzantine de Périgueux est surmontée de coupoles et de tourelles agrémentées de clochetons qui s'élèvent en crescendo jusqu'à l'ogive du grand clocher.

Trésors d'*architecture*

Tout en pierres blondes coiffées d'un toit mansardé de tuiles rondes et plates, ornée des couleurs du pays basque, précédée d'un monumental portail sculpté, la maison d'Aquitaine ne manque pas de charme.

Dans les Landes, l'exploitation s'étend sur l'airial, une vaste pelouse environnée de chênes et de châtaigniers. Basses et rectangulaires, les maisons orientent leurs pans de bois garnis de torchis à l'est, pour se prémunir de la pluie et des vents venus de l'océan. Celle du maître se prolonge en façade par un avant-toit où l'on s'abrite des grosses chaleurs de l'été. Alentour, on trouve parc à moutons, four à pain, bergerie, poulailler sur pilotis...

Dans le Bergeracois, la maison vigneronne ordonne chai, pressoir et cellier autour d'une cour dont l'entrée est marquée par un porche pigeonnier.

En Périgord blanc, elle est bâtie en pierre calcaire recouverte d'un enduit qui n'épargne que les encadrements de fenêtres et les *oculi* ovales qui aèrent et éclairent les combles.

Dans le Périgord noir, l'abondance du calcaire a amené les constructeurs à couvrir les toitures de cette roche sous forme de lourdes dalles (les « lauzes »).

En Gironde, l'exploitation viticole est appelée « château » et se pare d'une riche ornementation de bandeaux à larmiers, lucarnes à frontons, corniches à denticules...

Au pays Basque, l'habitat le plus caractéristique est la maison du Labour. Entre chalet de montagne et chaumière normande, elle mêle pierre de taille et pans de bois peints aux couleurs du drapeau basque : rouge sang de bœuf et vert foncé.

Pays d'agriculture

• LE HAUT AGENAIS • LE BERGERACOIS

Fraises, prunes, tomates, courgettes, noix, tabac... Fertilité des sols, abondance des cours d'eau et douceur du climat s'associent pour favoriser ces cultures qui comptent parmi les grandes productions nationales. À cette richesse terrienne s'ajoutent des cités historiques, bastides, châteaux d'écrivains, moulins fortifiés...

Le Haut Agenais

Pays des villes libres

Ce pays fut le témoin d'une épopée urbaine sans précédent : celle des bastides, villes nouvelles administrées par des consuls élus par les habitants, que se disputèrent deux siècles durant rois de France et d'Angleterre – devenus à force de conquêtes et d'alliances ducs d'Aquitaine. De 1256 à 1285, le Haut Agenais vit naître une floraison de cités aux rigoureux tracés géométriques, encloses par des remparts. Parmi les plus belles fondations, Monflanquin, Villeréal, Castillonnès, Sainte-Livrade-sur-Lot et Saint-Pastour sont à visiter absolument.

Monflanquin, comme les autres bastides du pays, a été conçue pour coloniser des terres mal contrôlées et fixer les populations (en haut à gauche et page de droite en haut).

Les juteuses prunes d'ente donnent, après séchage, les pruneaux d'Agen (au milieu).

En bas : jusqu'en 1920, Agen, accessible par le pont (long de 550 mètres) qui porte son nom, fut un port actif.

Aux confins du Quercy et de l'Entre-deux-Mers, ce pays enchante le regard par sa mosaïque vallonnée de parcelles maraîchères, primeurs et de vergers. Berceau de la prune d'ente, sa vallée du Lot compte 7 000 hectares de pruniers qui fournissent 65 % de la production nationale et font vivre trois mille personnes.

Au nord, entre Castillonnès et Villeréal, on découvre les maisons à empilage : paraissant sorties des temps protohistoriques, elles dressent leurs murs en troncs de chêne équarris qui se superposent jusqu'au toit et sont assemblés par de grosses chevilles. Bâtis à des époques troublées (guerre de Cent Ans,

guerres de religion...), ces refuges insolites permettaient aux populations d'échapper aux brigands !

À l'ouest, au cœur du vignoble, Duras fut au Moyen Âge le siège de la puissante famille des Durfort qui, alliée aux Anglais, vit son château maintes fois détruit et reconstruit.

Au sud, perchée sur une colline, Villeneuve-sur-Lot, capitale du pays, est une superbe bastide fondée en 1264 par Alphonse de Poitiers, comte de Toulouse et frère de saint Louis.

Le Bergeracois

Pays du beau langage

On l'appelle aussi Périgord pourpre, pour évoquer les tonalités rouge violacé de son vignoble planté sur des coteaux ondulants. Rouges légers ou corsés, blancs aux arômes de fleurs, ses vins ont une honorable réputation. Le liquoreux et doré monbazillac et le rouge pécharmant sont les plus prisés.

Depuis trois siècles, ce pays traversé par la Dordogne est aussi la terre d'élection de la tabaculture, avec 300 hectares de tabacs bruns et blonds qui produisent 500 tonnes de tabac sec par an.

Appréciée pour ses marchés colorés, Bergerac, sa capitale, est célèbre pour avoir donné son nom à l'illustre poète mousquetaire Cyrano – pourtant né et mort à Paris (1619-1655). Établie sur la Dordogne, la cité doit sa prospérité à sa rivière et à son pont qui était, au XIIIe siècle, le seul passage sûr de la vallée. Au XVIe siècle, elle devint l'une des capitales du protestantisme, ce qui lui valut d'être assiégée par les armées de Louis XIII et de voir émigrer ses habitants vers les lointaines mais plus tolérantes Provinces-Unies.

Monpazier, conservée telle qu'au Moyen Âge, présente un magnifique décor d'architecture avec ses portes fortifiées et sa place centrale bordée de demeures portées par des arcades formant une galerie couverte. Bien des films, tels *Le Capitan* (1960), *Les Misérables* (1982), *La Fille de d'Artagnan* (1994), y ont été tournés.

À l'ouest, le château de Saint-Michel-de-Montaigne a vu naître Michel Eyquem en 1533. Après de brillantes études classiques, l'écrivain devient, en 1554, conseiller du parlement de Bordeaux. Mais sa vive amitié avec le philosophe Étienne de La Boétie le ramène à sa passion des lettres. Las de « l'esclavage de la Cour et des charges publiques », il se démet de sa fonction en 1571 et réside dans sa seigneurie (dont il prend le nom), se consacrant au loisir de sa bibliothèque. Épargnée par l'incendie qui a ravagé le château, cette « librairie » a vu Montaigne rédiger ses *Essais*. Élu maire de Bordeaux en 1582, ce catholique modéré ne cessera d'aider à la pacification du royaume alors déchiré par les conflits religieux.

Tonneliers, *résiniers* et ***couteliers***

Riches d'arômes boisés, les tonneaux sont indispensables pour bonifier vins rouges et armagnacs ! Leur fabrication débute par l'abattage d'un chêne, que le tonnelier débite en « merrains » (planches aux bords amincis et biseautés). Disposées verticalement l'une contre l'autre pour s'épauler, elles sont solidarisées par des cercles de métal introduits en force. Enfin, le tonneau est placé au-dessus d'un brasero dont la chaleur cintre ses lames. Sous le Second Empire, une loi fait obligation aux communes landaises de drainer leurs sols et d'y planter des pins !

Les bergers disparaissent au profit des gemmeurs, qui, par centaine, parcourent la forêt pour inciser les troncs afin qu'ils exsudent une résine à la base de la production de l'essence de térébenthine.

Depuis le XVe siècle, les artisans de Nontron sont réputés pour leurs couteaux pliables à manche de buis tourné, qu'ils décorent de dessins pyrogravés.

Ci-dessus : atelier de produits résineux, à Luxey.

Ci-contre : le vignoble de Monbazillac.

Pays de vigne

• LES GRAVES • LE MÉDOC

Fruit de l'érosion des sols et des influences océaniques, le vignoble du Sud-Ouest est l'un des plus féconds de France ! Couvrant 130 000 hectares, il s'étend du Médoc au Piémont pyrénéen et résonne de ses appellations prestigieuses : Saint-Émilion, Margaux, Mouton-Rothschild. Paradis des baigneurs, des surfeurs et... des naturistes, la côte d'Argent déroule un long ruban de sable blanc, bordé de dunes et de pins des Landes.

Les Graves

Berceau des vins de Bordeaux !

Établi sur la rive gauche de la Garonne, ce pays tire son nom de ses sols de graviers roulés et de sable originaires des Pyrénées. Peu fertiles, ces terres ont pourtant été plantées en vignes dès l'époque romaine ! Caillouteuses et étagées en terrasses sur 60 kilomètres de long, elles savent retenir la chaleur du soleil et drainer les eaux de pluie dont les excès nuisent à la qualité du raisin. Seule appellation d'origine contrôlée qui tire son nom de la nature de son sol, les Graves portent 2 400 hectares de ceps qui donnent des vins rouges légers et bouquetés et des vins blancs fins, secs ou moelleux, à mesure que l'on se rapproche du Sauternais réputé pour ses crus liquoreux issus de vendanges tardives.

Plus à l'ouest, on arrive au château de La Brède, domaine de l'écrivain Charles de Montesquieu. Devenu président du parlement de Bordeaux, il aimait se retirer sur ses terres, parcourir ses vignes avec son régisseur, interpeller les paysans en patois et s'adonner aux plaisirs de l'intellect. « L'étude a été pour moi le souverain remède contre les dégoûts de la vie, n'ayant jamais eu de chagrin qu'une heure de lecture n'ait dissipé. » En 1728, songeant à écrire un grand ouvrage politique, il parcourt l'Europe pour étudier les mœurs de son temps. En 1748, il publie *L'Esprit des lois*, où il prône une monarchie à l'anglaise qui inspirera la Constitution de 1791.

Porte océane située sur une boucle de la Garonne, Bordeaux, capitale des Graves, est une des plus belles réussites architecturales du XVIIIe siècle. Devenue anglaise comme le reste de la Guyenne (déformation du mot Aquitaine), après 1154, elle dut sa prospérité à l'exportation de ses vins en Angleterre. En 1355, lors de la guerre de Cent Ans, le prince Édouard, fils aîné du roi d'Angleterre Édouard III, futur héritier de la couronne, y débarqua avec trois mille hommes en armes. Au XVIIIe siècle, le commerce avec les Antilles et la traite des Noirs portèrent la

En haut : vue du ciel, la vigne occupe tous les sols, en rangs bien alignés, dont ceux de l'île Margaux, sur l'estuaire de la Gironde.

Au milieu : au cœur des vignes, le château d'Yquem produit le plus grand des sauternes, un vin blanc liquoreux d'une finesse remarquable.

En bas : fondée au IIIe siècle avant J.-C. par une tribu celte, Bordeaux n'a depuis cessé de se développer pour devenir un port actif dans le commerce des vins.

richesse de Bordeaux à son plus haut niveau. D'une ville aux rues étroites, cernée d'insalubres marais, les intendants (les représentants du roi), firent l'une des plus belles places de France !

Au sud, s'ouvre le pays de Langon cher à l'écrivain et journaliste François Mauriac, auteur de romans sur la vie provinciale.

Le Médoc

Les ares de la renommée

Lafite, Mouton-Rothschild, Margaux... sur 12 000 hectares de vignoble, on trouve les appellations les plus prestigieuses ! Délimité par l'estuaire de la Gironde et l'Atlantique, ce pays de « châteaux » environné de vignes forme une presqu'île triangulaire à la fois enclavée et ouverte sur le monde.

À l'ouest, la côte d'Argent s'étend de la pointe du Grave aux plages de Bayonne, formant un long ruban de sable blanc, bordé de dunes mouvantes et ombragé de frondaisons de pins et d'arbousiers. En aval du confluent de la Garonne et de la Dordogne, s'ouvre la plus longue entrée de mer de France ! Sur 75 kilomètres, l'estuaire de la Gironde, qu'animent les bateaux libellules (pêchant lamproies, aloses et anguilles) et les carrelets suspendus aux cabanes sur pilotis, traverse un paysage de collines,de marais, de prairies, de vignes et de citadelles Vauban.

Jusqu'au XVIIIe siècle, l'esturgeon (appelé ici « créat ») y abondait, remontant le fleuve pour pondre jusqu'à deux cent mille œufs ! Pourtant, seule sa chair tendre et fondante intéressait les pêcheurs. Ce sont des émigrés russes, installés en Gironde après la révolution de 1905, qui révélèrent l'or noir qu'il contenait, lançant la production du caviar. Victime de prises outrancières, de la pollution des eaux et des barrages, ce poisson mythique, à présent interdit de pêche, est élevé dans le bassin d'Arcachon.

Tourné vers la Gironde, le Haut Médoc est une bande de terre longue de 80 kilomètres, dont sont issus des vins rouges au bouquet très fin, aptes au vieillissement. Emblématiques du vignoble bordelais, les « châteaux » – ces exploitations viticoles avec leur chai, leurs pressoirs et leur caveau de dégustation –, édifiés aux XVIIIe et XIXe siècle, se comptent par milliers !

Presqu'île du vin, le Médoc offre aussi un visage aquatique avec des palus – anciens marais asséchés de la pointe du Grave à Lesparre-Médoc par des ingénieurs Hollandais sous Henri IV. À l'abri des marées grâce à leurs digues et leurs chenaux, ces polders (ou « mattes ») portent des cultures céréalières et maraîchères, et des pâtures pour l'élevage laitier.

En haut : dans le pays des Graves, le château de la Brède a vu naître Charles de Montesquieu, en 1689.

Au milieu : le vignoble de Saint-Émilion est réputé depuis le IVe siècle.

En bas : frangé de dunes et de landes boisées de résineux, l'Atlantique livre ses vagues écumeuses aux estivants de Montalivet-les-Bains, Lacanau-Océan, Mimizan-Plage...

Pays de forêt

• La Grande Lande • Le pays de Buch

Du Médoc à Bayonne, la plus vaste forêt de pins d'Europe s'étend sur 200 kilomètres et 1 million d'hectares. Créée à la fin du XIXe siècle pour enrayer l'ensablement des pays de Gascogne, elle abrite un merveilleux réservoir de nature et d'air pur. Traversées de rubans d'asphalte qui filent droit à l'infini, ses sous-bois grésillants de cigales ne sont jamais loin des vagues de l'océan.

La Grande Lande

Une forêt née d'un désert

Domaine des dunes, des marécages et des landes de bruyère et d'ajonc, cette terre pauvre fut longtemps vouée au pastoralisme. Vêtu d'une pelisse en peau de mouton, le berger y menait son troupeau au printemps, qu'il ramenait à la mauvaise saison sur l'airial (clairière portant l'exploitation agricole), pour y fertiliser les terres cultivées en seigle et en millet. Pour surveiller leurs moutons et repérer la venue éventuelle d'un loup, les bergers avaient coutume de se percher sur des échasses grâce auxquelles ils traversaient les marécages à pieds secs ! Mais en 1857, sur ordre de Napoléon III, cette économie d'autosubsistance fut profondément bouleversée : une loi obligea cent soixante-deux communes landaises à drainer leurs sols et à y planter des pins. Il s'agissait à la fois de fixer les dunes poussées par les vents dominants vers l'arrière-pays et de favoriser la création d'une industrie du bois. Un vaste chantier d'assainissement fut lancé, rythmé par la création de digues, l'ouverture de routes, d'une ligne de chemin de fer et le boisement de 1 million d'hectares. Mais cette révolution sylvicole provoqua la disparition des pâturages et des bergers au profit des grands propriétaires, qui firent fortune dans le commerce du bois et le gemmage. Par centaine, les résiniers parcouraient la forêt pour inciser les fûts droits et élancés des pins, et permettre la sécrétion d'une épaisse pâte blanche servant à la fabrication de l'essence de térébenthine et de la colophane (avec laquelle les musiciens frottent les crins de leur archet). En 1950, incendies et ruine des industries du gemmage se liguèrent pour stopper cette éphémère prospérité. Depuis 1970, l'introduction du maïs à haut rendement, la modernisation des techniques de coupes forestières et la création du parc naturel régional des Landes de Gascogne ont permis un redéploiement de l'économie locale.

En haut : plantée pour arrêter l'avancée des dunes et l'ensablement des terres, la forêt est l'une des principales ressources économiques des Landes.

Au milieu : si la récolte de résiné par incision des pins a disparu depuis 1960, l'industrie papetière et les fabriques de parquets et lambris restent très actives.

En bas : entre mer et étangs, séparés par des cordons de dunes, Biscarosse-Plage est accessible depuis un sentier qui traverse d'odoriférantes pinèdes.

Le pays de Buch

Un balcon sur l'océan

Environné de dunes, de ports de pêche, de « tchanquées » (cabanes sur pilotis) et de pins maritimes, le pays de Buch épouse une authentique mer intérieure de 80 kilomètres de pourtour, reliée à l'océan par un chenal de 3 kilomètres de large. Mais plus qu'à sa taille, c'est aux marées que le bassin d'Arcachon doit sa personnalité. Deux fois par jour, le flot (marée montante) et le jusant (marée descendante) lui insufflent la vie, redessinant sa côte, recouvrant ses îles et lagunes, exhalant des senteurs de marais, de sel et de pins. Jadis, l'Eyre qui l'alimente disposait d'un vaste estuaire que remontaient les navires chargés de poissons jusqu'à Lamothe, située en amont du bassin. Depuis, cette anse maritime se serait transformée en lac – comme ses voisins d'Hourtin et Lacanau (en Médoc), de Cazaux et Biscarosse (en pays de Born) –, si l'apport en eau de cette rivière large de 12 mètres n'avait maintenu un courant suffisant pour que l'étroit chenal du Ferret reste ouvert. Cette petite « Océanie française », que l'on peut découvrir à pied, en pinasse (bateau traditionnel de pêche) ou en kayak, abrite un archipel d'îles où nichent et nidifient macreuses, bécassines, sternes, courlis, alouettes de mer, hérons garde-bœufs, spatules...

Depuis l'époque romaine, le bassin est aussi apprécié pour ses huîtres à la chair croquante et iodée. Mais il n'y a guère plus d'un siècle qu'on les élève. Auparavant, on se contentait de les prélever sur les bancs de sable argileux découverts à marée basse ! Autour de Gujan-Mestras, s'étendent 2 000 hectares de parcs ostréicoles

Plus au sud, témoin du travail inlassable de la mer et du vent, le Pilat, long de 3 kilomètres, s'élève à 114 mètres d'altitude. Plus grande dune d'Europe, elle offre aux randonneurs une superbe vue panoramique.

Créée sous la Restauration en 1857 par d'entreprenants promoteurs – relayés par la célèbre duchesse de Berry à qui l'on doit la mode mondaine des bains de mer –, Arcachon, capitale du pays, est une charmante station balnéaire faite de villas, manoirs, cottages, chalets emprunts de style gothique, landais, anglais, suisse hispano-mauresques... élevés par une clientèle aristocratique qui ne regardait pas à la dépense !

En encadré : la jurade, à Saint-Émilion.

Traditions au *cœur*

Courses landaises, épreuves de force basque, concours de bœufs... l'Aquitaine cultive ses traditions !
En Gironde, à l'approche de l'automne, villes et villages célèbrent la proclamation du ban des vendanges. Du haut de la Tour du Roy de Saint-Émilion, les membres de la jurade s'y prêtent depuis 1948 ! Défilés de confréries vineuses, foire aux vins et bals animent leur déroulement. À Bazas, on célèbre depuis 1283 la fête des Bœufs gras ! En février, les éleveurs du Bazadais fleurissent et enrubannent leurs mastodontes nourriciers de 900 kilos, fixant, entre cornes et queue, rubans tricolores et bouquets de roses. Aux sons des fifres et des tambours, les bêtes défilent dans la ville avant d'être présentées à un jury pour une sévère sélection !
Moins sanglante que la corrida mais aussi sportive, la course landaise est très pratiquée en pays de Chalosse et de Marsan. Dans l'arène, le cordier – qui tient la corde pour guider l'animal – et l'écarteur rivalisent de force et d'adresse pour provoquer puis esquiver les petits taureaux de combat excités par les clameurs.

Depuis 1950, les fêtes de la Force de Saint-Palais voient s'affronter en d'herculéennes épreuves les Basques de tous pays ! Faire pivoter une charrette de 360 kilos, tourner une sphère de 100 kilos quarante fois autour de sa tête en une minute, soulever une pierre de 276 kilos... sont autant de défis qui trouvent leur origine... dans les cours de fermes !

Plaisirs *partagés*

Serait-ce parce qu'elle a vu naître Montesquieu, Montaigne et Mauriac, que l'Aquitaine entretient avec la culture de si ferventes relations ? Grand rendez-vous estival, le festival « L'été Musical » en Bergerac met en scène vingt concerts, dans des sites chargés d'histoire (château de Biron, abbaye de Cadouin, cloître de Bergerac...). Au programme, Chœur national d'Ukraine, ballet de flamenco, hommage à Duke Ellington, polyphonies corses, récital de Claude Nougaro...
« Dormîtes-vous bien ? », « J'eusse aimé que vous recherchassiez ce guide touristique pour monsieur », « Vous plûtes-vous ? »... Depuis 1996, la bastide de Monpazier résonne des sons truculents de l'imparfait du subjonctif. Questions ou conversations, tout est bon pour réhabiliter ce mode de conjugaison tombé en désuétude, y compris les blagues : « Docteur ma femme est clouée au lit... Je voudrais que vous la vissiez. » Comédien dans l'âme, doté du sens du mot et du geste, le Gascon a le théâtre dans la peau ! En Albret, en pays de Serres et dans le Haut Agenais, on compte cinquante troupes mêlant amateurs et professionnels, qui investissent foyers ruraux et châteaux forts, pour y jouer *Jacquou le Croquant* ou *Les Années twist*.

Ci-dessous : autour du bassin d'Arcachon, s'ordonnent stations balnéaires et ports ostréicoles où l'on élève des huîtres plates et creuses.

Pays de montagne

• Le Béarn • Le pays Basque

Adossés à la chaîne des Pyrénées, dernière réserve sauvage d'Europe du sud, ces pays fiers de leurs origines et attachés à leur culture déploient de somptueux paysages de hautes cimes, de vallées sauvages traversées de torrents, gorges, canyons et pics, de hameaux d'estive… tandis que l'océan tout proche dessert des stations balnéaires et de pittoresques ports de pêche.

Le Béarn

Terre à grands spectacles

Jusqu'en 1620 – lorsque Louis XIII le rattacha au royaume de France –, le Béarn, aux mains des familles de Foix (1290), d'Albret (1484), puis de Bourbon (1548), fut un état souverain doté d'un parlement (réunissant noblesse, clergé et tiers état), de sa religion officielle (le calvinisme) et de son roi de Navarre. S'étirant de la barrière des Pyrénées, dominée par le pic du Midi d'Ossau (2 884 mètres), à la Chalosse, aux confins des Landes de Gascogne, il fut, dès l'époque romaine, un axe de passage entre Aquitaine et Espagne.

En haut : le col d'Aubisque, à l'est de la vallée de l'Ossau, offre de belles échappées.

Au milieu : on accède à Orthez par un pont médiéval enjambant le gave de Pau.

En bas : étagée sur les pentes de la vallée d'Ossau, Bielle fut jadis le siège de l'assemblée des jurats, représentants des communautés villageoises chargés de l'attribution des sols.

Derrière son unité historique se dessinent trois ensembles naturels. Au nord-est, s'élèvent des collines parallèles que découpent maintes vallées. Élevages laitier et bovin, cultures céréalières et vergers y cohabitent avec l'industrie depuis la découverte, en 1951, du gisement de gaz de Lacq, à l'origine d'un vaste complexe pétrochimique. À l'ouest, Orthez a connu la prospérité sous Gaston VII de Moncade, qui en a fait l'une des capitales du Béarn.

Au centre, s'étend le pays des gaves entre les vallées de Pau et d'Oloron-Sainte-Marie, dont les collines sont vouées à l'élevage et au vignoble de Jurançon et de Madiran.

Terre *bénie* des ***dieux***

Résultat de l'érosion des sols et des influences océaniques, le vignoble du Sud-Ouest couvre 130 000 hectares d'une mosaïque de terroirs qui s'étend du Médoc au Piémont pyrénéen, en passant par Agen. Plus grand vignoble AOC de France, le Bordelais compte près de soixante appellations et cinq mille « châteaux ». Source de vins rouges fruités et capiteux, et de vins blancs secs ou liquoreux, il compte cinq aires de production prestigieuses : le Médoc, situé sur la rive gauche de l'estuaire de la Gironde, marqué par les crus de saint-esthèphe, listrac, margaux..., le Blayais et le Bourgeais, établis sur sa rive droite qui donnent des côtes de bordeaux, de castillon..., le Libournais, situé sur la rive droite de la Dordogne qui comprend Saint-Émillion, Pomerol, Fronsac..., les Graves, assis sur la rive gauche de la Garonne, à l'origine de sauternes, l'Entre-deux-Mers, délimité par ces deux fleuves, source des vins blancs liquoreux de loupiac, cadillac...
Établi sur les deux rives argilo-calcaires de la Dordogne, le Bergeracois donne des bergerac secs et moelleux, rouges pécharmant et monbazillac aux arômes de miel, dus à des vendanges tardives.
En Lot-et-Garonne, les côtes de Duras (blancs secs ou moelleux, rouges et rosés), du Marmandais (rouges charpentés), du Brulhois (rouges aux arômes de fruits et d'épices) et le buzet (rouges tanniques) couvrent 9 000 hectares.
Dans le Piémont pyrénéen, le vignoble de Jurançon s'étale autour de Pau et donne des vins blancs moelleux. Sans oublier les vignobles de Béarn Bellocq et d'Irouléguy en Basse Navarre.

Ci-contre : dégustation de château-margaux.

Ci-dessous à gauche : foire aux fromages à Laruns.

Ci-dessous à droite : chapon des Landes.

Foie gras et sauternes.

Le **bonheur** *est* dans ***l'assiette***

En matière culinaire, la réputation des pays du Sud-Ouest n'est plus à faire. Magret de canard, foie gras à l'armagnac, omelettes aux cèpes, garbure du Béarn (pot-au-feu à base d'oie, de choux et de haricots), piperade... révèlent toute la richesse de leurs terroirs et les savoir-faire des hommes.
En Périgord, l'oie est la reine des volailles (premier producteur national), tandis que le canard occupe le troisième rang. Dégustés sur du pain de campagne ou consommés en escalope poêlée accompagnée de pommes ou de figues, leurs foies gras sont autant d'offrandes fondantes qui enchantent le palais ! Leur viande se cuisine en magret ou confite dans leur graisse (servie avec les pommes de terre sarladaises dorées à la graisse d'oie et assaisonnées d'ail et de persil). Sans oublier les gésiers (servis tièdes dans une salade), les rillettes...
Autre vedette, la truffe. Surnommé « le diamant noir de la cuisine », ce champignon offre aux pâtes, omelettes, œufs brouillés, dindes de Noël... de subtils parfums de sous-bois.
Plus rustique (et plus abordable !), le tourain, potage à base d'œufs blanchi à l'ail ou à la tomate, et la soupe aux fèves servie avec du pain au levain ouvrent les repas d'hiver.
En Gironde, mer et rivières offrent leurs provendes de pibales (petites anguilles cuites à l'ébouillantée et assaisonnée d'huile d'olive), d'aloses (rôties au court-bouillon et servies avec de l'oseille), de lamproies (cuites dans leur sang avec du vin, des poireaux, des lardons et des oignons). Prisée pour sa chair iodée et « noisettée », l'huître du bassin d'Arcachon s'accompagne de pain de seigle beurré et de crépinettes (petites saucisses).

Terre d'élevage, l'Aquitaine s'enorgueillit de son bœuf bazadais à la chair persillée, de l'agneau de Pauillac, du poulet fermier jaune, du bœuf de Chalosse...
Issu du pie noir (porc noir rustique élevé en liberté dans les Aldudes), le jambon de Bayonne est séché pendant douze mois, avant d'être pané dans une couche de saindoux.

Sur la côte Basque, la pêche au thon est à l'origine du *marmitako* (ragoût avec des poivrons, tomates, pommes de terre et du piment d'Espelette), tandis que les merlus, congres, moules et crustacés se préparent en *ttoro* (soupe de Saint-Jean-de-Luz). Contrée pastorale où l'estive permet aux brebis de profiter des pâturages d'altitude l'été, le pays Basque offre de savoureux fromages dont l'ossau-iraty, que l'on fera suivre d'un gâteau basque à base de jaune d'œuf, d'amandes et de vanille ou de cerises noires.

Le pays Basque

Harmonie et traditions

Maisons blanches aux pans de bois rouge sang de bœuf, chants sacrés, épreuves de force, mascarades souletines, pratique de l'*euskara* (langue basque), ce pays fier de ses origines cultive les particularismes. Peuplé depuis le néolithique, il doit sa spécificité à son relief montagneux et peu accessible – qui lui permit d'échapper aux invasions celte, romaine et barbare – et à sa situation stratégique face à l'Espagne arabe puis catholique – qui lui valut d'obtenir des franchises (monopoles commerciaux, autogestion des terres et des forêts, droit de transmission des terres...), en récompense de sa fidélité aux ducs d'Aquitaine et aux rois de Navarre. Coiffé d'un climat océanique et baigné d'une multitude de cours d'eau, il abrite trois provinces où vivent deux cent quarante mille Basques, face à son voisin espagnol qui en compte quatre et réunit deux millions d'habitants.

À l'est, traversée par la vallée du Saison, la Soule élève une petite chaîne de montagnes entaillée de canyons, de gorges et de torrents que borde au sud le pic d'Orhy (2 015 mètres). Depuis les hauts pâturages voués à l'élevage de brebis et de *pottocks* (poneys), on découvre des paysages grandioses parsemés de fermes trapues coiffées d'ardoises, d'églises romanes, de grottes... Très attachés à leur terre, les habitants pratiquent avec ferveur *rebot* (jeu de pelote), mascarades (cortèges de danseurs), pastorales (mises en scène théâtrales d'événements religieux), chasse à la palombe...

Plus à l'ouest, la Basse Navarre abaisse son altitude de 1 200 mètres aux sources de la Bidouze à moins de 100 mètres à son confluent avec l'Adour, ou se succèdent vallées, landes de bruyères, pâturages et champs de céréales.

Ancienne place forte, Saint-Jean-Pied-de-Port doit son nom au col (ou « port »), qui commande l'accès de Roncevaux où les

Au sud, la montagne béarnaise se dresse telle une muraille dans laquelle s'enfoncent les très belles vallées encaissées et modelées par l'érosion du Barétous, d'Aspe, d'Ossau et de l'Ouzon, où vivent les derniers ours bruns. Sur les sommets, les sapins disparaissent au profit des pelouses d'altitude.

Conduisant à l'Espagne par le col du Somport (1 632 mètres), la vallée d'Aspe abrite des sites grandioses, tels le village de Lescun, le fort du Portalet, le défilé de la Pène d'Escot...

À l'est de la vallée de l'Ossau, on découvre le col d'Aubisque, le cirque d'Anéou, la cascade du Gros-Hêtre, le lac de Fabrèges...

Balcon sur les Pyrénées, Pau, capitale du Béarn, fut au XIXe siècle une station thermale très prisée des aristocraties parisienne et anglo-saxone, pour les vertus curatives de son climat. Son château fut tour à tour donjon, forteresse et palais, mêlant styles médiéval, Renaissance, classique... Henri IV, fils de Jeanne d'Albret, propagatrice de la religion protestante, y naquit en 1553.

Ci-dessus : les sommets de la vallée d'Aspe sont devenus le domaine des bergers et des brebis.

Ci-dessous : ancien port baleinier, Saint-Jean-de-Luz doit sa bonne fortune à ses corsaires et à Louis XIV qui, en 1660, épousa l'infante Marie-Thérèse pour sceller la paix avec l'Espagne.

Basques, qui virent leur pays pillé par les Francs, écrasèrent en 778 l'arrière-garde de l'armée de Charlemagne, faisant naître la fameuse *Chanson de Roland*.

Fondée en 1314 par le roi de Navarre et futur roi de France, Louis X le Hutin, La Bastide-Clairence est une charmante ville-neuve, avec ses maisons à pans de bois brun-rouge et bleu-gris.

S'ouvrant sur l'océan, le Labour est la plus touristique d'entre elles.

Autour de la vallée de la Nive, se nichent Sare, ancien village de contrebandiers, Aïnhoa, ancienne étape de Saint-Jacques-de-Compostelle, Ascain, où Pierre Loti écrivit son roman *Ramuntcho,* Espelette, célèbre pour ses piments encordés en tresses, Cambo-les-Bains, station climatique où Edmond Rostand fit construire sa superbe villa Arnaga.

Alternant falaises, corniches et plages de sable fin, la côte Basque fixe le gros de la population.

Ci-dessus : d'Hendaye à Saint-Jean-de-Luz, la côte bien préservée du bétonnage dresse des falaises plissées, échancrées de baies et hérissées de pointes.

Ci-dessous : ancienne capitale de la Basse Navarre située à 7 kilomètres de la frontière espagnole, Saint-Jean-Pied-de-Port doit son nom à son col (ou « port »), qui conduit à Roncevaux.

Capitale du Pays basque, Bayonne est une cité de caractère où il fait bon flâner.

Station des têtes couronnées de la Belle Époque, Biarritz a vu sa vocation balnéaire naître vers 1860 : après que Napoléon III et Eugénie en firent leur villégiature, elle se couvrit de casinos, grands hôtels et pittoresques villas.

Entre Aquitaine et Languedoc, Pyrénées et Massif central, cette contrée, qui fédère plaines agricoles, métropole régionale, solitudes montagneuses et bastides, offre cent visages et autant de fortes personnalités.

Patchwork de paysages et de traditions

Véritable mosaïque de pays, la région administrative Midi-Pyrénées recouvre des entités très disparates souvent sans lien entre elles, ni physiques, ni économiques, ni humains, ni culturels. C'est qu'ils firent partie tout au long de leur histoire de provinces très diverses, tels le Languedoc, la Gascogne, la Guyenne (actuelle Aquitaine), le Rouergue ou d'anciens gouvernements de France, tel le comté de Foix rattaché au royaume par Henri IV en 1607.

• La même diversité se retrouve sur le plan géographique. Certains pays appartiennent au jeune massif pyrénéen, monde de cirques glaciaires, de hauts pics enneigés, de rocs à nu et de pâturages d'altitude où domine l'élevage. D'autres sont établis sur le vieux Massif central, moyenne montagne où la roche volcanique est partout présente et les pâtures réservées à l'élevage bovin. D'aucuns connaissent les aléas d'un relief semblant de prime abord hostile à l'homme qui, pourtant, l'occupa très tôt et le consacra à quelques maigres cultures et à l'élevage ovin. D'autres enfin, installés sur de verdoyantes collines et de fertiles terres de vallées se sont de consacrés à de riches cultures. Et Toulouse, consacrée capitale de ce Sud-Ouest bigarré, s'efforce de fédérer ces pays si hétérogènes, sans vraiment réussir à s'imposer dans les vallées pyrénéennes ou les hauteurs du Rouergue.

• Ces particularismes font de cette région, la plus vaste de France, une terre rêvée pour le visiteur avide de découvertes : randonnées pédestres et varappe de haut niveau, spéléologie, randonnées à vélo et à cheval, balades en calèche ou en roulotte, descentes en rafting, promenades en bateau, en canoë ou détente et cure de santé dans un centre thermal.

• Chaque contrée renferme des trésors : églises romanes ou gothiques, abbayes qui offrent la fraîcheur ombreuse de leurs cloîtres, châteaux forts érigés sur des pitons vertigineux, bastides à l'atmosphère médiévale tout droit sorties d'un livre d'images, villages à l'architecture préservée, routes bucoliques, cascades, lacs aux eaux cristallines, une vie ne suffirait pas pour tout embrasser. Un trait commun se retrouve pourtant dans tous ces terroirs : l'amour de la bonne chère.

Pays de montagne

• La Bigorre • Le Lavedan • Le Comminges
• Le Couserans • Le Comté de Foix • Le Magnoac

Ils s'orientent selon une ligne sud-nord autour d'une ou de plusieurs vallées dépendant du même ensemble orographique marqué d'une même civilisation agropastorale.

La Bigorre

Terre de contrastes

Ancien pays de France ayant Tarbes pour capitale, bornée par le Lannemezan, le Comminges, le Lavedan, l'Astarac et le Béarn, la Bigorre englobe les Pyrénées et une partie de son piémont. Des hautes montagnes hantées par les bergers et leurs sommets culminant à plus de 3 000 mètres (pics Long, de Campbieil, de Néouvielle, Maou, de Bigarret) ou les frôlant (pic du Midi de Bigorre, soum des Salettes) à la basse vallée de l'Adour riche de ses cultures céréalières, les contrastes sont grands. Voie de pénétration au cœur du massif pyrénéen, creusée par l'Adour et les nombreux gaves qui l'irriguent, elle est occupée par l'homme depuis le paléolithique.

Très appréciée à l'heure de l'implantation gallo-romaine, elle eut son heure de gloire au Moyen Âge, à l'époque de la création des bastides et des castelnaux. Les cyclistes qui se risquent dans les cols d'Aspin ou du Tourmalet ne font que suivre les traces des pèlerins de Compostelle qui, durant des décennies, franchirent la barrière pyrénéenne.

En haut : au centre de la chaîne des Pyrénées, la réserve naturelle de Néouvielle abrite lacs d'altitude et pelouses dévolues à l'élevage laitier.

Au milieu : dans le massif de Campbiel, la fonte des neiges alimente, via des lacs-barrages; le gave de Gavarnie.

En bas : depuis le col d'Aspin (1 876 mètres), desservi par une route en lacet, on jouit d'un vaste panorama.

De nos jours, c'est Lourdes qui draine les croyants en foule se pressant à la grotte de Massabielle jusqu'à en faire l'un des plus importants centres de pèlerinage du monde et de la chrétienté.

Ski à La Mongie, thermalisme à Bagnères-de-Bigorre qu'appréciaient déjà Montaigne et l'impératrice Eugénie, concrétions aux grottes de Médous, circuits de randonnée et produits du terroir tels le haricot blanc tarbais, long et plat, l'oignon blanc et doux de Trébons ou les carottes d'Asté.

Jadis, avec le buis des vallées bigourdanes qui pousse sur leurs pentes calcaires on fabriquait les objets de piété vendus à Lourdes tout autant que les chapelets alors largement exportés vers La Mecque.

Le Lavedan

Les Pyrénées en majesté

Inséré entre Bigorre et Béarn et limité au sud par la frontière espagnole, le Lavedan englobe la haute vallée du gave de Pau et, naturellement, tous ses affluents, avec Argelès-Gazost comme capitale, Cauterets comme grande station thermale, Barèges et Hautacam comme hauts lieux de sports d'hiver et le cirque de Gavarnie comme site naturel époustouflant. En tout sept vallées montagnardes vouées à l'élevage (vallées de Batsurguère, la plus petite, du Néez, du Bergons, du gave de Pau rive droite et rive gauche, d'Azun, du pays Toy) et les hauts sommets qui les dominent. Car c'est avant tout le domaine des hautes montagnes d'où jaillissent les plus hauts sommets pyrénéens français, Vignemale que fréquentent assidûment les isards (3 298 mètres), Marboré (3 248 mètres), Balaïtous (3 146 mètres), Taillon (3 144 mètres).

Mais c'est le cirque de Gavarnie qui rallie tous les suffrages dont celui de Victor Hugo, ébloui, qui le qualifia de « colosseum de la nature ». Les cinq cent mille touristes qui se pressent chaque été à ses pieds chevauchent à mulet ou marchent à la rencontre de ces gigantesques murailles de glace bleutée, percées de grottes azuréennes, que franchissent des cascades pétrifiées dans leur course et que marque, à son sommet, la brèche que trancha Durandal en se brisant, tandis que le preux Roland, pressé par les Maures, sonnait désespérément du cor. Les grands rapaces, aigles royaux, gypaètes barbus et vautours fauves y tournoient majestueusement.

En haut : depuis le col de Boucharo, on découvre la brèche de Roland, une faille haute de 80 mètres, ouverte selon la légende par le neveu de Charlemagne.

Au milieu : dans la haute vallée du gave de Pau, l'éperon de Vignemale forme le point culminant des Pyrénées françaises à 3 298 mètres.

En bas : trois gradins rocheux concentriques soulevés puis plissés à l'ère tertiaire forment le cirque de Gavarnie. Couronnées de glaciers, ses cimes en amphithéâtre laissent s'écouler nombre de cascades.

Le Comminges

Riche d'une histoire millénaire

Ancien pays de France situé entre la Bigorre, le Toulousain et le Couserans, et dont le Nébouzan s'est détaché, le Comminges est un pays essentiellement agricole tourné vers l'élevage du veau blanc. Saint-Gaudens en est la dynamique petite capitale. La faïencerie y est une activité importante, à Martres-Tolosane, comme le tourisme tourné vers la montagne et le thermalisme. Vallées d'Aure, du Louron et de Luchon en sont les fleurons.

Bagnères-de-Luchon, qui accueillit Lamartine, Flaubert et Alexandre Dumas, reçoit plus de trente mille curistes par an grâce à ses eaux sulfurées sodiques.

On ne saurait négliger l'attrait qu'exerce sur les visiteurs la superbe cathédrale romane Sainte-Marie de Saint-Bertrand-de-Comminges, au cloître à chapiteaux ornementés, le site antique de Lugdunum Convenarum qui s'étend à ses pieds et l'élégante église Saint-Just de Valcabrère. Non loin de là, la grotte de Gargas est réputée pour ses peintures et gravures aurignaciennes.

Plus au sud-ouest, s'ouvre le territoire de la Barousse, formé par les vallées de l'Ourse et de l'Ourse de la Ferrière que Marguerite de Navarre reçut en apanage au XVIe siècle.

Autour de Mauléon-Barousse, on passe du donjon de Bramevaque au mystérieux gouffre de la Saoule et, finalement, fermant la vallée de l'Ourse de la Ferrière en lisière de la frontière espagnole, au belvédère du mont Né (2 147 mètres).

Au nord-est, s'étend le pays argileux et fertile du Volvestre, borné par la chaîne du Plantaurel, la Gascogne et le Lauragais. Ses collines traversées par l'Ariège, la Lèze et l'Arize s'insèrent entre montagne pyrénéenne et plaine garonnaise. Les bastides ont gardé leur place centrale et leur ambiance d'autrefois, telles Saint-Sulpice-sur-Lèze ou Carbonne.

Ci-dessus : depuis Valcabrère, le regard embrasse Saint-Bertrand-de-Comminges que domine, sur une colline isolée, sa cathédrale flanquée d'un clocher-porche fortifié.

DÉCOUVERTE

Un **art** *consommé de* l'**ornementation**

Nombre de sites archéologiques parsèment la région. Dès le paléolithique supérieur, les grottes accueillirent l'homme, ainsi qu'en font foi les peintures, les sculptures et le matériel qu'il y laissa : centaines de peintures négatives à la grotte de Gargas, à Aventignat, telles de mystérieuses mains mutilées, cernées de noir, de blanc, de jaune ou de rouge ; chevaux pommelés de la grotte du Pech-Merle à Cabrerets ; remarquables et rares bisons modelés dans l'argile des parois, à la grotte de Bédeilhac ; gravures et peintures animalières de la grotte de Marsoulas, où fut conçue la méthode de datation de l'art ruspestre ; plaquettes gravées d'Eulène, bestiaire du Tuc d'Audoubert ; galets peints ou gravés, véritable art abstrait, du Mas d'Azil. Et, par-dessus tout, extraordinaire grotte de Niaux, près de Tarascon-sur-Ariège, la plus vaste avec ses galeries de plus de 2 kilomètres de long et son étonnant Salon noir où les figures, du Magdalénien récent, ont été tracées au charbon concassé ou aux oxydes de manganèse, et les nombreuses empreintes humaines laissées dans la glaise dont celles de trois enfants qui empruntèrent côte à côte une galerie du réseau René-Claustres, il y a des milliers d'années.

L'*œuvre* *du* **diable**

Selon la légende, c'est bien évidemment le diable qui créa le gouffre de Padirac, trou béant qui semble mener tout droit à l'enfer, et saint Martin qui le franchit d'un bond sur le dos de sa mule. Cette dernière, en se recevant, imprima si profondément la marque de son sabot que l'on peut encore la voir.
Mais c'est Édouard Alfred Martel, le premier spéléologue français, qui, en juillet 1889, en entreprit l'exploration. L'homme y était toutefois venu auparavant, comme en font foi les vestiges préhistoriques découverts ici ou des restes de constructions datant vraisemblablement de la guerre de Cent Ans.
On y descend de nos jours en ascenseur, et l'on s'embarque sur la rivière Plane pour déboucher au lac de la Pluie, surplombé de la Grande Pendeloque, une fabuleuse stalactite ocre et sang haute de 75 mètres qui rase l'eau. C'est tout simplement magique !

Le Couserans
Le particularisme montagnard

Sept vallées composent le Couserans, petit pays de l'ancienne province gasconne, que relie au Comminges le col de Portet-d'Aspet. Ce pays est producteur de papier, au moins depuis le XVIIe siècle.

La vallée de Bethmale, longtemps enclavée, doit sa notoriété à la beauté de ses paysages mais aussi à ses costumes traditionnels dont les sabots à longs bouts recourbés et cloutés ont fait la célébrité. Autrefois, c'est ici que l'on capturait les oursons, alors nombreux, pour les dresser. Les Bethmalais se faisaient montreurs d'ours quand ils ne les vendaient pas aux grands cirques d'Europe.

Le Comté de Foix
Terroir verdoyant

Au nord, s'étend le Comté de Foix dont la fière devise « *Tocos y se gaussos !* » (Touches-y si tu l'oses !) rappelle l'attachement des comtes de Foix jaloux – dont Gaston Phébus – à leur souveraineté. Formé au XIIe siècle pour disparaître à la Révolution française, il est à présent inclus dans le département de l'Ariège.

Autrefois ville du fer et de la laine, Foix est aujourd'hui tournée vers les activités tertiaires mais demeure un marché très fréquenté. Le château comtal qui la domine fait d'elle un joyau.

Ci-dessous : dans le château de Foix, qui appartint aux comtes de Foix, se trouve le musée de l'Ariège.

Situé au sud du Plantaurel, entre Foix et Saint-Girons, au cœur des Pyrénées ariégeoises, le petit pays de douces collines qu'est le Sérou (ou Séronais) fut longtemps une région de mines et de carrières. À présent, les activités liée au bois (à Sentenac-de-Sérou) et à l'élevage laitier dominent.

À La Bastide-de-Sérou, c'est le cheval de Mérens qui est à l'honneur, dans un centre qui lui est entièrement consacré.

Le Magnoac
Piémont pyrénéen

Couvert de forêts et à l'écart des grands flux touristiques, il est idéal pour les adeptes du tourisme vert. Les férus d'ornithologie se rendent au lac de Campuzan, qu'affectionnent les oiseaux migrateurs et où séjournent en toute quiétude hérons et cigognes.

Seul lieu de rassemblement marquant, Notre-Dame-de-Garaison près de Monléon-Magnoac est un centre de pèlerinage depuis que, au XVIe siècle, la Vierge y serait apparue.

Au sud, se déploie le plateau de Lannemezan à 600 mètres d'altitude moyenne. Cette position de piémont en a fait de tout temps une voie de passage – c'est le cas de la route du sel qui courait latéralement au sud du plateau –, mais ses terres pauvres, n'ont guère engendré de richesses.

La prospérité économique est venue des industries chimiques et d'engrais, attirées ici par la proximité des centrales hydroélectriques des Pyrénées, faisant de la petite agglomération de Lannemezan un bourg industriel actif et un gros centre agricole. Activité qu'il partage avec Trie-sur-Baïse, bastide réputée pour être le premier marché aux porcelets d'Europe et un marché aux broutards non négligeable, qu'abrite la halle du Nébouzan.

Plus au sud encore, s'étendent les Baronnies, terre d'élevage porcin, bovin et ovin. Son patrimoine bâti compte quelques perles, tels le château fort de Mauvezin et l'abbaye cistercienne de l'Escaladieu.

Pays de jardin

- La Gascogne • Le Quercy
- Toulouse et le Toulousain • L'Albigeois
- Le Lauragais

Riches de terres fertiles où vignes, légumes et fruits ont trouvé leur terroir de prédilection, nombre de petits pays se sont spécialisés dans la culture de l'un ou de plusieurs d'entre eux : melon, ail, carotte, raisin de table, vigne. Ce qui ne les empêche nullement de pratiquer par ailleurs la polyculture avec les céréales et l'élevage.

La Gascogne

Esprit es-tu là ?

Si l'on s'en tient aux sources historiques, la Gascogne couvrait jadis une vaste étendue entre Pyrénées, Garonne et Atlantique, ayant pour capitale Auch. À l'heure actuelle, cette ancienne province s'est réduite jusqu'à ne plus désigner que les collines gersoises englobant *grosso modo* Lomagne (dont le melon de Lectoure et l'ail blanc de Saint-Clar sont les fleurons), Armagnac et Ténarèze, Fezensac, Bas-Comminges, Bouconne, Savès et Astarac. Ce qui lie ces terroirs, c'est la langue, ce gascon chantant qui fleure bon le pays du rugby, de la corrida, de la course landaise, du trait d'esprit, du foie gras, de la chasse à la palombe, du floc de Gascogne et de l'armagnac. Depuis des siècles, vignes, cultures, vergers et prairies marquent leurs paysages aux molles ondulations. Les volailles fermières y sont aussi de tradition et le poulet a acquis un label rouge vers 1970, ce dont a bénéficié plus récemment, le bœuf de race gasconne à la robe grise.

En haut : la Gascogne est l'un des pays les plus agricoles de France.

Au milieu : Auch abrite la statue du comte d'Artagnan.

En bas : le paysage gascon offre de vastes étendues céréalières et oléagineuses.

Quant à parler bons produits de terroir, il n'est que d'évoquer tous les marchés au gras qui se déroulent ici d'octobre à avril à Gimont, Eauze, Fleurance, Condom, Seissan, Samatan ou Mirande. Petites villes animées (Auch, Lectoure, Condom, Eauze, Fleurance...), villages au charme suranné (Panjas, Mauléon-d'Armagnac, Larressingle...), abbayes cisterciennes (Flaran, La Romieu...), bastides à l'atmosphère médiévale (Bretagne-d'Armagnac, Monclar, Fourcès, Montréal...), châteaux dressés sur leur motte (Madirac, Cassaigne, Lavardens, Herrebouc, Roquefort...) font de ce pays une destination touristique. Ici est né le plus célèbre des Gascons, emblème de l'esprit du pays, d'Artagnan (né Charles de Batz).

Le Quercy

Entre causses et coteaux

Ancien pays des Cadourques faisant partie de la Guyenne et entré dans le domaine royal en 1472, le Quercy comprend deux entités aux terroirs bien distincts.

Le Haut-Quercy, avec pour capitale Cahors, se compose du Ségala couvert de châtaigneraies et de landes à bruyère et des Causses (Causses Martel, de Gramat, de Labastide-Murat, de Livernon, de Limogne, de Limargue), vastes plateaux calcaires où s'encaissent le Lot, la Dordogne et leurs affluents. C'est le type même du relief karstique creusant grottes et gouffres, dont celui de Padirac est le plus fameux. Mais ceux de Bèdes et de l'Igue de Biau ne le lui cèdent en rien. L'élevage ovin y est roi depuis toujours et l'élevage caprin l'a rattrapé depuis peu. Le lait y donne les cabécous et rocamadours, petits palets à fine fleur blanche.

Le Bas-Quercy, quant à lui, est une suite de coteaux propices aux cultures (tabac, légumes et fruits). La notoriété du chasselas doré de Moissac qui bénéficie d'une AOC, et celle du melon des coteaux du Quercy ont dépassé les frontières régionales, tandis que la cerise d'Aguessac, la reine-claude de Carennac ou la noix sont plus confidentielles. Les prunes d'ente font par ailleurs du Quercy une terre d'élection du fameux pruneau d'Agen.

Ci-dessus : accrochée à la paroi verticale d'une falaise qui domine de 150 mètres la gorge de l'Alzou, Rocamadour est depuis le XIIe siècle une cité religieuse qu'assaillent les pèlerins du monde entier et aujourd'hui les touristes émerveillés par la beauté de son site et la hardiesse de son architecture.

Ci-dessous : lovée dans une boucle du Lot environnée de collines calcaires arides, Cahors est un havre de quiétude et d'harmonie qu'il faut gagner par le pont fortifié de Valentré, bâti au XIVe siècle et barré de trois tours hautes de 40 mètres.

De somptueux sites bâtis émaillent ce pays : Rocamadour (petit village en belvédère érigé en bord de falaise dominant les gorges de l'Alzou et où l'on vénère une Vierge noire du XIIe siècle), Saint-Cirq-Lapopie surplombant le Lot, Moissac et son exceptionnelle abbaye Saint-Pierre, Cahors enserrée dans une boucle du Lot, Figeac patrie de Champollion, le décripteur des hiéroglyphes, Montauban perchée au-dessus du Tarn, ville natale d'Olympe de Gouges et du peintre Jean-Dominique Ingres, dont les œuvres sont abritées dans l'ancien palais épiscopal devenu un musée à son nom… Ce florilège patrimonial ne saurait faire oublier la vallée du Lot, en partie navigable, dont les méandres s'insèrent dans de hautes falaises calcaires, ni le marché aux truffes de Lalbenque.

Plus au nord, gardée sur son flanc oriental par le château de Bonaguil, parangon du château fort médiéval, le dernier bâti en France et qui n'a jamais servi, la Bouriane a tout à la fois les traits du Périgord et du Quercy vert qui tous deux l'encadrent. On y vient pour jouir de ses forêts et de ses bois exploités par des scieries, de ses routes campagnardes, de son calme, de quelques villages préservés, d'églises (Montcabrier, La Masse, Martignac, Cassagnes), d'anciens monastères et prieurés (Catus, Les Junies), et d'un musée Zadkine, un peu insolite ici. C'est que l'artiste acquit une maison aux Arques y sculpta une Pietà pour son église et devint un amoureux du pays.

Toulouse et le Toulousain

La vie en rose

La ville doit en grande partie son cachet incomparable à l'unicité de ses édifices qui, quel que soit leur style ou leur époque de construction, furent réalisés en briques, conférant à la vieille cité son sobriquet de ville rose. À commencer par le bicolore Pont Neuf, le plus vieux de la ville, œuvre de Nicolas Bachelier, tout en briques ourlées de pierre blanche, construit de 1544 à 1632, et par l'ensemble du Capitole. De sa date de construction, 1530, témoignent les fenêtres à meneaux, les mâchicoulis et les échauguettes du donjon du Capitole restauré par Viollet-le-Duc qui le dota d'un clocheton. Quant au Capitole lui-même, il s'articule autour de la cour Henri IV, de 1607, tout de briques et pierres alternées, veillé par la statue polychrome du roi et orné d'une plaque indiquant l'emplacement où le duc de Montmorency, gouverneur du Languedoc, fut exécuté le 30 octobre 1632 pour avoir comploté contre Richelieu. Briques encore pour la basilique Saint-Sernin, la cathédrale Saint-Étienne, le couvent des Cordeliers et celui des Jacobins, briques pour la moindre maison comme pour le plus somptueux des hôtels.

Métrople régionale forte de ses cent mille étudiants qui en font la deuxième ville universitaire de France, internationalement connue grâce à ses réalisations aéronautiques, ses laboratoires de recherche, Toulouse vit au rythme du futur sans renier son passé. Du milieu du XVe siècle au milieu du XVIe, elle connut un siècle d'or grâce à la formidable expansion du commerce du pastel qui engendra la construction de somptueux hôtels particuliers, tels les hôtels d'Assézat, de Bernuy, de Huc Boysson ou de Dahu. La plupart d'entre eux, tant ceux des marchands que des parlementaires, sont marqués d'une haute tour de briques, ronde ou polygonale, qui rappelle l'orgueilleux pouvoir de cette bourgeoisie fortunée qui n'hésita pas à exhiber ses richesses. De nos jours, Toulouse la rose s'enflamme régulièrement pour son stade, théâtre de mémorables matches de rugby, jeu-roi de toute une région qui fédère classes sociales et générations.

Si la grande cité étend son influence administrative et technologique sur l'ensemble du Midi-Pyrénées, le Toulousain n'en est pas moins agricole, avec l'ail violet de Cadours, la carotte de Blagnac, l'oie de Toulouse et la fameuse violette, emblématique de la ville, utilisée en parfumerie comme en confiserie.

Alentour, les villages sont marqués de leurs clochers dits toulousains, hautes tours polygonales étagées, souvent octogonales, à l'image de ceux de la collégiale Saint-Sernin ou des Jacobins à Toulouse.

En haut : longtemps aux mains des comtes, de l'Église et des rois de France, Toulouse s'est forgée une solide indépendance fondée sur une assemblée municipale où siégeaient les capitouls, négociants enrichis dans le commerce du pastel.

En bas : depuis le quai de la Daurade, s'offre au couchant le pont Neuf et l'église Notre-Dame-la-Dalbade, du gothique méridional.

L'Albigeois

Rose et bleu

L'Albigeois est présent dans tous les manuels d'histoire au travers de la sanglante croisade qui vit les seigneurs du nord guidés par Simon de Montfort (et dépêchés par l'Église) s'abattre sur tout le Sud-Ouest pour y briser le catharisme et... s'y tailler de vastes domaines.

À présent, le pays est plus connu pour la ville qui lui a conféré son nom, Albi, son Pont Vieux édifié vers 1040. Établie sur le Tarn, elle livre des trésors d'architecture, tels sa majestueuse cathédrale Sainte-Cécile, son palais de la Berbie et son musée consacré à Toulouse-Lautrec, enfant du pays né en 1864 à l'hôtel du Bosc. Dressée sur un promontoire, la vieille ville semble surgie d'un autre âge. À l'inverse de Béziers et Carcassonne, elle ne souffrit pas de la guerre contre les cathares, son évêque s'étant allié à Simon de Montfort qui lui reconnut les pleins pouvoirs tandis qu'il accordait maintes franchises aux citadins. Et lorsque la chance des armes tourna, elle sut, à temps, faire allégeance au comte de Toulouse. Ville épiscopale puissante, elle fut aussi, aux XVe et XVIe siècles, la grande cité du pastel qui lui apporta une forte prospérité. C'est à cette époque que débutèrent les travaux de la future cathédrale. Il fallut attendre les guerres de Religion pour que les ravages se fassent sentir dans la ville mais c'est la concurrence de l'indigo, entraînant la crise du pastel, qui ébranla sa réussite économique. De toutes les industries qui virent le jour au cours du XIXe siècle, perdure surtout la verrerie qui fut un des chevaux de bataille de Jean Jaurès, alors député de Carmaux.

Ci-dessus : la cathédrale gothique Sainte-Cécile d'Albi est un monumental palais épiscopal, bâti tout en brique aux XIIIe et XIVe siècles par souci d'économie.

Ci-dessous : entre Tarn et Bondidou qu'enjambent trois ponts séculaires, Albi est une ville de patrimoine et de culture d'un grand intérêt, dominée par sa « forteresse de Dieu », symbole de l'autorité de l'Église.

Bastide enserrée dans ses remparts entre terre et ciel, Cordes fut fondée par Raymond VII, comte de Toulouse en 1222 pour regrouper les populations dispersées à la suite de la croisade contre les Cathares. Elle a gardé son atmosphère médiévale et ses demeures gothiques, reflets de sa prospérité des XIVe et XVe siècles, quand ses étoffes et ses cuirs étaient renommés.

Le Lauragais

Pays de cocagne

Le Lauragais est connu pour avoir vu prêché saint Dominique, adversaire déclaré du catharisme et assassiné à Avignonet en 1242. Un siècle plus tard, Saint-Félix-de-Lauragais, village aux belles halles flanquées d'un beffroi, vit naître Guillaume de Nogaret qui passa à la postérité pour avoir fait arrêter les Templiers et le musicien Déodat de Séverac. Aux XVe et XVIe siècles, le Lauragais vit la culture du

pastel se généraliser, faisant de lui le « païs de Cocanha », du nom de la boule de pastel, la cocagne, que l'on exportait dans toute l'Europe. Broyées, filtrées puis séchées, la pâte obtenue donnait une couleur indélébile propice à teindre les étoffes. Aujourd'hui, les cultures de blé, de maïs et de tournesol, et l'élevage du pigeon de chair ont pris le relais de cette plante tinctoriale.

Du sud-est au nord-ouest, le canal du Midi traverse le pays de part en part, avec pour principales étapes Montgiscard, Aigues-vives, Montesquieu-Lauragais, Villefranche-de-Lauragais (petite bastide au cassoulet réputé), Avignonet et Port-Lauragais.

Ci-dessus : terre de transition entre le piémont pyrénéen et les causses auvergnats, le Lauragais porte un sol de terres lourdes, voué à la polyculture mécanisée.

Ci-dessous : joignant Narbonne et Bordeaux, Méditerranée et Atlantique, le canal du Midi étire, sur 250 kilomètres, une voie d'eau propice à de paisibles croisières en pénichettes.

En encadré :
En haut : la bastide de Fourcès à l'agencement circulaire.
En bas : maisons à colombages de Fourcès, portées par des arcades.

L'aventure des *bastides*

La « bastide », qui en langue d'oc désigne une habitation, est ici une ville neuve. Elle se distingue des sauvetés et des castelnaux dans la mesure où elle n'a jamais été accolée à un édifice préexistant, que ce soit une abbaye ou un château.
Établie sur un terrain vierge, elle bénéficiait d'un véritable plan d'urbanisme après avoir fait l'objet d'un paréage, contrat d'association entre un seigneur féodal et le propriétaire de la terre où elle devait être édifiée. Elle était généralement organisée autour d'une place centrale à couverts et cornières, où se tenait généralement une halle, soit sur un axe, soit sur deux, et sur un plan en damier. Les maîtres d'œuvre en furent le comte de Toulouse, son gendre Alphonse de Poitiers, frère de Saint Louis, et le roi d'Angleterre Édouard III, sans compter nombre de petits seigneurs locaux.

Pays rude

• LE ROUERGUE

Qu'ils soient établis sur les contreforts du Massif central, sur des causses ou des sols granitiques peu fertiles, ces pays ont connu des conditions de vie difficiles à l'origine d'un fort exode rural, avant que les engrais chimiques ne fertilisent leurs terres et que les grandes voies de communication ne les désenclavent.

Le Rouergue

Unique et multiple

Bien que province géologiquement rattachée au Massif central, le Rouergue a toujours été tourné vers le Midi. Cette entité au fort particularisme présente une mosaïque de terroirs très divers, qu'unissent une même langue et des mêmes communes.

Au nord, l'Aubrac est un massif montagneux aux hivers longs et rudes, où granits et schistes font place, çà et là, à des coulées de basalte et dont le point culminant est au Signal de Mailhebiau (1 469 mètres), quand les terres les plus basses ne sont jamais à moins de 1 000 mètres d'altitude. Il est voué à l'élevage bovin, autrefois essentiellement laitier, à présent tourné vers la viande, sans toutefois avoir abandonné la fabrication du laguiole, un goûteux fromage de vache fermier à la base de l'aligot (mélange de purée de pommes de terre et de tomme fraîche).

Dans ce désert d'herbe, on ne trouve pas de villes mais des bourgs ouverts au tourisme blanc l'hiver, avec de nombreuses pistes de ski de fond, et au tourisme vert l'été, grâce à des ruisseaux poissonneux, des sentiers de randonnée et des auberges où l'on sert le roboratif aligot.

Au pied de l'Aubrac, s'étendent les grands blocs calcaires des Causses (Causse Comtal, de Séverac, Noir ou du Larzac), qui déploient

Ci-dessus : partagé entre Cantal, Lozère et Aveyron, l'Aubrac offre, depuis le Moyen Âge, ses prairies d'altitude aux troupeaux bovins l'été, comme le rappelle la fête de la transhumance, qui a lieu le 25 mai et le 13 octobre.

Ci-dessous : à plus de 1 000 mètres d'altitude, l'Aubrac est un authentique bout du monde, une solitude ascétique marquée par des hivers longs et rigoureux qui firent périrent, jadis, plus d'un voyageur égaré.

Santé !

Les vins gardent ici un fort parfum de terroir, qui fait tout leur intérêt. Les crus renommés ne manquent pas, la région dans son ensemble abritant six appellations d'origine contrôlée : madiran, dont les pèlerins de Saint-Jacques faisaient déjà grand cas au Moyen Âge, pacherenc du vic-bilh, aux blancs étonnants, cahors, qui devint le vin de messe de l'Église orthodoxe russe, fronton, qui doit tout à la négrette, son cépage d'élection, marcillac, dont le développement fut lié à l'abbaye de Conques, gaillac tant rouges que blancs, que le comte Raymond VII de Toulouse protégea par une charte octroyée en 1221.
Aux côtés de ces vins historiques, vins de qualité supérieure (VDQS) et vins de pays complètent les productions d'un vignoble qui s'étend sur quelque 45 00 hectares, faisant de la région la sixième de France en matière viticole, et produisant rouges, rosés et blancs, sans compter deux vins doux et un vin effervescent.

En haut, à gauche : ail rose de Lautrec.

Ci-contre : armagnac du Gers.

Ci-dessous, à gauche : cassoulet du Lauragais.

Ci-dessous, à droite : foie gras d'oie et vin de Sauternes.

En bas : truffes de Cahors.

Gloire aux *alambics*

Eau-de-vie ambrée vieillie en fûts de chêne, à base de folle blanche, de colombelle, d'ugni blanc et de baco, l'armagnac dut son essor, au cours du XVe siècle, au fait qu'à cette époque où les communications étaient lentes le vin avait le temps de tourner au vinaigre durant son transport. Il était alors plus intéressant de le transformer en eau-de-vie, celle-ci étant d'un plus faible volume – l'eau-de-vie ne représente qu'un sixième du volume de vin initial – et d'une plus forte valeur marchande.
À présent de renommée universelle, il est produit à partir d'un vignoble d'environ 15 000 hectares, réparti sur trois terroirs d'appellation. Le premier, et le meilleur, celui qui donne les eaux-de-vie les plus fines, le Bas-Armagnac est à cheval sur le département du Gers et celui des Landes. Située dans celui du Gers, la Ténarèze ensuite, où se situe la « capitale » de l'armagnac, à savoir Eauze, confère aux eaux-de-vie un nez de violette caractéristique. Le Haut-Armagnac enfin, dans le Lot-et-Garonne, produit une eau-de-vie de moindre qualité. Mais toutes subissent la même distillation continue et le même vieillissement en fûts de chêne.

À *table !*

L'art du bien manger, tant en Gascogne qu'en Bigorre, en Rouergue qu'en Quercy, en Albigeois qu'en Comté de Foix, n'est plus à démontrer. Et il n'est pour s'en convaincre que d'évoquer les plats emblématiques que sont le foie gras poêlé, le confit de canard en pot, les cèpes en persillade et la truffe à la croque-au-sel, la soupe à la rouzole, l'aligot d'Aubrac ou la garbure bigourdane, le cassoulet toulousain et le pétaram de Luchon, le gâteau à la broche, la fouace rouergate, le curvellet tarnais ou le pastis quercynois.

Tous sont élaborés depuis des lustres, avec les bons produits du terroir qui ont généré une gastronomie rustique et plantureuse, aux saveurs inimitables. Seul original dans ce concert autochtone, l'estofinado pourrait faire figure d'étranger s'il n'avait su se fondre dans les habitudes gourmandes du Rouergue et du Quercy. C'est que l'ingrédient majeur en est le stockfish scandinave, remonté par bateau des ports de l'Atlantique – qui figura sur les tables paysannes les plus modestes durant des siècles –, mais cuisiné à la manière du pays, selon laquelle l'ail n'est pas ménagé.

À la **poursuite** du ***diamant*** *noir*

Que ne ferait-on pas, pour quelques dizaines de grammes de *Tuber melanosporum*, la truffe du Périgord dont le terroir de prédilection s'étend sur le causse, à l'ombre de chênes ou de noisetiers rabougris qui accueillent à leur pied ce champignon au parfum entêtant ?
Il faut en tout cas mettre la main au portefeuille, tant les prix en font l'un des produits les plus luxueux qui soient. Mais quelle saveur ! Et quelles ruses il faut déployer pour partir à sa recherche en se faisant seconder d'une truie, d'un chien, ou en suivant le vol d'une mouche... !
Les cèpes bénéficient du même engouement, et leur ramassage est presque une affaire d'État, les cueilleurs prenant le plus grand soin à dissimuler leurs bons coins. En tout cas, ces goûteux champignons sont indispensables à nombre de recettes, et leur prix de vente, abordable, permet de les retrouver sur la plupart des tables.

leurs vastes plateaux calcaires voués aux parcours des brebis de Lacaune.

Au centre, le Lévézou cristallin longtemps demeuré désert est devenu, grâce aux amendements, une terre de cultures céréalières, que complète l'élevage, bovin pour la viande et ovin pour la fabrication du roquefort. Ses lacs de barrage (lacs de Pareloup, du Bage, de Pont-de-Salars, de Villefranche-de-Panat) sont un attrait pour les vacanciers, comme ses harmonieux villages taillés dans le grès local.

Dans le Ségalas voisin, vaste plateau aux terres ingrates où se sont encastrées les vallées du Viaur et de l'Aveyron, on s'est nourri pendant des siècles de châtaignes et de seigle (ses habitants étaient appelés les « ventres noirs »), jusqu'à ce que le pays subisse, au XIXe siècle, une révolution agricole grâce à l'essor des engrais.

À l'Est, le bassin houiller de Carmaux – dont Jean Jaurès fut député – a engendré l'industrialisation du pays, aujourd'hui compromise. Heureusement, le tourisme vert s'y développe avec succès.

Perchée sur un promontoire, Rodez, sa capitale, est une cité gallo-romaine bâtie autour d'une puissante cathédrale toute de briques.

En haut, à gauche : dans les gorges de la Truyère, le hameau du Vallon, que couronnent les ruines d'une forteresse, est environné de lacs de retenue pour la production d'électricité.

En haut, à droite : campée sur une crête rocheuse cernée par un méandre de l'Aveyron, Najac est dominée par un puissant château que se disputèrent rois de France et d'Angleterre.

En bas : à Decazeville, capitale du bassin houiller du Rouergue, cette statue de mineurs rappelle que, de 1826 à 1965, l'extraction du charbon occupait plus de cinq mille personnes.

Alentour, on découvre de superbes sites naturels et patrimoniaux : Montpellier-le-Vieux et ses étranges reliefs ruiniformes, les gorges de la Truyère et de la Dourbie, Espalion, Estaing, Villefranche-de-Rouergue, l'une des plus belles bastides de France, Najac, juchée sur un piton, Conques, dont l'église abbatiale Sainte-Foy est un chef-d'œuvre de l'art roman, Roquefort-sur-Soulzon, le site templier de La Courvertoirade, l'abbaye de Sylvanès…

Artisanat et produits du terroir n'en sont pas moins riches avec le couteau de Laguiole, les gants de Millau, les tripous, la fraise de Saint-Geniez-d'Olt, le roquefort, le fromage de Laguiole, le massepain de Montbazens, la tarte encalat, la gentiane d'Aubrac et le vin de Marcillac.

A l'est, s'ouvre le territoire de collines du Saint-Affricain, marqué par le rutilant rougier de Camarès, minuscule pays aux terres dont la couleur pourpre est due à la présence de grès rouge et d'argiles de même teinte de la fin de l'ère primaire. Cet étonnant phénomène chromatique se retrouve aussi au nord-ouest, au vallon de Marcillac, coincé entre Ségalas, Causse Comtal et bassin houiller de Decazeville. Ce dernier fit les beaux jours industriels de la province, avant de subir la crise du charbon. Les mines fermées, la ville a périclité et tarde à s'en remettre. On découvrira avec intérêt la mine de la Découverte, vaste amphithéâtre à ciel ouvert d'où était extraite la houille.

LIMOUSIN
AUVERGNE
LANGUEDOC-ROUSSILLON

Terre d'élevage rurale à souhait, émaillée de forêts, de lacs et d'étangs,
le Limousin et ses pays composent une verte contrée portée par un vieux massif granitique
qui dépaysera et oxygénera tous les amoureux de nature et de patrimoine.
Nés des soubresauts de la Terre, les pays d'Auvergne, que porte un massif volcanique
aujourd'hui assoupi, livrent de somptueuses curiosités naturelles et bâties,
où l'on découvre cratères égueulés, canyons d'argile, gorges encaissées,
châteaux perchés en sentinelles sur des coulées de lave, lacs scintillants...
Les pays du Languedoc-Roussillon, bordés par les eaux chaudes de la Méditerranée,
la chaîne des Pyrénées et les contreforts du Massif central, sont marqués par la civilisation
romaine et la foi chrétienne, recèlent des terres authentiques dont la Camargue
et les Cévennes sont les joyaux.

Aujourd'hui, le Limousin est devenu un terroir d'élevage réputé pour ses viandes bovines et ovines.

Royaume de l'arbre, de l'eau et du granit

Méconnue, mal identifiée, peu peuplée, cette vieille terre granitique établie sur les rebords du Massif central livre une nature sauvage et forte qui ravira les amateurs de tourisme vert. S'y découvre une marqueterie de 530 000 hectares de forêts de chênes, châtaigniers, mélèzes et pin, 5 000 kilomètres de ruisseaux et rivières à truites, trois mille étangs, quarante plans d'eau aménagés, 2 000 kilomètres de sentiers de randonnées et de magnifiques gorges.

• Contrée enclavée aux pauvres sols balayés par les vents, elle a dû compter sur ses seules ressources naturelles pour fonder son économie où s'épaulent agriculture et artisanat. La culture du seigle, du châtaignier, de la vigne, l'élevage du mouton, l'extraction de l'argile furent source de céréales panifiables, de vins, de merrains pour la tonnellerie, de peaux pour la tannerie, de laine pour la fabrication des tapisseries et de kaolin pour la porcelaine.

• Dans les pâturages limousins, classés parmi les meilleurs du monde avec ceux de l'Argentine, s'ébattent bœufs charolais, moutons à toison blanche et vaches limousines à la robe blond-roux, aux yeux et mufle bordés de blanc. Robustes, dotées d'une forte masse musculaire et douées d'une facilité de vêlage, ces dernières sont 1 million de tête en France et s'exportent dans plus de soixante pays. Une appellation d'origine contrôlée et un Génoscope, véritable pôle scientifique, veillent à leur croissance, morphologie, reproduction…

• Si elles ne s'offrent pas en grandes quantités, les richesses minières du sous-sol limousin sont remarquables de diversité : charbon, plomb, tungstène, uranium, or, argent. Toutefois, la concurrence mondiale et la faible teneur du minerai rendent l'exploitation des sites encore en activité très fragile. Aux marches de la France et de l'Aquitaine, le Limousin a dressé de nombreuses forteresses pour faire face à la guerre de Cent Ans puis aux guerres de Religion. À la limite des langues d'oïl et d'oc, il a vu naître l'amour courtois célébré par les troubadours, ainsi que de fameux écrivains, artistes et hommes d'État. Surnommée par les Allemands la « Petite Russie » lors de la Seconde Guerre mondiale, cette terre rebelle s'est distinguée par sa résistance aux nazis.

Pays de plateau

• La Basse Marche et la Haute Marche • Le pays de Brive
• Le pays de Tulle • Le pays de la Vienne

Mêlés d'influences poitevines et méridionales, ils portent une succession de collines qu'interrompent les plateaux voués aux cultures céréalières, légumières et fruitières, les pâturages à vaches, les forêts et les étangs. Ici et là, émergent de ces verdoyants paysages, des villages de grès rouge ou de schiste noir, des églises fortifiées, des châteaux et logis seigneuriaux ou encore des pierres à légendes.

La Basse Marche et la Haute Marche

Terre de pierres à légendes

À la frontière du duché de Normandie et du royaume de France, cette province fut de toutes les convoitises.

Aux mains de la maison de Lusignan alliée des Anglais, elle fut érigée en duché par Philippe le Bel en 1317, puis échangée avant d'être confisquée par François Ier en 1527, et de subir la guerre de Cent Ans et les guerres de Religion. Établie sur les rebords du Massif central, elle forme un plateau de granit qu'entaillent les vallées encaissées de la Creuse et de ses affluents. S'y tisse un maillage de prairies bocagères vouées à l'élevage des bœufs charolais, des vaches limousines, des moutons et des agneaux.

En haut : au confluent de la Grande et de la Petite Creuse, le village de Fresselines et ses environs ont attiré, à la fin du XIXe siècle, de nombreux peintres parmi lesquels Monet, Guillaumin, Picabia..

Au milieu : aux confins de la Champagne berrichone, le château de Boussac est un bel édifice féodal, ajouré au XVIe siècle de fenêtres et de tourelles.

En bas : les pierres à légendes ont, depuis la nuit des temps,nourri une multitude de croyances.

Alentour, forêts, étangs, lacs, fermes fortifiées, châteaux, émaillent en beauté le paysage. Capitale de la Basse Marche, Bellac, est une ancienne cité de tanneurs qui a vu naître en 1882 l'écrivain et poète Jean Giraudoux auquel elle rend hommage avec un festival qui mêle théâtre, musique et danse.

Plus à l'est, passé la belle cité de Châteauponsac s'ouvre le pays de La Souterraine, qui doit son nom à sa capitale établie autour d'une crypte accessible jadis par un souterrain.

Capitale de la Haute Marche, Guéret est une ville bâtie avec le granit bleu des carrières toute proche de Maupuy, encore exploitées pour la production de pavés, dalles et parements. Au nord, s'ouvre la vallée de la Creuse émaillée de gorges, domaine de cœur de Georges Sand qui en dit : « C'est la vraie campagne comme je l'aime, sauvage et riante, une suite infinie et toujours variée de décors ». Entre 1830 et 1930, ce havre (hélas gâté par la construction d'un barrage qui a noyé certains vallons) vit Monet, Guillaumin, Alluaud y planter leur chevalet pour en capter les paysages baignés de lumières diaphanes. De pittoresques villages tels Jouillat, La Celle-Dunoise ou Crozant (où fut fondée l'école de peinture éponyme), jalonnent son parcours. Non loin, surplombant le val de Creuse, l'église romane de Glénic est l'un des cinquante édifices que compte la Creuse ainsi fortifiée au XVe siècle pour dissuader les bandes armées de les piller.

Plus à l'est, aux confins de la Champagne berrichonne, on arrive au pays des pierres à légendes. Gros blocs de granit en équilibre instable, vasques creusées dans la roche ou mégalithes ces roches insolites isolées par l'érosion ou dressées en terre par l'homme, ont de tout temps alimenté légendes et croyances populaires. Perçues comme un lien entre le ciel et la terre, le monde profane et celui du divin, et un réceptacle entre les énergies telluriques et cosmiques, elles exercèrent une réelle fascination sur les populations qui venaient y prier, solliciter fécondité, récoltes prospères et guérisons.

En haut : fortifiée lors de la guerre de Cent Ans, l'église de Glénic rappelle que le Limousin fut longtemps une marche militaire entre le royaume de France et l'Aquitaine.

En bas : mi-romane, mi-gothique, l'église de Mouthier-d'Ahun abrite de magnifiques stalles et des statues en chêne et en buis du XVIIe siècle.

Dans un paysage de pâturage et de forêt au pied de la Creuse qu'enjambe un pont médiéval, Moutier-d'Ahun est réputée pour son église, dernier bâtiment d'un monastère bénédictin, qui renferme des boiseries et vingt-six stalles ornées de guirlandes de fleurs et de personnages fantastiques. Dans ce remarquable décor furent tournées des scènes du film d'Alain Corneau, *Tous les matins du monde*.

Non loin, perchée dans la campagne creusoise, Masgot crée la surprise avec ses étonnantes sculptures de granit qui égrènent buste de Marianne, tête de Napoléon Ier, cochon, serpent, sirène, Ève, Dieu-le-père, aigle. Elles sont l'œuvre du libre-penseur François Michaud, tailleur de pierre et conseiller municipal du bourg qui, bonapartiste dans sa jeunesse mais fermement républicain à la fin de sa vie, exprima dans un style volontairement naïf ses doutes, convictions et revirements.

Plus au sud, nichée au fond d'une gorge, la belle cité d'Aubusson est depuis le XVe siècle la capitale de la tapisserie – les eaux vives de la Creuse se prêtant bien au dégraissage des laines et aux opérations de teinture.

Le pays de Brive

Un avant-goût du Midi

Villages bâtis tout de grès rouge, de calcaire blanc ou de schiste noir, Causse troué de grottes, élevages d'oie, chênes truffiers… ce pays aux étés chauds et aux hivers cléments mérite son surnom de « riant portail du Midi ». À la croisée de l'Aquitaine et de l'Auvergne, il porte une succession de collines et de buttes qu'interrompent, au nord et à l'est, des plateaux voués aux cultures céréalières, légumières, fruitières, ainsi qu'à l'élevage (vaches, veaux de lait et moutons).

Au nord, les carrières de schiste d'Allassac et de Travassac fournissent depuis le Moyen Âge une ardoise gris-bleu qui coiffe maintes toitures. Sur un site dominant les vallées de la Corrèze et du Coyroux, l'abbaye cistercienne d'Aubazine conserve une abbatiale de pur style roman, un monastère et le jardin du cloître.

Porte ouverte sur le Sud, Brive-la-Gaillarde, sa capitale, est une cité méridionale qui vit au rythme de ses foires aux noix, aux foies gras et aux cèpes, de ses matches de rugby et de ses Orchestrades qui réunissent l'été les futurs prodiges de la musique classique. Établie sur les rives de la Corrèze, au croisement des voies commerciales de Paris-Toulouse et Bordeaux-Lyon, elle a pu s'étendre sans contrainte, devenant la seconde agglomération du Limousin avec soixante-cinq mille habitants. Bâtie en grès ocre-beige et coiffée d'ardoises gris-bleu, elle mêle architectures médiévales, Renaissance, classiques et néoclassiques, et doit son nom à son pont (*briva* en celte), et ses fortifications (*galia* en gaulois). Depuis 1982, le nom de la ville est devenu celui d'un courant littéraire régionaliste, l'École de Brive, qui réunit écrivains, journalistes et éditeurs unis par l'amitié et l'amour de leur pays. S'y retrouvent notamment Michel Peyramaure, Claude Michelet, Christian Signol, Denis Tillinac qui ont contribué à la création de la Foire du livre de Brive, qui attire cent mille visiteurs chaque année.

Ci-dessus : étagé sur une butte au-dessus de la vallée de la Tourmente, la cité de Turenne garde fière allure de son passé de vicomté.

Ci-dessous : noyée dans la verdure, Collonges-la-Rouge est une « ville pittoresque couronnée de tours roses aux capuchons de lauzes bleues », a écrit André Maurois.

Plus au sud, sise à flanc de coteau dans un paisible décor de vignes, de noyers et de châtaigniers, Collonges-la-Rouge est un merveilleux village bâti tout en grès rouge. S'y égrènent dans la plus parfaite harmonie manoirs, castels et gentilhommières que rehaussent en majesté d'altières tourelles en poivrière. Ancienne halte sur le chemin de Compostelle, elle connut un âge d'or entre le XIIIe et le XVIe siècle grâce à sa production de vins gris et paillés très prisés. Frappée par l'exode rural (phylloxéra, guerre de 1914), elle revit aujourd'hui grâce au tourisme et a vu naître en 1982 l'association des plus Beaux villages de France dont la vocation est de

Émailleur, *lissier* et *porcelainier*

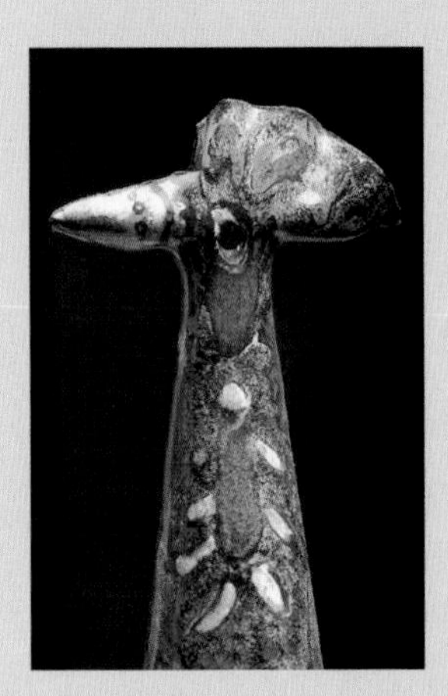

Qualité des ressources naturelles (eaux pures, bois, silice, oxydes métalliques), échanges commerciaux avec l'Europe et rudesse de la terre ont fait naître en Limousin un riche artisanat d'art. Depuis l'an mil, les émaux de Limoges ornent les chasses des églises de France. Petit édifice en or, argent ou cuivre contenant les reliques d'un saint, elles figurent des scènes mythologiques et représentations de la Passion. À base de silice, cobalt (pour le bleu), manganèse (pour le violet), cuivre (pour le vert ou le rouge), et d'antimoine (pour le jaune), l'émail est déposé sur le métal (ou placé dans une armature en fils de métal pour isoler les couleurs) et vitrifié par cuisson.

Depuis le xve siècle, tapisserie et tapis de laine font partie intégrante du mobilier des châteaux. Importée de Flandre et exécutée dans les ateliers d'Aubusson et de Felletin a qui Louis XIV accorda le titre de manufacture royale en 1665 et 1689, la tapisserie de basse lisse est fabriquée sur un métier horizontal où sont entrecroisés des fils de coton, de laine, de soie, de lin, parfois rehaussés de fils d'or et d'argent. Aux motifs traditionnels de scènes mythologiques, religieuses et de chasse se sont ajoutées au xxe siècle les compositions de Picasso, Dali, Calder, qui furent appelés au chevet de cet art en déclin pour le relancer.

Grâce à la découverte, en 1770, de gisements de kaolin (une argile très pure), de Saint-Yrieix-la-Perche, Limoges est la doyenne des manufactures de porcelaines françaises. Comptant à son apogée jusqu'à quatre-vingts fours et quatre mille artisans, elle se consacre désormais aux arts de la table, exportant près de la moitié de sa production aux États-Unis, au Japon et en Allemagne.

En encadré :
En haut : coq émaillé, Limoges.
Au milieu : décoration de porcelaine, Limoges.
En bas : manufacture d'Aubusson.

Ci-dessus : née du rayonnement d'une abbaye fondée en 855, Beaulieu-sur-Dordogne est une paisible cité médiévale jadis tournée vers le transport du blé, du vin et du bois sur la Dordogne.

valoriser les hauts lieux du patrimoine comme les actions de développement économique (création de commerces, ouverture de chambres d'hôtes).

Non loin, Turenne étage sur une colline de grès ses vieux logis de calcaire blanc que dominent les tours d'un château démantelé par Louis XV en 1738. Fief du bouillonnant maréchal de France Henri de La Tour d'Auvergne, elle fut une puissante vicomté regroupant plus de cent paroisses. Siège d'un atelier monétaire, elle rédigeait ses lois, levait ses impôts, octroyait des franchises.

Plus au sud, entre Meyssac (belle cité de grès rouge réputée pour ses foires), et Curemonte (l'un des plus Beaux villages de France flanqué de trois châteaux), le vignoble de Branceilles propose des vins fruités à la belle couleur vermeille.

À l'est, aux portes du Quercy, les calcaires du Causse corrézien portent un taillis de chênes pubescents où fructifient de précieuses truffes. S'y loge le gouffre de la Fage qui offre une féerie de cristaux et de forêts d'aiguilles.

Le pays de Tulle

Tourné vers sa capitale

Carrefour d'influences semi-montagnardes et méridionales entre la Montagne limousine et le pays de Brive, ce verdoyant bocage abrite châteaux et logis seigneuriaux, anciennes seigneuries agricoles et relais pour les pèlerins de Compostelle.

Logée au fond d'un cirque formé par la Corrèze, Tulle, sa capitale, étire sur plus de 3 kilomètres de long ses rives que dominent sept collines. Ville ouvrière et administrative, elle doit son essor à la dentelle brodée à l'aiguille (le point de Tulle) et à sa manufacture d'armes de guerre.

Simple corporation d'arquebusiers au Moyen Âge tirant profit des gisements de fer et de charbon de la vallée, la ville prit son essor au XVIIIe siècle employant jusqu'à quatre mille salariés (1914-1918), fabriquant fusils d'infanterie, fusils-mitrailleurs et aujourd'hui canons automatiques pour hélicoptères. Depuis 1919, Tulle vit aussi au rythme de l'accordéon ! À présent, la dernière entreprise française à fabriquer des pianos à bretelles est la société Maugein frères, qui assemble plus de six mille huit cents pièces pour leur donner corps et sons. Bien que légèrement enlaidie par la construction d'immeubles sans âmes, Tulle conserve un agréable quartier médiéval, dominé la cathédrale Notre-Dame, où l'on découvre de nobles demeures.

Non loin, Gimel-les-Cascades est réputée pour ses trois chutes d'eau plongeant de 38, 45 et 60 mètres de haut dans une vasque profonde appelée l'Inferno. De toute beauté, le village est réputé pour son église qui abrite la châsse de saint Étienne, décorée de personnages sculptés dans le cuivre émaillé, et le buste-reliquaire de saint Dumine.

Plus à l'est, la campagne est trouée d'étangs et de plans d'eau où l'on peut pratiquer baignade, sports nautiques et pêche (carpes, brochets, perches, truites...).

Logée dans une boucle que décrit le Doustre, La Roche-Canillac occupe un site de bocages et de forêts que dominent un vieux château et une église romane.

En haut : à Tulle, la maison Renaissance de Loyac aux fenêtres sculptées d'animaux est l'un des plus beaux hôtels particuliers de la ville.

Au milieu : depuis 1919, la fabrique d'accordéons Maugein donne vie et souffle à huit cents instruments par an.

En bas : le pays offre une campagne quadrillée de pâturages à vaches bordés de forêts de châtaigniers et de résineux.

Le pays de la Vienne
Mine des chercheurs d'or

Cités historiques, églises romanes, châteaux médiévaux, rivières poissonneuses, lacs... ce plateau granitique ponctué de monts s'élevant jusqu'à 700 mètres livre un riche patrimoine naturel et bâti. Traversé par la vallée de la Vienne, il porte pâturages, champs de blé, forêts de chênes et de sapins.

Au nord, dans un paysage parsemé d'étangs, s'égrènent de beaux villages tels Bellac, qui profile sa paisible silhouette dans les eaux du Vincou, Mortemart, paré d'une belle architecture médiévale et Renaissance, Blond, doté d'une église romane fortifiée.

Située sur les rives de la Vienne, Limoges, sa capitale, mérite une visite approfondie pour sa cathédrale gothique, ses halles Baltard, sa gare de style Art déco et ses pittoresques quartiers bordés de maisons à pans de bois et d'hôtels particuliers. Poumon économique et culturel du Limousin, elle réunit dans son agglomération deux cent mille habitants, concentrant l'essentiel des équipements et des emplois. Ancienne ville romaine, Limoges est née de la réunion de deux entités rivales, une seigneurie ecclésiastique dotée d'une cathédrale et une cité protégée par un château et des remparts. Étape sur la route de Compostelle, elle acquit une grande renommée grâce au savoir-faire de ses orfèvres travaillant l'or et l'argent puis des émailleurs qui, s'inspirant des maîtres byzantins, créèrent des décors à base d'oxydes métalliques pour orner les châsses des églises. En 1768, la découverte d'un gisement de kaolin (argile blanche réfractaire) à Saint-Yrieix-la-Perche fit naître une puissante industrie de la porcelaine (employant jusqu'à quinze mille ouvriers), qui fonda sa notoriété dans le monde entier et son ancrage à gauche jusqu'en 1993. Berceau de la CGT (Confédération générale du travail), elle profita, entre 1940 et 1942, de sa situation en zone libre pour créer un important maillon de la Résistance – ce qui lui valut de subir, comme d'ailleurs l'ensemble du Limousin, de féroces représailles dont témoigne à jamais le village martyr d'Oradour-sur-Glane, situé un peu plus au nord.

En haut : bâtie vers 1920 dans un style Art déco, la gare des Bénédictins de Limoges affirme sa foi en la révolution industrielle ave son dôme en cuivre et sa tour-horloge dressée tel un phare.

Au milieu : polissage à la pierre d'agate.

En bas : flanquée de tours d'angles à mâchicoulis, le château de Rochechouart abrite le musée départemental d'Art contemporain consacré à l'histoire, la nature et l'imaginaire.

Depuis l'Antiquité, 35 tonnes d'or ont été extraites en pays de Vienne ! Si la quête du précieux minerai remonte à l'époque gauloise dans les environs de Saint-Yrieix-la-Perche, des monts de Blond et d'Ambazac (où se tinrent en 1995, au lac de Saint-Pardoux, les championnats du monde d'orpaillage), il a fallu attendre le XXe siècle pour que son exploitation se rationalise grâce à des prospections systématiques et à l'utilisation d'un matériel de traitement moderne. Toutefois, la faible

teneur en or du minerai et la concurrence mondiale rendent cette activité très fragile.

Plus au sud, aux confins du Périgord central, Châlus marque l'entrée du pays des Feuillardiers, une terre de collines granitique constellée de ruisseaux et plantée de châtaigniers naguère exploités pour la production de bois de chauffe, la fabrication de bardeaux pour les toitures, de merrains pour les tonneaux de vins du Bordelais et du Cognaçais, la vannerie. Jusqu'au XIXe siècle, la forêt était peuplée de cabanes qu'occupaient les feuillardiers (paysans ou artisans journaliers), qui y façonnaient son bois imputrescible, source de compléments de revenus saisonniers. Alentour s'ouvre la route Richard-Cœur de Lion, que jalonnent les châteaux, Rochechouart, Montbrun, Champagnac-la-Rivière, Ségur-le-Château, Pompadour.

Plus à l'est, dans un riant paysage de pâturages et de rivières limpides, le très fleuri bourg de Saint-Hilaire-les-Places et la tuilerie artisanale de Puycheny (la dernière encore en activité du pays) offrent d'agréables buts de visite.

Ci-desssus : théâtre de la barbarie nazie, le village martyr d'Oradour-sur-Glane est volontairement conservé en l'état depuis 1945 pour offrir un lieu de mémoire aux visiteurs.

Robustes *comme* le *granit*

Maisons à Jugeals-Nazareth.

Simples, austères mais harmonieuses, maisons et fermes limousines font corps avec les paysages et expriment le terroir qui les a vu naître. En Creuse, l'habitat abrite sous un même toit habitation et étable jadis couvert de seigle, que remplacent à présent tuiles et ardoises. En Haute Marche, le granit remplace le schiste du Bas Berry ; et la maison s'entoure d'annexes, remises à outils, porcheries, fours à pain, puits. Dans cette contrée aux hivers longs, il fallait engranger de grandes réserves de fourrage pour nourrir les animaux. C'est pourquoi chaque ferme possède sa grange accessible depuis un porche monumental couronné par un pigeonnier. Divisée en trois parties, elle abrite une aire à battre le blé et deux étables, l'étage supérieur servant à entreposer le foin.

En pays d'Uzerche, en Montagne limousine et dans le Périgord voisin se rencontre un type particulier d'habitat, dit ovalaire – en raison de son plan oval. Ceinturées de petits murs en maçonnerie, les granges sont portées par une charpente formée de deux « courbio », deux arbalétriers courbes qui reposent non pas sur les murs mais directement sur le sol. Des mille cinq cents recensées au XVIIIe siècle n'en subsistent qu'une trentaine en ruine que des spécialistes assimilent à une survivance d'habitation gauloise. Comment leurs poutres pouvaient-elles être courbées de la sorte pour passer d'une section horizontale à une section verticale ? Le mystère demeure.

Sur le plateau de Millevaches, on trouve les plus belles fermes limousines, environnées d'un puits, d'un four à pain et d'un poulailler. Magnifiquement appareillées en bloc de granit et coiffées d'ardoises (qui remplacent la paille de seigle d'hier), elles se regroupent en villages (hameaux éparpillés) et comptent peu d'ouvertures pour faire face aux rigueurs de l'hiver. Dans la maçonnerie, des niches pour le rangement des ustensiles de cuisine font fonction de mobilier, remplaçant armoires et buffets.

En Basse Marche, la maison s'ordonne en longueur, ne laissant apparaître sous son enduit que ses encadrements de granit bleu. Sa toiture terminée en génoise par trois ou quatre rangées de tuiles rondes rappelle la proximité de la Charente et du Poitou voisins.

Ils *ont* construit la *France*

Hôtel des Moneyroux, à Guéret.

« Voyez le Panthéon, voyez les Tuileries, Le Louvre et l'Odéon, le Palais de l'Industrie, de tous ces monuments, la France est orgueilleuse, elle doit ses ornements, aux maçons de la Creuse. » Cette chanson de Jean du Boueix rappelle qu'entre les XVe et XIXe siècles les Marchois quittèrent leurs terres ingrates pour gagner Paris, Lyon ou Bordeaux et y bâtir immeubles, monuments et quais. Sans leur savoir-faire et leur cœur à l'ouvrage, l'ambitieux réaménagement de Paris orchestré par Haussmann n'aurait jamais vu le jour. On leur doit l'Opéra Garnier, l'Hôtel de Ville, le théâtre du Châtelet, l'église de la Madeleine.

Maçons, tailleurs de pierre, terrassiers ou charpentiers, ces paysans appelés limousinants en référence à leur province tenaient cet art de bâtir de leur habitude d'épierrer les champs et de construire les murets, maisons et granges. Dès l'âge de quatorze ans, ils prenaient la route au début du mois de mars, pour ne revenir qu'aux premières gelées de décembre, retrouvant mères, sœurs, femmes et enfants qui s'étaient occupés neuf mois à l'exploitation de la ferme. À leur retour, fêtes, veillées au coin du feu et repas plantureux scellaient les retrouvailles. Confrontés à ces conditions de vie très rudes (douze heures de travail par jour, logements insalubres), ils développèrent une conscience de classe aiguë qui favorisa, au début du XXe siècle, l'essor syndicaliste. Le plus illustre des limousinants est Martin Nadaud qui, à force d'instruction et de militantisme, devint en 1849 député de la Creuse. Engagé dans la défense des droits des ouvriers, il favorisa la relance des travaux publics et fit modifier la législation du travail afin d'engager la responsabilité de l'employeur en cas d'accident. Surnommé le « général des maçons », on lui doit la célèbre formule « Quand le bâtiment va, tout va ».

Pays de montagne

• LA DORDOGNE LIMOUSINE • LA MONTAGNE LIMOUSINE
• LA XAINTRIE

Bien que d'altitude modeste, leurs terres appuyées sur les rebords du Massif central livrent une nature forte et sauvage émaillée, de vallées taillées en gorges, de lacs et d'étangs, de forêts et de landes où vivent chevreuils, martins-pêcheurs, coucous. S'y déploie le plateau de Millevaches qui culmine à 977 mètres, véritable château d'eau où naissent la Vézère, la Corrèze, la Vienne et la Creuse.

La Dordogne limousine

Balade des troubadours

Gorges sauvages, ruisseaux bondissants, églises romanes dotées de clocher-mur... À la lisière de l'Auvergne et des monts du Cantal, elle offre de plaisants paysages.

Entaillée par les abruptes gorges du Vianon et de la Dordogne, elle forme un plateau cristallin oscillant entre 500 à 700 mètres d'altitude que coupent les affluents de la Dordogne. Landes, bois et pâturages voués à l'élevage de vaches limousines et de moutons s'y succèdent, entrecoupés d'étangs et de plans d'eau rafraîchissants.

En haut : environné d'épaisses forêts et d'un plan d'eau artificiel, Bugeat est une station verte où l'on peut pratiquer pêche, baignade, équitation...

Au contact du plateau de Millevaches (en bas), Meymac a conservé ses halles du XIIe siècle et son hôtel-dieu que domine la tour-horloge (au milieu), dernier vestige de l'ancien château des Ventadour.

Ancienne cité gallo-romaine puis ville franche médiévale, Égletons, sa capitale, conserve avec fierté son rempart et son église Saint-Antoine-de-Padoue, dotée d'un beau donjon médiéval à mâchicoulis du XIIIe siècle qui faisait partie intégrante du système de défense de la ville.

Non loin, à la confluence de la Luzège et de la Vigne, se dressent sur un éperon les vestiges du château de Ventadour, l'une des grandes vicomtés du Limousin. Au XIIe siècle, il vit naître un courant littéraire fondé sur l'art d'aimer : l'amour courtois, un culte de la femme idéalisée nourri de poésies et de chansons versifiées déclamées en langue d'oc : « J'ai au cœur tant d'amour, tant de joie et de douceur, que la gelée me semble fleur et la neige verdure. » Appelés troubadours, ces galants poètes se comptaient parmi toutes les origines sociales : grand seigneur comme Elbe de Ventadour, simple chevalier

comme Bertrand de Born ou domestique comme Bernard dit de Ventadour, qui devint l'un des plus grands troubadours de son temps au sein de la cour itinérante d'Aliénor d'Aquitaine. Mais ce lyrisme occitan ne leur survécut pas. Au XVIe siècle, le poète humaniste membre de la Pléiade Jean Dorat fit carrière à Paris, lui préférant le latin et le français, tout comme Jean-François Marmontel (1723-1799), académicien et historien, protégé de madame de Pompadour, amie des Encyclopédistes et maîtresse de Louis XV.

Plus au nord, au contact du plateau de Millevaches, Meymac est une belle cité médiévale bordée de demeures aux porches sculptés. Longtemps, elle fut un centre d'échanges entre les habitants de la montagne, qui venaient vendre bétail, laine et fromages, et ceux des plateaux alentour. Au XIXe siècle, de nombreux Meymacois s'installèrent à Bordeaux pour y pratiquer le commerce du vin avec la Belgique et la Hollande et firent rapidement fortune.

La Montagne limousine

Rude mais authentique

Établie au cœur du Limousin, elle étage entre 300 et 1 000 mètres un massif de granit adossé aux contreforts du Massif central. S'y déploie à l'est le plateau de Millevaches, vaste pénéplaine vallonnée culminant au mont Bessou et au Puy Pendu (977 mètres), où alternent tourbières, landes de bruyères et genêts, forêts de hêtres, pins sylvestres, épicéas. Bien que les vaches Salers à la belle robe acajou y paissent à loisir, ce lieu tient en réalité son nom de ses mille sources comme le rappelle l'étymologie celte (*mil batz*), que le parler local a fait évoluer en « mille vaches ». Son régime de pluies abondantes (jusqu'à 1 500 millimètres d'eau par an), lui vaut de former un véritable château d'eau où la Vézère, la Corrèze, la Vienne, la Creuse prennent leur source, faisant la joie des pêcheurs de truites fario, de loches franches et d'écrevisses. Ses hivers rigoureux

Campagnarde et sans ***manière***

Soupes de légumes, châtaignes blanchies, pâtés de foies de porc. Rustique et saine, la cuisine limousine emprunte à ses terroirs lait, gibier, volailles, légumes, poissons de rivières pour rassasier les appétits !

En haut : soupe bréjande.

En bas : flognarde.

À base de pommes de terre, raves, choux et poireaux, la soupe se verse sur des tranches de pain de seigle étalées au fond d'une assiette. Avec de la farine de sarrasin, on prépare des crêpes salées (les tourtous ou galetous), cuites sur les braises et accompagnées d'oignons et de pâté.

Sur cette terre d'élevages, l'agneau se cuisine en selle rôtie, accompagnée de choux et de champignons, le bœuf fournit une viande tendrement rouge et délicatement persillée, le magret de canard s'accommode à la moutarde violette de Brive (préparée avec du raisin noir égrené et cuit). Mais ici comme ailleurs, le cochon reste le roi. De type « culs-noirs », rustique et trapu, il fait naître de goutteuses charcuteries, lard fondant, jambons, boudins, saucisses séchées, rillettes, andouilles, petit salé. S'ajoutent diverses spécialités : langue et joue de moutons fumée, tête de veau, lapin en civet, pied de porc, cou d'oie farci.

Base économique et alimentaire des paysans, les châtaignes se sont longtemps consommées grillées, bouillies ou blanchies. En Creuse, la pomme de terre est à l'origine d'un savoureux pâté fourré de chair à saucisse, d'oignon et de persil.

Pays de rivière, le Limousin est prodigue en truites, perches, carpes, brochets.

Dans ce pays de forêts et de sous-bois, les cèpes, girolles et pieds-de-moutons accompagnent les omelettes et la viande de bœuf.

En dessert, les fraises, mûres, myrtilles sauvages sont sur toutes les tables ; quant aux clafoutis aux cerises noires, gâteaux creusois (à base de blancs d'œufs, de noisettes, de beurre et de sucre cuit dans une tuile creuse) et autres flognardes (pâte à crêpe garnie de pommes ou poires émincées), ils comblent tous les gourmands.

Ferveur et *adresse*

En pays de la Vienne et dans la Montagne limousine, on célèbre depuis le XIe siècle, entre mars et juillet, les ostensions qui réunissent catholiques et non-croyants. À Limoges, quatre saints sont particulièrement honorés : saint Martial, saint Aurélien, saint Loup et sainte Valérie, première martyre de l'église d'Aquitaine. Organisées par des confréries locales, elles donnent lieu a des messes, des bénédictions, des processions de pénitents encagoulés, des processions aux flambeaux dans les rues de la cité décorées d'oriflammes. À l'origine de cette célébration se trouve le « Mal des Ardents », une affection contagieuse et mortelle qui ravagea le pays en 994. Réunis en concile, les évêques et seigneurs décidèrent pour tenter d'enrayer l'épidémie de porter en procession les reliques de saint Martial (évêque de Limoges au IIIe siècle). Le miracle tant espéré se produisit et l'épidémie cessa. Depuis, la cité et ses habitants perpétuent tous les sept ans cette procession salvatrice.

Depuis le XIe siècle, la Confrérie de Saint-Léonard-de-Noblat fête la Quintaine en mémoire du saint patron de la ville qui fonda au VIe siècle une communauté agricole servant à la réhabilitation d'anciens prisonniers ? Pour cela, on construit un château en bois peint qui symbolise une prison. Après une messe, un repas, les membres de la Confrérie vont à l'église chercher la Quintaine, parcourent la ville, à pied ou à cheval en entonnant des couplets de la chanson de saint Léonard, arrivés sur un terrain hors de la ville, ils installent le château sur un mât de bois et commencent le tournoi, chaque choc participant à la destruction du château-prison est salué par des grands cris de la foule.

Créé en 1984, le Festival de la francophonie de Limoges réunit de la fin septembre à début octobre des troupes de théâtre, de musiciens et de conteurs du monde francophone (Canada, Réunion, Guinée, Algérie).

Ci-dessous : occupant le fond d'une alvéole, le lac de Vassivière transforme aujourd'hui ses collines environnantes en îles et presqu'îles accessibles par une digue.

de moyenne montagne (jusqu'à cent jours de gel par an) lui valent encore un à deux mois de neige par an, qu'un domaine skiable de 200 kilomètres livre à la pratique du ski de fond.

Dépourvu de villes et déserté entre 1850 et 1950, le plateau de Millevaches est devenu pour les géographes le symbole de la France du vide, sa population ne dépassant pas les quatre-vingts habitants (soit six résidents au kilomètre carré). Pour lutter contre cette hémorragie démographique, associations et collectivités locales ont initié des projets de valorisation des ressources locales, parmi lesquels la création d'une chaîne de télévision. Outil de développement économique et lien entre les habitants du plateau, Télé Millevaches diffuse depuis 1986 des reportages montrant des expériences de relance de commerces, de créations de gîtes, des portraits d'agriculteurs.

À Longeyroux on découvre, dans une symphonie de violets et de jaune, la plus vaste tourbière du plateau. Marécage végétal produit par l'accumulation de plantes hygrophiles dans des cuvettes à l'abri de l'air, elle compose un écosystème unique où l'on peut observer laîche noire, gentiane bleue, martre, buse variable, héron cendré.

Plus au sud, adossés au rebord du plateau, les monts de Monédières portent landes de bruyères et de genêts, prés et cultures de myrtilles sauvages.

À l'ouest, s'ouvre un paysage de pâturages quadrillé de haies vives, de chemins creux et de forêts de châtaigniers, de chênes et de hêtres.

Établie sur les bords de la Vienne, Eymoutiers conserve de belles maisons de tanneurs coiffées de greniers à claire-voie utilisés jadis pour le séchage des peaux de moutons.

Non loin, dans un écrin de collines boisées, s'étend sur 1 000 hectares le lac-réservoir de Vassivière. Mer intérieure du Limousin née en 1949, il offre une base de loisirs très appréciée pour la baignade, la voile et le motonautisme.

La Xaintrie

Patrie des gabariers

Tournée vers l'Auvergne et la châtaigneraie du Cantal, cette verdoyante enclave qu'entaillent les vallées sauvages taillées en gorges de la Dordogne, de la Cère et de la Maronne est propice à de belles randonnées. Prairies à vaches salers et bois de chênes, hêtres et châtaigniers se partagent son plateau cristallin qu'émaillent de solides maisons de granit aux toitures pentues coiffées de lourdes lauzes. À l'intérieur, engagée dans un mur pignon, la cheminée (le cantou), forme le centre de la maisonnée, s'ouvrant parfois sur un four à pain.

Établie dans une plaine traversée par la Dordogne, Argentat, sa capitale, aligne ses élégantes maisons à tourelles et à balcons de bois qui se mirent dans ce qui fut jusqu'au XIXe siècle l'axe de communication majeur entre l'Auvergne et l'Aquitaine. Son port et ses quais virent passer par centaines des gabares, solides barques à fond plat, chargées de 15 à 20 tonnes de merrains (planches pour fabrication des barriques de vin), charbon de bois, piquets de châtaignier, salaisons de porcs et fromages.

En haut : entourées d'eau, les sept tours-résidences de Merle (dont le nom signifie « fortifié naturellement ») offrent une occasion de balade unique.

Au milieu : après l'élevage des vaches salers et limousines, l'élevage des brebis pour la production d'agneaux de boucherie est l'une des ressources essentielles du pays.

En bas, à gauche : longtemps, les maisons à balcons de bois d'Argentat virent passer sur la Dordogne des gabares chargées de planches pour la fabrication des tonneaux de vin.

Les départs avaient lieu deux fois l'an à l'automne et au printemps, lorsque pluie et fonte des neiges avaient suffisamment gonflé le lit de la rivière pour permettre la traversée des barques dénuées le plus souvent de voilure. Imprévisible et semée d'obstacles, la Dordogne était redoutée par les bateliers qui la descendaient huit jours durant pour atteindre Bergerac puis Bordeaux, où ils vendaient leur chargement avant de reprendre à pied le chemin de leur pays. Depuis, chemin de fer, transport routier et barrages hydroélectriques ont condamné cette activité qui revit pourtant grâce à des passionnés qui proposent aux touristes des promenades en gabares désormais motorisées.

À l'est, au milieu de forêts, les sept tours découronnées du château de Merle campent un éperon rocheux qui surplombe la vallée de la Maronne. Édifiées entre le XIe et le XIVe siècle, elles sont l'ultime témoignage d'une des plus puissantes forteresses limousines qui pouvait loger jusqu'à deux mille soldats, paysans et artisans.

Préservée des méfaits de l'industrialisation et du bétonnage, l'Auvergne nous livre une nature brute aux immenses horizons sculptés par une longue genèse volcanique.

Terre des grands espaces sauvages

Pays de feu enserrant le plus grand massif volcanique d'Europe, l'Auvergne et le Velay en portent les stigmates dans leurs puys, leurs dômes, leurs planèzes, leurs horns, leurs maars, leurs dykes et leurs necks. De nombreuses éruptions se sont succédé il y a trente millions d'années, jusqu'à ce qu'elles cessent, pour les plus récentes d'entre elles, sans doute vers 5000 avant Jésus-Christ, encore que certains soutiennent qu'elles ont perduré jusqu'à l'époque historique. Ces « vésuves éteints » dont parlait George Sand sont donc entrés en période d'inactivité depuis peu de temps en ce qui concerne la chaîne des Puys, puisque l'homme aurait connu ses éruptions, ce que confirment nombre de légendes locales. Mais un volcan définitivement éteint, les vulcanologues le proclament maintenant, n'existe pas. L'Auvergne et le Velay pourraient-ils un jour de nouveau s'embraser ? La question reste ouverte.

• Tandis que la montagne, traditionnellement, s'est vouée à l'élevage, laitier la plupart du temps, les Limagnes aux terres fertiles se sont enrichies de cultures céréalières puis fourragères et oléagineuses, alors que leurs flancs bien exposés se couvraient de vignobles, tout au moins jusqu'à ce que la crise du phylloxera les fasse pratiquement tous disparaître.

• Bien loin, géologiquement parlant, de cette « montagne vivante », le Bourbonnais est, lui aussi, à la fois pays de montagne tourné vers les bovins et de vallées où les cultures dominent.

• Ces pays de vieille civilisation agro-pastorale en portent encore les traces, même si la révolution industrielle est passée par là, sans entamer toutefois la beauté des paysages, des hautes chaumes dénudées aux torrents impétueux, insérés en gorges dans les plateaux qui les portent, des sapinières d'altitude aux vallées en auge propices aux labours. Et c'est bien là la chance de toute la région en matière de tourisme. Et c'est ce qu'apprécient les touristes qui, français ou étrangers, découvrent chaque année ces montagnes, ces rivières, ces villages, ces forêts, ces plans d'eau, où le pittoresque n'est jamais surfait.

Pays de volcans

• Le Velay • La Planéze ou Sanflorain • Les monts Dôme et les monts Dore • Les monts du Cantal

Dans ce qui est le plus grand massif volcanique d'Europe, tous les types de reliefs se retrouvent, qu'il s'agisse de monts, de vallées ou de plateaux, produits magmatiques surgis entre les vieux composants hercyniens, soulevés au quaternaire, puis érodés par l'action des éléments.

Le Velay

Terre de feu

Pays de la jeune Loire et du haut Allier, en bordure orientale du Massif central, le Velay, autrefois rattaché à la province du Languedoc, est un pays de feu et d'eau. Le volcanisme, associé à l'érosion, y a développé de spectaculaires curiosités géologiques (aiguilles de lave, orgues basaltiques, cratères d'explosion, cônes de scories de type strombolien...)

Depuis la période gauloise, le Puy-en-Velay en est la ville clé puisque, ici, était déjà implantée la capitale des Vellaves avant qu'elle devienne siège d'un évêché. La cathédrale et la ville sont perchées sur le mont Anis, tandis que sont étalés, sur des pitons de basalte, des sanctuaires qui semblent prêts à basculer dans le vide à la moindre poussée : la chapelle Saint-Michel datant du Xe siècle, érigée sur l'étroit pain de sucre qu'est le rocher d'Aiguilhe, et la gigantesque statue de la Vierge sommant le rocher Corneille. La cathédrale elle-même est en partie bâtie sur le vide. Elle fut, durant des siècles, le point de départ du pèlerinage vers Saint-Jacques-de-Compostelle. Sa grande notoriété dans le monde chrétien était due à sa Vierge noire miraculeuse, hélas brûlée sous la Révolution. La copie qui la remplace reste l'objet d'une grande dévotion et de processions lors des fêtes de la Vierge du 15 août.

Outre son patrimoine bâti, orné de tourelles, de fenêtres à meneaux, bordant des ruelles étroites, parfois en escalier, le Puy fut également un centre de production de dentelle, ce que rappellent les boutiques qui en vendent en guise de souvenirs.

Ci-dessus : cerné de résineux, le lac du Bouchet offre aux estivants ses eaux établies dans un cratère d'explosion, pour la baignade et la pêche.

Ci-dessous : enchâssé dans un écrin de pitons volcaniques, le Puy-en-Velay doit sa renommée religieuse à une relique de Notre-Dame-du-Puy, que vénérèrent, jusqu'en 1789, les pèlerins en route pour Compostelle.

Les **voies** *vers* ***Saint-Jacques***

Le pèlerinage vers Saint-Jacques-de-Compostelle fut la grande affaire religieuse du Moyen Âge. Il semblerait que, dès le milieu du Xe siècle, le premier des pèlerins aurait été l'évêque du Puy, Godescalc. Deux grandes voies en tout cas traversaient la région qui en tira une immense importance tant sur le plan religieux que sur le plan économique. L'une d'elles, la première en date, fut la Regordane qui, de Clermont, gagnait Brioude puis, après la traversée des Cévennes, Nîmes et Saint-Gilles-du-Gard. Ce chemin fut prépondérant avant que la Via Podiensis ne prenne le relais. Celle-ci partait du Puy, où se rassemblaient des pèlerins venus de toute l'Europe, et passait vraisemblablement par Bains, Saint-Privat, Monistrol-d'Allier avant de rallier Conques et Moissac. On connaît une partie de ces circuits grâce au poitevin Aymeri Picaud qui, au milieu du XIIe siècle, écrivit le *Liber Sancti Jacobi*, que l'on appelle également Codex Calixtinus (conservé dans la cathédrale de Compostelle).

De nos jours, on peut mettre ses pas dans ceux des jacquaires en empruntant le GR 65. Mais il n'est pas nécessaire de revêtir le costume de l'époque : large cape – la « pèlerine » bien sûr –, grand chapeau à large bord, gibecière, bourdon (un long bâton ferré) et gourde. La coquille Saint-Jacques ne se portait qu'au retour, preuve de l'accomplissement du pèlerinage.

Ci-dessus : dominant de 130 mètres la cité du Puy-en-Velay, Notre-Dame-de-France, établie sur le rocher Corneille, fut inaugurée en 1860.

En encadré : campée sur une butte volcanique haute de 82 mètres, la chapelle Saint-Michel, bâtie vers 950, est accessible par un escalier de deux cent soixante-cinq marches.

À l'ouest, le plateau du Devès est dominé par la chaîne volcanique du même nom, qui s'étire entre Loire et Allier et culmine à 1 421 mètres au mont Devès. Il s'agit d'une terre fertile interdite aux troupeaux et donc vouée aux cultures d'orge, de blé, et surtout à la réputée lentille verte du Puy. Les formes issues du volcanisme sont ici nombreuses, des cônes de scories de type strombolien aux maars, le plus étonnant étant celui du lac du Bouchet, parfaitement circulaire, dont le niveau ne varie jamais, alors que l'on ne lui connaît aucune source possible d'alimentation. Mais, le volcanisme étant ici très ancien, la plupart des reliefs ont été fortement émoussés lors des glaciations du quaternaire.

Au nord-est du Puy, à proximité de Rosières, le ravin de Corbeuf est un minuscule canyon d'à peine 500 mètres de long, ourlé de falaises d'argiles aux couleurs changeantes, au pied desquelles coule un ru capricieux. Ici s'élabore la goûteuse verveine du Velay, jaune ou verte, vieille de cent cinquante ans.

Au nord est, encore, s'ouvre l'Yssingelais – pays des sucs, pitons volcaniques escarpés –, borné par la Loire au nord, le Vivarais à l'est, le Velay à l'ouest et le massif du Meygal au sud, qui le domine depuis les 1 436 mètres du Grand Testavoye. Le panorama que l'on découvre du sommet y est exceptionnel. Dans cette petite région aux terres pauvres, dont les murets et les terrasses prouvent le travail d'épierrement qu'il a fallu mener tout au long des siècles, longtemps la campagne a vécu de la fabrication de soieries, de rubans, de foulards, de pièces mécaniques réalisées à domicile pour les industriels de Lyon et de Saint-Étienne. Si l'on ne travaille plus chez soi de nos jours, des entreprises œuvrent pour de grandes marques, voire de grands couturiers.

Yssingeaux en est la dynamique capitale, qui accueille le jeudi un pittoresque marché. On peut voir la chapelle des Pénitents pour une Vierge à l'enfant en bois polychrome, l'hôtel de ville qui fut résidence fortifiée des évêques du Puy et le musée de l'Ancien Hôpital édifié à la fin du XVe siècle, avant de partir en randonnée.

La Planèze ou le Sanflorain

Beauce du Cantal

La Grande Planèze de Saint-Flour est parfois nommée la « Beauce du cantal », avec sa terre portant blé, seigle, herbages et lentilles ; mais une Beauce à 1 000 mètres d'altitude, battue par les vents et couverte d'une épaisse couche de neige en hiver ! Cabanes d'estive et habitats temporaires couverts de chaume, les burons sont disséminés dans les hauts plateau, rappelant l'importance de l'élevage laitier.

Dressée sur une table basaltique dominant la Planèze et ceinte dans ses remparts, Saint-Flour se caractérise par ses maisons de basalte noir à joints largement beurrés à la chaux blanche et par ses toits de tuiles canal ocrées annonçant le Sud. Seule la cathédrale apporte une note d'austérité, elle qui exhibe son sombre matériau basaltique. La vieille ville, accueillante, est à voir le samedi, jour du marché.

En limite du Sanflorain, à la lisière du Limousin, dans le Caldaguès, pays des eaux chaudes, l'eau sourd de partout, notamment à Chaudes-Aigues où la source du Par jaillit à 82 °C. On y soigne les rhumatisants et l'on y réadapte les accidentés de la route.

Ci-dessus et au milieu en vignette : jaillissant entre 50 et 82 °C, les sources de Chaudes-Aigues assurent le chauffage des maisons du village.

Ci-dessous : haut plateau formé d'un empilement de coulées de lave, la Planèze de Saint-Flour recèle villages, châteaux et chapelles dressés en à-pics sur des promontoires de basalte.

À l'est, s'étend le pays de la Margeride. Chaîne de montagne granitique dont le point culminant est à 1 551 mètres d'altitude au Signal de Randon, elle se confond maintenant avec l'ancien Gévaudan. Auvergnate, elle est aussi partie prenante du Languedoc. La montagne, qui ressemble plus à des plateaux ondulés, est vouée à l'élevage et occupée par des forêts de bouleaux et de résineux que l'on exploite. L'activité de cueillette y est importante, même si les revenus en sont marginaux. Elle concerne notamment les narcisses qui entrent dans la composition des parfums grassois. Les myrtilles sont ramassées pour l'industrie pharmaceutique. Quant aux champignons, ils sont mis à sécher ou transformés en conserve. Tout cela ne doit pas cacher la désertification de ce pays, l'un des moins peuplés de la région.

Les monts Dôme et les monts Dore

Au cœur des volcans

À l'est de Clermont-Ferrand, les monts Dôme dominent la Grande Limagne. Et du sommet du Puy de Dôme (à 1464 m), que l'on atteint facilement en voiture ou à pied en empruntant l'ancienne voie romaine au départ du col de Ceyssat, le panorama est l'un des plus formidables qu'il soit donné de voir sur la chaîne des Puys, sur sa série de cônes alignés en chapelet parallèlement à la Limagne, sur les cratères égueulés des puys de Lassolas et de la Vache qui semblent des taupinières géantes, sur les cheires aux couleurs noirâtres. À moins de les survoler en avion, il n'est pas de plus sûr moyen de tomber définitivement amoureux de ces volcans éteints qui firent vibrer George Sand. Ce puy plaisait déjà aux Romains qui y bâtirent un temple à Mercure, le dieu des voyageurs, à Chateaubriand qui s'y hissa, à Eugène Renaux qui y posa son biplan le 7 mars 1911, et fait l'enchantement de tous les adeptes de parapente et autres deltaplanes qui s'y élancent en prenant le sens du vent.

Sur quelque 800 km^2, les monts Dore forment un strato-volcan qui a connu quatre grands centres éruptifs, le Puy de Sancy (point culminant du Massif central avec ses 1 885 mètres), le Puy de l'Angle, le Puy de l'Aiguiller (1 547 mètres) et la Banne d'Ordanche (1 512 mètres), aujourd'hui piton de basalte dégagé par l'érosion glaciaire. L'activité pastorale y est primordiale, les vaches montant à l'estive pendant les cinq mois de la belle saison. Leur lait sert à la fabrication du saint-nectaire qui, élaboré selon la tradition et affiné à cœur, est une pure merveille.

Mais les monts Dore, c'est aussi une série de sites exceptionnels qu'il faut avoir vus au moins une fois dans sa vie : Saint-Nectaire et son église romane du XIIe siècle en trachyte gris clair, chef-d'œuvre de l'art roman auvergnat serti dans un écrin de verdure ; Orcival aux toitures de lauzes et sa basilique Notre-Dame qui abrite une Vierge en majesté recouverte d'argent – la seule d'Auvergne à avoir conservé son parement d'orfèvrerie intact –, objet d'un pèlerinage très suivi le jour de l'Ascension ; Murol et sa puissante forteresse juchée sur un piton basaltique qui appartint à la famille d'Estaing ; La Bourboule pour ses eaux thermales utilisées dans le traitement des affections respiratoires et des allergies ; et pour les amateurs de sports d'hiver, les stations du Mont-Dore situées aux sources de la Dordogne et au pied du Sancy (où le thermalisme est aussi important), de Besse et de Super-Besse aux installations contemporaines.

En haut : l'église de Saint-Nectaire est un chef-d'œuvre de l'art roman auvergnat.

Au milieu : les monts Dore sont le domaine des pâturages d'été, des randonneurs et des skieurs de fond.

En bas :depuis le sommet du Puy-de-Dôme, on découvre en panoramique la chaîne des volcans d'Auvergne tapissés de prairies et de forêts.

Les monts du Cantal

Grandeur nature

Pays de montagnes bien avant que d'être pays de volcans – on ne découvrit leur existence qu'au XVIIIe siècle –, nous sommes ici en Haute-Auvergne, au cœur de la « France bossue » façonnée par le feu souterrain dont les monts du Cantal sont le fleuron. Le Puy Mary en est la figure emblématique, que l'on peut gravir jusqu'à 1 747 mètres, pour découvrir un somptueux panorama. À un jet de pierre, il est possible de rallier, à pied ou en téléphérique, le sommet du Plomb du Cantal (culminant à 1 855 mètres), pour jouir d'un point de vue admirable. Sur ses pentes, on rencontre une riche variété de milieux naturels : tourbières, landes, pelouses... La flore y est d'une grande diversité où se remarquent silène enflé et potentille de Cranz. Des sites de protection des oiseaux migrateurs y ont été établis. Selon les saisons, on peut y observer le rarissime pluvier guignard, les grives draine, litorne et mauvis, les merles de roche et à plastron, la bondrée apivore, l'épervier d'Europe, le pipit spioncelle ou le traquet motteux.

Le Puy de Peyre-Arse (1 806 mètres), le Puy de Chavaroche où prennent leur source la Bertrande et la Maronne ou les puys Griou et Griounou, tous protégés, riches d'une flore et d'une faune spécifiques sont aussi idylliques, à des lieux du quotidien.

Plus à l'est, s'ouvre le Carladez, avec ses reliefs tabulaires creusés par les ravins et ses anciennes coulées de lave dégagées par l'érosion. Les espaces y semblent infinis quoique morcelés par les vallées encaissées, tapissées par des herbages verdoyants.

Carlat, perchée en vigie sur son roc, connut moult sièges et accueillit en son temps la reine Margot. Les ruelles y sont pentues mais le panorama que l'on y découvre mérite bien que l'on s'essouffle un peu. En bord du Goul, le château de Messilhac vaut le coup d'œil comme celui de Cropières où grandit la belle Mademoiselle de Fontanges, favorite de Louis XIV, ou comme la minuscule et touchante église romane de Jou-sous-Monjou.

En haut : coiffé de lauzes grises et noires, la cité médiévale de Salers invite à découvrir des ateliers d'artisans, des hôtels particuliers, des tours en poivrières et des animations folkloriques.

En bas : étape sur la route des monts du Cantal, Mauriac mérite une visite pour ses marchés animés et sa basilique Notre-Dame-des-Miracles.

À l'ouest, s'étend le pays de Mauriac et ses plateaux basaltiques herbagés, axe de communication séculaire sis entre monts du Cantal, Dordogne et Maronne, entre climat montagnard et climat océanique. Ici, cohabitèrent longtemps éleveurs de vaches salers à la robe rouge et gabariers qui descendaient la Dordogne, chargés de marchandises.

Mauriac grosse bourgade réputée pour ses foires aux bestiaux, ses marchés et ses petites entreprises tertiaires, en est la capitale. Le tourisme lui va bien, qui profite de ses commerces, de sa basilique romane qui renferme une Vierge miraculeuse (Notre-Dame-des-Miracles, célébrée le 9 mai) et de son environnement.

Salers, dans la vallée du Falgoux, village magnifiquement préservé, tout en pierre volcanique gris-noir, des murs aux toits de lauzes, perché en belvédère, est à parcourir dans une douce et souriante atmosphère médiévale.

Pays d'industrie

• La Grande et les Petites Limagnes
• Le Brivadois • La Châtaigneraie
et le bassin d'Aurillac • Le Livradois

Voies de communication depuis parfois la nuit des temps, vallées et plateaux sans obstacle ont très tôt développé des activités religieuses, commerçantes et industrielles, générant des richesses et fixant les grands centres urbains de la région. Même si le tout reste à une échelle très humaine.

La Grande et les petites Limagnes

L'artère capitale

Bassin d'effondrement comblé par des dépôts de vase et de limon (d'où son nom), la Grande Limagne se situe entre monts Dôme et Combrailles d'une part, Forez et Livradois d'autre part, où s'est inséré l'Allier. Elle n'est pas plate pour autant, marquée d'ondulations, de buttes et de plateaux qui la mènent, en escalier, jusqu'à la montagne. La terre noire marneuse y est fertile, terre de labours, terre à blé, à maïs, à oléagineux (tournesol, colza), à tabac, à betterave qui a généré des sucreries, à plantes fourragères. Autrefois, on la fertilisait grâce à la fiente de pigeon, ce qui explique la présence de nombreux colombiers, portant encore parfois des fresques marquant leurs trous d'envol. Les granges séchoirs accueillent feuilles de tabac, chapelets d'oignons, d'aulx – l'ail rose de Billom est réputé et donne lieu à une foire annuelle. Les fruits sont transformés en pâtes de fruits d'Auvergne, tant à Riom qu'à Clermont-Ferrand.

Prairies, coteaux de vignobles bien exposés et vallées fertiles y alternent. De Combronde, très connu pour sa pierre branlante, on rallie le gour de Tazenat, le « maar » peut-être le plus parfait d'Auvergne, mais c'est

En haut : depuis la butte volcanique de Nonette, s'ouvre un vaste panorama sur les limagnes auvergnates, dépressions occupées par une riche plaine agricole couverte de cultures en damiers qu'encadrent de loin les monts Dôme, Dore et du Cantal.

En bas : dominée par sa cathédrale toute noire, Clermont-Ferrand se souvient que, en 52 avant Jésus-Christ, Vercingétorix repoussa les troupes de César à Gergovie.

Riom que les visiteurs apprécient surtout, pour son marché hebdomadaire et ses foires, le charme de ses vieilles rues, son église Notre-Dame-du-Marthuret où sourit la Vierge à l'Oiseau, ses élégants hôtels qui rappellent qu'elle fut capitale administrative et judiciaire de l'Auvergne jusqu'à la fin du XVIIIe siècle.

Terre aux eaux thermales aussi à Royat, Châtelguyon, Saint-Maurice-ès-Allier et aux eaux minérales, à Volvic dont on peut visiter la station d'embouteillage. Sur les varennes, terres sableuses infertiles, de véritables dunes apparaissent couvertes de bruyère callune et de pins, ainsi aux Girauds-Faures. Les coteaux, quant à eux, bien que de moins en moins, sont terres de vignobles, comme à Chanturgue, que signalent encore maisons vigneronnes et cabanes de vignes en pierre sèche : les tonnes.

Clermont-Ferrand, capitale tout à la fois de la Grande Limagne et de la région Auvergne, est une ville tricéphale renfermant trois zones urbaines distinctes : Clermont, l'ancienne ville épiscopale, Montferrand ville comtale et Royat-Chamalières. On la dit capitale du pneu en raison de la présence des usines Michelin au pied des côtes de Clermont, bien que l'empire Michelin ne soit plus ce qu'il était, l'activité n'y étant plus aussi consommatrice de main-d'œuvre qu'autrefois.

La part industrielle, encore forte, a régressé au profit du secteur tertiaire. Des laboratoires pharmaceutiques, l'imprimerie de la Banque de France à Chamalières, deux universités et des grandes écoles fortes de quinze mille étudiants en font une cité vivante qu'il est passionnant de visiter de la place Jaude où Vercingétorix tente de rappeler sa victoire à Gergovie tout proche, au bel hôtel Savaron et à la cathédrale Notre-Dame-de-l'Assomption, assombrie par la pierre de lave dont elle est bâtie. Les volcans ne sont pas loin !

À l'est, autour de Vic-le-Comte, la Comté – à l'origine du pays – est un terroir volcanique de moyenne altitude (entre 600 et 800 mètres), tout hérissé de pitons, d'éboulis, de dykes, de culots, manifestations éruptives qui ont généré de riches terres où poussent vergers et vignes, ces dernières à présent réduites à néant. Les vulcanologues y ont reconnu les plus vieux témoins du volcanisme d'Auvergne et du Velay, et une matière solidifiée provenant d'un mélange de granules de lave et de matériaux marno-calcaires pulvérisés que l'on nomme ici « pépérite ». D'une exceptionnelle richesse, la flore livre, entre autres beautés, des lys martagon et des mélittes à feuille de mélisse, tandis que la forêt offre hêtres, chênes rouvres et sessiles ou charmes. Ici ont été bâties de solides maisons couvertes de tuiles canal, où se ressent l'activité viticole dans la présence de caves et de pigeonniers.

La Comté doit son nom au fait qu'y régnèrent les comtes d'Auvergne. Reçue en apanage par Jean de Berry en 1360, elle fut gouvernée au début du XVIe siècle par Jean Stuart et administrée par Catherine de Médicis. Vic-le-Comte fut leur capitale, mais son château a disparu. Les vestiges d'autres forteresses se dressent alentour, à Buron et Coppel notamment, faisant de ce tout petit pays un véritable bastion médiéval.

Ci-dessus : 450 litres de lait sont nécessaires pour fabriquer un cylindre de cantal de 45 kilos.

Au milieu : le saint-nectaire s'affine en cave deux à trois mois.

Ci-dessous : petit salé aux lentilles vertes du Puy.

La **patrie** des ***fromages***

La qualité des fromages d'Auvergne n'est plus à démontrer. Le cantal pourrait bien être l'un des plus vieux fromages du monde, puisqu'il daterait d'au moins deux mille ans. Pline l'Ancien, en tout cas, en parlait déjà comme d'un fromage très prisé à Rome. Il est également le troisième de France, par l'importance de sa consommation. C'est à présent une appellation d'origine contrôlée (AOC), comme le sont le saint-nectaire, la fourme d'Ambert et le bleu d'Auvergne.

Le salers, qui bénéficie également d'une AOC, est un cantal produit entre le 1er mai et le 30 octobre, donc avec des laitières qui n'ont connu que l'herbe fraîche.

Le gaperon, cher à la Limagne, est fabriqué à base de babeurre et enrichi de poivre et d'ail. Il est sanglé dans un lien, vestige du temps où il séchait, accroché par un nœud de paille de seigle.

Les fromages du Bourbonnais sont plus confidentiels, qu'il s'agisse du chambérat produit autour de Montluçon, du coulandon, du bessay dans la région de Moulins, tous au lait de vache, du chevrotin du Bourbonnais ou du roujadou, un chèvre de Montmarault.

La provenance du velay tombe sous le sens. C'est un fromage de vache, caractérisé par la masse des artésons qui grouillent sur sa croûte.

La fourme d'Yssingeaux, quant à elle, est bien connue dans toute la région.

La fourme d'Ambert, élaborée dans les monts du Forez, est un fromage de vache à pâte persillée issue d'un caillé émietté et salé dans la masse, affinée au moins deux mois. Depuis 1972, elle est protégée par une AOC.

Hymne à la **table** *auvergnate*

Bien sûr, la soupe aux choux et la potée sont symboles de la gastronomie auvergnate. Dans la première interviennent le chou, évidemment, des pommes de terre, du saindoux et de larges tranches de pain. Pour la seconde, le même chou est accompagné de carottes, navets, poireaux, oignons, haricots blancs, pommes de terre et ail, dans un pot garni d'un choix de viandes de porc, lard, jarret, saucisses, plates côtes. Le chou se farcit également et les pommes de terre, avec du fromage, se font truffade et aligot.

En Bourbonnais, la dinde de Jaligny, à l'encore confidentielle réputation, l'agneau fermier et le poulet – qui tous deux bénéficient de Labels rouges –, le bœuf charolais, omniprésent, à l'huile de noix de Gannat ou à la moutarde de Charroux sont à déguster absolument. S'y ajoutent la pompe aux grattons, délicieuse à l'apéritif, et le pâté de pommes de terre – deux des rustiques fleurons de la gastronomie bourbonnaise.

À Saint-Flour, on mange le pounti, qui mêle légumes et viande, pruneaux et œufs, et le tripou, cuisiné à base de tripes de mouton.

La brioche d'Yssingeaux, parfumée à la fleur d'oranger, est la grande spécialité de la ville.

Le Brivadois

Des sites inspirés

Série de petites limagnes (dépressions comblées par des limons fertiles) parcourues par l'Allier, le Brivadois fut longtemps un axe de communication majeur. L'Allier navigable exportait charbon, vin et bois vers l'aval tandis que, sur terre, la voie celtique Regordane drainait les pèlerins du Moyen Âge en route pour Compostelle. Les mines de Brassac, exploitées dès le XIIIe siècle, fournirent du charbon jusqu'en 1978, date de la fermeture des puits.

Si aujourd'hui la rivière n'est plus utilisée pour le commerce, elle est devenue au sud, dans sa partie en gorge, l'un des points forts du tourisme. La partie la plus impressionnante des gorges de l'Allier débute au barrage de Poutès qui a noyé la vallée en amont, faisant disparaître son canyon.

Celle que Sidoine Apollinaire nommait Brioude la Douce (Benigna Brivas) en est la capitale. Elle fut longtemps un phare de la chrétienté, après que saint Julien y eut été exécuté et enterré, sous le règne de Dioclétien, au début du IVe siècle. Il fut le saint le plus populaire des Gaules après saint Martin. Les miracles sur son tombeau attirèrent les pèlerins en foule, ce qui explique les énormes dimensions de la basilique, la plus grande des églises romanes d'Auvergne. Une statue en marbre, figurant saint Jacques, rappelle que Brioude était une importante étape sur le chemin de Saint-Jacques-de-Compostelle. La ville en soi ressemble plutôt à un gros village campagnard, bien qu'elle soit ornementée de belles maisons nobles des XIVe, XVe et XVIe siècles. La maison de Mandrin qui passe pour avoir, en 1754, abrité le célèbre malandrin et son tabac de contrebande est elle-même une bâtisse du XIVe siècle. On peut voir aussi l'hôtel de la dentelle, consacré à la traditionnelle activité de la Haute-Loire.

Non loin de là, le 6 septembre 1757, naquit Gilbert du Motier, marquis de La Fayette, futur héros des Deux-Mondes, au château de Chavaniac, aujourd'hui propriété de la fondation américaine Lafayette Memorial.

Il ne faudrait pas se priver d'un passage à Lavaudieu. Classé parmi les plus Beaux villages de France, ce bourg authentique renferme l'une des plus charmantes abbayes bénédictines qui soient, avec ses nombreuses peintures murales datant du XIIe siècle et un cloître à chapiteaux ornés de motifs végétaux. À proximité, un petit musée d'Arts et Traditions populaires présente un intérieur rural d'antan reconstitué, notamment une chambre de dentellière.

Ci-dessus : lieu de découverte et de détente, Brioude est réputée pour sa basilique romane Saint-Julien, édifiée en pierres de différentes textures.

La Châtaigneraie et le bassin d'Aurillac

Au pays de l'arbre à pain

Dans ce pays de landes à bruyère, de prés et de bois de châtaigniers, d'un charme mélancolique à l'automne, on se nourrissait jadis du fruit de l'arbre à pain, de pain noir car la terre y est pauvre, d'un peu de lard tiré du saloir et de fromages de chèvre, les vaches ne pouvant trouver nourriture assez abondante ici. On y chercherait en vain quelque étendue plane. Crêtes, croupes arrondies, vallées évasées ou gorges profondément entaillées marquent ses paysages qui semblent toujours verts. Le châtaignier a régressé, notamment au profit de la culture de fruits et de la vigne en bordure du Lot, et, surtout, de l'élevage.

Maurs dont on dit ici qu'elle est la « petite Nice du Cantal » est bien jolie et il faut voir son église et le trésor qu'elle renferme.

Insérée entre monts du Cantal et Châtaigneraie, Aurillac est installée sur une plaine alluviale aux allures de Limagne que parcourt la Jordanne, avant de se jeter dans la Cère. En rapport constant avec gras pâturages et terres pingres, entre fromages et châtaignes, la ville est devenue centre de commerce et d'artisanat, oscillant sans cesse entre ville et campagne, entre mœurs citadines et paysannes. Est-ce pour cette raison que, ainsi tiraillée entre deux mondes, elle a développé chez ses habitants l'habitude de pérégriner : colporteurs allant vendre les produits des batteurs de cuivre jusqu'en Espagne, bougnats montant à Paris ou vendeurs de parapluies arpentant toutes les foires de la région ? Elle a gardé son activité commerçante, tout en développant le secteur tertiaire. Le château Saint-Étienne et l'église Saint-Géraud sont à voir, ainsi que les maisons à balcons aux jardins lilliputiens, érigées tout au bord de la Jordanne.

Plus à l'est, dans le pays du Carladez, s'ouvrent, telle une entaille profonde, les gorges de la Truyère. C'est le domaine des rapaces diurnes (aigle botté, balbuzard pêcheur, circaète Jean-le-Blanc, milans noir et royal) et nocturnes (hulotte, chouette chevêche, hiboux grand et moyen duc). Des retenues hydroélectriques barrent le courant et quelques ponts l'enjambent, notamment le pont de Tréboul, offrant de beaux points de vue. Il permet de jeter un coup d'œil sur les versants boisés de la rivière et les eaux qui bouillonnent à 39 mètres en contrebas. Elles étaient autrefois surveillées par les châteaux forts de Pierrefort, de Brezons, de Turlande. Le belvédère du Vezou dominant le confluent de la Truyère et du Vezou, et, un peu plus en aval, celui de Jou offrent aujourd'hui de captivants panoramas sur les rochers de Turlande pour le premier et sur le lac de Sarrans pour le second.

Ci-dessus : longue de 170 kilomètres, la Truyère – rehaussée de plusieurs mètres par des aménagements hydrauliques pour la production d'électricité – est bordée de gorges sauvages que l'on découvre depuis des belvédères.

Ci-dessous : établie sur les bords de la Jordanne, Aurillac a longtemps vécu du travail du cuir, de la confection de dentelle et; plus récemment, de la fabrication de parapluies.

À l'ouest, à la lisière nord de la Limagne, s'ouvrent les gorges de la Dordogne, née au Puy de Sancy, qui s'encaissent profondément, encadrées de falaises émaillées de bois et de landes. L'étroitesse de la vallée a empêché tout établissement humain permanent, à l'exception de retenues hydrauliques qui la marquent de place en place. Ce qui en fait le domaine d'une faune à l'abri de son prédateur humain. Les passereaux s'y retrouvent par milliers, du traquet tarier au pouillot, de l'hypolaïs polyglotte à la rousserolle effarvatte. D'innombrables dortoirs d'étourneaux s'y installent en juillet et août, tandis que dans le ciel tournoient les rapaces. On peut admirer ce milieu préservé du belvédère de Gratte-Bruyère, du pont suspendu de Saint-Projet et du barrage de l'Aigle.

Le Livradois

Terre de bois et de spiritualité

Dans les monts du Livradois hachés de failles et coupés de dépressions où s'insèrent les cours d'eau, plateaux et croupes arrondies alternent. Ils culminent à 1 210 mètres d'altitude au Signal de Mons. Les forêts y sont une constante, les essences diverses : hêtres, chênes, bouleaux, bois de résineux... La confection de chapelets se faisait à domicile, comme la dentelle que des courtiers passaient ramasser. La papeterie et le tissage en atelier furent aussi importants. De nos jours, seules demeurent les activités liées au bois et le ramassage des myrtilles qui serviront à la confection de confitures, de sirops et de pâtes de fruits.

Plus au sud, entre vallées de la Loire et de la Dore, les monts du Forez, culminant à 1 634 mètres à Pierre-sur-Haute, s'alignent nord-sud entre le pays des Bois-Noirs et le plateau qui porte la Chaise-Dieu. Selon l'étage de végétation, hêtraies et sapinières jusqu'à 1 200 mètres, puis hautes chaumes et pâturages d'altitude marquent la montagne. Non loin des sommets arrondis, la plupart des jasseries – annexes à la ferme « d'en bas » mêlant habitation, étable et grange jadis utilisées pendant l'estive – tombent en ruine, à l'exception de certaines, reconverties en gîtes qui accueillent randonneurs et skieurs. Une randonnée vers Pierre-sur-Haute ou au Puy Gros permet de découvrir des panoramas étendus, après avoir profité de nombreux buissons de myrtilles.

En haut : bâtie en moellons de granit que coiffe une épaisse couverture de chaume, les jasseries étaient jadis utilisées pour affiner les fourmes et abriter les vaches durant la nuit.

Au milieu : capitale de la coutellerie depuis le XIVe siècle, Thiers livre un riche patrimoine de bâtisses, à travers ruelles et passages.

En bas : dans les monts du Forez, la vallée du Fossat juxtapose collines et plateaux granitiques que tapissent prés et bois de hêtres et de sapins.

Leurs flancs accueillaient industries coutelière et papetière, la montagne étant alors cultivée en seigle et en pommes de terre pour nourrir une population nombreuse qui, à présent, a déserté les villages gris-noir du granit de leurs habitations. C'est ici que l'on fabrique la fourme d'Ambert.

Entre Livradois et Forez, le plateau de La Chaise-Dieu fait la liaison entre ces deux chaînes de montagnes. Peu d'habitations s'y rencontrent et peu d'activités s'y déroulent en dehors du petit village de La Chaise-Dieu lui-même, intimement lié à son abbaye bénédictine. Cette dernière, fondée au XIe siècle, fut consacrée à saint Robert par le pape Urbain II venu, en 1095, lancer au Puy la convocation à la première croisade. Cette maison de Dieu – étymologie de Chaise-Dieu, Casa Dei en latin – doit ses bâtiments actuels à un autre pape, Clément VI, qui y avait été moine lorsqu'il n'était que Pierre Roger de Beaufort. Il commanda, à Pierre Roy, un tombeau de marbre noir qui reçut son corps en 1353 et que l'on peut toujours admirer dans le chœur des moines. Mais ce que l'on vient voir ici, avant tout, c'est la célèbre *Danse macabre,* une peinture murale du XVe siècle longue de 26 mètres. L'abbaye fut puissante, construite par deux papes, Clément VI et son neveu et successeur Grégoire XI, ce que dénota aussi, plus tard, le choix de ses abbés séculiers tels Charles de Valois, Richelieu, Mazarin ou le cardinal de Rohan. Elle retrouve

son rayonnement tous les ans au moment du festival de musique, créé à l'initiative de Georges Cziffra qui a contribué à la restauration des orgues. Alentour, c'est le domaine des forêts à champignons qui donnent lieu à une foire aux cèpes et de quelques villages, dont Craponne-sur-Arzon est le plus intéressant avec ses vestiges d'enceinte, son donjon quadrangulaire, ses hôtels particuliers de facture classique et son église du XVe siècle abritant une rare Vierge en albâtre du XIVe siècle. Ce fut autrefois un important centre de fabrication de dentelle et les guipures de Craponne furent portées à la Cour.

Au nord, entre le pays des Bois-Noirs et les monts du Forez, installée dans la vallée de la Durolle, en surplomb de la Grande Limagne, Thiers est liée à la coutellerie depuis le Moyen Âge. C'est à cette époque que nombre de martinets se sont installés sur la rivière, faisant de la vallée un pôle métallurgique. Mais la papeterie fut également une activité de premier plan ici. À l'heure actuelle, seule la coutellerie est présente, même si elle a perdu en importance à l'exportation. La visite de la ville livre de belles maisons anciennes, dont celles de l'Homme de bois et des Sept Péchés capitaux, ainsi qu'un musée de la Coutellerie qui présente le travail d'antan, particulièrement celui de l'émouleur, avec des démonstrations. Les adeptes du tourisme industriel pourront découvrir des entreprises de coutellerie, outillage, tôlerie, robotique, tandis que le circuit balisé de la vallée des rouets conduit à une trentaine de ces derniers.

Ci-dessus : ancienne capitale de la papeterie et centre de fabrication de chapelets, Ambert garde de sa prospérité passée de belles maisons à colombages et une église de la fin du gothique.

Ci-dessous : campée sur un haut plateau, l'imposante abbaye de La Chaise-Dieu, fondée en 1044, abrite depuis 1966 un festival international de musique classique.

Prenant sa source aux monts du Livradois, la Dore parcourt quelque 140 kilomètres en ménageant une dépression entre Forez et Livradois, avant de se jeter dans l'Allier au Pont de Ris, au nord-ouest de Châteldon. Elle demeure une voie de communication essentielle nord-sud reliant successivement Arlanc, Ambert, Olliergues et Courpière, passant tour à tour de torrent en large rivière pour se resserrer de nouveau avant de s'épanouir à son arrivée en Limagne. Papeteries, cartonneries, scieries et fabriques de meubles s'y sont installées.

Ambert, chère à Jules Romains, est caractérisée par son hôtel de ville tout rond destiné, à l'origine, à servir de halle à grains, son église Saint-Jean et son musée de la Machine agricole et à vapeur. Non loin, dans le val du Laga qui fut une importante vallée papetière, le moulin Richard de Bas est un beau but de visite, pour qui souhaite voir fonctionner un moulin à papier en fonction depuis 1326. Ses papiers, à base de chiffons de très haute qualité, sont expédiés à l'Élysée.

Pays de tourisme vert

• Le Bourbonnais

Certains terroirs de cette région semblent avoir traversé l'histoire humaine sans en avoir subi les avanies, tant les paysages y paraissent naturels, préservés, à peine entamés par la main de l'homme. Ce n'est qu'une illusion, bien sûr, mais une grande force en matière de tourisme vert notamment.

Le Bourbonnais

Patrie des Bourbons

Autrefois gouvernement du Bourbonnais, ce pays fut formé au XIIe siècle autour d'une seigneurie réunie à la couronne lors de la confiscation des biens du connétable de Bourbon par François Ier en 1527. La nécropole de la famille se trouve à Souvigny, dans la chapelle Neuve de l'église prieurale Saint-Pierre, parfois qualifiée de « Saint-Denis des Bourbons ».

Au nord, s'ouvre le pays du Bocage bourbonnais, voué à l'élevage de bœufs blancs. C'est également une région de sables, comme en Sologne bourbonnaise, autour de Moulins. Celle-ci fut la capitale de l'État des Bourbons, ce qui se ressent dans la pléthore de somptueux bâtiments, dont la cathédrale Notre-Dame qui renferme l'un des plus admirables chefs-d'œuvre de la peinture française du Maître de Moulins, datant de l'an 1500. Aux alentours, les châteaux sont légion où l'architecture classique des XVIIe et XVIIIe siècles domine.

Délimitée par les vallées de l'Auron, de l'Aumance et du Cher, la forêt de Tronçais est l'une des plus belles chênaies de France, réputée pour la qualité de ses bois dans toutes les grandes régions viticoles. C'est Colbert qui, en 1669, dotant d'une charte l'administration forestière chargée de gérer les coupes destinées à la charpenterie de marine, fut le maître d'œuvre de sa protection.

En haut : le Bourbonnais est le domaine des prairies où pâturent les troupeaux de charolais.

Au milieu : la forêt de Tronçais est l'une des plus belles chênaies d'Europe.

En bas : le prieuré Saint-Pierre, à Souvigny, est classé Grand Site National.

Traitée en futaie régulière, par régénération naturelle, elle offre des milieux très divers où nichent palombes, aigles bottés, faucons hobereaux, busards Saint-Martin et cendrés, engoulevents d'Europe, locustelles tachetées…

On ne saurait oublier Montluçon, ville industrielle et pôle économique du Bourbonnais, déroulée autour de son château fort – qui appartint aux ducs de Bourbon – perchée sur une colline. Les vieilles rues ont encore un aspect médiéval, que renforce la présence de nombreuses maisons à colombages et encorbellements.

Au sud-ouest, s'ouvre la Limagne bourbonnaise, pays tapissé de champs de blé, de maïs et de tournesol. Station thermale connue depuis le IIIe siècle sous le nom d'Eaux-Chaudes (Aquis Calidis), Vichy est

célèbre pour les qualités thérapeutiques de ses eaux. Des curistes célèbres, Madame de Sévigné, les filles de Louis X, ou Letizia Bonaparte, contribuèrent à sa renommée. Mais c'est Napoléon III qui fit vraiment d'elle la reine des villes d'eau. Chemin de fer, palaces luxueux, casino y drainaient une clientèle huppée. La ville est devenue capitale pour avoir accueilli, entre 1940 et 1944, le gouvernement collaborationniste du maréchal Pétain.De nos jours, le thermalisme s'est démocratisé et Vichy a perdu de sa superbe, les hôtels ont été vendus et les têtes couronnées ont choisi d'autres points de chute. Mais ses deux cents sources font toujours les beaux jours de la vieille cité bourbonnaise. Elle distille une ambiance obsolète autour des pavillons de ses sources.

Non loin, dans le pays de la Montagne bourbonnaise (s'étageant entre 500 et 1 300 mètres d'altitude), se dresse le château de La Palisse. Ce maréchal de France, mort à Pavie, en Italie, en 1524, doit sa renommée à la méprise d'un chroniqueur qui, chargé de consigner par écrit ces vers :

« Hélas, La Palisse est mort,
« il est mort devant Pavie.
« Hélas, s'il n'était pas mort,
« il ferait encore envie »,

déforma cet éloge funéraire, qui devint :

« Hélas, La Palisse est mort,
« il est mort devant la vie.
« s'il n'était pas mort,
« il serait encore en vie. »

Ainsi, naquit la fameuse expression : une lapalissade ou vérité de La Palisse.

En haut : ancienne résidence de la bourgeoisie terrienne et commerçante établie sur la rive droite de l'Allier, Moulins est dominée par sa cathédrale Notre-Dame bâtie entre le XIIe et le XVIe siècle.

Au milieu : le triptyque du Maître de Moulins, peint vers 1500, montre dans son entier la Vierge à l'Enfant, Pierre de Bourbon, duc d'Auvergne, sa femme, Anne de France, et sa fille, Suzanne.

En encadré : en Livradois et dans le Velay, la fabrication de la dentelle par les femmes remonte au Moyen Âge.

Un **travail de *forçats***

C'est une tâche on ne peut plus pénible que de récolter, grâce à un instrument dont on se sert comme levier pour arracher les rhizomes, la grande gentiane jaune *Gentiana lutea* à ne pas confondre avec sa cousine, toxique, le vérâtre blanc. Rhizomes et racines sont recherchés pour la distillation – ils permettent de confectionner un apéritif à la savoureuse amertume –, pour l'industrie pharmaceutique et l'herboristerie en raison de leurs vertus toniques et fébrifuges. Cet arrachage se déroule durant trois mois, de juillet à fin septembre, le terrain de récolte changeant chaque année. L'exploitation d'un même emplacement ne peut en effet se renouveler avant une bonne trentaine d'années, parfois cinquante, le temps que la gentiane reconstitue ses rhizomes.

***Héritières* des béates**

C'est sous l'œil expert des béates, ces femmes pieuses qui, jadis, dans le Velay, enseignaient tout à la fois le catéchisme et le travail de la dentelle, que les dentellières exerçaient leur talent. Sur leurs genoux, un carreau piqueté d'épingles multicolores autours desquelles s'entrecroisent les fils de lin dirigés par de petits fuseaux. Et sur la table, lors du couvige – leur réunion de travail –, la boule emplie d'eau pour réfracter la lumière sur l'ouvrage des femmes rassemblées autour d'elle.

La mécanisation a tué ce travail à la main, et ce qu'il en subsiste est juste à usage touristique malgré un centre d'enseignement établi au Puy-en-Velay, qui produit quelques pièces de qualité.

La dentelle était tellement omniprésente dans les intérieurs vellaves que le costume régional, par ailleurs très sobre, s'ornementait de flots de dentelles noires ou blanches, rebrodées ou perlées tant sur la coiffe que sur les autres pièces de vêtements.

Née de la réunion partielle des provinces du bas Languedoc et du Roussillon, cette région forme un grand amphithéâtre tourné vers la Méditerranée. S'y déploie un généreux patrimoine riche d'abbayes romanes, de villes romaines, de châteaux dressés en vigie sur leurs promontoires et de cités médiévales.

Terre occitane, terre catalane

Des rivages ensoleillés du golfe du Lion aux vallées sauvages des Cévennes, des garrigues brûlées par le soleil des Costières aux villages viticoles du Minervois, des citadelles cathares perchées en à-pic sur leurs pitons au mont enneigé du Canigou, cette terre – entre mer et montagne – témoigne de sa triple appartenance au Massif central, à l'Occitanie et à l'Espagne.

• Carrefour commercial traversé par les marchands de l'Europe du Nord, de l'Espagne et de l'Italie, elle fut une terre d'échanges et de tolérance où chrétiens, musulmans et juifs cohabitaient et s'appréciaient, où les villes possédaient leurs écoles de médecine, de philosophie, de mathématiques, où s'enracina une doctrine, le catharisme, et un mouvement : la Réforme.

• Après la révocation de l'édit de Nantes, en 1685, le pouvoir royal et l'Église y menèrent l'Inquisition, condamnant ainsi au bûcher les hérétiques, pourchassant les protestants, incendiant les villages. Ces persécutions alimentèrent un fort sentiment anticlérical ainsi qu'une liberté de pensée manifeste, qui se perpétuèrent de famille en famille tout au long des siècles jusqu'à nos jours.

• Deux langues marquent l'histoire et l'identité du Roussillon et du Languedoc : le catalan, dialecte latin mêlé de basque de la riche province de Catalogne, et la langue d'oc, qui rassemble les parlers limousin, auvergnat, provençal, languedocien et gascon. Raffinée et poétique, cette dernière fut exportée dans toutes les cours d'Europe, au Moyen Âge, par les troubadours. Malgré l'édit de Villers-Cotterêts, qui imposa en 1539 l'usage du français, la langue d'oc reste parlée par deux millions d'Occitans, tandis que le catalan continue d'unir la France à l'Espagne. Faut-il s'étonner qu'une terre aussi féconde ait vu naître ou accueilli tant de génies littéraires, de cinéastes et de peintres tels Paul Valéry, Jean-Pierre Chabrol, Georges Brassens, Picasso, Dali qui, à travers leurs œuvres, célébrèrent la beauté des paysages et l'universalité de l'expérience humaine ?

Pays de mer

• La Camargue • Le Roussillon
• Le pays de Montpellier

Ils offrent 250 kilomètres de côtes ciselées d'anses où se logent ports de pêches et stations balnéaires, d'étangs poissonneux – anciennes lagunes isolées de la mer par les alluvions. Langue de terre, d'eau et de ciel mêlés où s'ébattent taureaux noirs, chevaux blancs et flamants roses, la Camargue en est le joyau !

La Camargue

Terre sauvage

Avec ses lagunes où s'unissent eaux douces et salines, ses étangs où nichent flamants roses et butors étoilés, ses troupeaux de taureaux noirs que surveillent – lancés sur leurs chevaux blancs – les gardians, avec son flamenco aux accents andalous, cette terre est un monde à part, libre, fougueux, secret et festif !

Située à l'embouchure du Rhône et de la Méditerranée, la Camargue est née il y a seulement dix mille ans, à la suite du passage d'un torrent venu des Alpes qui déposa des millions de mètres cubes de galets et de limon, contraignant le Rhône à divaguer et à former un dédale de marais.

Si naturel qu'il puisse paraître, ce monde amphibie (protégé depuis 1970 par le parc naturel régional de Camargue) n'en reste pas moins profondément domestiqué par l'homme. Soucieux d'empêcher les crues du Rhône et les inondations maritimes, tout en régulant les eaux de pluie pour favoriser l'agriculture, les ingénieurs créèrent au XIXe siècle un cordon de digues et un réseau de dessalement des terres, doté de stations de pompage et de 400 kilomètres de canaux d'irrigation.

À côté de l'élevage extensif des taureaux (ci-dessous), et grâce au dessalement des terres, ce sont 20 000 tonnes de riz qui sont produites par an, dans les rizières camarguaises (ci-dessus).

Dans les prés, les troupeaux (les manades) de taureaux sont surveillés par les gardians, cavaliers parcourant les marais armés d'un trident qui sert à rassembler, le soir tombé, les bêtes indisciplinées. Pratiquées devant les touristes, les ferrades voient le marquage au fer des jeunes taureaux d'un an, dont les plus combatifs deviendront des cocardiers, ces taureaux sélectionnés pour participer aux courses camarguaises. Organisées de mars à novembre, elles consistent à décrocher une cocarde placée entre les cornes de la bête qui approche allègrement les 400 kilos. Ici, pas de mise à mort. Seuls l'art de l'esquive, l'agilité, l'adresse et la rapidité sont de mise pour déjouer ses charges puissantes.

Dans ce pays, la riziculture comme la culture du blé, du colza, du maïs et des roseaux contribuent à l'équilibre écologique et à l'économie du pays. Exploitées depuis l'Antiquité, les salines d'Aigues-Mortes et de Salins-de-Giraud produisent 900 000 tonnes par an d'un sel que l'on retrouve sur les tables, dans la fabrication des fromages et dans l'industrie chimique.

En haut : dans les arènes d'Arles, se déroule la fête des gardians.

En bas : les salines d'Aigues-Mortes et de Salins-des-Giraud s'étendent sur 14 000 hectares.

De mars à septembre, l'eau de mer est prélevée par pompage et déversée dans des bassins d'argile où le sel se dépose par évaporation au contact du vent et du soleil, puis rassemblé en camelles (dunes hautes de 8 mètres).

Porte naturelle de la Camargue située à la pointe du delta du Rhône, Arles, capitale du pays, est renommée pour ses remarquables vestiges gallo-romains, parmi lesquels ses arènes ceinturées de deux étages d'arcades où pouvaient prendre place vingt mille spectateurs. Gardienne des traditions provençales, la cité profite d'une vie culturelle active rythmée par les farandoles – danses animées des sons des tambourins et des galoubets –, l'élection de la reine d'Arles, les défilés équestres des gardians, les courses de taureaux…

Plus au sud, entre lagunes et marais, salines et canaux, Aigues-Mortes est une authentique ville. Elle fut fondée au XIIIe siècle par saint Louis, pour créer un grand port de commerce et affirmer la puissance du royaume face à Montpellier et à Marseille, qui appartenaient respectivement au roi d'Aragon et au comte de Provence.

Le Roussillon

Porte de l'Espagne

Forts et citadelles rappellent combien ce territoire, huit siècles durant, fut une marche entre les royaumes de France et d'Aragon. Établies sur un promontoire ou tapies au fond d'une plaine, ceinturées d'épaisses pierres et de demi-lunes, Salses-le-Château, au nord, Villefranche-de-Conflent et Mont-Louis (situées dans le Conflent voisin) forcent l'admiration.

Entre terre, mer et montagne, ce pays étend une plaine fertile plantée d'oliviers, de vignes et de châtaigniers, ouverte sur la Méditerranée et que domine la chaîne des Albères. Baigné d'un climat méditerranéen et irrigué par les eaux des Pyrénées, il est quadrillé de vergers où s'alignent abricotiers, pêchers, citronniers, ainsi que des productions maraîchères. Dans ce pays où le manque d'eau succède au trop-plein d'eau, en raison de l'extrême irrégularité des précipitations, les périodes de sécheresse alternant avec des pluies diluviennes sont fréquentes.

Située à 12 kilomètres de la mer et à 30 kilomètres de l'Espagne, Perpignan est la capitale économique et culturelle du Roussillon. Catalane dans l'âme, elle se découvre au hasard de ses ruelles bigarrées où se succèdent commerces de bouche et cafés ombragés. On y joue les mêmes parties de cartes autour d'un verre de Banyuls depuis toujours. Carrefour économique entre le Midi, l'Espagne et l'Afrique du Nord, cette cité fut léguée au XIIe siècle au comte de Barcelone et roi d'Aragon, Alphonse II, qui en fit la capitale d'un petit État, le royaume de Majorque. Dotée d'une charte de libertés communales et administrée par cinq consuls, elle connut

Ci-dessus : établi sur des terrasses de schiste qui surplombent la Méditerranée, le vignoble de Banyuls produit d'excellents vins de dessert doux et secs.

Ci-dessous : à Port-Vendres, une scène de la vie quotidienne, le nettoyage des anchois.

Potiers, *tisserands* et ***chapeliers***

Depuis le XVIe siècle, les vases jaspés de brun et de vert vernissés d'Anduze ornent terrasses et jardins des bastides languedociennes. Pouvant atteindre 1 mètre de haut, ils nécessitent jusqu'à 120 kilos d'argile et sont préformés avec une calibreuse avant d'être façonnés au tour. Les pieds et les décors (guirlandes de fleurs et écussons) sont moulés dans des matrices puis rapportés sur les parois. Recouvert d'une argile blanche, le vase est séché puis éclaboussé d'oxyde de cuivre (qui devient vert à la cuisson) et d'oxyde de manganèse (qui vire au brun-marron). Enfin, un vernis jaune le parachève.

Jusqu'au XIXe siècle, le mûrier recouvrait les terrasses des vallées cévenoles, pour alimenter de leurs feuilles des millions de vers à soie. Élevées dans des magnaneries, les chenilles repues de chlorophylle tissaient de gros cocons que dévidaient les familles paysannes. Les tisserands façonnaient sur des métiers mécaniques bonnets et bas exportés dans toute l'Europe. Aujourd'hui réactivée, cette filière produit 15 000 m² de tissus destinés aux couturiers parisiens et japonais.

Les feutres en laine des moutons mérinos d'Australie de la vallée de l'Aude, portés par le personnel de la Marine nationale, les sapeurs-pompiers et les femmes élégantes, sont réputés pour leur beauté. Cardée, préformée, coupée, la laine est plongée dans un bain de teinture, séchée et comprimée dans un moule pour former le futur chapeau.

Ci-dessus : capitale du Roussillon établie au centre d'une riche plaine agricole, Perpignan conserve de son passé d'ancienne capitale du royaume espagnol de Majorque plusieurs forteresses parmi lesquelles le Castillet, porte principale de la ville formée de deux tours couronnées de mâchicoulis.

Ci-contre : poteries d'Anduze.

Ci-dessous : tissage de la soie dans les environs de Nîmes.

un âge d'or grâce à l'industrie du drap, tandis que s'édifiaient palais des rois, cathédrale, université, citadelle et hôtels particuliers.

À l'est, s'étire sur 30 kilomètres la Côte vermeille, ciselée de promontoires rocheux que le couchant pare de teintes rougeâtres, de criques et d'anses où se logent les ports de pêches et stations balnéaires de Port-Barcarès, Port-Vendres, Banyuls, Cerbère. Picturale avec ses barques multicolores aux voiles latines, ses maisons ocre sous leurs toits de tuiles rouges, ses ruelles étroites aux balcons fleuris et son clocher fortifié aux allures de phare, Collioure attira au XIXe siècle, les peintres fauves puis cubistes tels Matisse, Derain, Dufy, Picasso, qui y plantèrent leur chevalet pour saisir la lumière très pure.

Alentour, s'élèvent les premiers contreforts des Pyrénées, bordés de murettes de schistes retenant les vignes, mères des vins capiteux et des apéritifs de Collioure et de Banyuls.

Le pays de Montpellier

Face au golfe du Lion

Grottes aux concrétions de cristal de roche, villages médiévaux, stations balnéaires modernes, métropole régionale ; sans heurt, ce pays conjugue beautés naturelles, mémoire du passé et modernité. Entre Cévennes, Causses et Méditerranée, il repose sur un massif calcaire aride que borde la vallée de l'Hérault et que domine, à 658 mètres, le pic Saint-Loup. S'y succèdent, sous un soleil brûlant, garrigues de chênes verts, touffes de lavande, de thym et de romarin interrompues par les drailles, ces chemins pierreux qu'empruntaient jadis, l'été, les moutons pour gagner les pâturages d'altitude. Le tout entrecoupé d'oliveraies et de coteaux de vignes.

À l'ouest, au contact du Lodévois voisin, le pays s'émaille d'un étourdissant patrimoine : grotte de Clamouse aux stalactites d'une extrême délicatesse, village préhistorique de Cambous, cirque grandiose de Navacelles. Logée au fond d'un val encadré de montagnes sauvages, l'abbaye de Saint-Guilhem-le-Désert vit, au Moyen Âge, les pèlerins de Compostelle affluer pour se recueillir devant le fragment de la vraie Croix. Livrée aux démolisseurs, il n'en subsiste que l'église romane magnifiquement ceinte de maisons, de fontaines et de cyprès.

Ci-dessus : à Montpellier, entre le quartier Antigone (ci-dessus) et le vieux Montpellier (ci-dessous, la place de la Comédie), la cohabitation est réussie !

Dans l'encadré :
En haut : la fête des gitans aux Saintes-Marie-de-la-Mer.

En bas : carnaval à Prats-de-Mollo.

Pèlerinage et *bataille* de ***lie de vin***

Chaque année, les pèlerinages des Saintes-Maries-de-la-Mer réunissent les gitans de toute l'Europe. Après une messe, les statues des saintes Marie-Jacobé, Marie-Salomé et de leur servante noire Sara (patronne des gitans) sont portées sur la plage au milieu des chants, placées dans une barque, puis bénies par un évêque tandis qu'on formule cette prière : « Sainte Sara, mets-nous sur la bonne route et donne-nous ta belle chance et ta santé. Amen. »

À Limoux, on fête le carnaval de janvier à la mi-mars. Masqués, vêtus de blancs, foulard rouge au cou et fouet à la main, les meuniers ouvrent les festivités, bientôt rejoints par des bandes costumées, des musiciens et des pierrots qui font virevolter mille confettis.

À Prats-de-Mollo, la journée de l'ours voit déferler des garçons recouverts de peau de mouton, armés de gourdins, le visage noirci de suie. Ils poursuivent les jeunes filles, semant la panique parmi les badauds. Surgissent les chasseurs d'ours qui les encerclent, les capturent et les conduisent enchaînés sur la place publique pour les terrasser symboliquement. Née de la survivance de rites païens célébrant la victoire de la lumière sur les ténèbres, cette fête rappelle combien l'ours (qui peuplait jadis la vallée du Vallespir) inspirait la peur et apportait à celui qui le capturait force et virilité.

S'ajoute la fête des Paillasses de Cournonterral, véritable battue opposant des hommes couverts de paille à des garçons et des filles aux habits immaculés (les blancs), qu'ils n'ont de cesse de barbouiller de lie de vin, à l'odeur repoussante.

Carrefour du commerce méditerranéen et capitale du Languedoc et du Roussillon, Montpellier forme une métropole de cinquante communes peuplée de trois cents mille habitants. Ville jeune née au xe siècle, elle doit sa vitalité et son rayonnement au négoce des épices, à l'industrie du drap (que ses artisans teintaient avec une plante cueillie dans la garrigue : la cochenille), à la création d'une école de médecine, d'une université et d'une chambre des comptes. À partir du XIXe siècle, elle connaît un essor spectaculaire grâce à la viticulture, l'arrivée des rapatriés d'Algérie, puis l'installation d'entreprises informatiques et du complexe agronomique Agropolis (où les chercheurs travaillent à la mise au point de plantes résistant à la sécheresse et aux insectes).

En parfait contraste avec le quartier Antigone, ensemble urbain néoclassique monumental créé en 1980 par Ricardo Bofill, le vieux Montpellier cultive la mémoire de son passé au rythme de ses ruelles, qui débouchent sur des petites places bordées d'hôtels particuliers, eux-mêmes ouverts sur des cours que domine la cathédrale Saint-Pierre.

Face à la Méditerranée, l'arc sableux que dessine le littoral isole un chapelet de lagunes poissonneuses où viennent nicher mouettes rieuses, hérons et flamants roses. Entre terre et mer, formant une île entre le bassin de Thau et le golfe du Lion, Sète est née en 1666 avec la construction du canal du Midi, qui relie la Méditerranée à l'Atlantique pour servir de port de commerce entre l'Europe, l'Afrique du Nord et les îles françaises d'Amérique. Mais l'absence de capitaux, la durée des travaux (le dernier tronçon ne fut achevé qu'en 1808) et la rivalité des villes voisines limitèrent son activité à l'exportation de vins. Réputée pour ses joutes nautiques, elle fut louée par Paul Valéry et chantée par Brassens qui reposent dans le cimetière marin du mont Saint-Clair.

Derrière Sète (ci-dessus le Vieux Port et ci-dessous en vignette les quais), s'ouvre le bassin de Thau (ci-dessous), véritable mer intérieure séparée de la Méditerranée par un cordon de roches, où s'élèvent huîtres creuses, moules, palourdes, crevettes, loups et dorades.

Beauté *minérale*

Villages ronds, hameaux isolés au cœur de la châtaigneraie cévenole, exploitations viticoles resserrant ses bâtiments autour d'une cour intérieure à l'abri de la tramontane et du soleil, l'habitat de cette terre porte l'empreinte de l'histoire et des pratiques communautaires.
En Roussillon, les maisons aux murs de calcaires grossiers et de galets chaînés par des rangées de briques se regroupent en villages denses, pour laisser libres les terres aménagées en terrasses et permettre la vie artisanale (tanneurs, tonneliers).
Vus du ciel, les villages du Razès semblent tracés au compas, déployant leurs maisons en anneaux concentriques autour d'une place dominée par une église ou un château. Insolite, cette disposition est née entre les XIe et XIIIe siècles pour faire front aux incursions de bandes armées (les habitations de plan circulaire formant une enceinte dissuasive) et rappeler symboliquement le caractère sacré de l'église.
En Cévennes, les hameaux (les mas) accrochent sur les versants montagneux leurs maisons hautes et massives conçues pour résister aux assauts d'un climat rigoureux. Autour, se groupent séchoirs à châtaignes, fours à pain et moulins.
En Camargue, les prés où s'ébattent taureaux et chevaux laissent entrevoir de pittoresques cabanes aux murs blanchis à la chaux et à la forme arrondie pour résister aux vents marins. Modestes abris aux murs de torchis coiffés de roseaux, elles offraient aux gardians et aux pêcheurs un habitat temporaire.

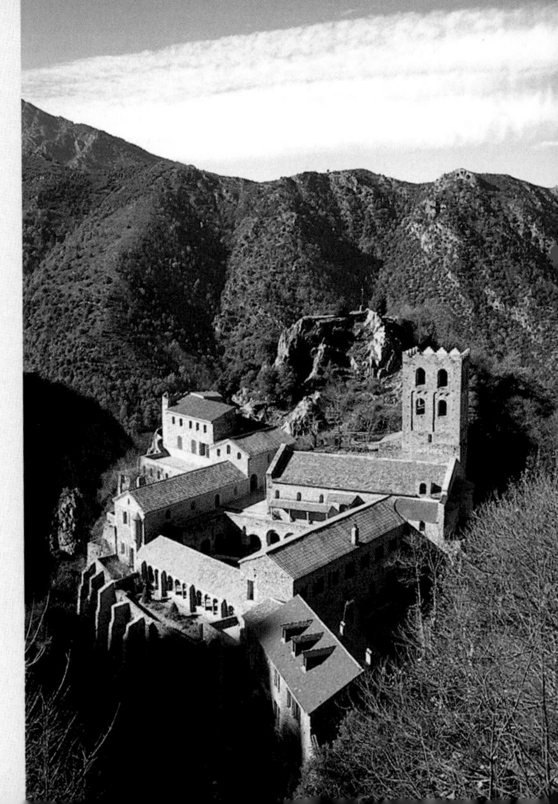

Ci-dessus : Ferme à Sumène.

Ci-contre, en haut : Saint-Michel-de-Cuxa.

Ci-contre, en bas : Saint-Martin-du-Canigou.

Terre d'abbayes

Des rives du Rhône aux Pyrénées catalanes, les solitudes montagneuses abritent des dizaines d'abbayes établies entre les VIe et XIIe siècles pour affirmer la foi chrétienne face à l'expansion musulmane. Centre de pouvoir spirituel, temporel et matériel, sises dans une vallée ou juchées sur un promontoire, elles regroupent dans une architecture souvent romane, cloître bordé de galeries voûtées d'ogives, église abbatiale, salle capitulaire, dortoir pour les moines et cellier.
En Catalogne, on découvrira les abbayes de Saint-Martin-du-Canigou, nid d'aigle dressé face au mont Canigou qui culmine à 2 785 mètres, merveilleux belvédère sur les Pyrénées et la Méditerranée, Saint-Michel-de-Cuxa, phare du Moyen Âge catalan, Serrabone, aux chapiteaux sculptés de lions, de griffons et d'anges.
Dans les Corbières, Fontfroide, la plus vaste abbaye cistercienne de France bâtie dans un écrin de collines, accueille l'été un festival de musique classique et sacrée, l'abbaye de Saint-Hilaire mêle architecture romane et gothique. Quant à l'abbaye de Lagrasse, elle est dominée par un clocher-donjon et environnée d'un admirable village aux rues pavées.

Pays de vigne et de garrigue

• LES CORBIÈRES • LES COSTIÈRES

Du delta du Rhône aux Pyrénées, s'étend le plus vaste vignoble de France, sur 310 000 hectares. À côté des ceps, une plaine maraîchère et des plateaux de calcaire couverts d'une garrigue de chênes kermès, de thym et de lavande se partagent l'espace. Marqués par l'histoire, ces pays offrent un riche patrimoine de châteaux, d'églises et de cités romaines.

Les Corbières

Terre cathare

Ici est né le doyen des Européens : en 1971, fut découvert dans la grotte de la Caune de l'Arago, en lisière du pays du Fenouillèdes voisin, le crâne d'un homme vieux de quatre cent cinquante mille ans.

Aux confins du Languedoc et des Pyrénées, à l'abri des grands flux touristiques, les Corbières élèvent des massifs calcaires rudes et solitaires, coupés de collines, de gorges étroites et de crêtes. Leur point culminant, le pech de Bugarach, est à 1 230 mètres. Garrigues de buis, cistes, romarin, thym et coteaux de vignes – source de vins rouges corsés et charnus – se partagent un territoire au climat sec battu par les vents. Aux Xe et XIe siècles, cette terre peuplée de commerçants et de tisserands vit s'épanouir une croyance nouvelle appelée catharisme. Dualiste, la doctrine cathare opposait le Bien et le Mal. Elle prônait le retour à la simplicité de l'Évangile (refus du luxe, sacrement et prière unique, interdiction

Les « citadelles du vertige » aux altières murailles découronnées, telles Quéribus (ci-dessous), Peyrepertuse (page de droite, en haut), ne sont plus encerclées que par les vignes et la garrigue comme cette colline des Corbières (en haut).

de tuer, même les animaux), reconnaissant l'existence de deux esprits : l'un invisible dit Dieu du Bien, créateur du royaume éternel, l'autre visible dit Dieu du Mal, créateur de la matière et du temps, qui cherche au travers de l'homme à détruire le monde du Bien. Déclaré hérétique par la papauté, ce « christianisme épuré » qui avait gagné tout le Languedoc jusqu'à Albi et Toulouse, menaçant de saper les bases de l'Église, fut violemment combattu entre 1209 et 1218.

Appelés à se « croiser » en échange de la promesse du paradis et de l'obtention de vastes domaines, des chevaliers – parmi lesquels le cruel et ambitieux Simon IV de Montfort – se réunirent sous la bannière de seigneurs d'Ile-de-France et de Champagne. Béziers, Carcassonne, Limoux, Castres, Minerve, Lavaur furent assiégées et leurs habitants massacrés, brûlés vifs ou suppliciés. Il fallut attendre le traité de Meaux de 1229 et le rattachement du Languedoc au royaume de France en 1271, pour que s'achève cette sanglante croisade.

Se découpant dans le lointain, comme accrochées au ciel, une vingtaine de citadelles (initialement édifiées pour former une frontière face au royaume d'Aragon voisin), gardent en mémoire cette fureur inquisitrice. Dressées sur d'inaccessibles pitons, elles servirent de refuge aux rescapés cathares, tombant plus souvent par la ruse, la soif ou la faim que par les sièges.

Enclose dans une muraille de 7 kilomètres, Nîmes (ci-dessous) vit l'édification d'arènes pouvant accueillir vingt-quatre mille spectateurs, de thermes, de la Maison carrée – un temple dédié à la mémoire des petits-fils d'Auguste – (ci-dessous) et d'un aqueduc long de 50 kilomètres destiné à alimenter la cité.

Les Costières

Nîmoises dans l'âme

Entre Camargue et Cévennes, elles forment une plaine vouée aux cultures de légumes et de fruits (tomates, asperges, melons, abricots, cerises), que bordent des terrasses aux sols caillouteux plantés de vignes. Au nord-ouest, s'étend une garrigue méditerranéenne de chênes verts et de chênes kermès, bien adaptés aux plateaux calcaires arides qui la portent. Non loin, dans le pays des Garrigues voisin, s'ouvrent les spectaculaires gorges du Gardon, que traverse une rivière torrentielle encadrée d'étroites falaises hautes de 150 mètres.

Carrefour des influences romaines, languedociennes et provençales, Nîmes, sa capitale, est une ville accueillante jalonnée de ruelles sinueuses et de places bordées de jardins rafraîchissants qui vit au rythme de ses férias. Appelée « la Rome française » pour son exceptionnelle parure de monuments antiques, elle doit à sa situation de carrefour géographique entre l'Italie et l'Espagne d'être devenue, sous l'empereur Auguste, un très actif centre économique, politique et religieux. Mais la chute de Rome laissa le pays

en proie aux invasions wisigothes, ostrogothes et musulmanes. Il lui fallut attendre le XIIe siècle pour profiter d'un nouvel âge d'or, grâce à l'industrie du drap et au commerce du vin. Au XVIe siècle, face à l'indignation soulevée par l'oisiveté et la cupidité des clercs, nobles et bourgeois se laissèrent gagner par la Réforme et se convertirent au protestantisme, donnant le signal des guerres de Religion, avec leur lot de persécutions, conversions forcées, destructions de récolte et de troupeaux... Favorisés par la politique protectionniste de Colbert, l'élevage du ver à soie et la fabrication des soieries (bas, bonnets, gants) relancèrent, au XVIIIe siècle, sa vocation manufacturière qui se poursuit aujourd'hui.

À l'est, établie sur le delta du Rhône, la cité de Beaucaire vécut jusqu'au XVIIIe siècle au rythme de sa foire de la Sainte-Madeleine, vers laquelle convergeaient – de l'Europe entière – drapiers, épiciers, ferronniers, agents de change.

Plus au sud, aux portes de la Camargue, Saint-Gilles fut au XVIIe siècle un haut lieu de pèlerinage sur le chemin de Compostelle et un port d'embarquement des croisés vers Jérusalem. Son abbatiale, bâtie en 1116 pour accueillir les nombreux fidèles, est réputée pour ses sculptures romanes, sa crypte et son escalier en vis gironné.

Ci-contre, à droite : l'abbatiale de Saint-Gilles, bâtie en 1116 pour accueillir les nombreux fidèles, est réputée pour ses sculptures romanes, sa crypte et son escalier en vis gironné.

Ci-dessous : destiné à acheminer les eaux de la source d'Eure, près d'Uzès, pour alimenter Nîmes, l'aqueduc ou pont du Gard, long à l'origine de près de 50 kilomètres, fit dire à Jean-Jacques Rousseau : « Que ne suis-je Romain ! ».

Modeste, *mais* **goûteuse !**

Agricole, pastorale, montagnarde ou maritime, la gastronomie est à l'image de ses terroirs et de ses côtes : riche et variée. Plat emblématique du Languedoc (et des pays toulousains voisins), le cassoulet se compose de haricots blancs secs, de confits (d'oie ou de canard), d'échine et de jarret de porc et de mouton. Ce dernier mijote longtemps dans une « cassole », plat en terre cuite évasé auquel il doit son nom.
À Pézenas, on savoure d'exquis petits pâtés à base de rôti de mouton, cassonade et jus de citron, mis au point par le cuisinier indien d'un lord anglais qui séjourna dans cette ville.
Terres d'élevage et de chasse, Languedoc, Roussillon et Pyrénées offrent maintes viandes et spécialités : gigot de mouton, agneau au genièvre, estouffade de bœuf, fricandeau de veau (couenne farcie de chair à saucisse persillée), lièvre aux morilles, pieds de porc aux œufs, jambon cru...
En Cévennes, l'enclavement géographique imposait une alimentation à base de châtaignes accommodées en soupes, pains, gâteaux et confitures, que complétaient champignons, truites, écrevisses des rivières et pélardons (fromages de chèvre à la fine saveur de noisette).
Pays de pêche et de chasse, la Camargue convie à sa table bécasses, sarcelles, ragoût d'épaule de mouton et anguille préparée en matelote. Sans oublier la goûteuse viande de taureaux grillée sur des sarments de vigne.
Sur la côte, poissons et crustacés font naître bouillabaisse languedocienne (à base de rougets, rascasses, cigales de mer, poireaux, oignons, ail et saindoux), soupes de poissons de roches, calmars farcis, thon à la catalane. S'il n'est plus pêché dans le port de Collioure, mais acheté sur les côtes de l'Atlantique, l'anchois s'apprête toujours ici par salage. On l'apprécie en anchoïade, odorante pommade parfumée d'ail, d'oignon, de basilic et d'huile d'olive.
À Nîmes, la brandade se prépare avec de la morue pilée au mortier et de l'huile d'olive, et se sert avec des croûtons frits.
La tielle sétoise est une tourte dorée, accompagnée d'un coulis de tomates et d'une julienne de poulpes relevée.

Ci-dessus : petits pâtés de Pézenas.

Ci-contre, en haut : anchois préparés à Collioure.

Ci-contre, au milieu : tielle sétoise.

Ci-contre, en bas : le Roussillon prodigue vins rouges, rosés et blancs.

Océan *viticole*

Coiffé d'un climat chaud et sec, le vignoble rassemble une grande variété de terroirs (argileux, calcaires, schisteux), de cépages (grenache noir, merlot, picpoul) et d'appellations mêlant – avec confusion parfois – vins de table, de garde et vins doux. Introduit par les marchands grecs, perfectionné par les Romains puis détruit par le phylloxéra, il doit son renouveau aux viticulteurs d'après-guerre qui, à partir de 1950, s'efforcèrent d'améliorer la qualité de ses vins, se voyant attribuer les labels VDQS (vin délimité de qualité supérieure) et AOC (appellation d'origine contrôlée).
À l'est, s'étendent les Costières du Gard (vins rouges fruités rosés rafraîchissants et blancs secs) puis, jusqu'à Narbonne, les vastes coteaux du Languedoc à l'origine de nombreux crus, parmi lesquels le saint-chinian (vins rouges charnus), le faugères (vins rouges aux notes de fruits cuits, de pruneaux et de vanille).
Plus à l'ouest, longeant la vallée de l'Aude et le canal du Midi pour atteindre Carcassonne, l'AOC minervois produit des rouges et des rosés bouquetés, et des blancs secs. Mise au point par des moines vers 1530, la blanquette de Limoux est la doyenne des vins blancs pétillants.
Au sud de Narbonne, débute l'AOC corbières, marquée par des paysages arides et brûlés de soleil, puis le domaine des vins doux du Roussillon (rivesaltes, banyuls), à consommer avec modération en apéritif et en dessert.

Pays de montagne

• LES CÉVENNES • LES PAYS DU CONFLENT, DE LA CERDAGNE ET DU VALLESPIR

Entre Massif central et Pyrénées, ils montrent deux visages. En Cévennes, se déploie une succession de vallées encaissées où s'accrochent châtaigneraies, sapinières et hameaux solitaires aux solides masures de schiste et de granit. Aux portes de l'Espagne, Cerdagne, Conflent et Vallespir étagent leurs hauts reliefs émaillés de gorges profondes, de lacs d'altitude, d'abbayes romanes et de stations de ski.

Les Cévennes

Rudes mais somptueuses !

Elles offrent l'un des plus authentiques pays de France. Royaume des vallées sauvages, elles déploient une succession de versants abrupts où s'accrochent en rangs serrés châtaigneraies, sapinières, hameaux à l'architecture robuste environnés de séchoirs à châtaignes, de fours à pain et de moulins. S'y écoulent des torrents et s'y logent en sous-sol, à l'ouest, au contact des Causses, un fabuleux dédale de concrétions calcaires. Soumises à un climat enchaînant les automnes aux pluies torrentielles, les hivers rigoureux et les étés torrides, elles sont dominées, au sud par le massif du mont Aigoual, à 1 567 mètres d'altitude, au nord par le mont Lozère – un massif de granit tapissé de landes à moutons – qui domine à 1 699 mètres.

Si naturelle qu'elle puisse paraître, cette terre n'en porte pas moins l'empreinte d'une lutte permanente pour domestiquer ses sols ingrats et corriger ses à-coups climatiques. Pour protéger les terres instables des ravinements, l'homme a aménagé les versants des vallées en terrasses (les bancels), bordées de murs de soutènement. Pour réguler le cours des rivières capables de gonfler de plusieurs mètres, il a établi digues et barrages, et creusé des bassins dans la roche pour retenir l'eau. Pour conduire l'été les troupeaux de moutons vers les pâturages d'altitude (les estives), il a créé des drailles, chemins sillonnant les crêtes d'un col à l'autre.

En haut : dans la haute vallée de l'Hérault, la commune de Mandagout compte plus de quarante hameaux et les vestiges d'un château fort.

Au milieu : ici, le châtaignier a fait vivre hommes et bêtes trois siècles durant.

En bas : les Causses de Sauveterre et Noir bordent au nord-ouest la terre cévenole, marquée par des siècles d'aménagement de ses vallées.

À côté de cette transhumance ovine, le châtaignier a longtemps été le pilier de l'économie cévenole. Surnommé l'arbre a pain, il a nourri de ses fruits des générations de paysans, fourni son bois imputrescible pour construire charpentes, planchers et meubles, abandonné ses bogues pour fertiliser les sols, offert ses rameaux pour confectionner corbeilles et paniers, et donné ses feuilles pour le fourrage des bêtes. Mais la maladie de l'encre et les grandes gelées de 1709 sonnèrent le déclin de cette monoculture. On lui substitua le mûrier, un arbre importé d'Orient par les croisés, dont les feuilles fournissaient la base alimentaire des chenilles bombyx qui, parvenues à maturité, tissaient des cocons pouvant contenir 1 500 mètres de fil de soie. Dévidée et filée dans les manufactures de Saint-Jean-du-Gard, Nîmes et Lyon, la soie était tissée pour former les bas qui habilleraient les jambes des princes d'Europe. Au contraire de la culture du châtaignier qui ne permettait qu'une économie autarcique, celle de l'arbre d'or favorisa une économie de marché et de fréquents contacts entre les populations. Mais vers 1855, le mûrier fut à son tour ravagé par les maladies, laissant le pays sinistré.

Plus au sud-est, le sous-sol chargé d'anthracite d'Alès fit naître une autre industrie, celle de l'extraction du charbon. Entre 1774 et 1950, les houillères employèrent jusqu'à vingt-cinq mille mineurs, fournissant à son apogée 2 millions de tonnes de boulets par an. Mais l'enclavement du bassin d'Alès et la concurrence du charbon allemand puis du pétrole imposèrent la fermeture des puits. Depuis, les Cévennes se sont vidées des deux tiers de leurs habitants, laissant maisons en ruine, terrasses effondrées, châtaigneraie en friche. Créé en 1970, le parc national des Cévennes a permis d'enrayer ce déclin en favorisant le maintien des activités agricoles, grâce à l'attribution de labels, d'aides à l'aménagement de gîtes ruraux, de relances de la sériciculture, tout en protégeant la flore et la faune par la réintroduction des vautours, castors et autres écrevisses, ainsi que le patrimoine architectural.

En haut : le mont Aigoual, vaste château d'eau du Massif central, est traversé par des gorges impressionnantes, comme celles de Dourbie, Jonte et Trévezel.

Au milieu : Saint-André-de-Valborgne s'étend de part et d'autre du Gardon.

En bas : à la Grand-Combe, ville créée de toutes pièces au XIXe siècle, on entre de plain-pied dans le pays des « gueules noires », avec son décor figé de cités ouvrières qu'anime un musée de la Mine.

Les Pays du Conflent, de la Cerdagne et du Vallespir

Royaume de la nature, de la neige et du soleil

Villages pittoresques, gorges profondes, grottes, merveilleuses églises et abbayes romanes, torrents où filent les truites, stations de ski... à la lisière de la frontière espagnole ces pays offrent mille buts de vacances.

Située à 1 200 mètres d'altitude, la Cerdagne forme une plaine verdoyante ouverte sur la chaîne des Pyrénées, qu'encadrent au nord les massifs granitiques du Carlit, à 2 921 mètres et, au sud, le chaînon du Puigmal à 2 909 mètres, d'où dévalent chênes verts et pins sylvestres. Propice à la pratique du ski alpin et de fond, elle compte six stations (dotées de nombreuses pistes qui s'étagent entre 1 600 et 2 600 mètres), parmi lesquelles Font-Romeu, sa capitale, fréquentée par les plus grands athlètes. Bénéficiant de trois mille heures d'ensoleillement par an, la Cerdagne abrite à Odeillo le four solaire le plus puissant du monde. Construit en 1968, il dresse une façade de 3 000 m², formée de centaines de miroirs paraboliques qui concentrent les rayons du soleil dans une chambre de fusion où sont fabriqués des composés réfractaires et testés des matériaux.

Ci-dessus : du haut des 2 784 mètres du massif du Canigou, dévalent de nombreux torrents qui, ici et là, ont creusé des gorges spectaculaires.

Ci-dessous : depuis le pays des Aspres, on découvre la chaîne des Pyrénées et le Canigou, monde de granit, d'alpages et de forêts où se succèdent arbousiers, chênes-lièges, oliviers, hêtres et sapins.

Partie intégrante du royaume d'Aragon, elle appartient depuis 1659 pour moitié à la France et à l'Espagne.

Plaine entaillée par la vallée du Têt, le Conflent voisin doit son nom aux vallées secondaires qui y confluent et que régule le barrage d'irrigation de Vinça. Couverte de vergers (pêchers, pommiers) et de prairies à vaches et à chevaux, elle est dominée à l'ouest par le massif du Madrès, qui culmine à 2 470 mètres, et au sud par le mont Canigou, à 2 784 mètres. C'est le domaine des alpages et des forêts de sapins, hêtres et bouleaux où naissent maints torrents. Avec la Cerdagne, on le découvre au rythme de son petit train jaune, qui relie Villefranche-de-Conflent à Latour-de-Carol. Construit en 1911 pour acheminer le minerai de fer extrait des mines du haut Conflent, il est porté par d'impressionnants ouvrages d'art et livre de spectaculaires vues sur les Pyrénées.

Plus à l'est, bordé par les terrasses caillouteuses des Aspres, le Vallespir élève de part et d'autre de la vallée du Tech un vigoureux relief que domine le pic de Costabonne à 2 465 mètres. À côté des activités traditionnelles de bergers, muletiers, bûcherons, charbonniers, le métier de forgeron fut pratiqué jusqu'en 1920. Extrait dans le massif du Canigou, le minerai était fondu dans des forges et façonné en pentures de porte, balcons, grilles, etc.

RHÔNE-ALPES
PROVENCE-CÔTE D'AZUR - CORSE

Carrefour de provinces, la région Rhône-Alpes compte huit départements nés de la réunion de plus de trente pays qui, au contact du Nord et du Midi, du Massif central et des Alpes, mêlent un étourdissant kaléidoscope de paysages, coteaux de vignes, massif montagneux, baronnies provençales, canyons traversés de rapides... que fédère l'antique capitale de Lyon. Favorisés par un climat exceptionnellement doux et lumineux, entre contreforts des Préalpes et Méditerrannée, les pays provençaux s'offrent depuis deux mille ans comme un carrefour de civilisations et à présent de loisirs et de découvertes aux estivants du monde entier. Montagne dans la mer, la Corse, plus vaste île de France, tourna longtemps le dos à la Méditerranée infestée de pirates, préférant pratiquer agriculture et élevage. Riches d'architecture rurale et de traditions, ses pays enchanteront les visiteurs par leurs eaux transparentes et leurs reliefs sauvages.

Malgré les aménagements hydrauliques qu'il a subis, le Rhône reste environné de sites superbes, tel le défilé du Donzère.

Terre des multiples

Rhônalpin. Les habitants de Rhône-Alpes ne sont plus seulement savoyards, dauphinois, foréziens. Ils sont à présent rhônalpins. Voilà la marque d'une conscience régionale qui s'affirme, l'apparition d'un mot unique pour une région née de multiples provinces. Si elle est une puissante entité – 5,5 millions d'habitants, 44 000 km², un poids économique semblable à un pays comme la Suisse –, la région Rhône-Alpes est difficile à saisir. C'est avant tout une mosaïque géographique et un carrefour historique. D'ouest en est, elle unit le Massif central et les Alpes autour de l'épine dorsale formée par le Rhône. Du nord au sud, elle étale les contrastes entre climats continental et méditerranéen, porte l'edelweiss et l'olivier en son sein. L'identité de ce territoire hésite entre Europe du Nord et Europe du Sud.

• Parmi les certitudes acquises à cette région : la place de la montagne. Le toit de l'Europe trône à 4 807 mètres dans le massif du Mont-Blanc, les grands lacs alpins (Bourget, Léman) font partie du paysage, l'économie des sports d'hiver a métamorphosé les cimes enneigées qui conservent cependant une nature et une agriculture préservées.

• La force de l'agriculture paysanne est d'être, de maintenir la saveur des produits du terroir, d'affirmer les appellations d'origine contrôlée : fromage du Beaufortain produit en alpage, grands vins des Côtes-du-Rhône, charcuterie fermière, volaille de Bresse. La qualité du travail des agriculteurs se retrouve dans l'assiette, et pas seulement à Lyon, capitale mondiale de la gastronomie, qui fut d'abord la capitale des Gaules, fondée en 43 avant J.-C.

• Cette région est le symbole d'une longue histoire humaine, qui prend ses sources, il y a plus de trente mille ans, et dont les peintures rupestres de la grotte Chauvet, en Ardèche, portent le témoignage. Plusieurs millénaires plus tard, par l'ingéniosité de ses hommes, la région sera le siège de grandes révolutions scientifiques et techniques – du chemin de fer à l'exploitation du charbon, en passant par l'invention de la houille blanche, le développement de la chimie et la pharmacie – qui font de Rhône-Alpes une des toutes premières terres d'industrie de l'Hexagone.

Pays d'histoire

• Le Bas-Vivarais • Le Lyonnais

Cavernes préhistoriques de l'Ardèche, cités gallo-romaines établies le long du Rhône (Lyon, Vienne, Saint-Romain-en-Gal), églises romanes du Vivarais et autels baroques de Savoie, maisons en pierres sèches ou chalets de bois, villes bénéficiant du label « art et histoire », musées et nécropoles. La région Rhône-Alpes porte la trace des civilisations qui l'ont traversée et s'énorgueillit de cet esprit de résistance qu'elle manifesta lors des guerres de Religion, à la Révolution ou pendant la Seconde Guerre mondiale.

Le Bas-Vivarais

Royaume des gorges et des grottes

À la pointe sud-ouest de la région Rhône-Alpes, coincé entre les Cévennes et le Rhône, le Bas-Vivarais est le royaume des eaux souterraines, des falaises vertigineuses, des canyons encaissés, des avens et des grottes préhistoriques.

Les eaux de pluie creusent grottes et gouffres et donnent naissance à un véritable gruyère souterrain où vont se réfugier les chasseurs nomades du paléolithique (trois cent cinquante mille ans avant notre ère), les bergers du néolithique puis, plus récemment, les protestants et les maquisards.

Ci-dessus : à Larnas, se trouve l'une des nombreuses églises romanes du Vivarais.

Ci-dessous : les nombreux canyons et gorges de l'Ardèche font le bonheur des amateurs d'eaux vives.

La plus célèbre, la grotte Chauvet, a révélé en 1994 les plus belles gravures rupestres du monde. Un bestiaire de plus de quatre cents animaux aux nuances ocre, noire, rouge, peint il y a plus de trente mille ans par les hommes de Cro-Magnon (aurochs, mamouths, rhinocéros et ours des cavernes) – preuve que la région était alors couverte d'une toundra –, et plus surprenant encore panthères, hyènes et hiboux ! Cette vieille dame (deux fois l'âge de Lascaux) baptisée « chapelle Sixtine de la Préhistoire », a de quoi impressionner.

L'*homo sapiens sapiens* y a fait montre d'un sens aigu de la composition et d'une technique sans pareille : perspective, suggestion du mouvement, usage de l'estompe.

Mais Chauvet est unique, fragile... et donc fermée à la visite. Si l'on se console à l'espace de restitution de Vallon-Pont-d'Arc, d'autres cavernes (une vingtaine dans le Vivarais) promettent bien des émerveillements. Ainsi la grotte des Huguenots, refuge des protestants après la révocation de l'édit de Nantes, abrite une exposition consacrée à la spéléologie et à l'occupation des grottes, de la préhistoire à nos jours. La grotte de la Madeleine se pare de stalactites, draperies, colonnes, orgues aux couleurs ocre, blanche, bleue ou orangée, tandis que celles de Saint-Marcel dévoilent leurs gours, superbes vasques façonnées par l'eau chargée de calcite. Même féerie à l'aven Marzal où, au terme d'un escalier vertigineux de sept cent quarante marches, la salle des Colonnes et la salle des Diamants révèlent leurs concrétions. Reconnu « grand site national », l'aven d'Orgnac, quant à lui, est l'un des plus spectaculaires en France avec sa forêt de stalagmites qui envahit une voûte aux parois couleur de sang.

En surface, le Bas-Vivarais égrène les trésors d'une histoire plus que millénaire. Alba-la-romaine, ancienne capitale de l'Helvie entre le Iᵉʳ siècle av. J.-C. et le Vᵉ siècle après J.-C., fut une importante cité gallo-romaine, ce dont témoigne encore son théâtre. Viviers, qui la supplante, devient le siège de l'évêché : ses ruelles alignent encore quelques beaux édifices médiévaux ou Renaissance. Aubenas, capitale de cette basse Ardèche, fief de la puissante famille des Montlaur au XIᵉ siècle, connaît la prospérité industrielle et marchande au XVIIIᵉ siècle. Ou encore ces petits villages en pierres sèches (Gras, Saint-Montan) et ces églises romanes, au milieu de champs de lavande (Larnas) qui émaillent les arides plateaux calcaires que l'on nomme ici, bien étrangement, les « gras ».

Ci-dessus : lorsque la mer qui recouvre le Vivarais se retira, il y a plus de cent millions d'années, l'Ardèche entailla patiemment le plateau en surface, sculpta le somptueux canyon des gorges et dessina l'arche du pont d'Arc.

Ci-dessous : c'est de la colline de Fourvière que se lit la longue histoire de Lyon.

Le Lyonnais

Patrimoine de l'humanité

Bordée au nord par le pays Beaujolais, à l'ouest par les monts du Lyonnais, à l'est et au nord par la plaine de la Dombes et de l'Isère, Lyon occupe une situation privilégiée au cœur de la vallée du Rhône. C'est dans un site remarquable, au confluent du Rhône et de son affluent, la Saône, que la capitale de Rhône-Alpes a inscrit plus de deux mille ans d'histoire. Aujourd'hui résolument moderne, entreprenante et industrieuse, la deuxième agglomération de France (1,2 million d'habitants) tourne le dos à sa réputation de ville froide et hautaine, cultivant, à l'ombre de ses traboules ou dans ses bouchons, une certaine douceur de vivre. En classant au patrimoine mondial les 500 hectares du centre-ville, en décembre 1998, l'Unesco a consacré la « remarquable continuité urbaine » et « l'exemple éminent d'établissement humain » du site de Lyon.

L'histoire de la ville peut commencer par celle de la colonie que Munatius Plancus, le gouverneur de la Gaule Chevelue, fonde en 43 av. J.-C. De cette capitale des Trois-Gaules, Lyon conserve aujourd'hui les vestiges du théâtre, de l'odéon, des thermes et, dans le Lyonnais (notamment à Chaponost), ceux des quatre aqueducs qui alimentaient la ville. Le musée de la Civilisation gallo-romaine, admirablement inséré dans le site des théâtres, est un précieux témoignage de la vie quotidienne au temps de Lugdunum (objets, mosaïques, maquettes). À ses pieds, s'étend le Vieux-Lyon, où se replient les habitants à la chute de l'Empire romain. Au temps des foires et des

marchands italiens, le quartier se pare de belles demeures Renaissance aux couleurs chaudes, cachant de paisibles cours où se déroulent galeries à arcades et escaliers à vis. Sur l'autre rive de la Saône, la presqu'île revêt au XVIIe siècle des habits plus classiques. Au XIXe siècle, face à Fourvière, la Croix-Rousse accueille les canuts, ces ouvriers de la soie qui installent leurs métiers dans de hauts immeubles percés de grandes fenêtres.

Côté Rhône, le quartier des Brotteaux se couvre d'un poumon vert : le parc de la Tête-d'Or, où les grandes serres, les vastes allées, le lac et le théâtre de Guignol attirent joggeurs, cyclistes et promeneurs. À l'orée du XXe siècle, on repousse les frontières de la ville vers l'est et l'on bâtit des quartiers populaires. Les États-Unis, expression de cette cité idéale dont rêvait l'architecte-urbaniste Tony Garnier, ou les Gratte-ciel, à Villeurbanne, dessinés par Môrice Ledoux, sortent de terre. Lyon est alors un creuset de l'innovation technologique : balbutiements de l'automobile avec Marius Berliet, magie du cinématographe des frères Lumière, débuts de la chimie et de la pharmacie. Depuis les années 1980, Lyon n'a de cesse d'affirmer son statut de métropole européenne, multipliant infrastructures et équipements culturels (gare TGV, gare multimodale de Lyon-Saint-Exupéry, Cité internationale, Gerland et bientôt musée des Confluences).

Ci-dessus : sur les quais de la Saône, les transformations haussmanniennes ont laissé leur empreinte.

En encadré : la fête des guides, à Chamonix.

Symboles des ***saisons*** et de *l'histoire*

Bien souvent, les fêtes sont liées à la naissance des produits tirés de la terre : dégustations du beaujolais nouveau, montée en alpage des moutons et des vaches, récolte de l'olive, de la lavande ou du tilleul en Drôme. Des sports et des traditions locales sont aussi prétextes à des réjouissances comme les joutes nautiques au sud de Lyon, la fête des guides de Chamonix, les illuminations du 8 décembre à Lyon, le carnaval de Romans, le somptueux feu d'artifice du lac d'Annecy...
À Villefranche-sur-Saône, on célèbre depuis 1850 la vague des Conscrits, l'une des fêtes les plus longues de France ! À la fin janvier, quatre jours durant, les hommes se regroupent par classes d'âges de dix ans selon le millésime de leur année de naissance. Des nonagénaires aux conscrits de vingt ans, tous portent une veste noire ornée d'une cocarde tricolore, une chemise blanche, des gants blancs et un haut-de-forme ceinturé d'un ruban dont la couleur varie suivant leur âge : verte pour les vingt ans, jaune pour les trente ans, orange pour les quarante ans, rouge pour les cinquante ans... Des bouquets d'œillets et de mimosas à la main, ils défilent alors dans la rue Nationale en vagues décalées et oscillantes, chantant à tue-tête. Dans les semaines qui suivent, fanfares, banquets, tombola et farandole scèlent ces festivités endiablées qui rappellent que la conscription fut ici longtemps pratiquée par tirage au sort.
Avec l'été, vient le temps des festivals culturels. Jazz à Vienne, les Nuits de Fourvière, le festival Berlioz et le festival de la Correspondance à Grignan en sont les plus célèbres représentants.

Pays de montagne

• LE MONT BLANC • LA TARENTAISE • LA SAVOIE PROPRE • LE GENEVOIS

Avec le mont Blanc, Rhône-Alpes a la tête haute et deux tiers de son territoire en montagne. À l'Ouest, les contreforts du Massif central, massif ancien qui vient échouer dans les monts d'Ardèche, du Lyonnais et le Pilat. À l'Est, les jeunes Alpes où Maurienne, Beaufortain, mont Blanc, Belledonne, Chartreuse et Vercors donnent de l'air à une région influencée par ses agglomérations. Rhône-Alpes s'est dotée d'outils de préservation de ses zones montagneuses : deux parcs nationaux, la Vanoise et les Écrins, et six parcs naturels régionaux.

Le mont Blanc

Puits de lumière

À l'extrême est de la région Rhône-Alpes, à la frontière entre l'Italie et la Suisse, le massif du Mont-Blanc étend son manteau de neige, de glace et de rocs sur près de 300 kilomètres carrés. Formé il y a quelque cinquante millions d'années lors de l'élévation des Alpes, ce massif jeune et altier a donné naissance à une multitude de sommets, dont le plus haut, le mont Blanc (4 807 mètres) inonde de sa lumière la vallée de l'Arve, de Chamonix à Sallanches, le pays de Megève ainsi que les villages des Contamines-Montjoie et Saint-Nicolas-de-Véroce.

Partout la majesté des pics de l'aiguille du Midi, des Drus, du dôme du Goûter et des Grandes Jorasses : des sommets rendus célèbres par les mythiques ascensions d'alpinistes comme Whymper, Rebuffat, Frison-Roche, Boivin. C'est à partir du XVIIIe siècle que la montagne devient un objet de conquête, alors que jusque-là elle n'inspire que crainte et souffrance aux habitants de la vallée. En 1786, le docteur Michel-Gabriel Paccard, jeune médecin à Chamonix, et le guide Jacques Balmat réussissent l'exploit d'atteindre le sommet du mont Blanc. Dès lors, on ne cessera de gravir ce dôme enneigé pour y planter quelques drapeaux ou, dès

Ci-dessus : au pied du massif du Mont-Blanc, de larges langues glaciaires ajoutent à la féerie des lieux, comme la mer de Glace (ci-dessus), le glacier des Bossons ou le glacier de l'Argentière.

Ci-dessous : partout, un paysage blanc immaculé rehaussé du vert des prairies d'altitude.

l'arrivée de la photographie, pour immortaliser l'instant aux côtés de son guide de haute montagne.

En 1824, la Compagnie des guides de Chamonix est créée, et tous les ans, au 15 août, sa fête réunit des milliers de personnes. Le petit train du Montenvers, construit en 1908, et le téléphérique de l'aiguille du Midi, édifié en 1955, vont permettent à tous d'accéder au plus près du mont mythique. De ce fait, quatre millions de personnes, attirées par le plus haut toit de l'Europe, passent chaque année au moins une nuit dans la cité chamoniarde.

Premier site touristique de Rhône-Alpes, le pays du mont Blanc possède une vieille tradition d'accueil. Dès 1901, la ligne de chemin de fer du PLM relie Paris à Chamonix en douze heures. On y vient l'été prendre le bon air, tenter quelques randonnées à pied ou à dos de mulet. Plus tard, sur le plateau d'Assy, face au mont Blanc, un sanatorium accueille les tuberculeux.

Le tourisme hivernal commence à Megève dès 1913, année de sa première saison de ski. La baronne de Rothschild, déçue par Saint-Moritz, y pose en effet ses valises, et le petit village de montagne devient alors un terrain d'expérimentation pour les remontées mécaniques, les descentes à ski et l'architecture. Henry-Jacques Le Même y construit en 1921 des chalets modernes en bois, inspirés du style mégevan. En 1924, pour couronner le tout, les jeux Olympiques d'hiver se déroulent à Chamonix.

Le formidable attrait du mont Blanc a ainsi permis à ces vallées, jadis pauvres et rurales, de s'ouvrir au monde moderne et de connaître un véritable essor. Un peu trop parfois. Le revers de la médaille ? Une urbanisation croissante dans les vallées et la disparition progressive de l'agriculture de montagne qui ne subsiste qu'au travers de quelques troupeaux de vaches qui entretiennent les prairies.

Comme *on fait* sa **maison,** *on travaille*

En haut : habitat à Pérouges.

Au milieu : chalet à Bonneval-sur-Arc.

En bas ; maison au mont Gerbier-des-Joncs.

L'habitat en Rhône-Alpes témoigne, comme ailleurs, du terrain sur lequel il s'implante, des matériaux disponibles sur place et des activités humaines. Ainsi, dans les régions de polyculture et d'élevage, comme dans les monts du Lyonnais, la Bresse, le Pilat, les fermes sont massives, parfois avec une cour carrée fermée et une habitation qui fait face aux bâtiments agricoles. Les murs sont faits de grès, de schiste, de granit, de galets. Là où la pierre de construction est absente, le pisé est utilisé. Cette terre argileuse, placée humide et tassée dans un coffrage de bois, est visible dans la Bresse – la ferme des Planons à pans de bois en est un exemple fameux –, dans le bas-Dauphiné, l'Avant-Pays savoyard et dans la Drôme. Dans le Beaujolais, les maisons de vignerons sont nombreuses, avec leurs toits de tuiles romaines et l'entrée du caveau au rez-de-chaussée. Dans la région des Pierres dorées, l'oxyde de fer donne sa teinte chaude à des villages tels que Oingt ou Châtillon-d'Azergues.
En montagne, la maison doit protéger du froid et des intempéries ; les ouvertures sont petites et peu nombreuses sur les hauts plateaux de la Loire et de l'Ardèche, dans les Bauges ou en Tarentaise. Dans les Alpes, les grandes fermes d'altitude sont agencées pour assurer la proximité entre les hommes et les bêtes : une façon simple et efficace de chauffer le foyer. Le bois, mélèze ou épicéa, est ici l'un des matériaux de prédilection. Les toits sont couverts de tavaillons ou d'ancelles – nom donné aux tuiles en bois –, parfois de lauzes, plus rarement de chaume, un matériau très utilisé dans les Bauges ou le Vercors au XIXe siècle. En Maurienne, en Beaufortain, dans les Aravis ou en Chablais, le soubassement de la maison en pierre est surmonté de l'immense volume de la grange, lieu de stockage des fourrages construit parfois à l'aide de simples troncs d'arbres équarris posés les uns sur les autres.
Dans leur infinie diversité, les maisons rhônalpines expriment le labeur incessant et l'ingéniosité des hommes.

La Tarentaise

Les trésors de l'or blanc

Le long de l'Isère, de sa source jusqu'à Albertville, la Tarentaise est le pays de l'or blanc. Dès les années 1960, ses vastes prairies exposées au nord, ses grands vallons vierges et enneigés donnèrent des idées aux promoteurs de sports d'hiver, investisseurs privés ou collectivités locales. Passant d'une terre d'élevage à un pays de loisirs, la Tarentaise a opéré une mutation extrêmement rapide ; les agriculteurs devinrent *perchmen* ou pisteurs pendant l'hiver, tandis que l'été ils restaient à la ferme.

Petites ou grandes, intégrées dans l'architecture locale ou totalement modernes, les stations de ski attirent des milliers de vacanciers venus de toutes les villes de France, dès les vacances d'hiver.

Depuis les seizièmes jeux Olympiques d'hiver de 1992, date à laquelle la notoriété d'Albertville dépassa les frontières, la Tarentaise est devenue le paradis du ski pour nombre de Français ou d'étrangers.

Progressivement, des ensembles immobiliers et des équipements de remontées mécaniques ont parsemé les pentes à Courchevel, La Plagne (ci-dessus), les Ménuires, les Arcs, Tignes, Méribel (ci-dessous).

Mais le ski n'est pas tout, et la Tarentaise a su opter pour la modernité tout en préservant ses traditions.

L'élevage demeure grâce à la vache tarine, une race locale à la robe bai foncé et aux yeux cerclés de noir, que les Savoyards utilisent pour ses qualités laitières, mais aussi pour sa viande. De nombreux troupeaux animent les alpages pendant la saison estivale, et leur passage dans les villes lors de la transhumance de mai est l'occasion de fêtes.

Dans les pâturages du Beaufortain, on continue à traire en altitude pour la fabrique du beaufort ; un fromage dont l'appellation d'origine contrôlée obtenue en 1968 permet de mieux valoriser le produit et de maintenir les agriculteurs au pays. Sa fabrication traditionnelle dans une agriculture extensive respecte le mode de vie du troupeau et invite le paysan comme le visiteur à prendre en compte la valeur d'un paysage grandiose bien

préservé en Tarentaise. Une préservation notamment assurée par le parc national de la Vanoise – premier du genre – né en 1963, qui s'étend sur 52 900 hectares au sud de la vallée. Il abrite aujourd'hui cinq mille cinq cents chamois, deux mille bouquetins, une vingtaine de couples d'aigles royaux, mille deux cents espèces de fleurs, dont la rare linnée boréale. Un véritable royaume naturel, dont l'étendue offre des possibilités de randonnées au-dessus de Bonneval-sur-Arc, Termignon, Lanslebourg ou Champagny-en-Vanoise.

Le patrimoine n'est pas en reste, en Tarentaise. Au-dessus de la vallée, sur le versant du soleil, les villages d'autrefois n'ont pas pris une ride : Montgirod, Les Chapelles, Montvalezan, Sainte-Foy-Tarentaise, le Monal. De Conflans, très belle cité historique, jusqu'au Chenal, les bourgs ont conservé leurs clochers baroques, leurs maisons à pans de bois. Des artisans se sont installés près des agriculteurs et un tourisme doux s'y est peu à peu développé. Les visiteurs sont désormais attirés par des traditions encore vivaces qui s'illustrent dans la musique ou dans le costume. Un savoir-vivre propre à la Tarentaise.

Depuis quelques années, les stations-villages de la Tarentaise ont la faveur des skieurs, à l'image de Sainte-Foy-Tarentaise (en haut), Pralognan, Arêches-Beaufort, ou encore, côté Maurienne, Bonneval-sur-Arc.

C'est à Chambéry, dans ce magnifique château aujourd'hui siège du conseil général de la Savoie (en bas) que les ducs de Savoie s'étaient établis.

La Savoie propre
Des rives romantiques

Le pays du lac du Bourget puise son unité dans le plus grand lac naturel de France, long de 18 kilomètres, formé il y a quinze mille ans à l'époque du retrait des glaciers. Tout autour, une ceinture de montagnes boisées vient plonger dans cette étendue miroitante. Les monts du Chat, la montagne de la Chambotte et du Revard jouxtent les rives. Plus éloignés, les massifs de la Chartreuse, des Bauges, le lac d'Aiguebelette et Chambéry offrent à ce pays une diversité de paysages, mariage entre nature, agriculture et nautisme.

Lorsque souffle la traverse, ce vent qui naît au sommet de la dent du Chat, le lac du Bourget se gonfle d'écume et propose aux amateurs de voile des sensations de grand large. Aix-les-Bains a d'ailleurs obtenu le label « Station-voile », bien insolite pour une cité si éloignée de la Bretagne ou de la Méditerranée. Des pêcheurs professionnels officient encore et régalent de leurs brochets et ombles chevaliers les visiteurs des bons restaurants qui bordent le lac.

Certaines de ses berges demeurent inaccessibles par la route, seules quelques grottes permettent d'y faire halte en bateau.

C'est ce qui plut tant au poète Lamartine qui séjourna en 1816 autour du lac. « Lac ! Rochers muets ! Grottes ! Forêts obscures ! » Un romantisme que l'on retrouve dans l'abbaye d'Hautecombe et au lac d'Aiguebelette interdit aux embarcations à moteur.

Cette région joue la carte du tourisme vert : bien-être des eaux et des thermes d'Aix-les-Bains, sérénité des paysages ordonnés par l'eau et les hommes. En Chautagne, le canal de Savières, qui coule dans le joli bourg fleuri de Chanaz, s'étend au pied de collines plantées de vignes. Le vin de Chautagne et la roussette de la combe de Savoie accompagnent délicieusement les fromages de la région : tommes de Savoie, tommes des Bauges et chevrotins produits dans l'Albanais, le Guiers et dans les Bauges où vaches tarines et abondances se partagent les espaces pâturés. Été comme hiver, les amateurs de plein air se régalent des points de vue offerts par les belvédères à Ontex, au Sapenay, au col du Chat. Parapente, delta-plane et randonnée se pratiquent largement, tandis que l'hiver les plateaux du Revard et de la Féclaz accueillent les fondeurs.

Les touristes viennent volontiers de la proche agglomération de Chambéry. Peuplée de cent dix mille habitants, cette vieille cité adossée à deux parcs naturels régionaux, Bauges et Chartreuse, est devenue une ville

En haut : plus vaste des étendues d'eau de France, le lac du Bourget est un havre dédié aux plaisirs du canotage. Trente espèces de poissons (truite, omble chevalier, sandre...) et une riche avifaune (foulque, grèbe huppé, canard souchet...) s'y ébattent.

En bas : admirablement logée dans un écrin de montagnes enneigées et baignée d'eaux vives, Annecy reflète ses vieilles maisons à arcades dans les canaux du Vassé et du Thiou.

aux portes de la montagne. Il faut dire que Chambéry fut longtemps la cité des ducs de Savoie, surnommés les « portiers des Alpes ». Régnant sur toute la région et une partie de l'Italie actuelle, les ducs y avaient installé leur capitale. En 1563, la capitale du Piémont fut transférée à Turin. Trois siècles plus tard, en 1860, la Savoie devint française. Chambéry a gardé dans son architecture l'empreinte du duché et ses demeures du XVe siècle dont les cours intérieures desservies par un escalier à vis sont de pures merveilles. C'est ici, dans sa résidence des Charmettes, que Jean-Jacques Rousseau puisa son inspiration et vécu « l'espace de quatre ou cinq ans [...] un siècle de vie ».

Le Genevois

Montagne de la tolérance

Le Genevois s'étend de la frontière suisse jusqu'à Annecy, épousant dans ses limites géographiques le Salève, le massif des Aravis et une partie du massif des Bauges. Le Genevois, c'est d'abord Genève, si proche de Rhône-Alpes et de la France, qui offre au pays Genevois les premières rives du Léman.

Le centre historique de la ville suisse est marqué par son passé huguenot. À partir de 1535, Genève – où Jean Calvin joue un rôle primordial – est la capitale protestante de l'Europe. De nombreux intellectuels y trouvent refuge et plusieurs ouvrages qui fondent l'Église réformée sont édités à cette époque. Plus tard, Voltaire, qui séjourna à Ferney de 1759 à 1778, près de Saint-Julien-en-Genevois, s'y est investi.

À 50 kilomètres au sud, Annecy, régulièrement en tête du hit-parade des villes françaises où il fait bon vivre, baigne dans le bonheur. La Venise savoyarde cumule les atouts : un immense lac reconnu pour sa propreté exemplaire, une vieille ville riche d'histoire traversée par deux canaux (le Thiou et le Vassé), une proximité immédiate avec la nature – où ski, randonnée et cyclotourisme se taillent un belle part. Fondée vers l'an 1000 au pied de son premier château, Annecy devient la résidence du comte de Genève en 1219. Puis c'est saint François de Sales, au XVIIe siècle, qui donne à la ville son caractère religieux et intellectuel . Annecy, la catholique, Genève, la protestante : les deux villes rivalisent depuis des siècles. Aujourd'hui, elles forment avec Annemasse un formidable pôle de développement économique ; en dix ans, cette partie de la Haute-Savoie et de la Suisse a connu une exponentielle croissance de la population due au dynamisme et à l'art de vivre.

Le tourisme compte fortement dans l'économie locale, grâce à de nombreux établissements hôteliers haut de gamme, des casinos ou des golfs. Sans parler des grandes tables dont celle de Marc Veyrat, à Veyrier. L'hiver, sur les hauteurs, les stations du Grand- Bornand et de La Clusaz proposent des escapades inoubliables sur les champs de neige. Des descentes récompensées par une gastronomie du terroir composée de charcuterie, de fondue savoyarde et bien sûr de reblochon.

Première AOC fromagère des deux Savoie, le reblochon des Aravis est un fromage à pâte pressée au lait cru entier issu des vaches tarines, abondances ou montbéliardes. Idéal pour la tartiflette, il côtoie sur les plateaux de fromages le persillé et le chevrotin des Aravis, fromage de chèvre qui a obtenu en 2001 la précieuse AOC.

Ci-dessus : d'une superficie de 580 kilomètres, le lac Léman se partage inégalement entre la France et la Suisse dans un beau décor alpestre qu'émaillent stations thermales, villages de pêcheurs et Genève à son extrémité sud-ouest.

Ci-dessous : situé au pied de l'éperon du Taillefer qui marque la séparation entre le grand et le petit lac d'Annecy, le château de Duingt est une élégante résidence seigneuriale, aménagée au XVIIIe siècle sur les ruines d'une forteresse.

Quant au plateau des Glières, il fut le théâtre d'un affrontement sanglant entre résistants et soldats allemands lors de la Seconde Guerre mondiale. En mémoire de leurs amis disparus, les rescapés ont fondé dans les années 1960 le musée départemental de la Résistance et fait ériger un monument commémoratif. Aujourd'hui, un sentier de découverte permet de revivre la grande épopée des Glières.

De l'autre côté du lac d'Annecy, en direction de la Savoie, le massif des Bauges offre une face plus bonhomme, dans ce paysage montagneux. De vastes zones d'alpages, accueillent encore les troupeaux de bovins, mais aussi des chèvres, tandis que s'égrènent des villages ruraux regroupés au sein d'un parc naturel régional.

Pays de saveurs

• Le Beaujolais • La Bresse • Les Baronnies

Les produits du terroir de Rhône-Alpes invitent aux mariages des saisons et des saveurs dans une région où le soleil méditerranéen rencontre les brouillards du nord. Au sud, les frondaisons argentées des oliviers, les rangs bleutés de lavande et les vergers en fleurs ; en montagne, les verts alpages et les meules de fromages ; en Bresse, les meilleures volailles primées lors des concours d'hiver. Et ici et là, des vignes aux belles couleurs mordorées. Un patrimoine culinaire à savourer à petites gorgées et à grands coups de fourchette !

Le Beaujolais

Entre vignes et forêts

Le beaujolais nouveau est arrivé ! Chaque année, le troisième jeudi du mois de novembre, dans plus de cent quatre-vingt-dix pays, on déguste ce vin rouge fruité né entre Lyon et Mâcon. Quel incroyable succès planétaire, pour cette petite région qui s'étire sur 50 kilomètres le long de la vallée de la Saône !

Les vignes occupent un paysage de collines, entrecoupées çà et là de vallons boisés, qui s'adossent aux derniers contreforts du Massif central. Plus haut, le Beaujolais viticole cède la place aux monts du Beaujolais, où les plantations de résineux l'emportent désormais sur les prairies d'élevage. Là, à 1 012 mètres d'altitude, le mont Saint-Rigaud, point culminant du département du Rhône, trône sur ce pays partagé entre vignes et forêts. Plus à l'ouest, au-delà de la verte vallée d'Azergues, le haut-Beaujolais, avec les villes de Tarare, Cours, Amplepuis, Thizy, dévoile une terre rurale marquée de l'empreinte d'une tradition textile ancienne.

Dans le Beaujolais, la viticulture n'a pas toujours eu sa place de reine. Certes, l'une des plus anciennes mentions des sires de Beaujeu concerne la vente d'une vigne en 957. Mais ce n'est réellement qu'à la fin du XVIIIe siècle que la vigne prend son essor grâce au développement du commerce fluvial vers Paris,

Ci-dessus : dans le Haut Beaujolais, où l'industrie textile (tissu,mousseline, velours de soie...) régna jusqu'en 1970, sont installés des manufactures et des usines, mais aussi de charmants bourgs médiévaux, tel Régnie.

Ci-dessous : typique du Beaujolais, ce paysage de coteaux de vignes s'ouvrant sur le village de Fleurie est riche de chapelles romanes, de ruines de châteaux et de caves coopératives où l'on peut déguster côte-de-brouilly, saint-amour...

puis à l'arrivée du chemin de fer qui favorise le développement de l'actuelle capitale du Beaujolais : Villefranche-sur-Saône. Dominée par l'audacieuse flèche de sa collégiale, cette cité partage le pays viticole en deux. Au nord, la zone des crus prestigieux – qui répondent aux noms de moulin-à-vent, morgon, fleurie, brouilly – et celle des beaujolais-villages sur des terrains granitiques ; au sud, l'AOC Beaujolais et ses terrains argilo-calcaires, dont cette étonnante région des Pierres dorées où l'oxyde de fer donne sa teinte chaude aux pierres des maisons. Des maisons vigneronnes avec leur escalier extérieur donnant accès à un balcon protégé d'un auvent, juste au-dessus de la cave et des tonneaux.

Derrière cette belle diversité de terroirs et de vins se cache une seule variété de cep : le gamay. Ce cépage, toujours vendangé à la main pour les besoins d'une vinification unique, est ici sur ses terres de prédilection. Quelle que soit la saison, le pays invite à la balade... avec ou sans dégustation dans les caveaux. Dans les environs de Belleville, il en est qui se laissent tenter par une petite friture dans un restaurant des bords de Saône, à moins de préférer la visite de l'Hôtel-Dieu et de son riche patrimoine hospitalier du XVIIIe siècle. À Beaujeu, capitale historique qui donna son nom à la région, la vente aux enchères des vins des Hospices ou la fête des Sarmentelles pour le beaujolais nouveau sont deux rendez-vous vignerons prisés.

Au-delà de Beaujeu, la vigne n'est plus. Des scieries exploitent la forêt, chèvres et vaches pâturent dans les prés clos de haies ou parmi les genêts, et les agriculteurs confectionnent des fromages, notamment du côté de Cenves ou d'Avenas, célèbre pour son église romane. Le voilà, le mariage entre Beaujolais vert et Beaujolais rouge ! Un verre de beaujolais et un morceau de fromage, une assiette de charcuterie ou une quenelle à la lyonnaise. On aura compris le pourquoi des trois fleuves qui coulent à Lyon : le Rhône, la Saône... et le beaujolais !

Ci-dessus : capitale de la Bresse et étape gastronomique réputée, Bourg-en-Bresse possède un beau patrimoine de demeures à pans de bois, maisons à tourelles et arcades, hôtels particuliers...

Ci-dessous : chaque fin d'année, les meilleurs éleveurs de volaille sont primés à Bourg, Montrevel, Pont-de-Vaux, lors des Glorieuses de Bresse.

La Bresse

L'art du bien manger !

Non, la Bresse ne se résume pas à sa célèbre volaille ! Ce pays de bocage, situé entre les vallées de la Saône et de l'Ain, séparé au nord de la Bresse bourguignonne par la rivière Seille et prolongé naturellement au sud par la région de la Dombes, jouit d'un patrimoine culturel et architectural à l'identité forte, fruit de la terre et de son histoire.

D'abord Bourg-en-Bresse, capitale de cette province aux mains des ducs de Savoie de 1272 à 1601. Au centre de la cité se tient la collégiale Notre-Dame. À l'est de Bourg, c'est d'art roman dont il est question autour d'un chapelet de petites églises de villages, comme celles de Buellas ou Saint-André-de-Bâgé, à deux pas du fief des sires de Bâgé-le-Châtel qui contrôlaient la région au XIIe siècle.

Mais l'originalité des constructions bressanes s'exprime avant tout dans les fermes. L'une des plus exceptionnelles est celle des Planons, sur la commune de Saint-Cyr-sur-Menthon, siège du musée des Pays de l'Ain. Dans ce pays sans pierre de taille, l'homme a construit avec la terre et le bois

disponibles : le chêne pour la charpente et l'ossature de la maison ; l'argile seul (le pisé) ou mêlé à des branches d'aulne pour les murs. Ils ont fière allure, ces bâtiments dont certains sont surmontés d'une cheminée dite sarrasine : une étrange mitre ouvragée à l'allure orientale. Sous les larges auvents, les épis de maïs sèchent à l'air libre ; dans les prés alentours les poules picorent : voilà le duo qui a fait le succès agricole de la région. Le maïs est à la base de l'élevage des volailles poussé ici à sa perfection : poulets aux fines pattes bleues, poulardes et dindes fermières, distingués par des AOC. Le chapon, poulet castré, abattu à trente-deux semaines, avant d'être emmailloté dans une fine toile de coton, est le *nec plus ultra* pour le fondant de la chair.

N'oublions pas que nous sommes au pays de Brillat-Savarin, ce gourmet originaire de Belley, ce précurseur de la gastronomie française et auteur de la *Physiologie du goût* en 1826. Les grandes tables sont légion, les mères, admirables femmes cuisinières ont fait la réputation de certaines maisons. Ainsi, le savoir-faire d'Elisa Blanc, sacrée meilleure cuisinière du monde par le gastronome Curnonsky, se perpétue dans son village de Vonnas, capitale de la bonne chère, patrie depuis 1872 d'une dynastie : la famille Blanc. La poularde demi-deuil, les gâteaux de foies blonds de volaille, le poulet de Bresse à la crème sont parmi les recettes traditionnelles incontournables.

Pour parfaire le portrait gourmand de la Bresse, on ne peut passer sous silence ses voisins : la Dombes, ce pays aux mille étangs, terre de pisciculture et de chasse au gibier, le Bugey et ses délicats vins blancs, le pays de Gex dont le fromage Bleu est le fleuron. « La table est le seul endroit où l'on ne s'ennuie jamais pendant la première heure », écrivait Brillat-Savarin. Voilà un aphorisme qui sied on ne peut mieux à la Bresse.

À 1 kilomètre au sud-est de Bourg-en-Bresse, se tient l'un des joyaux français de l'architecture gothique flamande : l'église (ci-dessus) et le monastère de Brou édifié par Marguerite d'Autriche au XVIe siècle.

Ci-dessous : le château de Suze-la-Rousse, aux allures de forteresse et sa cour à l'italienne abritent une très réputée Université du vin.

Les Baronnies

Des saveurs méditerranéennes

Au sud du département de la Drôme, entre Vercors et mont Ventoux, vallée du Rhône et Hautes-Alpes, un morceau de terre de Provence s'est invité entre Rhône et Alpes. La douceur de la lumière, les silhouettes des cyprès, les villages perchés feraient même penser à la mythique Toscane. Un arbre symbole de paix unit les deux régions : l'olivier. En Drôme provençale, voilà la plus septentrionale des oliveraies françaises. Là, planté sur d'élégantes terrasses, il profite du soleil pour donner naissance à une variété unique d'olives : la tanche.

Cette perle noire de la région de Nyons bénéficie pour l'huile et les fruits d'une appellation d'origine contrôlée. Car ici le terroir n'est pas un vain mot, et l'olive n'est que l'un des produits prestigieux au goût de sud : truffes du Tricastin, vins des Côtes-du-Rhône, des coteaux du Tricastin ou des Baronnies, abricots de Nyons, tilleul des Baronnies, miels et essences de lavande, thym et plantes aromatiques. Pourtant, la terre est aride et le climat sec. Il suffit de voir le cortège de la flore méditerranéenne : chêne vert, pin

d'Alep, genêts scorpions hérissés de piquants pour résister à la sécheresse.

En fait, à l'image de la vigne qui a besoin de souffrir pour donner de grands vins, ces produits luttent et donnent ici des arômes subtils, des saveurs intenses.

En Drôme provençale, l'année du goût commence par la récolte des olives noires et fripées.

Quittant la région montagneuse des Baronnies pour la vallée du Rhône, on rejoint le Tricastin, royaume du diamant noir : la truffe. En hiver, près de Grignan, flanqué du plus grand château Renaissance du sud-est, les chiens et les ramasseurs sont à l'œuvre sous les chênes truffiers ; à Saint-Paul-Trois-Châteaux, doté d'une cathédrale, véritable chef-d'œuvre de l'art roman provençal, on déguste ce champignon dans des savoureuses omelettes ; à Richerenches, petit village de l'enclave de Valréas, ce bout de Vaucluse en terre drômoise, le mystérieux marché aux truffes bat son plein. Nous sommes dans la première région trufficole française. Qui aurait parié sur le Périgord ?

Au mois de mars, les mimosas en fleurs donnent à la région des allures de Riviera. Viennent ensuite les vergers fleuris, surtout des abricotiers bientôt porteurs de l'orangé de Provence, un fruit juteux à la chair fondante, puis le ramassage du tilleul et la foire de Buis-les-Baronnies – le Wall Street de l'infusion où se négocient 90 % de la production nationale ! Au cœur de l'été, les champs de lavande exposent leur intense couleur mauve avant que les vendanges ne sonnent l'arrivée de l'automne à Suze-la-Rousse. Et pour clore cette balade gastronomique, il ne manque que la découverte de la fabrication de poteries traditionnelles – terres vernissées de Cliousclat et Dieulefit, céramique culinaire de Saint-Uze. Enfin, on ne saurait oublier une petite sucrerie, l'un des treize desserts du Noël provençal : le nougat de Montélimar.

En haut : le premier week-end de février, il faut passer le pont roman de Nyons pour vivre la fête de l'Alicoque.

Au milieu : planté de chênes truffiers bien alignés, le Tricastin est le premier fournisseur de « diamants noirs » de France, sur lequel veille la Confrérie de la truffe noire..

En bas : non loin de Nyons, à Vinsobres, les crêtes calcaires du massif des Baronnies, couvertes de vignes, d'oliviers et de lavande, ponctuent de beaux villages fortifiés.

Pays d'industrie

• LE GRÉSIVAUDAN, LA CHARTREUSE ET BELLEDONNE • LE FOREZ

Riche en minerais, forêts et torrents, cette contrée a puisé dans ses ressources naturelles pour jouer un rôle de premier plan dans la révolution industrielle : les mines et les aciéries du bassin stéphanois, les grands barrages du Dauphiné l'ont propulsée dans le XXe siècle. Ses inventeurs et grands patrons d'industrie en ont fait la pionnière en matière de textile, d'automobile, de cinéma, de chimie et de métallurgie. Spécialisée dans l'informatique, le nucléaire ou la plasturgie, elle s'affirme à présent comme la deuxième région industrielle française.

Le Grésivaudan, la Chartreuse et Belledonne

Capitales des eaux fortes

Posée au confluent du Drac et de l'Isère, cernée par une couronne de montagnes – Vercors, Chartreuse et Belledonne –, ouverte sur la Savoie par le Grésivaudan, sur l'Italie par la Romanche et sur la vallée du Rhône par la cluse de Voreppe, Grenoble a bien mérité son qualificatif de capitale des Alpes occidentales. Toile de fond de l'agglomération, la chaîne de Belledonne est, à la fin du XIXe siècle, le théâtre d'un événement qui va bouleverser l'économie de la montagne.

Ci-dessus : depuis 1881, le tramway de Saint-Étienne, au service de deux cent mille habitants, descend et remonte infatigablement la rue de la République.

Ci-dessous : ville universitaire, olympique, d'industrie et de recherche, Grenoble est le berceau du gant et du ski de fond.

En 1869, Aristide Bergès installe, dans la combe de Lancey, la plus grande conduite forcée (plus de 200 mètres de dénivelé) jamais réalisée dans les Alpes. L'énergie produite lui permet de faire fonctionner sa papeterie installée, en contrebas, dans la plaine du Grésivaudan. Bien sûr, avant lui, l'énergie hydraulique était connue : les chartreux, maîtres des forges, l'utilisaient déjà pour actionner leurs martinets. Mais Bergès ouvre la voie à l'industrie.

En Oisans, particulièrement en Romanche et dans la vallée de l'Eau-d'Olle, fleurissent les centrales hydrauliques et les usines électro-métallurgiques et électrochimiques. Puis sonne

l'heure des grands barrages Bourillon-sur-la Bourne, Chambon, Monteynard, Grand-Maison), construits pour maîtriser la production et assurer le transport de la fée électricité.

Entre-temps, Louis Vicat, exploitant les riches gisements géologiques des alentours, a commencé à produire le ciment artificiel, cet or gris facilement modelable dont on pare les immeubles haussmanniens du centre-ville. La tour Perret, en ciment moulé, érigée pour l'Exposition internationale de la houille blanche et du tourisme en 1925 dans le parc Paul-Mistral, s'affirme comme le symbole du dynamisme de la capitale des Alpes. L'industrie lourde a été relayée par des technologies de pointe (constructions électrique, électronique), et Grenoble tire désormais sa fierté de son université et de ses grands laboratoires de recherche, au premier rang desquels figurent le commissariat à l'énergie atomique et le Synchrotron, célèbre accélérateur de particules.

Grenoble et sa région doivent indéniablement une part de leur identité à cette épopée industrielle, mais leur destin ne saurait être séparé de la grande saga du tourisme blanc : tandis que les guides de l'Oisans faisaient découvrir les joies de l'alpinisme à quelques Anglais et Suisses en quête d'aventure, Henri Duhamel, chaussant les premiers patins à neige sur les pentes de Chamrousse, lance la grande aventure du ski. À l'endroit même où, quatre-vingt-dix ans plus tard, Jean-Claude Killy offrira à la France trois médailles d'or aux jeux Olympiques d'hiver. Peut-être d'ailleurs grâce à ses skis Rossignol... nés à l'aube du XXe siècle dans l'atelier d'un artisan menuisier de Voiron.

Technologique et sportive, la capitale du Dauphiné n'en recèle pas moins un riche patrimoine : les vestiges de l'antique Cularo s'exposent au musée de l'Ancien évêché, les débuts du christianisme sont illustrés dans le musée archéologique de Saint-Laurent, la mémoire des populations alpines est préservée au Musée dauphinois, et l'art moderne et contemporain enrichit le musée de Grenoble.

Tourneurs sur **bois**, *potiers* et **soyeux**

Parce que les Baujus (habitants des Bauges) n'avaient pas suffisamment de fortune pour se payer de la belle vaisselle, ils confectionnèrent assiettes, verres et cuillères en bois. Ce qui valut à cette vaisselle le surnom ironique donné par l'évêque de Genève : l'argenterie des Bauges. De nos jours, deux ou trois artisans perpétuent cette tradition de tournage sur bois blanc. Dans les Bauges, ces ustensiles peuvent servir aux bergers qui viennent faire paître leurs troupeaux sur les alpages.

Berger ? métier traditionnel par excellence dans les Alpes. Aujourd'hui, de jeunes femmes et hommes se convertissent à ce métier hors du commun, qui permet de toucher les cimes. Mais au-delà de la magie des lieux, c'est un travail de titan qui attend les gardiens de troupeaux : faire la transhumance, soigner les bêtes, lutter contre les chiens errants et même parfois les loups, ne pas toujours dormir sereinement.

Plus tranquilles sont les habitants de Bessans, en Savoie, depuis qu'en 1857 un sculpteur local confectionna des diables en bois pour faire fuir le vrai démon qui avait enlevé le curé du village ! Aujourd'hui, quelques mains habiles continuent de sculpter ces statuettes pour le bonheur de touristes ; des touristes également comblés par le mobilier en bois magiquement travaillé par les artisans de Savoie, ou du Queyras, plus au sud.

Dans le sud de la Drôme, à Cliousclat ou à Dieulefit, c'est le monde de la poterie fabriquée ici depuis des siècles et dont le flambeau a été repris par des artistes.

Enfin, dernière grande tradition qui sévit encore dans la région lyonnaise et stéphanoise : le textile et la soie. Soyeux et passementiers tissent ou ennoblissent des étoffes de soie, des rubans, perpétuant ainsi un art qui fit la fortune de Lyon. À Saint-Julien-Molin-Molette, dans le Pilat, une ancienne usine textile a été reconvertie en atelier d'artistes : une façon pour la nouvelle génération de travailleurs manuels de se réapproprier l'histoire de leurs ancêtres.

Écheveaux de soie et métier à bras à la maison des Canuts, à Lyon.

Le Forez

Pays des gueules noires

Capitale du Forez, Saint-Étienne étire à 600 mètres d'altitude ses 8 000 hectares entre les gorges de la Loire et le parc du Pilat. La ville de la première révolution industrielle a longtemps vécu au rythme des gueules noires, les mineurs de fond, et de sa manufacture, dont les épais catalogues – diffusés jusqu'à un million d'exemplaires par an – ont introduit la vente par correspondance et fait rêver des générations d'amateurs d'armes de chasse, de bicyclettes et de machines à coudre !

Fleuron de l'industrie stéphanoise, la passementerie (tissage de rubans de soie), a fait la fortune des marchands-fabricants au XIXe siècle lorsque fut introduit le métier Jacquard. Plusieurs dizaines de milliers d'ouvriers travaillent alors à domicile dans leurs maisons-ateliers (encore visibles au Crêt-de-Roch, place Jean-Jaurès, place Jacquard) ou dans les ateliers familiaux des monts du Pilat (Saint-Julien-Molin-Molette, Saint-Genest-Malifaux). Réunis au sein d'un parc naturel régional, certaines communes du Pilat valorisent aujourd'hui ce patrimoine industriel, comme Jonzieux et son musée vivant de la Passementerie. Le textile, et notamment le célèbre vichy, a aussi fait la fortune de Roanne au nord du Forez. L'écomusée du Roannais, installé dans une usine de tissage-éponge, relate la grande épopée industrielle cotonnière de 1850 jusqu'à nos jours ; dans les faubourgs Clermont ou Mulsant, subsistent des vestiges des anciennes usines de tissage. Charlieu, sur les premiers contreforts du Beaujolais, s'illustre encore dans la fabrication de « haute nouveauté » (tissus d'apparat pour les cours européennes ou copies d'ancien pour l'ameublement).

Si la passementerie n'a pas trop marqué le paysage de la région, l'exploitation minière et la métallurgie ont en revanche laissé leurs empreintes indélébiles dans le bassin stéphanois. Rien d'étonnant pour ce qui fut le premier centre de production charbonnière de France ! À Saint-Étienne, ce n'est plus qu'un souvenir ravivé par les crassiers disparaissant sous la verdure ou le musée de la Mine, installé au puits Couriot. La vallée de l'Ondaine, entre le col de la Croix de l'Orme et les gorges du Pilat, garde des traces plus visibles : les cités ouvrières de La Ricamarie ou de Roche-la-Molière, les usines du Chambon-Feugerolles et de Firminy. De l'autre côté, la vallée du Gier, de Saint-Chamond à Givors, présente un paysage fortement industrialisé égrenant ses hautes cheminées d'usines textiles ou d'aciéries et ses maisons noircies par le charbon.

Ci-dessus : à Saint-Étienne, les collections de pistolets et de fusils du musée d'Art et d'Industrie rappellent qu'en 1885 Étienne Mimard fonda la Manufacture d'armes et de cycles (appelée par la suite Manufrance), qui ferma ses portes en 1985.

Ci-dessous : grande ville d'industrie textile, minière et sidérurgique du XIXe siècle jusqu'en 1970, Saint-Étienne est une cité généreuse et chaleureuse, à découvrir pour son passé ouvrier et son musée d'Art moderne, l'un des plus complets de France.

Troisième pilier de l'industrie stéphanoise, l'armurerie, née au XVIe siècle, connaît un fulgurant essor lors de la création de la manufacture d'armes et de cycles par Étienne Mimard à la fin du XIXe siècle. Le musée d'Art et d'Industrie présente l'une des plus belles collections techniques de France : près de deux mille armes, des cycles, trente mille échantillons de rubans, des métiers à tisser… jusqu'à l'ensemble des catalogues Manufrance. La ville s'est à présent dégagée de son image de ville noire ; elle mise sur le tourisme culturel, autour de son musée d'Art moderne (la deuxième collection française d'art contemporain) et sur le tourisme vert entre parc du Pilat et parc du Livradois-Forez.

Voyage en *terre* de ***saveurs***

En 1934, Curnonsky, surnommé le « prince des gastronomes », confère le titre de « capitale mondiale de la gastronomie » à Lyon. Une renommée qui ne s'est jamais démentie depuis, grâce à ses abondantes et goûteuses triperies, cochonailles, quenelles... ou à ses vins produits en Beaujolais et le long du Rhône. Si les tables lyonnaises ont l'honneur du célèbre guide rouge, c'est aux multiples terroirs rhônalpins qu'elles le doivent. Dans les alpages verdoyants de Savoie et de Haute-Savoie, où paissent tarines et abondances, s'élaborent des fromages à pâte pressée (beaufort, abondance et reblochon bénéficiant de prestigieuses AOC), tandis que les persillés (fourme de Montbrison ou bleu de Gex) vieillissent dans les caves. Les lacs alpins sont pourvoyeurs de poissons à chair blanche (lavarets, ombles chevaliers, perches) et les étangs des Dombes accueillent les élevages de carpes. Le Charolais ou la Bresse, entre viande et volaille, fournissent les plats de résistance.
Côté fruits et légumes, c'est sur les coteaux du Lyonnais ou dans la vallée du Rhône, émaillés de vergers, que l'on se ravitaille, sans compter la noix de Grenoble ou la châtaigne ardéchoise. Le tout à arroser de vins : Rhône-Alpes revendique quelque 65 000 hectares de vignes réparties principalement entre Ardèche, Côtes-du-Rhône, Beaujolais, Bugey et Savoie.

Ci-contre de gauche à droite : fabrication du Beaufort ; tilleul ; fabrication de l'huile de noix ; olives.

En bas : les vendanges

Vins *nouveaux* et ***crus*** de **prestige**

C'est au tout début de notre ère, dans la vallée du Rhône, près de Vienne et de Tain-L'Hermitage, qu'est né le vignoble rhônalpin. Ces vins indigènes, bientôt concurrents des breuvages importés de Grèce ou de Rome, firent le bonheur de nos ancêtres gaulois bien avant ceux de Bordeaux ou de Bourgogne ! Une balade viticole parmi les 65 000 hectares de ceps ne décevera pas le visiteur, ni par ses paysages empourprés à l'automne ni par le contenu de ses bouteilles débouchées.
Quoi de commun entre les vins blancs de Savoie et les vins rouges des Coteaux du Tricastin, entre les vignes plantées sur les pentes des larges vallées glaciaires alpines et celles qui enfoncent leurs racines dans les galets de la vallée du Rhône chauffés par un soleil déjà si méditerranéen ? On trouve de la vigne dans les huit départements rhônalpins. Dans la Loire, avec les côtes roannaises et les côtes du Forez, où le gamay donne des vins rouges fruités, cousins des beaujolais. Les montagnes du Bugey, dans l'Ain, produisent, elles, des vins blancs uniques, tandis que les petits vignobles isérois des coteaux du Grésivaudan ou des balmes dauphinoises jouent plutôt avec les rouges. Dans les deux Savoie, de Chambéry aux rives du lac Léman, les blancs parfumés cachent une production de rouges charpentés. Quant à l'Ardèche et à la Drôme, la vigne y retrouve sa terre de prédilection, celle qui côtoie l'olivier, le chêne vert, le thym et les cigales. Même les vins à bulles – clairette de Die, cerdon, montagnieu, saint-péray, ayze – répondent à l'appel. Bien sûr, les deux poids lourds régionaux restent le beaujolais et les côtes-du-rhône, dont près de 50 % de la production sont commercialisés en vin primeur. Mais que cette mode du vin nouveau ne nous fasse pas oublier les plus grands vins du monde : ceux de la Côte rôtie et de la colline de l'Hermitage. Des terroirs uniques, juchés sur des terrasses vertigineuses, fruit du travail des hommes depuis maintenant plus de deux mille ans.

La lavande : « l'âme de la Haute-Provence » selon Jean Giono, et Porquerolles, la plus vaste des îles de l'archipel des îles d'Hyères (avec Port-Cros et l'île du Levant). On les surnomme les îles d'Or.

Envoûtante terre de lumière !

Calanques taillées dans d'abruptes falaises où s'échoue une mer turquoise, canyons vertigineux du Verdon, villages patinés d'ocre perchés sur leurs à-pics qu'embrase le couchant... entre vallée du Rhône, Alpes et Méditerranée, cette terre coiffée de ciels très purs et d'un climat béni des dieux regorge de trésors naturels et architecturés ! Toute d'harmonie, elle prodigue à foison couleurs et parfums entêtants, mêlant oliviers aux feuillages d'argent, jasmins et mimosas jaune d'or, lavandes bleu-mauve, thym, basilic, romarin...

• Grecque, romaine, méditerranéenne, depuis des millénaires elle s'offre comme un carrefour des civilisations ! Ici, la mer fut moins une frontière qu'une voie d'échanges avec les pays du Levant et de l'Afrique. Creuset migratoire, la Provence a ainsi vu sa population s'enrichir de l'arrivée des Grecs, des Arméniens, des Italiens, des Espagnols, des pieds-noirs d'Algérie, croissant, entre 1850 et 1990, de 1,5 à 4,3 millions d'habitants ! L'homme y a façonné d'opulentes cités, tour à tour capitales intellectuelles, religieuses, artistiques ou commerciales, telles Avignon, cité des papes dominée par son fastueux palais, Marseille et son Vieux-Port, doyenne des villes françaises, Arles et Orange, baignées de romanité, Aix, « Florence provençale » riche de fontaines jaillissantes bordant d'altiers hôtels particuliers baroques.

• Nids d'aigle accrochés à un piton rocheux ou petits ports ancrés au fond d'un golfe, ses villages enchantent par leur beauté minérale, que couronnent les ruines d'un vieux château. Gordes, Ménerbes, Roussillon, Tourettes-sur-Loup, Les Baux-de-Provence, Saint-Tropez... en sont les joyaux emblématiques. Ils sont devenus le paradis résidentiel de la haute société européenne, attirant artistes, écrivains, vedettes du show-biz... S'ils sont parfois la proie d'un parisianisme mondain, ils n'en restent pas moins de hauts lieux de sociabilité !

• De Pétrarque à Frédéric Mistral, de Madame de Sévigné à Alphonse Daudet, de Jean Giono à Marcel Pagnol, cette Provence baignée d'authenticité a inspiré et fait rêver bien des générations de génies littéraires et de cinéastes !

Pays de la montagne du Luberon

• Le pays d'Apt • Le pays de Forcalquier
• Le Comtat venaissin

À mi-chemin entre Alpes et Méditerranée, ils occupent la montagne du Luberon, qui culmine à 1 125 mètres. Champs de lavande, cédraies de l'Atlas et carrières d'ocre, se succèdent, dominés par les villages de pierres blondes perchés sur leurs à-pics. Depuis1977, le parc naturel régional du Luberon veille à la préservation de ce patrimoine et au maintien des activités agricoles.

Le Pays d'Apt

Terre de feu

Avec ses ciels limpides, ses villages authentiques et ses paysages bleu-mauve de lavande et sanguins d'ocre, il a séduit écrivains et artistes qui y ont ancré leur domaine de cœur. Partagé entre le versant nord du Luberon et la zone sud du plateau du Vaucluse, il forme une cuvette entrecoupée de collines, qu'occupent champs de pastèques et de melons, cerisiers, oliviers et vignes.

Au cœur de ce pays auquel elle a donné son nom, la ville d'Apt est réputée pour sa production artisanale de fruits confits. Récoltés dans les plantations voisines ou importés de Côte d'Ivoire, de Sicile, du Mexique…, melons, bigarreaux, pastèques, oranges y sont épluchés, dénoyautés, épépinés puis mis à macérer à chaud dans des solutions sucrées, pour faire naître de savoureuses friandises !

À l'ouest, planté sur un piton rocheux cerné de falaises d'ocre déchiquetées, le rutilant village de Roussillon porte les couleurs du sol qui l'a vu naître. Parées d'enduits et de badigeons, ses façades passent du rouge sang au jaune d'or, se muant au soleil couchant en une étourdissante symphonie chromatique ! Surnommés le « Colorado provençal », les paysages d'à-pics et de carrières à ciel ouvert qui l'entourent s'étendent de Gignac à Saint-Pantaléon et se parcourent grâce à un « sentier de la couleur ». Le Conservatoire des ocres et pigments appliqués retrace la chaîne de fabrication de ce mélange d'argile, de sable et d'oxyde de fer qui, lavé à l'eau, chauffé à 500 °C puis broyé, donne un colorant naturel utilisé en peinture, dans l'industrie des cosmétiques, en savonnerie, papeterie… Si, vers 1900, cette industrie rurale employait plus de mille personnes, elle ne compte plus à présent qu'une seule carrière en exploitation.

Non loin, étagée sur un promontoire planté d'oliviers et d'amandiers que couronne un vieux donjon, Gordes est un balcon sur

En haut : aux environs de Lacoste, vergers, oliveraies et champs d'agrumes s'enchaînent jusqu'à Bonnieux.

Au milieu : Roussillon, la rousse, sur son piton.

En bas : donjon et campanile veillent sur Lourmarin.

l'infini, une « acropole sur un piédestal doré » qui doit sa renaissance à des artistes peintres. Son village des Bories montre un ensemble remarquable de constructions tout en pierre sèche : fermes, bergeries, greniers à foin…

Établie dans un vallon solitaire tapissé de lavande, l'abbaye cistercienne de Sénanque est un joyau de pureté architecturale exhortant à la prière et au renoncement du monde matériel.

Plus au sud, tel un vaisseau de pierre dont la citadelle fait figure de proue, Ménerbes étire ses maisons sur une arête rocheuse longue de 6 kilomètres !

Non loin, accrochées à leurs rochers plantés de cèdres et s'élançant vers le ciel comme des pyramides, Lacoste, Bonnieux, Oppède-le-Vieux, Saignon… raviront les visiteurs.

Le Pays de Forcalquier

Au pays des lavandes

Ciels purs, villages médiévaux, cabanes édifiées tout en fines feuilles de calcaire et garrigues vert cendré où chantent cigales et grillons ont séduit des citadins, des « néo-ruraux », mais aussi les astronomes qui ont installé, à Saint-Michel-l'Observatoire, un télescope géant.

Entre pays de Sault et vallée de la Durance, il déploie un massif calcaire que borde, du nord au sud, la montagne de Lure dominée par les cimes neigeuses des Préalpes, et le Luberon aux croupes couvertes de chênes verts et d'oliviers.

Bien que rudes et arides, ses terres et forêts ont fourni aux hommes plantes médicinales et aromatiques (thym, serpolet, romarin…...), bois d'œuvre et châtaignes, et nourri les troupeaux de chèvres. Terre de christianisation précoce, ce pays compte plusieurs hauts lieux spirituels : le monastère de Ganagobie, chef-d'œuvre de l'art roman de Haute-Provence, l'abbaye de Lure, à l'architecture dépouillée, et le prieuré bénédictin de Salagon, entouré de trois jardins (médiéval, médicinal, aromatique), qui abrite un conservatoire ethnologique retraçant la vie quotidienne, la culture populaire et les métiers d'autrefois.

Forcalquier, la capitale du pays, enroulée autour d'une butte surmontée d'une église, doit sa prospérité à son rôle de carrefour commercial : au Moyen Âge, s'échangeaient blé, olives, fromages, vins… Ses seigneurs, cousins des comtes de Provence, en firent au

Ci-dessus : le village de Ménerbes est célèbre pour avoir inspiré Une année en Provence, *le best-seller de Peter Mayle (vendu et traduit à quatre millions d'exemplaires !), et accueilli peintres, écrivains, académiciens..*

Ci-dessous : le pays de Forcalquier, terre pastorale.

Ci-dessus : entouré de lavandes, le monastère de Ganagobie, chef-d'œuvre de l'art roman en Haute-Provence.

XIIe siècle la capitale d'un petit État indépendant et y établirent une cour brillante fréquentée par des troubadours, des gens de lettres et des diplomates.

Ici, le roi des apéritifs est encore fabriqué artisanalement. Le pastis (« mélange » en provençal) est né du métissage de soixante-dix plantes et épices provenant du monde entier : anis étoilé de Chine, poivre et cardamome d'Inde, cannelle de Ceylan, muscade et clou de girofle des Moluques, sauge de Provence…

À l'ouest, à l'ombre du plateau d'Albion et au contact du pays de Sault, s'étendent à perte de vue le bleu-mauve de la lavande dont Jean Giono a dit qu'elle était « l'âme de la Haute-Provence ».

Dressée en vigie, Simiane-la-Rotonde est une opulente place forte nourrie par l'industrie de la verrerie et de la terre cuite. Couronnée par les vestiges de son château fort, elle a connu, comme tant d'autres villages, un fort exode vers 1950, se figeant dans son beau décor minéral d'hôtels particuliers et d'échoppes médiévales. Depuis, Simianais de souche ou d'adoption lui ont redonné vie, relançant et développant les activités de distillateur de lavande, céramiste, épicier, créateur de gîtes et chambres d'hôtes…

Au sud, Limans, Vachères, Oppedette, Dauphin… composent de superbes décors d'architecture médiévale, environnés de pigeonniers qui rappellent que, sous l'Ancien Régime, l'or de la colombine n'était pas ici réservé à la seule noblesse.

ART ET ARTISANAT

Santonniers, *savonniers* ***potiers***

Sainte Vierge, Enfant Jésus, rois mages, bergers, maréchal-ferrant, meuniers, bœufs… à partir du 4 décembre, à la Sainte-Barbe, les santons gagnent les crèches de chaque foyer pour célébrer l'Avent et Noël. Expression de la piété populaire et symbole de l'identité provençale, ces figurines de terre cuite se sont popularisées sous la Révolution, la fermeture des églises ayant entraîné la disparition des crèches. Pour les fabriquer, le santonnier conçoit un prototype sur lequel il coule du plâtre afin de réaliser un moule en deux parties.

Le savon de Marseille parfume le corps et le linge depuis le XVIIIe siècle ! Pour le préparer, il faut faire bouillir dans des chaudrons, avec de la soude, des huiles de palme, de coprah et d'olive, les filtrer et les laver à l'eau salée puis à l'eau douce. Coulée dans des bacs, la pâte obtenue est découpée en pains de 600 grammes qui sont ensuite marqués d'une estampille.

Tomettes de Salernes, jarres d'Aubagne, faïence de Moustiers-Sainte-Marie… depuis l'Antiquité l'argile fine et grasse de Provence alimente un riche artisanat qui permet de couvrir les sols des maisons, de conserver l'huile d'olive, de garnir la table de plats et de cruches. Laissée en repos (« à pourrir »), pendant trois à cinq ans, l'argile est malaxée à l'eau, broyée, filtrée, puis coulée dans des moules ou façonnée à l'aide d'un tour.

En encadré :
En haut : savonnerie à Salon-de-Provence.
Au milieu : santons à Saint-Rémy-de-Provence.
En bas : faïencerie de Moustier-Sainte-Marie.

Le Comtat venaissin

Jardin de la France

Vaison-la-Romaine, Orange, Venasque, Avignon... Du haut de ses arènes, arcs de triomphe, châteaux et palais, vingt siècles d'histoire contemplent cette terre placée sous l'autorité des papes. Bordée par le Rhône et la Durance, elle porte une plaine agricole irriguée, où fructifient asperges, courgettes, tomates, melon, abricots, pêches. Protégé des colères du mistral par des haies de peupliers et de cyprès qui dessinent un damier sillonné de routes, le Comtat venaissin fait la vitalité des marchés colorés de Carpentras, Avignon et Cavaillon.

Au nord-est, le mont Ventoux (venteux en patois, la vitesse des vents pouvant atteindre 250 kilomètres à l'heure !) s'élève à 1 909 mètres, livrant un belvédère qui embrasse par beau temps le mont Blanc et la Méditerranée. Baptisé « l'Olympe de Provence », il est classé Réserve de biosphère par l'Unesco : il abrite des forêts de chênes verts, de cèdres, et une flore polaire de pavots, campanules... Formé de terrains calcaires fissurés, ce massif et le plateau du Vaucluse voisin ont la particularité d'absorber les eaux de pluie et de les faire resurgir plus au sud, à Fontaine-de-Vaucluse. Avec un débit de 150 m³ à la seconde, cette source alimentée par un profond réseau souterrain est la plus puissante de France !

Sur le plateau d'Albion, s'étendent champs de lavandes et de lavandins (variété hybride), à l'origine de capiteuses huiles essentielles. Jadis pratiquée à feu nu dans des alambics en cuivre, leur distillation s'opère à la vapeur d'eau. Cette dernière libère leurs effluves utilisés en parfumerie, pharmacie et savonnerie.

Carpentras, capitale du Comtat de 1320 à 1791, fut au Moyen Âge une place commerciale vivifiée par une communauté juive, qui y bâtit au XIVe siècle une synagogue – aujourd'hui la plus ancienne de France.

En haut : des champs à perte de vue autour de Carpentras. Ses marchés s'avèrent un régal pour le ventre, les yeux et le nez.

En bas: à Fontaine-de-Vaucluse, les salons de thé et brasseries ont les pieds dans l'eau de la Sorgue.

Non loin, Pernes-les-Fontaines bruisse de ses trente-six fontaines disposées le long de rues étroites et ombragées de platanes centenaires. Surnommée la « Venise du Comtat », l'Isle-sur-la-Sorgue ne résonne plus, elle, du tumulte de ses moulins à eau ni de ses filatures de soie, mais de celui des « chineurs » qui s'affairent dans ses deux cents boutiques d'antiquaires.

Plus au nord, sur les rives de l'Ouvèze dominées par les Dentelles de Montmirail, Vaison-la-Romaine recèle un riche patrimoine : théâtre, basilique, villas, pont qui résista aux violentes crues de 1992..., érigé au IIe siècle de notre ère, lorsqu'elle comptait dix mille habitants.

À l'ouest, baignée de romanité et de douceur de vivre, Orange est une ancienne principauté protestante hollandaise. Appréciée pour ses marchés aux parfums de fenouil, d'olives, de miel et de truffes noires, elle est plus célèbre pour son théâtre du Ier siècle après Jésus-Christ, l'un des plus vastes du monde romain, où se tient depuis 1869 le festival lyrique les Chorégies.

Alentour, les terrasses alluviales de la vallée du Rhône portent les vignobles de Châteauneuf-du-Pape et de Tavel.

Déclarée indivise au XIIe siècle, Avignon, capitale du Comtat, doit son statut de ville libre à sa situation de frontière entre les trois comtés qui régissaient la Provence jusqu'en 1789. Petite république italienne, elle a connu un âge d'or, enrichie par le commerce des draps puis l'industrie des indiennes et la soierie. En 1309, le pape Clément V, soucieux d'échapper aux rivalités qui déchiraient l'aristocratie italienne, installa sa cour à Avignon, qui devint la capitale de l'Occident chrétien ! Il y aménagea un somptueux palais, protégé des bandes armées et des crus du Rhône par 4 kilomètres de fortifications !

Créé en 1947 par Jean Vilar, son festival international propose quatre cents spectacles de théâtre de plein air, ballets, concerts.

Parfumée et *naturelle*

Aïoli, bouillabaisse, ratatouille..., la cuisine de Provence s'apparente à un art de vivre où l'huile d'olive, l'ail et les tomates sont rois !
Dans le pays niçois, les pâtes fraîches sont source de goûteuses spécialités, tels les gnocchis et les raviolis – que l'on croit souvent originaires d'Italie ! S'y ajoutent l'aïoli (mayonnaise d'ail), l'estocafica de morue, la soupe au pistou (parfumée au basilic) et le pan-bagnat (pain rond frotté d'ail, d'huile d'olive et garni de poivrons, d'œuf dur et d'anchois)...
À Marseille, les pieds paquets sont des pieds d'agneau accompagnés de tripes de mouton.
Emblématique du Comtat venaissin, le tian est un délicieux gratin de légumes.
Dans les Alpes, du pays de Sisteron au Briançonnais, soupes au lard, agneau de lait rôti en croûte d'herbes, tourte de veau, bœuf en daube composent une cuisine roborative.
Sur la côte, rougets, saint-pierre, loups et sardines se savourent grillés et agrémentés de fenouil et de romarin.
Plat des pêcheurs des calanques, la bouillabaisse est une soupe à la couleur or à base de rascasses, grondins, congres, lottes..., agrémentée d'ail, de safran, d'huile d'olive et de jaunes d'œufs, auxquels on peut ajouter des crustacés tels que des « favouilles » (petits crabes) et de la rouille (bouillon avec des piments rouges).
À Martigues, on déguste la poutargue, préparation à base d'œufs de mulets séchés.
À côté du Banon, un fromage de chèvre (ou de chèvre et brebis) et mille douceurs sucrées concluront ces agapes : pêches, abricots, cerises et melons parfumés, nougat noir aux amandes et au miel, berlingot de Carpentras, calissons d'Aix , fruits confits de Nice et d'Apt...

Doyenne de *la viticulture*

S'il ne compte que 5 000 hectares, le vignoble provençal n'en reste pas moins le berceau de Bacchus ! Implanté par les Grecs, six cents ans avant notre ère, puis fructifié par les Romains, il abreuva les tavernes populeuses comme la table des papes. Profitant d'un ensoleillement généreux (deux mille cinq cents à deux mille huit cents heures de soleil par an) et d'un écran montagneux protecteur (le Luberon et les Alpes), il occupe des parcelles irrégulières installées sur les coteaux ou les terrasses aux sols caillouteux, qui retiennent l'humidité.
Du delta du Rhône aux collines de Nice, sur le littoral, et de Tarascon à Manosque, en Provence intérieure, il compte neuf appellations contrôlées en constante progression qualitative, parmi lesquelles les côtes-de-provence qui regroupent 80 % de la superficie plantée (vins rosés légers et rouges corsés), les vins de Cassis (blancs capiteux et fruités), les vins du Luberon (rouges légers), les coteaux-d'aix-en-provence (rouges et rosés), les côtes-du-ventoux (vins rouges aromatique et épicés à boire jeunes), les vins de Bandol (rouges aux arômes de cannelle et fruits rouges pouvant vieillir dix à quinze ans, rosés au bouquet épicé et blancs aux arômes floraux).

En haut : le marché sur le cours Saleya à Nice.

Au milieu : cueillette des olives dans les Baux-de-Provence.

En vignettes : étals sur le marché de Nice.

En bas : vignoble des environs de Montmirail.

Pays de mer et de montagne

• LE PAYS NIÇOIS • LES MAURES • LE MARSEILLAIS
• LE PAYS DU VERDON

Sur plus de 1 000 kilomètres, le rivage offre une succession de criques et de plages de sable fin, de ports pittoresques et de baies bordées de palmiers et d'eucalyptus, d'îles sauvages et de fonds marins à la riche faune. Bien qu'excessivement urbanisée, la Côte d'Azur préserve de merveilleuses zones naturelles, telles l'Esterel, les îles d'Hyères ou les calanques.

Le pays niçois

Aux portes de l'Italie

Avec ses places à l'italienne, ses façades aux couleurs chaudes et aux fenêtres « fleuries » par le linge, ses marchés aux fleurs, son carnaval, sa Promenade des Anglais longeant la mer et la Baie des Anges, Nice, capitale du pays, est une ville aux cent visages !

Ancien comptoir commercial fondé trois cent cinquante ans avant Jésus-Christ par les Phocéens de Marseille, puis cité romaine prospère, elle se soumet en 1388 aux comtes de Savoie, qui en font une place forte, favorisant ses relations commerciales avec l'Italie et la Grèce, notamment. Si l'on excepte quelques courtes périodes, pendant lesquelles est assiégée et pillée par les troupes françaises et turques, Nice appartient à la maison de Savoie jusqu'en1860 – date de son rattachement à la France. À partir de 1820, la douceur de son climat attire les artisocraties russe et anglaise qui y établissent leurs quartiers d'hiver. L'arrivée du chemin de fer, en 1864, marque l'ouverture de la Belle Époque niçoise et l'essor d'une architecture néo-baroque mêlée de styles orientaux et néogothiques.

À côté des grands hôtels, palais, villas et du casino, des hameaux se développent sur les collines avoisinantes, vivant des cultures en terrasse de la vigne, des céréales et de l'olivier. Aujourd'hui, avec trois cent cinquante mille habitants, Nice est la cinquième ville de France, avec deux cent quarante hôtels et un palais des congrès, le deuxième aéroport de France et le technopôle Sophia Antipolis, la pépinière de sociétés informatiques et électroniques.

Plus à l'est, s'ouvre le plus petit pays au monde. Bâtie en amphithéâtre sur les gradins d'un rocher surplombant la mer, la principauté de Monaco est une ville-État de 195 hectares, peuplée de vingt-huit mille habitants. Ancienne colonie grecque conquise

En haut : sur la place Massena, à Nice, l'Italie n'est pas loin.

Au milieu : la vallée des Merveilles dans la vallée de la Roya. Un monument géologique de huit cent mille ans.

En bas : Menton et ses façades ocre.

par les Romains en 150 avant Jésus-Christ, elle doit sa fondation à la République de Gênes qui l'occupa et la fortifia en 1215. Contrainte à l'exil, les membres de la famille génoise Grimaldi s'y implantent en 1297, après s'être déguisés en moines pour surprendre la garnison ! Grâce à ses alliances avec les comtes et rois de France, la famille parvient, jusqu'à la Révolution, à déjouer les tentatives de reconquête de l'armée génoise. Depuis, cette dynastie qui a fêté ses sept cents ans d'existence en 1997, a jeté les bases d'un État moderne, en lui donnant une constitution fondée sur le suffrage universel.

Aux portes de l'Italie, Menton étage ses hautes façades patinées d'ocre, sur l'abrupte colline de l'Annonciade. Dans la vieille ville, passages obscurs, ruelles tortueuses, façades colorées de terre de Sienne brûlée, de rouges garance composent un vivant tableau. Abritée par les Préalpes voisines, la ville ne connaît ni mistral ni vents froids, profitant d'un climat d'une extrême douceur, sous lequel poussent citronniers, orangers, figuiers... Entre 1870 et 1913, elle a vu affluer l'aristocratie anglaise qui a favorisé l'essor d'une station balnéaire.

Au-delà de la côte, l'arrière-pays niçois s'étage en collines aménagées en terrasses pour la culture de l'olivier et de la vigne, source des vins de Bellet. Perchés sur des pitons rocheux, les villages médiévaux de Peille, Peillon, Levens, Coarraze combattent les ardeurs du soleil par des ruelles étroites et couvertes, se confondant avec la roche qui fournit les pierres de leurs maisons.

Plus au nord-est, la vallée de la Roya, située entre 2 200 et 2 750 mètres d'altitude, abrite la Vallée des Merveilles, chef-d'œuvre géologique creusé par les glaciers il y a huit cent mille ans. La considérant comme sacrée, les hommes de l'âge du bronze en firent un immense sanctuaire religieux. Ils gravèrent sur ses roches environnées de lacs cent mille gravures montrant animaux, armes, outils, figures humaines...

Villages *perchés,* ***folie*** des ***hauteurs***

Sommets des collines, rebords des plateaux, éperons rocheux, les maisons du Luberon et du pays niçois campent les reliefs pour assurer la sécurité de leurs habitants face aux bandes armées et réserver les terres arables, seuls espaces plans disponibles, aux cultures de blé dur et de seigle. En moellons mal équarris que protège un enduit ocré, elles sont coiffées de tuiles rondes surchargées de grosses pierres, pour éviter que le vent ne les emporte.

Des calades (chaussées empierrées de calcaire ou de galets) les relient, permettant le passage des charrettes et des hommes. Dans les pays d'Apt, de Grasse et de Forcalquier, des générations de paysans ont édifié des restanques, murets de clôture, cabanons, aiguiers... tout en pierre sèche ! Avec des roches délitées en plaques par l'érosion et prélevées lors de l'épierrage des champs, ils ont aménagé les versants des montagnes en terrasses successives, pour y planter vignes, oliviers et céréales, créer des cabanes de bergers – à la fois remises à outils et refuges contre les intempéries –, creuser des citernes sur les plateaux calcaires fissurés pour récupérer les eaux de pluie.

En haut : Oppede-le-Vieux.

Au milieu : la Provence de Giono.

En bas : Nice vue des hauteurs

Les Maures

Éden de nature et stations chics

De Hyères à Fréjus, les Maures forment un massif qui plonge brutalement ses roches cristallines dans la mer, ciselant la côte de caps, criques et baies qui abritent des plages de sable fin ensoleillées. S'y égrène un ruban de célèbres stations : Bormes-les-Mimosas, pittoresque village aux ruelles fleuries enjambées de passages voûtés, Saint-Tropez, royaume du showbiz et de la jet-set qui séduisit jadis Matisse, mais aussi plus récemment le prince de Galles et Brigitte Bardot, Ramatuelle et Gassin, gardiennes du littoral perchées à 200 mètres d'altitude…

Sur 65 kilomètres de long, ses monts s'étagent de 525 à 780 mètres, dégageant de splendides panoramas sur la Méditerranée. Coupés de vallées encaissées, ses versants s'ornent d'une parure de chênes verts, de châtaigniers et de chênes-lièges. Cette forêt, exploitée jusqu'en 1950, permit l'essor de l'industrie bouchonnière, la culture de la châtaigne et la fabrication de pipes. Faute d'entretien, elle paya un lourd tribut lorsque les incendies la ravagèrent, laissant place, ici et là, à un maquis de genêts arbousiers et de bruyères arborescentes.

En haut : le cap de Brégançon et son fort.

Au milieu : le port de Saint-Tropez, grouillant l'été, tranquille l'hiver.

En bas : à Cavalaire, la nature indomptée.

Sur le littoral, à la limite du Toulonnais voisin, Hyères est la doyenne et la plus méridionale des stations climatiques de la Côte d'Azur. Reliée à Toulon par une « route impériale », elle a reçu, à la fin du XIXe siècle, Madame de Staël, Michelet, Tolstoï, la reine d'Espagne et nombre d'aristocrates anglais… qui l'ont délaissée par la suite pour Cannes et Nice ! Sa vieille ville, ancienne place forte médiévale, est des plus pittoresques, accrochant ses vieux quartiers tortueux sur le versant des collines.

Au large, s'ouvre l'archipel des îles d'Hyères, jadis repère de pirates et vigie surveillant l'ennemi anglais alors maître des mers. Surnommées les îles d'Or, elles sont aujourd'hui un véritable éden de nature aux eaux pures et aux pinèdes odoriférantes, qu'assaillent les visiteurs. Protégée par un parc national depuis 1963, l'île de Port-Cros est la plus sauvage et la plus montagneuse de toutes. Desservie par des sentiers botaniques, elle ne tolère ni chasse, ni pêche, ni feu, ni cueillette, afin de protéger sa flore et sa faune de pins d'Alep, romarin, fous de Bassan, merles bleus, faucons pèlerins…

Non loin, Porquerolles est la plus vaste des îles, bordée de plages de sable blanc sur laquelle s'échoue une mer turquoise.

Noyée dans les mimosas et les lauriers-roses, l'île du Levant, que festonnent falaises et à-pics, abrite depuis 1931 la doyenne des stations naturistes de France.

Le Marseillais

Porte de l'Orient

De Marseille à Cassis, sa côte offre un spectacle grandiose sans équivalent en Europe ! Sur 25 kilomètres, elle dresse des falaises déchiquetées qui plongent leurs parois en à-pics dans des vallées noyées, il y a vingt mille ans, par la montée de la mer. Bordées de criques et de petites plages où l'eau turquoise se mêle aux reflets éclatants du calcaire, ces calanques (accessibles à pied ou en bateau) sont des havres de nature. Profonds de 150 mètres, leurs versants étaient jadis accessibles à pied sec et servirent d'abris aux hommes il y a trente mille ans, comme le rappelle la grotte Cosquer ornée de superbes bisons, bouquetins et chevaux. Les plus beaux de ces « fjords » méditerranéens sont En-Vau, Port-Pin, Port-Miou, Sormiou…

Comptoir commercial ouvert sur l'Orient, Marseille, sa capitale, fut fondée par les Grecs six cents ans avant Jésus-Christ. Plusieurs fois détruite mais toujours reconstruite, elle connut plusieurs époques de prospérité, commerçant avec l'Italie, la Grèce, l'Espagne, lançant ses navigateurs à la découverte des côtes africaines, organisant le transport des croisés en Terre sainte, fondant des comptoirs en Méditerranée… Mais en 1720, la peste débarqua dans son port, avec le Saint-Antoine, riche navire marchand en provenance de Syrie. Pour ne pas affoler la population (ni entraver la circulation des marchandises !), les consuls démentirent l'existence de l'épidémie, la laissant se propager comme une traînée de poudre ! Pour faire écran à la maladie qui fauchait mille habitants par jour, on recommanda de porter des poudres aromatiques dans un sachet placé près du cœur et de se désinfecter le corps avec du « vinaigre des 4 voleurs », mélange de girofle, d'ail, de camphre et d'absinthe. Le visage couvert d'un enduit protecteur, les prêtres portaient le secours de la religion tandis que les médecins, retranchés derrière un masque aux yeux de verre et au nez en forme de bec

En haut : Notre-Dame-de-la Garde, la bonne mère veille sur le Vieux-Port de Marseille.

En bas : les calanques, endroits magiques très prisés des baigneurs, plongeurs et fans d'escalade.

rempli de désinfectant, arpentaient les rues, semant malgré eux la panique ! En 1721, les autorités érigèrent une muraille pour éviter la propagation de la peste dans le Comtat venaissin voisin. Longue de 35 kilomètres et haute de 2 mètres, elle était gardée par mille soldats qui interdisaient à quiconque de la franchir. Un an plus tard, l'épidémie s'éteignit enfin, les barrières furent levées et les cloches sonnèrent à toute volée !

Extraordinaire carrefour de civilisations, Marseille retrouva sa vitalité un siècle plus tard, grâce au commerce avec les colonies et l'accueil des exilés grecs, italiens, arméniens... (et plus tard les pieds-noirs d'Algérie), fuyant persécutions, guerre, fascisme et misère.

Plus vaste ville de France et premier port de la Méditerranée, la cité phocéenne conserve aujourd'hui ses liens avec le Moyen-Orient et l'Afrique du Nord. Cosmopolite et indépendante, elle fourmille d'animations avec ses marchés colorés, son quartier du Panier, son Vieux-Port, sa corniche, longue promenade au ras des flots, sa Canebière bigarrée.

Au large, le château d'If, immortalisé par le roman Le Comte de Monte-Cristo d'Alexandre Dumas père, et les îles du Frioul offrent de rafraîchissantes excursions.

De retour sur le littoral, la Côte Bleue s'étire entre le golfe de Fos et la rade de Marseille, jalonnée d'anses miniatures cernées de cabanons et de ports pittoresques.

Établie sur le canal qui relie l'étang de Berre (occupé par des marais salants et un centre portuaire industriel) à la Méditerranée, Martigues apparaît comme une « Venise provençale », avec ses canaux et ses ponts.

Plus à l'est, Cassis, épargnée par les excès de l'urbanisation, est bâtie en amphithéâtre. De cette pure merveille, Frédéric Mistral a dit : « Qui a vu Paris, s'il n'a pas vu Cassis, n'a rien vu. »

En haut : d'un vert émeraude, les eaux du Verdon, désormais régulées par des barrages et lacs-réservoirs, serpentent au fond d'une étroite vallée.

En bas : Moustiers-Sainte-Marie, au départ du parc naturel régional du Verdon.

Le pays du Verdon

Terre de grands canyons

Aux confins du Brignolais et du Dracénois, il se partage entre le plateau aride de Valensole et le massif préalpin culminant à 1 930 mètres, où se succèdent vallées et chaos de montagnes coiffés d'un climat rigoureux.

De Moustiers-Sainte-Marie à Castellane, les gorges du Verdon offrent l'un des paysages les plus spectaculaires d'Europe ! Classées grand site national, elles forment une entaille creusée sur 20 kilomètres par les eaux furieuses du Verdon, affluent de la Durance, qu'encadrent d'abruptes falaises pouvant s'élever à 700 mètres !

Couronnées de corniches et de balcons qui dégagent de vertigineux panoramas, les gorges du Verdon se resserrent entre le cirque de Vaumale et l'Étroit des Cavaliers pour former le Grand Canyon, impressionnant défilé rocheux barré de chaos et creusé de grottes jadis occupées par les hommes de la préhistoire. Depuis 1997, son territoire est protégé par le parc naturel régional du Verdon.

Porte est des gorges, Castellane est une charmante cité blottie en contrebas d'un roc haut de 180 mètres. Ici, passe la route Napoléon qui s'étire de Cannes à Grenoble. L'empereur l'emprunta en 1815, accompagné de mille soldats, pour reconquérir son trône.

Bâtie à la sortie aval du lac de Sainte-Croix, Moustiers-Sainte-Marie occupe un exceptionnel site au pied d'une falaise qui surplombe la ville, lui donnant une allure de crèche monumentale !

Non loin, Aiguines fut, au XIXe siècle, un centre de tournage du bois (aulne, hêtre, buis), où l'on fabriquait les boules cloutées pour la pétanque.

Au nord-ouest, s'étend le plateau calcaire de Valensole, entaillé de vallons étroits couverts de chênes verts et pubescents, sous lesquels poussent les truffes. Caillouteux et écrasé de soleil, il porte 6 000 hectares de lavande et de lavandin, qui fournissent respectivement 1 et 3 litres d'huile essentielle après distillation – pour 100 kilos de fleurs récoltées. Jadis, les paysans transportaient leur alambic dans les montagnes pour y chauffer à feu vif les fleurs sauvages récoltées à la faucille. Installées près d'une rivière, les distilleries fonctionnent désormais à la vapeur. Plongée dans un bain-marie très chaud, la lavande laisse éclater ses arômes, qu'un serpentin réfrigéré recueille. Antiseptiques, insecticides, bactéricides, ses essences entrent dans la composition de médicaments, parfums et cosmétiques. Des cultures de blé dur, d'amandes, de maïs et de tournesol complètent cette activité.

Plus au sud, établie contre une retombée du plateau, Gréoux-les-Bains est réputée depuis l'Antiquité pour ses eaux sulfuro-calciques qui jaillissent à 37 °C et soignent rhumatismes et affections des voies respiratoires.

En encadré : la fête du Citron, à Menton.

Ci-dessous : les gorges du Verdon, paradis des adeptes de kayak et de canyoning.

Terre de *fête* et de *convivialité*

Depuis 1294, Nice vit au rythme de son carnaval. Défilés de chars et d'effigies grotesques décorées de roses, de violettes et de mimosas, bals costumés et feux d'artifice l'animent tout le mois de février.
À Saint-Tropez, la bravade est une bruyante démonstration militaire. Elle compte un capitaine de ville, des mousquetaires (portant culotte, plastron, baudrier blanc et tunique bleue et rouge), des marins, des musiciens (jouant clairon et tambour).
Tous convergent vers l'hôtel de ville et l'église aux sons des salves de mousqueterie ! Cette procession fut créée vers 1600 pour défendre la cité qui avait été saccagée par les Sarrasins.
À Menton, la fête du Citron est l'occasion de voir défiler des animaux géants tout en agrumes, qui rappellent que la cité est le premier producteur de citrons de France !

Martigues fête, à la fin juin, Saint-Pierre, son patron des pêcheurs. Défilé de bateaux de pêche, vieux gréements, chalutiers et joutes nautiques émaillent les festivités.
À Aix-en-Provence, on organise le carnaval depuis 1850, avec ses chars et ses groupes costumés. Cafetiers et commerçants se déguisent, tandis que musiciens, danseurs et acteurs animent la cité.

Peintres de la *lumière*

À partir de 1870, les peintres impressionnistes virent en la Provence la Terre promise de la couleur ! Enfants du pays attachés à leurs racines ou voyageurs marqués d'une frénésie créatrice, ils y plantèrent leur chevalet pour fixer sur la toile champs de coquelicots, moissons de blé, massif des Alpilles émergeant des oliviers et des cyprès...
Malgré la chaleur accablante, les moustiques et le mistral, ils travaillaient sans relâche, faisant naître des chefs-d'œuvre d'harmonie !
Né à Aix-en-Provence en 1839, Paul Cézanne voua une grande passion à la montagne Sainte-Victoire, longue échine de calcaire dont il cherchait à restituer la force, la végétation luxuriante et le ciel embrasé par le couchant.
En 1888, l'estomac douloureux et la bourse vide, Vincent Van Gogh s'installa à Saint-Rémy-de-Provence puis à Arles – où il fut interné après son altercation avec Paul Gauguin. Il y peignit trois cents tableaux et dessins mais n'en vendit aucun, en butte à l'hostilité de la population qui rédigea une pétition pour le faire expulser. « Ici, tout est si difficile ! », écrivait-il. Face à son chevalet et à la lumière sans cesse renouvelée, il se sentit désarmé et plongea dans un désarroi qui le mena au suicide. Suivirent Paul Signac, Matisse, Dunoyer de Segonzac... qui s'installèrnt dans le village de pêcheurs de Saint-Tropez.
À Antibes et Juan-les-Pins où il séjournait, Claude Monet écrivit : « Je m'escrime et lutte avec le soleil. Il faudrait peindre ici avec de l'or et des pierreries. »

Montagne dans la mer, île de beauté, nation insulaire... les expressions abondent, qui tentent de cerner la personnalité géographique et humaine de ce continent miniature.

Sauvage et rebelle

Plus vaste île de France métropolitaine (8 732 km², 183 kilomètres de long), distante de 180 kilomètres de Nice et de 80 kilomètres des côtes italiennes, la Corse doit son nom aux Grecs, qui la baptisèrent Kallisté (la très belle) pour la transparence de ses eaux émeraude et la beauté sauvage de ses montagnes baignées d'une lumière azurée.

• Accessible par avion ou par ferry, elle se découvre au rythme de ses routes étroites et haut perchées, qui décrivent d'interminables lacets sous les ramures des chênes verts et des châtaigniers. Villages-sentinelles juchés sur leurs pitons rocheux, côtes échancrées de golfes et de criques ourlées de plages de sable fin, calanques de granit rose, maquis de bruyère, lavande, eucalyptus et arbousiers peuplés de cochons sauvages et d'abeilles butineuses s'offrent sans retenue aux visiteurs.

• Coiffée d'un ardent soleil et portée par une terre rocailleuse, l'île n'en reste pas moins verdoyante, sillonnée de toute part de fleuves, torrents et cascades. Comme pour les îles de l'Atlantique, ses habitants tournèrent longtemps le dos à la mer, préférant l'agriculture et l'élevage.

• Terre d'invasion et de colonisation, la Corse a connu près de vingt régimes politiques, quarante révoltes et sept périodes d'anarchie. Toujours conquise, jamais intégrée, elle s'est forgée, deux mille ans durant, un solide caractère d'indépendance. Succédant à la présence gréco-romaine, les républiques commerciales de Pise et de Gênes s'affrontèrent pour la posséder, lui léguant une agriculture prospère et un riche patrimoine. Les émeutes contre Gênes, en 1729, furent le départ des guerres de libération. Élu général de la nation Corse en 1755, Pascal Paoli proclama un gouvernement national et donna à l'île des institutions politiques qui allaient préfigurer celles de la Révolution. Souffrant de l'absence de bases économiques et sociales, le régime fut écrasé et la Corse rachetée à Gênes par la France en 1768. Ensuite, la politique centralisatrice de Napoléon Bonaparte, les discriminations de la IIIe République et, plus récemment, la venue de promoteurs étrangers ont fait naître les revendications nationalistes et les violences terroristes actuelles, que la population rejette.

Pays de mer et de montagne

- Le pays d'Ajaccio • La Castagniccia
- La plaine d'Aléria • Le cap Corse
- le pays de Porto-Vecchio

Baignés d'eaux transparentes, ils offrent 1 000 kilomètres de côtes sauvages dont 400 de plages. Les îles et îlots environnants abritent une population de goélands, cormorans huppés, veaux marins... La culture artisanale de l'olivier (100 000 arbres pour une production de 500 000 litres), la pêche et l'élevage de brebis et chèvres, en sont les principales activités.

Le Pays d'Ajaccio

Aux portes de l'histoire

Tourné vers la mer, il se déploie autour d'un large golfe qu'entaillent anses et criques où se logent plages de sable fin et ports de pêches. Au large de la Punta di a Parata, s'étend l'archipel des îles Sanguinaires, ainsi nommées parce qu'elles s'embrasent avec le couchant.

Dans l'arrière-pays, s'étendent la plaine du Campo-de-l'Oro, où se mêlent les fleuves des vallées de la Gravona (au nord) et du Prunelli (au sud), puis un paysage de moyennes montagnes voué à l'arboriculture (pêchers, abricotiers, orangers), à l'élevage ovin (brebis et moutons), et à la vigne.

Établie au nord du golfe qui porte son nom, Ajaccio, sa capitale, est une belle cité néoclassique ocre et rose, bordée de places et d'avenues qu'ombragent palmiers et orangers. Ici est né Tino Rossi en 1907, chanteur de charme de l'avant-guerre qui rendit souvent hommage à sa chère île par ses chansons.

Ci-dessus : activité, avec Ajaccio la marine et son port de pêche.

Ci- dessous : farniente, avec Ajaccio la balnéaire et sa plage Marinella.

Fondée par les Génois en 1492, Ajaccio vit s'installer une centaine de familles patriciennes italiennes (parmi lesquelles celle des Bonaparte), qui établirent de vastes domaines voués à la culture de la vigne et de l'olivier, et à l'élevage ovin et porcin.

En 1769 – un an après l'entrée de la Corse dans le royaume de France –, y naissait Napoléon Bonaparte. Chargé, en 1796, de réoccuper la Corse après l'échec de la constitution d'un royaume anglo-corse initié par Pascal Paoli, Napoléon, alors chef de l'armée d'Italie, y fut accueilli en triomphateur.

Nommé consul à vie en 1802 et sacré empereur des Français en 1804, il se heurta aux partisans de Paoli qui réclamaient l'indépendance de l'île dans le cadre d'un protectorat. En 1811, il fit d'Ajaccio le chef-lieu de département de la Corse, lui assurant un fort essor économique.

Plus au sud, on rejoint les pays du Taravo et du Sartenais, réputés pour leurs mégalithes. On y découvre d'inestimables vestiges des civilisations préhistoriques. Habités de peuples pratiquant la métallurgie du cuivre, l'élevage et la pêche, ces territoires virent s'ériger, entre 5000 et 3500 avant notre ère, des centaines de monuments de pierres cyclopéens, probablement destinés à simuler les défunts, vénérer une divinité-mère ou honorer des guerriers tués aux combats.

Plantées dans la terre rouge, à l'ombre des oliviers bruissant du chant des cigales, les quinze statues-menhirs à visages humains du site de Filitosa possèdent, bien que grossièrement ébauchée, une extraordinaire force d'expression.

Non loin, les alignements de Palaggio dressent deux cent cinquante-huit menhirs divisés en sept allées, dont la moitié affiche une apparence humaine.

En haut : à Morosaglia, naquit en 1725 Pascal Paoli, qui allait devenir « général de la nation corse » trente-cinq ans plus tard.

En bas : le ramassage des châtaignes dans la vallée d'Orezza.

La Castagniccia

Le royaume de l'arbre à pain

Ce pays doit son nom au châtaignier (castagnu), qui jusqu'au XIXe siècle a nourri des générations de paysans comme les troupeaux de porcs, fertilisé les sols par ses bogues putréfiées, fourni un bois d'œuvre imputrescible et des éclisses pour confectionner corbeilles et paniers. Introduit au XVe siècle par les Génois, cet arbre à pain qui s'étage entre 400 et 800 mètres d'altitude a trouvé en Castagniccia des conditions très favorables. Dominé par le San Petrone à 1 766 mètres, le massif d'argile et de schiste qu'il forme offre des sols siliceux parfaits pour sa culture. Sa ligne de crête barre les nuages qui se libèrent de leur humidité, alimentant maints rivières et torrents jalonnés de moulins aux lourdes meules qui extraient la précieuse farine.

Situées à proximité des villages, les châtaigneraies exigeaient des soins réguliers : émonder et greffer les jeunes pousses, retrancher les bois morts, nettoyer la base des arbres à l'approche des récoltes. Une fois cueillis, les fruits étaient séchés, battus pour en détacher la peau, cuits dans un four puis broyés en farine. Les châtaignes consommées fraîches, en pain, en bouillie avec du lait de chèvre, en polenta constituaient la base de l'alimentation que complétaient légumineuses (lentilles, fèves, pois, lupins), légumes (oignons, carottes, poireaux), charcuterie de porc (tripes, boudins, pâté, jambon) et fruits (poires, figues, amandes, noisettes). Décimée par la maladie de l'encre et l'arrachage des troncs pour la production de tannin, cette châtaigneraie se réduit à présent à 15 000 hectares, cédant peu à peu la place à un maquis d'arbousiers, d'eucalyptus, de myrtes, de romarins et de chênes verts buissonnants.

Au nord, les vallées enchevêtrées de la Casinca sont peuplées de villages-belvédères. La Porta, Penta di Casinca, Venzolasca, Loreto di Casinca élèvent sur des promontoires leurs hautes façades coiffées d'épaisses lauses de schiste, où s'encorbelle parfois un four à pain. Bien que désertés depuis les années 1960, ils conservent une place prépondérante dans la préservation de l'identité des Corses. Creuset de l'histoire insulaire et port d'attache pour la vie, ils sont « le

Ci-dessus : après la cueillette, les châtaignes étaient séchées dans des rataghju.

Ci-dessous : sur la façade de la scola Pasquale Paoli à Morosaglia, des dessins d'enfants en trompe l'œil et le buste du général.

En encadré : ce vannier fabrique des nasses à langoustes.

Pipier, *coutellier* et ***vannier***

Jadis, rares étaient les bergers qui se séparaient de leur pochette contenant tabac (tabacadiolu), pierre à feu et pipe. Constatant que leur fourneau en bois de noyer et de merisier dénaturait le goût du tabac, les artisans eurent l'idée d'employer le bois noueux de la bruyère. Une fois extraite, la souche âgée de trente ans est lavée puis débitée en ébauchons (cubes de la taille de la tête de la pipe). Étuvés pour faire bouillir la sève et séchés pendant six mois, ils sont ensuite sciés et creusés, faisant naître des pipes douces à fumer.
Prisé de tous les Corses pour sa lame en acier feuilleté et son manche incurvé en bois, le couteau de berger requiert six mois de fabrication. Olivier, buis, chêne vert sont coupés en décembre (quand la la sève est au ralenti) et mis à sécher jusqu'à l'été suivant.
Déjà, à l'époque romaine, les bergers utilisaient les courges creusées et vidées de leurs graines (zucche), comme gourdes pour conserver eau et vin au frais. Depuis, quelques artisans perpétuent cette tradition, décorant les cucurbitacés de motifs pyrogravés ou peints à l'encre de Chine.
Osier, jonc, châtaignier sont coupés à l'automne, à la lune descendante. Les branches sont cuites au four pour ôter leur écorce puis tressées pour former fonds, montants et anses des paniers.

La Plaine d'Aléria

Le berceau de la Corse

Occupant la partie centrale du littoral est, elle forme la plaine la plus vaste de l'île ! Fertilisée par les alluvions déposées lors de transgressions marines et baignée d'un climat chaux et humide, elle est le domaine de l'arboriculture fruitière (oranges, clémentines, pêches...), de la céréaliculture (blé, orge...) et de la vigne.

À l'est, la côte sableuse est ponctuée d'étangs aux eaux très riches en planctons (étangs de Diana et d'Urbino), où se pratiquent depuis 1960, aquaculture (bars et dorades), conchyliculture et ostréiculture. S'y succèdent de longues plages bordées de stations balnéaires, villages naturistes et campings, qu'ombragent et parfument pins et eucalyptus.

Plus à l'ouest, la plaine cède la place à un massif de granit entaillé de vallées et de combes, qui s'élève rapidement pour atteindre 2 352 mètres au Monte Renoso. Peuplé de sangliers et de perdrix rouges, couvert de pins maritimes et larici, de châtaigniers, de genêts et d'eucalyptus, il se prête à de belles randonnées printanières ou estivales, tandis que l'hiver les pistes de ski de Ghisoni comptent parmi les meilleures de l'île. Empoissonné de truites fario et de saumons, le lac d'altitude de Bastani comblera les pêcheurs et les baigneurs, adeptes des bains vivifiants.

pays » où l'on est né et où l'on a vécu son enfance. Devenus citadins, leurs anciens habitants viennent s'y ressourcer l'été, voter lors des élections (municipales ou législatives) et y vivre leur retraite avant d'y être enterrés avec leur famille. Pétrie de religiosité, la Castagniccia regorge de magnifiques chapelles, églises et couvents, au nombre desquels la chapelle Saint-Thomas à Castello di Rustino, l'église Notre-Dame-du-Mont-Carmel à Sermano ou encore le couvent d'Orezza à Piedicroce.

Ci-dessus : Saliceto lovée au milieu des châtaigniers.

Ci-dessous : dans les eaux très riches en plancton de l'étang de Diana, on pêche des bars et des dorades, et l'on trouve aussi des moules et des huîtres à la délicieuse saveur de noisette.

Ci-contre : reconnaissable entre toutes, la clémentine corse. L'hiver, sur les étals des marchés, elle est inséparable de ses feuilles.

Au nord, s'avançant sur un promontoire faisant face à la mer, Aléria fut l'une des cités romaines les plus prospères du bassin méditerranéen. Comptoir commercial établi entre la Grèce, la Sicile et l'Espagne, elle doit sa fondation aux Phocéens (en 565 avant Jésus-Christ), qui en firent une cité florissante avant que les Carthaginois, les Étrusques puis les Romains la conquissent et la colonisâssent.

Tandis que la plaine est défrichée pour mettre en culture blé, vigne et oliviers, on exploite, dans l'arrière-pays, les carrières de pierre, les mines de cuivre et de fer, les gisements d'argile. Abondante, la forêt de chênes fournit liège et bois d'œuvre, tandis que la mer prodigue huîtres, poissons et sel.

Forte de vingt mille habitants, Aléria comptait, au Ier siècle avant Jésus-Christ, un forum, un amphithéâtre, des thermes, une nécropole. Son port couvrait un hectare d'arsenaux et de quartiers artisanaux où l'on travaillait céramique, métaux, bois, peaux. Mais vers 420, le déclin de l'empire la laissa seule face aux raids des Vandales qui s'en emparèrent et la pillèrent.

Au sud-ouest, s'élèvent les monts du Fiumorbu, entaillés de vallées encaissées que couronnent des villages de granit massés autour de leur église, comme à Prunelli et Isulaccio.

Rustique et **naturelle**

Bouillabaisse parfumée à l'anis, au fenouil et au piment, tripes de mouton, sardines farcies, soufflé à la châtaigne... La cuisine corse est à l'image de son territoire : rustique et à la forte personnalité. Élevé en semi-liberté, nourri de racines, d'herbes parfumées du maquis et de châtaignes, le cochon corse, trapu et résistant, est issu de croisement de truies (de race continentale) et de sangliers. Doté de muscles généreux, il est source de savoureux boudins, saucisses, filets, terrines, foies ou échines. Sans oublier le fameux prisuttu (jambon, salé, fumé, séché dans l'âtre (fucone), puis affiné en cave. En Castagniccia, la châtaigne est la céréale nourricière depuis le Moyen Âge. Avec elle, on cuisine les fameuses nicci (crêpes cuites au four), les brilluli (soupes de farine de châtaigne servie avec du lait de chèvre), la polenta, et l'on fabrique une bière. Île gorgée de soleil, la Corse produit agrumes (citrons, clémentines), arbres fruitiers (pêches, figues, amandes) et variétés tropicales (kiwis, nashis, avocats). Quant aux légumes, tomates, aubergines, artichauts, ils s'aromatisent avec bonheur de sarriette, de romarin et de menthe. Dans les eaux claires de la côte et des rivières, rougets, rascasses, congres, poulpes, anchois, truites abondent, faisant naître bouillabaisse et grillades en cocotte d'herbes. Insulaire et montagneuse, la Corse se prête idéalement à l'élevage de brebis et de chèvres, dont le lait est la base de fromages réputés. Le bastelicacciu (fromage au lait cru consommé très jeune), la calenzana (pâte affinée douze mois au goût piquant), le niolo (pâte onctueuse au lait cru). Seul fromage d'appellation contrôlée, le brocciu est une crème onctueuse à base de petit-lait, qui entre dans la composition de nombreuses spécialités culinaires ou pâtissières : soupes, omelettes, crêpes, gâteaux, beignets. En dessert, les piccioli (brioches à la fleur d'oranger), les migliaci (galettes au brocciu), les canistrelli (gâteaux secs à l'anis et aux amandes), les ratafias de fruits et miels de châtaignier régaleront les gourmands.

En encadré : En haut, à droite : charcuterie corse. Au milieu, à droite : plateau de fromages corses. En bas, à gauche : les incontournables châtaignes corses !

Le ***sang*** de *la* **Corse !**

Introduite par les Phocéens six siècles avant Jésus-Christ, la vigne n'a cessé de prospérer, devenant, jusqu'à la crise du phylloxéra, une monoculture s'exportant jusqu'en Amérique. Protégée par un climat méditerranéen (2 700 heures d'ensoleillement), elle couvre 4 500 hectares, dont 1 800 hectares environ bénéficient de l'appelation contrôlée vins de corse.
Parmi les principaux cépages, on trouve le patrimonio (vins rouges gras et puissants), le niellucio (qui donne des vins colorés de longue garde), le sciacarello (source de vins bouquetés), le vermontino (cépage blanc qui atteint à surmaturité une grande richesse de sucre). La diversité des sols peut entraîner la précision, à côté de l'appellation, de la région de production : Coteaux du Cap Corse, Coteaux d'Ajaccio, Calvi, Figari, Sartène, Porto-Vecchio...

Le cap Corse

Une île dans l'île !

Posté en sentinelle face à la mer, ce pays est le seul qui ait suscité en Corse des vocations de pêcheurs et d'armateurs. Tourné vers la république marchande de Gênes et le continent, il s'avance comme une péninsule sur 40 kilomètres de long et 10 de large, profitant d'une vaste surface côtière et de fonds marins peu profonds. Prenant le large pour vendre vins, huile d'olive, châtaignes, charbon de bois, céréales ou miel, ses habitants achetaient les produits manufacturés dont ils avaient besoin.

Au XIXe siècle, poussés par la misère, beaucoup de Cap-Corsins émigrèrent vers Marseille, les Antilles et l'Amérique (à Puerto Rico). Certains revenant au pays, fortune faite, ils se firent construire des petits palais qui tranchaient avec l'austérité de l'architecture traditionnelle.

Les pittoresques ports de pêche de Centuri, Erbalunga, Pietranera et Miomo se logent au fond de marines, de petites anses abritées des vents d'ouest et de la houle que bordent des plages de sable et de galets. S'y jette souvent un torrent impétueux, né dans la chaîne de montagnes de schiste noir et d'ophiolite vert de l'arrière-pays. Couverte de chênes verts et de bruyères arborescentes, elle culmine à 1 307 mètres, au Monte Stello.

Ci-dessus : la côte occidentale se couvre de vergers et de vignes (vins rouges de longue garde et blancs secs).

Ci-dessous : la plage et le village de Marine d'Albo.

Dominant le large, un chapelet de quelque trente tours de guet et de défense se dresse majestueux. Elles ont pour nom l'Osse, Farinole... Construites entre le XVe et le XVIIe siècle, d'abord par les Génois puis par les Cap-Corsins, elles faisaient partie d'un système défensif plus large, comptant quatre-vingt-onze tours qui couvraient tout le littoral corse. Sentinelles de la mer, elles prévenaient des barbaresques redoutés pour leurs razzias. Hautes de 12 à 17 mètres, carrées ou circulaires, elles sont couronnées d'une terrasse protégée de mâchicoulis sur laquelle prenaient place des gardiens. Lorsqu'une voile ennemie pointait à l'horizon, ils allumaient un feu que relayaient les vigies des autres tours, mettant l'île en état d'alerte générale.

En haut : sur les pointus du port de Centuri, on pratique encore la pêche traditionnelle.

En bas : Marine de Pino, une anse abritée des vents.

À l'est, les plaines fertiles et arrosées de la côte orientale accueillent céréales et prairies.

Plus au sud, dans la Marana voisine, Bastia est une cité harmonieuse et animée, teintée d'atmosphère napolitaine. Fondée par les Génois, elle tire son nom de Bastille, l'ancien palais des gouverneurs qu'abrite la citadelle établie en vigie au-dessus de la mer Tyrrhénienne. Poumon économique de l'île, elle est réputée pour son Vieux-Port où l'on pratique encore sur des pointus (bateaux à longue quille), la pêche traditionnelle à la dorade, la rascasse, la langouste et au loup.

Le pays de Porto-Vecchio

Éden de nature et stations chics

À la pointe sud de la Corse, le pays de Porto-Vecchio déroule une majestueuse côte de granit découpée de golfes, de baies et de criques rocheuses bordées de sable rose, où viennent s'échouer les eaux transparentes de la mer Tyrrhénienne.

Longtemps infestée par la malaria et dévastée par les pirates, cette zone littorale ne fut peuplée qu'au XIXe siècle, après l'assèchement de ses marais formés sur des terrains argileux dus aux submersions marines de l'ère tertiaire. Large de 2,5 kilomètres et profond de 8 kilomètres, le magnifique golfe de Porto-Vecchio porte le nom de la Cité du sel, qu'il loge depuis 1540.

Fondée par les Génois, la ville de Porto-Vecchio devint prospère grâce à la création de marais salants et la mise en valeur de l'arrière-pays alors désertique (culture du chêne-liège, de l'olivier et de la vigne).

Ci-dessus : les plages du pays de Porto-Vecchio, comme Palombaggia (ci-dessus), Calalonga, Chiappa, ainsi que la presqu'île de Piccovaggia et les grottes marines de Bonifacio sont le paradis des baigneurs, véliplanchistes et autres plongeurs.

Ci-dessous : la vieille ville de Bonifacio, perchée sur ses falaises.

Isolée à la pointe sud de l'île, Bonifacio, capitale du pays, surveille depuis plus d'un millénaire le détroit qui la sépare de la Sardaigne distante de 12 kilomètres. Perchée sur une falaise qui entasse à la manière d'un millefeuilles ses couches de calcaire déchiqueté, elle campe un site exceptionnel. Sur cette proue naturelle, les Génois implantèrent en 1196 une colonie et y bâtirent une ville sanglée dans une muraille longue de 2 kilomètres. Mais assiégée par la flotte du roi d'Aragon, victime de la peste de 1528 puis écrasée par cinq mille obus tirés par les Français aidés de la flotte turque, elle resta exsangue jusqu'au XVIe siècle, avant de voir ses fortifications reconstruites. Aujourd'hui convoitée par les seuls touristes, elle offre ses promenades à travers sa ville haute bordée de hautes et étroites demeures.

À l'ouest, dans l'arrière-pays, les collines sont entaillées par d'impétueuses rivières qui se jettent dans des golfes fermés. Étagés jusqu'à 1 500 mètres, ils conduisent, dans le Sartenais voisin, au massif de l'Alta-Rocca que dominent les aiguilles de Bavella, grandes orgues de porphyre rose qui se découpent en ombres chinoises suivant la course du soleil.

En encadré : l'escalier Romieu, à Bastia.

Ci-contre : le site de Tamariccio, à Palombaggia, aux environs de Porto-Vecchio.

Merveilles d'*harmonie*

Forte d'une riche palette géologique où se succèdent granit, schiste, marbre et calcaire, la Corse présente un habitat de belles maisons aux moellons bien ajustés, coiffées de tuiles romaines ocrées ou de lauzes de schiste gris-vert ou gris-bleu. Suivant qu'ils veulent échapper aux convoitises des bandes armées, créer un point de passage sur un parcours de transhumance ou rester invisibles depuis la mer, les villages campent crêtes, promontoires ou creux de vallée. Creuset de l'âme corse, ils se gravissent au rythme de ruelles pentues empierrées (stretti), que dominent des passages couverts reliant deux à deux les bâtisses, massives, hautes et étroites, aux allures de maisons-fortes, ainsi construites pour économiser le terrain et abriter de la canicule. Espace de rencontres, la fontaine honore l'eau précieuse sous une voûte ou dans un petit édifice. En Castagniccia, le foyer (fucone) a longtemps formé le centre de la vie familiale, invitant aux récits et aux chants. Situé au centre de la pièce principale et reposant sur une dalle d'argile mobile portée par un cadre en châtaignier, il était aussi bien destiné à chauffer la maison et cuire les aliments qu'à sécher et fumer les charcuteries.

Rural et ***pastoral***

Insulaire, la Corse a longtemps vécue en autarcie, imposant à ses habitants d'exploiter au mieux terres, rivières et forêts. De cette économie est née un riche patrimoine de bergeries, aires à blé, fours à pain... Utilisés pour moudre et broyer froment, châtaignes et olives, les moulins à eau sont implantés dans le creux des vallées, enjambant un ruisseau ou un torrent dont on cherchait à amplifier le débit en plaçant en amont des canalisations à forte dénivellation. Jusqu'au XIXe siècle, produire son pain c'était vivre. Préparé avec de la farine de blé ou de châtaigne, cet aliment de base nécessitait une cuisson dans un four tantôt appuyé contre l'un des murs de la maison, tantôt bâti en lisière du village pour prévenir les risques d'incendie. Nées de la nécessité d'épierrer les champs, les constructions de pierres sèches (les baracconi) sont des habitats temporaires servant à la fois de remises à outils et d'abris contre l'orage et la canicule. Dans le désert des Agriates (pays du Nebbio), dominent les paillers – bergeries aux toits arrondis couverts de branchages et de glaise.

Pays de montagne et de fôrets

• Le Cortenais

Dépourvu d'accès à la mer et peu touché par le modernisme en raison de son relief montagneux, il offre une nature sauvage de crêtes et de gorges vertigineuses qu'émaillent châtaigneraies et lacs d'altitude ciselés par le burinage glaciaire. Il ravira tous les amateurs d'authenticité.

Le Cortenais

Terre des grands espaces !

Occupant son centre géographique, il s'élève de monts en monts, culminant à 2 706 mètres au Monte Cinto, entaillé par les larges vallées du Golo et du Tavignano

Au nord, s'ouvre la cuvette de la Caccia, drainée par la très belle vallée de l'Asco taillée dans le granit et encadrée par les plus hautes montagnes de l'île.

En haut : randonneurs et amateurs d'escalade trouveront leur bonheur dans les gorges sauvages de la vallée de la Restonica, entre maquis et forêts de châtaigniers, pins larici et chênes.

Au milieu : le lait des chèvres qui paissent dans le Niolo se retrouve dans de nombreux fromages, dont le fameux brocciu.

En bas : le centre de la Corse, son cœur vert, son toit : Corte.

Non loin, le défilé de la Scala di Santa Regina et les aiguilles de granit rouge de Popolasca composent deux sites des plus impressionnants !

À l'ouest s'ouvre le Niolo, long plateau herbeux qu'arpentent les bergers et leurs troupeaux de brebis et de chèvres. Établis sur le versant de la vallée exposé au soleil ou enfouis dans la châtaigneraie, les villages charment par leur austère et minérale beauté.

L'un d'eux, Casamaccioli, est apprécié pour sa foire de la « corsicité » : on n'y vend que des produits corses, et l'on célèbre la Vierge, La Santa di u Niolu (processions, joutes poétiques et chants polyphoniques).

Depuis 1972, le parc naturel régional corse protège ce territoire et sa faune (aigle royal, mouflons, cerfs), aide au maintien des activités traditionnelles et mène des actions de sensibilisation auprès des enfants et des adultes.

À mi-chemin entre Bastia et Ajaccio, loin de la mer et des plages touristiques, Corte, capitale du pays, est la plus authentique des villes corses. Dotée d'une université, d'un centre culturel et d'un musée de la vie insulaire, elle cultive histoire et traditions. Sa position de carrefour lui valut d'être âprement convoitée par les Romains, les Sarrazins, les Français puis les Génois, et d'être fortifiée en 1410 avec une citadelle perchée sur un rocher abrupt, commandant les chemins de la transhumance qui conduisaient bergers et troupeaux sur les hauts plateaux du Niolo. Libérée en 1746 par Jean-Pierre Gaffori (que Gênes fit alors assassiner), elle fut désignée par Pascal Paoli, en 1755, capitale de la Corse et le resta jusqu'en 1768, année du rattachement de l'île à la France qui la racheta à Gènes alors à cours d'argent.

Ci-dessus : , le Cortenais dresse un somptueux massif montagneux où alternent pics, falaises abruptes, gorges vertigineuses, défilés étroits, cascades impétueuses, cirques majestueux environnés de lacs d'altitude.

En encadré :
En haut : l'église de Murato.
En bas : Angjula dea polyphonies.

Cathédrales de *campagne !*

Bâties sur un promontoire isolé ou sur le flanc d'une vallée, les églises romanes se comptaient jadis par centaines dans l'île. Édifiées au XIIe siècle, elles formaient la trame religieuse des pièves (circonscriptions administratives mises en place lors de la domination pisane). Souvent élevées sur les bases d'anciennes basiliques, elles se caractérisent par une nef unique et émerveillent par leurs proportions, la richesse de leurs sculptures et leurs savants jeux de polychromie. Chef-d'œuvre de pureté et d'harmonie, San Michele de Murato (pays du Nebbio), dresse en un magnifique damier minéral ses façades de marbre serpentin vert et de calcaire blanc traité, que divise une triple arcature aveugle sculptée d'animaux fantastiques et de personnages bibliques. En Balagne, l'église de la Trinité d'Aregno se pare de granit jaune, grège, orangé et marron orné d'une série d'arcatures sculptées de paons s'abreuvant à un calice et de l'Arbre du Bien et du Mal opposé au bois de la Croix.

Processions *expiatoires*, *carnavals* et chants

Âpreté de la vie rurale, indigence de l'instruction et résistance aux invasions ont favorisé l'éclosion de maintes pratiques culturelles où se mêlent le sacré et le profane. Depuis des siècles, les hommes de Sartène se disputent l'honneur d'endosser le martyr du Christ lors de la nuit du Vendredi saint. Anonyme, le candidat élu (catenacciu) revêt une cagoule rouge et avance courbé à travers les rues de la ville, portant une lourde croix et des chaînes aux pieds. Encadré par la foule et escorté par les dix frères de la mort, il interrompt son parcours de trois chutes et le termine dans l'église par une bénédiction. Les motivations qui poussent à devenir pénitent sont aussi personnelles que mystiques : expiation d'une faute, rachat des péchés des hommes, gratitude pour une guérison, accomplissement d'un vœu...

En février, de la Chandeleur à la Saint-Joseph, les carnavals qui animent Bastia, Ajaccio, Calvi... sont des occasions de faire la fête et de braver les interdits. Masqués au noir de fumée, vêtus de haillons et de peaux de chèvres, les pillacciari se répandent dans les rues des villes et dans les maisons, hurlant, dansant, déclarant leur amour à l'élu(e) de leur cœur...

En Corse, il n'est pas une fête ou une célébration qui ne s'accompagne de chants ou de musique ! Complainte polyphonique à trois voix masculines, la paghella mêle poésie et vibratos, tandis que le chjama e rispondi met en scène deux improvisateurs qui s'affrontent en couplets rimés de trois à six vers. Violons, guitares, guimbardes, tambours et flûtes accompagnent danseurs et chanteurs.

Jadis, chaque village comptait son personnage entre sorcier et guérisseur, à qui l'on prêtait les pouvoirs surnaturels de faire pleuvoir, d'appeler une récolte généreuse, d'atténuer les maux de tête ou de ventre, par des incantations.

Index

Les noms indexés en italique sont ceux des pays et micro-pays abordés dans l'ouvrage.

Les lecteurs qui souhaitent approfondir leurs connaissances ou préparer un itinéraire de vacances pourront consulter avec intérêts les livres et les guides suivants :

Les ouvrages généraux
– *Le Guide des pays de France,* Frédéric Zégierman, éditions Fayard, 1999.
– *L'Identité de la France,* Fernand Braudel, éditions Flammarion, 1990.
– *Histoire de la France,* sous la direction de Georges Duby, éditions Larousse, 1994.

• Les guides touristiques
– *Les Guides bleus* (Picardie, Auvergne, Bretagne...), éditions Hachette.
– *Les Guides Gallimard.*
– *Les Guides verts,* éditions Michelin.
– *Les Guides de la Manufacture* (la Manche, le pays de Caux, Rouen...).

• La presse de territoire
Composée de nombreux titres (*Alpes Magazine, Pyrénées Magazine, Pays de provence, Massif central, Pays du Nord, Bourgogne Magazine, Pays de Bretagne...*), elle invite, à travers ses reportages et interviews, à découvrir l'histoire, le patrimoine et l'art de vivre de nos terroirs.

Crédits photographiques

Photos Scope : **Bretagne/Normandie.** Balzer : pp.16(h), 25(m) - Jean-Luc Barde : pp.7, 10(hg), 12(b), 15, 18(encadré), 19(b) - Philippe Blondel : pp.8(h d), 17(h), 19(h), 23(h), 24(hg) - Philippe Beuzen : pp.10(b), 18(h) - Charles Bowman: p.34(b) - Bernard Galeron : pp.11(encadré m, b), 12(h), 13(h), 19(hm), 20(h, m), 21(b), 22, 23(b) - Jacques Guillard : pp.9, 13(b), 14(h), 24(hd), 25 (h, b), 26, 27(h), 30, 31(encadré h), 32(b), 33(hg, encadré hd, mh, bg), 34 (h), 35 (h), 36 (h) - Michel Guillard : pp.17(b), 28(encadré h, b) - Noël Hautemanière : pp.10(hd), 14(b), 18(b), 20(encadré), 27(m, b), 28 (m), 29, 31(hg, b), 32(h), 33(encadré mb), 35(b) - Jacques Marthelot : pp.11(encadré h), 16(b) - Richard Nourry : p.13(m) - Michel Ogier : p.11(h) - Guy Thouvenin : pp.21(h), 36(b) • **Nord-Pas-de-Calais/Picardie/Ile-de-France.** Jean-Luc Barde : p.62(b) - Jean-Sebti Berche : pp.39 (b), 42 (h), 44 - Chris Cheadle : p.70(m) - Isabelle Eshraghi : p.67(encadré) b) - Bernard Galeron : pp.41(encadré b) - Jean-Charles Gesquière : pp.40(h), 41(h), 43(encadré hg), 47(h), 59(b), 63(encadré b), 64(encadré g), 65(b) - Michel Gotin : pp.40(b), 43(encadré hd), 68(h) - Jacques Guillard : pp.37, 38, 39(h, m), 41(mb, encadré h), 42 (b), 43(encadré m), 45(b), 46(h, b), 47(encadré md, mg), 48, 49(h), 50, 51 (encadré h, b), 52 (encadré b), 53, 54, 55, 56, 57, 59(h), 60(h, m), 61(b), 64(encadré bd), 65(m), 66(m), 67(h), 69(encadré h) - Michel Guillard : pp.43(g, bg) - Francis Jalain : pp.47(encadré b) - Laurent Juvigny : pp.49(b), 65(h), 70(b) - Jacques Marthelot : pp.51(m), 52(h, encadré h), 62(m), 64(h), 66(h, b), 69(encadré b) - Nathalie Pasquel : pp.45(h), 46(encadré), 58(hd), 60(b), 61(h), 62(h), 63(encadré h), 68(b), 70(h) - Danièle Taulin-Hommell : pp.63(m) - Markus Schidler : p.64 (encadré md), 67(b) • **Alsace/Lorraine.** Balzer : p.77(h) - Jean-Luc Barde : p.73(h) - Sophie David : p.76(encadré m) - Jean-Charles Gesquière : pp.83(m), 86(b) - Jacques Guillard : pp.71, 72(hd), 74(h), 75(encadré h), 77(encadré m, b), 78, 79, 80, 81(h), 82, 83(h, b), 85(h, m), 86(m), 87, 88(h), 90(encadré), 91(b), 92, 93, 94 - Michel Guillard : pp.76(encadré b), 81(b) - Noël Hautemanière : pp.85(b), 86(m), 88 (b) Francis Jalain : pp.72(hg), 73(b), 74(b), 75(encadré b), 81(m), 84, 89, 90(b), 91(h, m) - [Droits réservés : pp.76(h), 86(h)] • **Champagne-Ardenne/Franche-Comté/Bourgogne.** Jean-Luc Barde : pp.99(bd), 123(h), 126(b), 127(b),128(m, b), 129(b), 131, 132(d) - Philippe Blondel : pp.113(m), 129(h) - Fabian Da Costa : p.124(b) - Pascale Desclos : p.106(hd) - Bernard Galeron : pp.119, 128(h) - Jacques Guillard : pp.95, 96, 97, 98(b), 99(hg, hd, md), 100, 101(h, b), 102, 103(b, encadré h), 104, 105, 106(hg), 107, 108, 109, 110(h), 111, 112, 113(encadré h), 114, 115(b), 116, 117, 118, 120(hd), 121, 122, 123(b), 124(h), 125, 126(h), 127(m), 130, 132(encadré m) - Michel Guillard : p.103(encadré b) - Francis Jalain : pp.120(hg), 132(encadré b, h) - Nathalie Pasquel : pp.98 (h), 101(m), 110(b), 123(m) - Thierry Petit : p.115(encadré) - Michel Plassart : p.127(h) • **Centre-Val de Loire/Pays de Loire/Poitou-Charente.** Balzer : pp.136(h), 166(h) - Jean-Luc Barde : pp.133, 137(h, b),139(h), 149(h), 151(b), 153(mh, mb), 158(g), 164 (m, b), 165(h), 167(hd, bd, bg), 168 (b) - Philippe Blondel : pp.140 (h), 147 (m), 148 (b), 149 (b), 153 (bd), 161(b), 165(b), 170(h) - Bernard Galeron : p.139(encadré h) - Pierrick Garenne : pp.154(h), 155(h) - Michel Gotin : p.139 (encadré b), 140 (b), 144(m, b), 152(1ère m) - Jacques Guillard : pp.134(hd), 135(h, m), 138(b), 142(h), 144(h), 145 (b, encadré b), 146, 147(h, b), 150(h), 151(h, encadré h), 152, 153(hd, bg), 154(b), 157(h), 159(m), 160, 161(mg, encadré b), 162(m), 169(m) - Michel Guillard : pp.137 (m), 138 (hd, hg), 141(b), 142(b),143, 145(h, encadré h), 150(b), 156(m, b), 158(d), 161(h), 162(h, b), 163, 164(h), 165(m), 169 (h) - Noël Hautemanière : pp.136(m, b), 139(encadré m), 155(b), 157(b), 166(b), 168(h) - Francis Jalain : p.167(hg) - Jacques Marthelot : p.135(b) - Richard Nourry : p.134(hg), 141(h) - Michel Ogier : p.169(b) - Nathalie Pasquel : p.140(m) - Michel Plassart : pp.153(bm), 166(m), 167(md) - Guy Thouvenin : pp.156(h), 170(b) - [Droits réservés : pp.159(h)] • **Aquitaine/Midi-Pyrénées.** Louis Audoubert : pp.187(h, m), 188(h, m) - Jean-Luc Barde : pp.172, 173(b), 174(b), 175(m, b, encadré), 176(b), 177, 178(m), 179(m), 180, 181, 182, 183(mg, b), 185, 186, 187(b), 188(b), 189, 190, 191, 192(h), 193 à 197, 198(hd, m) - Philippe Blondel : pp.184(h), p.198(hg) - Pascale Desclos : p.171 - Bernard Galeron : pp.184(b) - Jacques Guillard : pp.183(h), 192(b) - Michel Guillard : pp.173 (h, m), 174(h), 176(h), 178(h, b), 179(h, b), 181(encadré) - Francis Jalain : p.176(m) - Laurent Juvigny : p.175(h) - [Scope DR : p.183(md)] • **Limousin/Auvergne.** Jean-Luc Barde : pp.200(hd), 201(m), 202, 204, 205, 206, 207(h, encadré b), 208(b), 209, 214(b), 213(b), 214(b), 215(b), 216(m), 217, 218, 219(encadré h, b), 222 (m, b), 224 (h), 225(h et m) - Philippe Blondel : p.210(encadré b), 214(h), 215(h), 221 - Mario Colonel : p.216(b) - Bernard Galeron : pp.203(b), 208(h, m), 211 - Michel Gotin : pp.199, 225 (encadré b) - Jacques Guillard : pp.200(hg), 201(h, b), 203(h), 207(encadré h), 212(hg), 219(encadré m), 220, 222(h), 223, 224(b) - Michel Guillard : p.224(m) - Nathalie Pasquel : p.216(h) - Danièle Taulin-Hommell : p.212(hd) • [Scope Droits Réservés : p.213] • **Languedoc/Roussillon.** Jean-Luc Barde : pp.226(hd), 230(h), 231(hm, bg), 232(h, b), 233(h, b), 234, 235(h), 237(m, b), 239, 240 - Philippe Blondel : pp.235(b) - Chris Cheadle : p.236(b) - Pascale Desclos : p.238(h) - Jacques Guillard : pp.227, 228(h), 230(encadré m, b), 235(m), 236(h), 238(m, b) - Christian Goupi : p.228(b) - Michel Gotin : pp.229(h) - Noël Hautemanière : pp.226(hg), 229(b), 231(encadré), 232(m), 233(m), 237(hg, d) • **Rhône-Alpes.** Jean-Luc Barde : pp.247(h, b), 252, 253(h), 254(h), 256(h), 257, 258, 259 (mcd, b) - Philippe Blondel : pp.242(hd), 243(b), 249(b), 250(m), - Pierre Borasci : p.256(b) - Charles Bowman : p.241, 251(h) - André Fournier : pp.242(hg), (encadré), 246, 248(b), 250(b) - Christian Goupi : p.259(mcb) - Jacques Guillard : pp.243(h), 244, 245(h), 247(m), 248(h), 251(b), 254(b), 255, 259(h, mg, md) - François Isler : p.250(h) - Francis Jalain : p.253(b) - Gille Place : p.249(h) • **Provence/Côte d'Azur.** Philippe Blondel : p.270(h), 271(bg) - Jean-Charles Gesquière : p.263(h) - Daniel Gorgeou : p.266(m) - Jacques Guillard : pp.260(d), 261(h, b), 262, 263(m, b), 264(h), 265(m, b), 266(h, b), 267, 268, 269, 270(b), 271(encadré) - Noël Hautemanière : p.261(m) - Roland Huitel : p.265(h) - Guy Thouvenin : p.260(g), 264(b) • **Corse.** Philippe Beuzen : pp.278(b), 279(b), 281(encadré b), 283(hg, encadré h) - Michel Gotin : p.281(encadré h) - Jacques Guillard : pp.272(d), 273(h), 277(m), 280, 281(b), 282(m, b) - Roland Huitel : pp.272(g), 274, 275, 276, 277(hg, encadré d), 278(h), 279(h), 282(h), 283(encadré b) - Guy Thouvenin : p.273(b).

Photos Alain Chaignon : pp.8(hg), 58(hg), 159(b) - Photo Choplain : p.148(h).

Achevé d'imprimer par MKT PRINT d.d., en Slovénie